한국 국방정책 및 군사전략 모색
: 이론과 실제

박민형 지음

한국국방정책 및 군사전략 모색: 이론과 실제

발 행 | 2024년 09월 10일
저 자 | 박민형
펴낸이 | 한건희
펴낸곳 | 주식회사 부크크
출판사등록 | 2014.07.15.(제2014-16호)
주 소 | 서울특별시 금천구 가산디지털1로 119 SK트윈타워 A동 305호
전 화 | 1670-8316
이메일 | info@bookk.co.kr

ISBN | 979-11-419-0448-7

저자 서문

  지구상에 존재하는 모든 국가들은 자신의 안위를 지키기 위해 많은 노력을 한다. 그러다 보니 국제정치학에서 국가안보에 관한 연구는 가장 중요한 분야 중 하나가 되었다. 국가들은 다양한 정책과 전략을 선보이게 되고 이것들이 서로 부딪히고, 경쟁하면서 국제사회는 진화한다. 학자들은 이 과정을 설명하기 위해 다양한 이론들을 발표하고 이를 바탕으로 많은 연구들을 진행한다.

  국가안보를 위해서 심층 깊게 다루어야 하는 분야 중 하나는 바로 국방 및 군사 분야이다. 따라서 우리가 흔히 말하는 선진국들은 예로부터 이 분야에 대한 연구가 상당히 축적되어 왔다. 하지만, 아쉽게도 한국은 여전히 이 분야에서 치열한 학문적 논의가 부족한 것이 현실이다. 군사학은 여전히 특정 경력을 가진, 특정 분야에서 종사하는 사람들만이 연구하는 학문적 영역으로 남아 있다. 물론, 최근에는 다소 그 폭이 확장되고 있는 것은 사실이나, 여전히 자료에 대한 접근의 어려움, 군사 분야에 대한 잘못된 선입견 등으로 인해 제한적인 확대가 이루어지고 있을 뿐이다.

  이런 상황속에서 저자는 15년간 군사학 분야에 연구자로 살아오면서 지금까지 고민을 한 번 정도 매듭짓는 시간이 필요하다고 생각했다. 하루가 다르게 변화하는 세상속에서 국방 및 군사 분야를 연구하면서 '내가 어떤 문제점을 고민했고, 그 해결을 위해 어떤 방안이 필요하다고 생각했는지'를 이 시점에서 되돌아보고, 이것을 바탕으로 앞으로의 연구를 위한 초심을 찾고 싶었다. 이런 고민에서 이 책을 발간하게 되었다.

  15년 동안 국제정치는 많은 변화가 있었다. 북한의 3대 세습이 시작되었고, 북미정상회담이 이루어졌으며, 전대미문의 전염병 창궐로 국가 간 교류가 중단되는 사태가 벌어지기도 했다. 한마디로 '역동적'인 시간들이었다. 하지만, 한가지 변하지 않은 중요한 것은 여전히 한반도 안보는 위태롭다는 것이다. 15년 전이나 지금이나 마찬가지다. 더 효과적인 대안을 찾고자 많은 학자들과 정책가들이 고민했으나 큰 진전이 없었다. 그렇다고 해서 그들의 노력이 헛된 것은 아니라고 생각한다. 집을 지어가는 과정에서 벽돌을 한 장씩 쌓아나가듯 모든 이의 노력이 언젠가 멋진 집으로 만들어질 것이라 확신한다. 저자도 그런 마음을 가지고 오늘도 또 한 장의 벽돌을 쌓고 있다.

국방 및 군사 분야에서 연구자로서 저자처럼 오랜 고민을 해오신 분들, 새롭게 고민을 하고 계신 분들, 미래 이 분야에서 종사하게 되실 분들, 그리고 전문 연구자는 아니지만, 국방 및 군사 분야에 많은 관심이 있으신 분들에게 작으나마 저자의 15년간의 고민과 사색이 도움이 되길 진심으로 바란다.

끝으로, 인생의 모진 풍파속에서도 항상 곁에서 큰 힘이 되어주고 따뜻한 격려를 아끼지 않은 사랑하는 아내 신명재에게 감사함을 전하고 자신의 길을 열심히 개척해 나가고 있는 현서와 항상 즐겁고 씩씩하게 자라고 있는 현준의 멋진 인생을 응원하며, 이들이 살아가는 세상을 조금이나마 안전하게 하는데 이 책이 기여하길 바란다.

2024년 가을
해밀 연구실에서
박민형

Contents

PART I 전쟁 양상 변화와 한국의 안보

① 전쟁패러다임의 진화: 제4세대 전쟁
② 제5세대 전쟁: 개념과 한국군 적용방향

제1장 전쟁패러다임의 진화: 제4세대 전쟁[1]

제1절 서 론: 문제제기

9.11 테러는 새로운 형태의 전쟁이 시작되고 있음을 보여주는 대표적 사례라고 할 수 있다. 물론 그 전에도 이러한 유형의 테러는 있었다. 그러나 그전의 테러는 단순히 테러로 인식되었을 뿐 새로운 형태의 전쟁으로 인식되지 않았다. 하지만, 9.11 테러 이후 새로운 형태의 전쟁을 인식하게 되었고 대중들은 이제는 더이상 국경이 폭력을 막을 수 있는 장치가 아니라는 것을 인지하게 되었다. 또한, 전쟁에서 '전투력의 강약에 의해 승패가 결정된다(優勝劣敗)'는 오래된 명제에 의문이 다시 한번 강하게 제시되기 시작하였다. 21세기의 폭력은 어디에나 퍼져있고, 더욱 직접적으로 민간인을 겨냥하며, 전쟁과 범죄 사이의 구별은 점차 모호해지고 있다.[2]

세계는 끊임없이 변화하고 진화한다. 따라서 완벽한 패러다임은 없으며 모든 패러다임도 변화하기 마련이다. 전쟁패러다임도 마찬가지이다. 기존 패러다임으로는 잘 설명되지 않는 이상 현상(anomaly phenomenon)의 발생이 패러다임의 변화를 가져오고 이러한 현상이 반복적으로 발생하면 이 현상을 바라보는 시각이 변화해야 하고 이에 대응하는 방향, 즉 전략도 변화해야 한다. 결국, 이상 현상이 반복적으로 나타나면 이 현상은 더 이상 이상 현상이 아니며 기존 패러다임이 "이상 패러다임"화 된다고 할 수 있다. 그러나 많은 전쟁패러다임에 대한 연구는 하나의 전쟁 트랜드에 고착화되는 경향을 보였다. 이는 결국 미래전을 하나의 세대, 예를 들어 제4세대 전쟁으로만 인식시키는 오류를 범하게 할 수 있다. 본 장은 이러한 문제의식에서 시작된다.

본 장에서는 전쟁패러다임 진화에 대한 비판적 분석을 바탕으로 전쟁패러다임의 진화와 무기체계 그리고 군사전략 간 인과관계를 규명한다. 전쟁패러다임을 변화시키는 요인은 여러 가지가 있을 수 있으나 본 장에서는 양병의 핵심적 요소라 할 수 있는 군사과학기술과 무기체계, 용병을 의미하는 군사전략에 집중하여 설명하고자 한다.

지금까지 많은 연구들은 무기체계와 군사전략을 독립변수로 상정하여 전쟁 양상의 변화라는 종속변수를 설명하고 있다. 본 연구는 이러한 연구들에 대해 비판적 시각으로 접근한다. 특히, 과학기술의 발전으로 전쟁패러다임이 변화한다는 단선적인 주장에 비판적 논의를 제시하고자 한다. 과학기술의 발전으로 첨단화된 무기체계가 전쟁 승리를 위한 핵심 요인임은 인정하더라도 이것이 전쟁 승리는 물론 전쟁패러다임을 변화시키는 충분조건이 아니라는 것이다. 전쟁패러다임의 변화는 무기체계의 발달만으로는 이루어지지 않으며 이것이 군사전략의 변화와 결합되었을 때 이루어진다는 것이다. 즉, 과학기술의 발전은 군사전략과의 이상적인 하모니를 이루어야 전쟁에서 승리할 수 있는 핵심 동인으로 작용하고 또한 이것이 전쟁패러다임을 진화시킨다는 것이 본 장의 핵심 주장이다.

이러한 문제의식을 바탕으로 본 장에서는 다음과 같은 문제들에 대한 해법을 찾고자 한다. 한동안 학계의 관심을 받았던 "제4세대 전쟁의 개념과 특징은 무엇이며 그것으로만 미래전을 예측할 수 있는가?", "전쟁패러다임의 변화를 일으키는 요인들은 무엇이며, 상호 간 어떠한 인과관계가 있는가?", "전쟁을 효과적으로 대비하는 균형점은 무엇인가?"

이러한 문제들의 해법을 찾기 위해 제2절에서는 기존 연구들에서 나타나는 전쟁세대 구분을 설명하고 이에 대한 비판적 논의를 실시한다. 이를 위해 우선, 학계에서 지대한 관심을 받았던 제4세대 전쟁이론에 대해 비판적으로 접근할 것이다. 특정 패러다임에 고착될 경우 자신이 만들어낸 규칙, 표준, 제도, 전통을 벗어난 사건이나 현상을 심각하게 다루지 않는 경향이 있다. 이는 안보 특히 군사 문제에 있어서는 매우 위험한 상황을 초래할 수 있다. 즉, 변화된 패러다임에 대한 수용 없이 기존의 패러다임에 대한 집착은 국가 안위로 직결될 수 있기 때문이다.

제3절에서는 전쟁 사례분석을 통해 무기기술과 군사전략이 전쟁패러다임 변화에 영향을 주는 과정을 집중적으로 분석한다. 이를 위해 베트남전, 걸프전, 이라크전 사례에 집중한다. 연구의 실질적인 목적을 달성하기 위해서는 최대한 많은 사례를 분석하는 것이 가장 완벽한 방법이겠지만 시간과 지면의 제한은 이러한 방법론에 대한 실행의 어려움을 가중한다. 물론 사례를 선택하는데 있어서 일반적인 오류로 알려져 있는 "사례 선택에서의 편향(selection bias)"의 문제 또한 연구의 제한으로 작용할 수 있다. 그러나 선택된 사례들은 현대 전쟁에 대한 연구가 비교적 활발하게 진행되는 시기에 발발한 전쟁으로 전쟁의 패러다임 변화에 대한 연구에 있어서 그 유용성이 크다고 할 수 있다.

또한, 국가 대 국가 간의 전쟁 뿐만 아니라 국가 대 비국가 간 전쟁의 양상까지 살펴볼 수 있는 이라크 전은 편향적 사례라는 지적보다는 그 연구가치가 훨씬 우위에 있다고 할 수 있으며 이 연구를 통해 전쟁에 대한 연구의 심층화에 크게 기여할 수 있다고 본다. 제4절에서는 전쟁패러다임의 진화와 무기체계, 군사전략의 인과관계를 규명하고 이에 따른 용병과 양병의 전략을 도출하며 이 두 전략의 상호 연계성에 대해 고찰한다. 제5장에서는 연구의 결론을 제시하겠다.

제2절 이론적 논의

2.1 전쟁세대별 구분에 대한 비판적 논의

패러다임의 전환(Paradigm shift)은 변칙적인 것이 기존의 과학적 연구 전통을 전복시킬 때 일어난다.[3] 이러한 개념은 현재 전쟁연구의 분야에서 특히, 새로운 전쟁의 등장이라는 차원에서 주목받고 있다. 지금까지 주목받고 있는 전쟁패러다임의 변화에 대한 연구는 전쟁의 세대 구분을 중심으로 이루어져 왔다. 특히, 제4세대 전쟁개념이 등장한 시기에는 제1세대부터 제4세대에 이르기까지의 전쟁을 설명하면서 새로운 전쟁 양상으로 제4세대 전쟁에 집중하는 경향을 보였다.[4]

제4세대 전쟁이란 용어를 1989년 처음 제시한 미국의 군사평론가 윌리엄 린드(William S. Lind) 등에 따르면 제1세대 전쟁은 17세기 초 30년 전쟁에서 나폴레옹 시대까지 약 200년의 시기의 전쟁으로 열과 오의 대형 전술에 입각하여 상대의 주력에 병력을 집중시키는 전쟁으로, 제2세대 전쟁은 19세기 중·후반에서 20세기 초까지 이어지는 약 100년간의 전쟁으로, 제3세대 전쟁은 2차 세계대전에서 걸프전에 이르는 전쟁으로 설명한다. 반면 제4세대 전쟁은 중국의 마오쩌둥 전술 이후 비대칭전 또는 비정규전으로 정의한다. 일반적으로 전쟁세대별 구분은 전쟁 주체, 전투 수행의 중심 요소, 전쟁 목적 등에 의해 기존 전쟁들과 제4세대 전쟁을 구분 짓고 있다.

우선, 전쟁 주체면에서 제4세대 전쟁과 기존 전쟁들의 차이점을 살펴보면, 기존 전쟁들은 그로티우스가 전쟁을 "무력을 동원해 싸우는 행위자들의 상태"라고 정의하면서 싸우는 행위자들이 법적으로 대등해야 한다는 것을 조건으로 규정하여 국가와 국가 간의 무력 충돌만을 전쟁으로 정의하였듯이 국가 대 국가 간 전쟁을 가정하고 있는 반면 제4세대 전쟁 이론가들은 더 이상 주권국가가 무력을 독점할 수 없다고 주장한다.[5] 즉, 전쟁 주체면에서 살펴본 제4세대 전쟁은 비국가 행위자와 국가 간의 전쟁도 포함된다고 할 수 있다. 제4세대 전쟁을 이끄는 주체들의 특징을 좀더 자세히 살펴보면 첫째, 핵심적인 생산시설을 방어해야 할 전략적 필요성이 없으므로 방어보다는 자유롭게 공격에 치중할 수 있고 둘째, 보급물자를 장거리 운반해야 하는 군수지원의 부담도 없고 셋째, 군사적 체제를 갖출 필요성이 없고 넷째, 표적을 향해 기꺼이 무기를 안고 돌진하는 인간 형태의 정밀무기를 보유하고 있다는 것이다.

두 번째로 전투 수행의 중심 요소를 대상으로 각 세대별 전쟁을 설명하면 제1세대 전쟁은 대형을 중시하는 인력전의 특징을 지니고 있었으며 제2세대 전쟁은 산업혁명으로 인해 가능해진 무기체계의 질적, 양적 발전을 바탕으로 수행되는 화력전, 제3세대 전쟁은 우수한 전차와 기동성을 갖춘 포병과 보병 그리고 효과적인 항공기 지원 등이 바탕이 되는 기동전의 특징을 가지고 있다. 제1세대와 제2세대 전쟁은 크게 두 가지 차이점을 가지고 있는데 제2세대 전쟁이 간접화력(indirect fire)에 크게 의존하였다는 점과 '포병타격, 보병점령'의 원칙을 가지고 있다는 점을 들 수 있다. 이는 즉, 대규모 화력이 대규모 인력을 대신한 것이다. 제3세대 전쟁은 획기적인 전략적 아이디어에서 출발하였다. 제3세대 전쟁은 1차 세계대전 당시 화력의 우위에 의존하던 기존의 전략을 기동전이라는 전쟁 수행방식을 통해 장기적인 소모전을 회피하기 위해 등장하였다. 즉, 제3세대 전쟁은 화력에 바탕을 둔 제2세대 전쟁에 비해 속도(speed)에 중심을 두고 있다. 제2차 세계대전 초기에 프랑스군과 폴란드군은 독일군에게 무참히 격파되었는데 그 핵심적 요인이 바로 전략적 마인드의 유연성 부족에 있었다. 프랑스는 제1차 세계대전의 참호전 전략에 고착됨으로써 독일군의 전격전(blitzkrieg) 앞에 무너지고 말았던 것이다. 반면, 독일군은 전쟁 양상의 변화를 연구하고 자군의 문제점을 냉철하게 비판 및 분석함으로써 성공적 전쟁 수행을 할 수 있었다. 제4세대 전쟁은 비대칭 수단을 이용한 비정규전과 게릴라전, 대 테러전을 의미한다. 즉, 적의 강점을 회피하면서 최대한 적의 취약점을 공격해 효과를 극대화하는 전쟁 수행방식이라고 할 수 있다.

세 번째로 전쟁의 목적면에서 살펴보면, 제1, 2, 3세대 전쟁의 목적은 상대편의 군사력을 파괴하는 것이다. 예를 들어 걸프전에서 사막의 폭풍작전 시 연합군 사령관 슈워츠코프 장군은 전쟁 목표를 전장 내 이라크군 격멸로 설정하였다. 그는 11개국 군대로 구성된 54만 명이 넘는 대군을 다국적군으로 편성 및 지휘하여 지상전 개시 후 100시간 만에 전쟁 목표인 유프라테스강 남쪽의 이라크 야전군을 격멸함으로써 전쟁 목적을 달성할 수 있었다. 반면, 제4세대 전쟁은 상대편 지도자들의 심리를 공격한다. 즉, 장기간에 걸쳐 수행되는 비대칭적 공격을 통해 상대방 국민을 지치게 하고 상대방 정치지도자들을 비난 여론에 놓이게 함으로써 자신들의 목적을 달성하려 한다. 이상의 논의를 종합해서 각 세대별 전쟁의 특징을 정리하면 <표 1-1>과 같다.

이러한 전쟁에 대한 세대 구분을 바탕으로 일반적으로 제4세대 전쟁은 비국가 행위자들이 정치적 목적을 달성하기 위해서 정치, 경제, 사회, 기술 등 모든 네트워크를 사용하여 비정규적인 방식으로 수행하는 전쟁형태라 할 수 있다. 이 개념을 바탕으로 많은 연구자가 미래전은 제4세대 전쟁의 성격을 띨 것으로 규정하고는 하였다. 그러나 이러한 전쟁의 세대 구분은 많은 문제점을 노정하고 있다.

<표 1-1> 전쟁세대 구분

구분	1세대	2세대	3세대	4세대
시기	베스트팔렌조약 이후	나폴레옹 이후	1차세계 대전이후	인민전쟁 이후
전쟁 주체	국가 대 국가			국가 대 비국가
주요 요소	인력	화력	기동	비대칭
전쟁 목적	적 군사력 파괴		정치적 의지 파괴	
특징	근대국가의 등장과 무력 독점	국민군대 등장과 소모전	대규모 기동력 중심 총력전	소규모, 분권적 조직의 분란전, 저강도분쟁

우선, 전쟁을 몇 개의 역사적 단계로 구분하는 것은 그 진화과 정을 지나치게 일반화하는 것이며 현대의 전쟁 역시 과거와 같이 다양한 전쟁의 형태가 복합되어 있다는 사실을 부정하고 있는 것 이다. 베트남전은 미국이 전투에서 승리하였지만, 전쟁에서 패배 했다는 분석에서도 알 수 있듯이 엄연한 제3세대, 제4세대 전쟁 의 성격을 동시에 가지고 있으며 그 내부에는 화력, 병력의 집중 에 따른 전투의 양상을 지속적으로 볼 수 있다. 6.25 전쟁도 마 찬가지다. 6.25 전쟁을 시기적 구분으로 본다면 제3세대 전쟁이 라 할 수 있으나 화력이 집중된 각 전투와 기동력으로 승패가 엇 갈린 전투 그리고 중국의 인해 전술로 인한 한국군의 후퇴 등은 제1, 2 ,3세대 전쟁의 성격을 보여주고 있으며 당시의 게릴라(빨 치산) 부대의 활동, 특수전 부대의 교란작전 등은 제4세대 전쟁의

개념이 포함되어 있다. 따라서 과거의 전쟁이 그러했듯 미래전이 모두 제4세대 전쟁의 성격만을 띠게 될 수는 없는 것이다.

여기서 우리는 제4세대 전쟁에 대한 명확한 개념 이해가 필요하다. 제4세대 전쟁의 개념은 단지 하나의 전쟁적인 요소만을 지닌 것이 아니라, 제3세대, 제2세대, 제1세대 전쟁을 포함한 광의적 전쟁 양상을 포함하고 있어야 한다. 이는 제1, 2, 3세대 전쟁에 있어서도 마찬가지이다. 즉, 전쟁개념은 각각이 독립된 개체가 아니라 점차 새로운 개념을 포함하며 넓어지고 있는 것이다. 변화가 아닌 진화의 과정이라 할 수 있다. 제4세대 전쟁의 개념의 근저에는 이미 제1, 2, 3세대의 개념이 바탕이 되어 있고 그 요소들이 내재되어 있는 것이다. 비대칭전, 대테러전 등이 주 전쟁의 양상이 되더라도 그들이 사용하고 있는 화력, 기동, 인력은 반드시 필요한 요소이듯이 전쟁의 개념은 진화되고 있는 것이다.

또한, 전쟁세대별 구분에 있어서도 전략적 마인드가 결합되어 있다는 것을 명심할 필요가 있다. 즉, 제1세대 전쟁은 선과 대형, 제2세대 전쟁에서는 화력전, 제3세대 전쟁에서는 기동전의 전략 개념이 결합되어 있으며 제4세대 전쟁에서는 정치전이라는 전략 개념이 결합되어 있다. 개인화기의 발달, 화포의 개발, 전차의 등장과 같은 무기체계의 변화만으로 전쟁의 세대 구분을 이해해서는 안 되는 것이다. 즉, 전쟁의 세대 구분은 무기체계의 변화와 더불어 전략개념이 결합되어 발전된 것이다.

또한, 전쟁의 세대 구분을 시계열적 사고로 이해해서도 안 된다. 비대칭전에 대한 관심이 9.11 테러 이후 부각되었을 뿐 이전의 전쟁 역사에서도 비정규전을 포함한 비대칭전은 쉽게 찾아볼 수 있다. 즉, 제4세대 전쟁은 갑자기 등장한 새로운 것(new)이 아니다. 따라서 이전 세대(전쟁의 구분을 명확히 하기 위해 사용된 것이지만)의 전쟁을 제4세대 전쟁과 같은 단 하나의 전쟁이 대신

할 것이라는 사고의 경직성은 매우 위험하다. 왜냐하면, 앞에서도 언급되었듯이 전쟁은 제4대 전쟁은 물론 제3세대(기동전), 제2세대(화력전), 제1세대(인력전)의 특징을 모두 가지고 진행되어 왔으며 앞으로도 진행될 것이기 때문이다. 즉, 각 세대별 전쟁이 따로 분리되어 있는 형태가 아닌 점점 혼합된 양상을 띠게 될 것이다. 물론 이러한 과정에서 핵심적으로 작용하는 요소는 있을 수 있다. 그러나 그 요소 만에 집중에서 양병과 용병 전략을 구상하는 것은 군사적으로 현명하지 못한 방안이 될 것이다. 따라서 제4세대 전쟁이 주가 된다고 해서 제4세대 전쟁만을 준비할 수 없는 것이며 하나의 전쟁패러다임에 사고가 경직되어서도 안 되는 것이다.

2.2 무기체계 및 군사전략과 전쟁패러다임

군사과학기술 발달로 인한 무기체계 강화로 대표되는 전력 건설과 군사전략 간 중요성의 우위에 대한 논의는 많은 이견이 존재한다. 군사전략이 우위에 있다는 주장의 핵심 내용을 살펴보면, 군사력 건설은 한 국가의 군사전략, 즉 군사력을 어떻게 운용할 것인가 하는 방법에 따라 결정되는 것이지, 군사전략이 군사력이 건설되는 방향에 따라 좇아가는 것은 아니라는 것이다. 양병과 용병을 대등한 것으로 간주한다면 주객이 전도된다는 것이다.[6]

반면에 기술 우위를 주장하는 이들은 혁명적인 과학기술의 발전이 전쟁을 수행하는 전략을 변화시켰다고 주장한다. 화약이 발명되면서 화력전이 등장하였고 핵무기가 발명된 이후 핵전략이론이 발전되듯이 전력개발이 전략을 선도한다고 주장한다. 무기체계가 전쟁패러다임을 진화시킨다는 주장은 과학기술결정론을 바탕으로 하고 있다. 이 주장은 기술의 발전이 전쟁 양상은 물론 군사전략까지 변화시키기 때문에 결국 우수한 기술의 확보 여부가 전쟁 승리의 핵심적 요소라고 주장한다.[7] 따라서 전쟁 승리와 전쟁 패러다임을 변화시킨 핵심 동인은 군사과학기술 발전에 따른 새로운 무기체계의 등장이라는 것이다. 예를 들어, 증기기관차의 등장은 군수지원 거리 연장을 가져와 대규모 부대의 원거리 작전이 가능해졌으며, 전차의 등장은 전격전이라는 전투 형태를 가능하게 하였으며, 핵의 개발은 전쟁형태 자체에 대한 변화를 유도하였다는 것이다. 또한, 정보와 네트워크 발전은 전쟁 목표에 대한 변화를 가져옴으로써 패러다임의 변화를 야기하였다는 주장이다.[8]

그러나 선진화된 과학기술을 바탕으로 한 무기체계의 발달이 전쟁의 승리를 보장하지 못한 전쟁은 상당수 있다. 20세기에 발생한 전쟁 중에서도 중공의 국공내전, 베트남전 그리고 1979년 소련에 의해 발발한 아프가니스탄 전쟁 등이 좋은 예들이다. 특히, 베트남전에서는 남베트남이 북베트남보다 약 2배 이상의 경제력과 군사력을 보유하고 있었으며 세계 최강대국인 미국의 전폭적인 지원을 받았음에도 불구하고 결국 북베트남이 전쟁에서 승리하였다. 즉, 상대적으로 첨단무기를 보유했던 국가가 전쟁에서의 목표를 달성하지 못하게 되었던 것이다.

이러한 전쟁은 전력 면에서 열세인 상대가 이 열세를 만회하기 위해서 수행한 전략의 승리로 볼 수 있다. 즉, 군사적 약소국이 비대칭전의 전쟁 수행방식을 택하여 전쟁에서 승리한 것이다. 이반 아레귄 토프트(Ivan Arreguin-Toft)는 비대칭 전쟁의 승패는 군사력의 운용 즉 군사전략에 달려있다고 주장한다.[9] 그는 군사전략을 직접전략(direct strategy)과 간접전략(indirect strategy)으로 분류하고 강자는 직접전략으로 '재래식 공격'을, 간접전략으로 '경제적 제재나 폭격'을 취할 수 있는 반면, 약자는 직접전략으로 '재래식 방어'를, 간접전략으로 '게릴라전 전략'을 취할 수 있다고 한다. 이러한 전략 중 강자와 약자가 동일한 전략을 사용할 경우 강자가 승리하나 상이한 전략을 채택할 경우 약자도 승리할 수 있다고 역설한다. 이러한 주장과 일맥상통하게 메일링거(Meilinger)는 이라크 전쟁에서 수천 명의 미국인이 목숨을 잃은 것은 미국의 군사전략적 과오로 인한 것이라고 주장하기도 한다.[10] 이렇듯 비대칭전 이론가들은 서구의 군사적 강대국들이 자신들의 전투능력을 제대로 사용할 수 있는 방법을 찾지 못하고 있는 이유는 시대에 뒤떨어진 전격전, 기동전과 같은 과거의 군사전략에 의존하고 있기 때문이라고 주장한다.

 아무리 뛰어난 전략도 상대가 일단 이에 적응하게 되면 그 효과를 상실할 수밖에 없듯이(이것을 전략의 패러독스라고 한다) 뛰어난 무기체계를 직, 간접적으로 경험하고 이에 대한 교훈을 도출한 적은 무기체계의 효과를 상쇄하려고 노력한다. 즉, 군사적 강대국의 강력한 화력에 정규전으로는 승산이 없다는 것을 군사적 약소국은 알게 되고 그럼으로써 새로운 전략을 모색하고 이를 바탕으로 전쟁을 대비하고 수행하는 것이다.

<그림 1-1> 전쟁패러다임의 변화과정

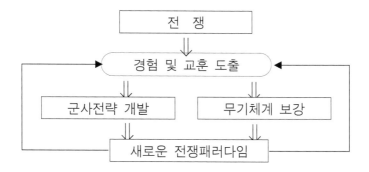

그러나 이러한 경험과 교훈 도출은 군사적 강대국에게도 새로운 전략적 사색을 요구한다. 즉, 새로운 무기체계의 개발만이 압도적 승리를 보장할 것인가의 문제에 봉착하게 되는 것이다. 강대국은 상대적으로 여유로운 경제적 여건을 가지고 있어 일반적으로 과학기술의 발전을 통한 무기체계적 요소에 더 집중하는 경향을 보여 왔다. 이는 무기체계 강화를 통한 물리적 군사력 강화는 비교적 용이하게 관찰할 수 있으나 전략 수준의 향상은 그 관찰이 쉽지 않은 것에서 기인하였다고 볼 수 있다. 물론, 경제적 여건이 부족한 약소국들도 최소한의 억제력 보유를 위한 전력 강화에 힘쓰고 있는 것도 사실이다. 그러나 상대적으로 경제력이 약한 국가는 전략적 측면에서 무기체계의 열세를 극복할 수 있는 방안을 더 고심하게 된다. 이러한 과정이 역사 속에서 계속 진행되면서 전쟁의 패러다임 변화로 나타나게 된 것이다. 결국, 전쟁패러다임의 진화는 무기체계의 발전으로 인한 충격과 이를 경험하고 여기서 교훈을 도출함으로써 발생하는 것이지 단순히 무기체계의 발달만으로 전쟁패러다임이 변화를 가져왔다고 할 수는 없다.

제3절 전쟁 사례분석: 베트남전, 걸프전, 이라크전

미국은 제2차 세계대전 중 개발한 원자탄을 필두로 기술적 진보를 통한 전력 증강에 매진하였다. 그러나 베트남전쟁은 기술의 진보만을 가지고 승리를 얻을 수 없음을 여실히 보여주고 있다. 베트남전에서 미국은 월등한 군사력과 군사비를 투입하고도 베트남의 공산화를 막지 못하였다. 즉, 베트남전은 압도적 군사력을 보유한 군사 강국이 항상 정치적, 군사적으로 성공하는 것은 아니라는 역사적 실례를 남겼다. 또한, 군사적으로 승리하여도 정치적으로 승리할 수 없음을 보여주기도 하였다. 세계 초강대국이 게릴라 부대에게 패배한 실증적 사례를 보여주고 있는 것이다. 특히, 군사적 측면에 있어서는 "비대칭 전쟁의 승패는 군사력의 운용 즉 군사전략에 달려있어 강자와 약자가 동일한 전략을 사용할 경우 강자가 승리하나 상이한 전략을 채택할 경우 약자도 승리할 수 있다"는 비대칭 전쟁론의 주장을 증명해 주고 있는 것이다.

베트남전에서 호치민을 위시로 한 북베트남 세력은 제2차 세계대전에서 얻은 경험과 교훈을 통해 미국이 군사적(화력적)으로 자신들보다 월등히 우위에 있다는 것을 잘 알고 있었다. 따라서 정규군만으로 미군과 부딪힐 경우 화력이 강한 미군에게 승리할 수 없다고 판단하였다. 이에 그들은 전통적인 전쟁 수행방식인 군사력 대 군사력 간의 직접적 충돌보다는 단계적인 전쟁 수행을 통해 적을 전쟁 피로에 빠지게 하고 이로 인해 스스로 수렁에서 탈출을 시도하게 하는 방식으로 전쟁을 수행하였다. 베트남전 당시 미군 사령관 웨스트모어랜드(William C. Westmoreland)는 "베트남의 공산주의자들은 전통적인 혁명전쟁을 수행하였다"라고 회고하기도 하였다.[11]

당시 북베트남의 군사전략은 호찌민의 혁명전략과 보응엔지압의 인민전쟁 5단계 전략이 바탕이었다. 호찌민의 혁명전략은 크게 3단계로 구분할 수 있다. 제1단계는 정치, 군사행동의 근거지를 설치하여 핵심요원을 전장에 배치하는 것이고, 제2단계는 정치적 조직의 편성과 게릴라전의 수행이며, 제3단계는 게릴라전을 정규전으로 전환하는 것이다. 이러한 호치민의 혁명전략의 핵심은 크게 세 가지로 요약할 수 있다. 첫째, 타국의 경험을 수용함과 동시에 베트남 혁명의 고유한 요구에 기민하게 대처하였고 둘째, 남베트남 내부의 반혁명세력들이 엄청난 군사력 지원을 받고 있으므로 현지에서 적을 약화시키기 위해서 농민을 중심으로 하는 정치와 군사적 투쟁을 동시에 이행하면서 외세제거 투쟁을 하였고 셋째, 정치적 요소에 의존함으로써 남베트남과 외세의 고질적인 정치적 정당성 부족 부분에 타격을 가했다는 것이다.[12]

혁명전략의 바탕 하에서 수행된 전쟁전략 또한 3단계로 나누어져 있는데 제1단계는 방어에 치중하며 산악 요새에서 전력을 강화하는 것으로 어느 정도 전력이 갖추어질 때까지 은거하며 게릴라 전술을 시행하는 단계이다. 제2단계는 은거지에서 나와 적의 노출된 시설을 기습하기 시작하는 것으로 적극적으로 공세를 실시하여 적에게 지속적인 피해를 입혀 전의를 상실케 하는 단계이다. 제3단계는 전면공세로 전환하여 적군을 바다로 내모는 최종 공세를 단행하는 것이다. 베트남전쟁의 전략전술을 기획한 인물인 보응엔지압은 전략의 세 가지 원칙으로 첫째 '작은 것(小)으로 큰 것(大)을 이긴다,' 둘째 '적음(少)으로 많음(多)과 맞선다,' 셋째 '질(質)로 양(量)을 이긴다'를 제시하였다.

이러한 전략적 준비를 하고 있는 북베트남 세력에게 당시 미군은 '수색 및 격멸' 개념, 즉 게릴라들이 은거하고 있을 것으로 판단되는 지역을 탐색해 그들을 찾아낸 후 강력한 군사력으로 격멸한다는 정규전이 바탕이 된 군사력 위주의 작전을 전개하였다. 그러나 이러한 작전은 민간인의 피해를 초래하였고 작전 간 반드시 필요한 민간인의 협조를 얻지 못하게 하는 요인으로 작용하였다. 또한, 비정규전에서는 일정한 전장이나 전선이 없이 전투가 전개되기 때문에 적 후방 세력에 대한 철저한 대비 또는 공격이 필요하지만, 미국은 적 주력 소탕에 집중하였다.

반면, 북베트남군은 자신들의 군사전략대로 비정규전 위주의 게릴라 전술을 구사함으로써 미군의 정규전 능력을 상쇄하였다. 북베트남군이 사용한 게릴라 전술은 베트남의 오랜 저항의 역사에서 체득된 것이었다. 베트남식 게릴라 전술은 생활 습관 내 깊숙이 베 있다고 할 수 있는데 "논에서 일하는 농부도 기회가 되면 무장 세력이 되었다가 연합군의 수색이 시작되면 다시 농부"가 되었다.[13] 이러한 북베트남의 전술은 미국을 포함한 연합군의 군사 작전에 큰 어려움을 주는 요인으로 작용하여 결국 전쟁의 승패를 좌우하는 요인이 되었다. 즉, 북베트남군과 미군의 전략적 비대칭이 전쟁의 승패를 결정짓는 변수로 작용하였다고 할 수 있다.

베트남전에서 뼈아픈 실패를 경험한 미국은 재래식 전력의 규모는 감축하면서 상대적으로 군사의 질을 높이는 정밀 타격 무기와 정보력을 강화하는 방향으로 기술 중심 전력 건설에 집중하였다. 1990년대 초에 미 육군, 해군, 해병대, 공군, 합참은 군사기술혁명(MTR: Military Technical Revolution)을 추진했고 이것은 1990년대 중반부터 군사혁신(RMA: Revolution in Military Affairs)이라는 모토 하에 과학기술 중심의 군사력 건설로 발전하였다.[14] 특히, 걸프전 이후 이러한 경향은 국제적으로 확산되었다. 미국은 1991년 1월 17일 바그다드 공습을 시작으로 걸프전을 시작하였고 미국이 주도하는 다국적군은 각종 첨단무기를 대거 동원하여 6주 만에 이라크에게 승리한다. 즉, 걸프전에서 미국은 첨단화된 무기체계를 바탕으로 이전과는 다른 전쟁 수행방식을 보여줌으로써 미래전장에서 기술 우위의 중요성을 과시하였다.

사막의 폭풍(Desert Storm)작전 시 연합군 사령관 슈워츠코프 장군은 전쟁 목표를 전장 내 이라크군 격멸로 설정하였으며 그는 11개국 군대로 구성된 54만 명이 넘는 대군을 다국적군으로 편성 및 지휘하여 지상전 개시 후 100시간 만에 전쟁 목표인 유프라테스강 남쪽의 이라크 야전군을 격멸함으로써 전쟁 목적을 달성할 수 있었다. 당시 명실공히 세계 최강대국이었던 미국은 첨단무기, C4I 체계, 군의 기동성 등을 바탕으로 전쟁이 개시된 지 2

개월도 안 되어 이라크군을 패퇴시키고 쿠웨이트를 수복하였다.[15] 즉, 걸프전에서 미국은 첨단무기가 전쟁을 지배할 수 있음을 보여주었고 이를 계기로 첨단기술을 적용한 군사 혁신(RMA: Revolution in Military Affairs)만이 미래 전쟁을 위한 핵심 전략이 될 것이라는 인식이 군사 및 안보 분야를 지배하게 되었다. 이러한 걸프전의 사례는 무기기술의 발전을 통해 새로운 전쟁패러다임이 형성되었다는 평가를 받았다.

그러나 걸프전에서의 미국의 승리와 전쟁패러다임의 변화라는 평가는 단지 무기체계만이 작용한 것으로 보아서는 안 된다. 미국은 베트남전에서의 경험과 교훈을 바탕으로 적의 지구전 전략에 말려들 경우 아무리 군사적 강대국이라 하더라도 전쟁의 목표를 달성할 수 없음을 잘 알고 있었다. 따라서 미국은 이라크에 대한 단기 결전을 통하여 후세인의 저항 의지를 말살시키려는 전략적 목표를 세우고 지휘통제시설, 대량살상무기, 공화국 수비대 등 핵심적 군사목표 공격에 집중하였다. 이러한 목표 달성을 위해 미국은 4단계 전략을 구상하여 실시하였는데 1단계는 전략적 항공작전 단계로 제공권확보와 전략목표 파괴에 주안을 두었고, 2단계는 쿠웨이트지역 공중제압 단계로 쿠웨이트 전구의 공중제패 단계였다. 제3단계는 전장준비 단계로 이라크의 전쟁 수행능력 및 전쟁 의지 궤멸을 위한 공격 단계였으며, 제4단계는 지상군 공세작전 수행 단계였다. 특히, 미국은 적의 보급망 차단을 위한 후방차단작전은 전쟁 기간 내내 지속하기도 하였다. 따라서 걸프전에서의 획기적인 화력을 통한 전쟁패러다임의 변화는 이러한 전략적 마인드의 결합과 함께 이루어졌다고 보아야 하는 것이다. 즉, 걸프전에서 미국의 일방적인 승리는 단순히 첨단기술 때문만이 아니고 새로운 형태의 모병제, 훈련, 편제 등을 포함한 전략적 변화가 있었기 때문이었다.[16]

한편, 이라크전의 사례는 무기체계와 군사전략의 결합으로 진화된 전쟁패러다임이 새로운 요인에 의해 또다시 변화하게 된다는 것을 보여준다. 전쟁 초기 미국은 모든 전투단위를 연결하는 정보네트워크를 바탕으로 첨단기술로 무장한 장거리 정밀 유도무기(precision guided munition)와 스텔스 전폭기를 이용하여 전선의 순차적 확장 없이 적의 종심 깊은 곳을 자유자재로 타격함으로써 이라크의 사담 후세인 정권을 붕괴시켰다.[17] 이후 조지 W. 부시 대통령은 2003년 5월 1일 전쟁 개시 43일 만에 이라크전에서 임무를 마치고 귀환 중인 미 해군 항공모함 에이브러햄 링컨에서 종전을 선언했다. 이때까지 미군의 인명 피해는 117명에 불과했다. 이러한 상황은 수많은 전사(戰史)에서 볼 수 있듯이 신무기체계로 강화된 전투력이 강한 국가는 자신들의 군대와 유사한 무기체계, 부대편성, 전쟁 수행방식을 가지고 있는 상대적 약소국에게는 성공적으로 임무를 수행할 수 있다는 것을 보여주었다.

하지만, 8월 7일 바그다드 주재 요르단 대사관 폭파와 8월 19일 유엔사무소가 입주한 바그다드 호텔에 대한 차량폭탄테러 등 일련의 폭탄테러의 발생은 이라크전을 새로운 단계로 접어들게 하였으며 그 후부터 7년간 계속되는 저항세력의 비대칭적 공격에 미군 4,264명이 전사하였다. 이는 미국이 종전선언 시 인명 피해보다 무려 36배에 달하는 피해였다. 또한, 무인항공기와 팩봇(PacBot: 미군의 폭발물 처리 로봇)과 같은 첨단전력이 급조폭발물(Improvised Explosive Device: IED)와 같은 원시적 형태의 전력에 고전하는 결과가 계속 이어졌다. 즉, 미국은 이라크군의 비대칭적인 대처에 고전하였던 것이다. 이러한 결과는 질적, 양적으로 강한 군대가 승리한다는 고정관념의 파괴를 가져왔고 이를 루퍼트 스미스는 "낡은 패러다임으로 전쟁을 해석하고 재래식으로 편성된 군을 투입하다 보니 실패했다"라고 주장하였다.[18] 압도적인 무기기술을 바탕으로 한 군사력을 지니고 있다고 하더라도 군사전략의 변화에 대처하지 못하면 전쟁의 목적을 달성할 수 없다는 것을 전사는 보여주고 있는 것이다.

결국, 이러한 사례들은 무기기술발달로 인한 전쟁패러다임의 변화가 일어났더라도 이것은 단순히 무기체계에 의한 것이 아니며 무기체계와 전략의 결합을 통해 나타난 것이라 할 수 있으며 이러한 변화를 경험한 상대국 또는 간접 경험국은 변화를 상쇄할 군사전략을 개발하게 되어 또 다른 전쟁패러다임으로의 변화를 유도하기도 한다는 것이다. 즉, 무기체계 변화는 전쟁패러다임 변화를 가져오는 필요조건이며 이것이 전략과 결합되었을 경우 전쟁패러다임 변화를 가져오는 것이며 이러한 변화 또한 지속되지 않고 이후 나타난 전략의 변화와 결합되어 새로운 전쟁패러다임을 형성하게 되는 것이다.

제4절 전쟁 양상의 진화와 양병·용병의 조화

양병과 용병은 시대 상황에 따라 그 선도가 바뀌는 것이지 어느 하나가 다른 하나를 항상 선도하는 개념은 아니다. 즉, 상호보완적이면서 동시적인 특성을 가지고 있다고 할 수 있다. 지금까지 많은 국가들이 미래전 대비를 위해 재래식 전력의 규모는 감축하면서 정밀 타격 무기와 정보력을 강화하여 질적인 향상을 도모하였다. 기술 중심 전력 건설에 매진하고 있는 것이다. 특히, 걸프전 이후 이러한 경향은 국제적으로 확산되었던 것이 사실이다.

일반적으로 일국의 군사력 강화를 논할 때, 무기개발 또는 도입을 주로 논하고 전략적 차원을 도외시하는 경향이 있다. 그러나 과학기술을 바탕으로 한 첨단무기 체계만이 전쟁해서 승리를 보장해 주는 충분조건으로 간주하는 것은 경계할 필요가 있다. 왜냐하면, 전략적 차원의 논의 없이 진행된 전력 건설은 위협의 근원에 대한 철저한 분석 없이 진행됨으로써 비효율적 대비를 초래하여 자칫 국방재원의 낭비를 야기할 수 있기 때문이다. 또한, 현대전쟁에서 기술이 집약화된 무기체계가 전쟁에서 차지하는 비중이 대단히 높다는 사실을 부인할 수 없지만, 이것만으로 전쟁에서 승리할 수 없다는 것을 수많은 전쟁사례가 보여주고 있기도 하다.

양병(군사력 건설)에 있어 비대칭전, 소규모 분쟁 등을 대비하더라도 기동전, 화력전을 소홀히 해서는 안 된다. 어떠한 전쟁이 발생하더라도 기동과 화력의 우위는 전쟁 승리에 절대적 요소가 될 수 있기 때문이다. 이는 인적 규모도 마찬가지이다. 각국의 군대가 첨단화, 과학화 군을 추구하고 있기는 하나 가장 기본적인 병력은 보유하여야 하며 이러한 병력의 힘은 군사력의 가장 기본이 된다. 아무리 기술적 요소가 전쟁을 지배한다 하더라도 결국 전쟁의 주체는 인간이며 인간의 심리적·전문적·동기적 측면과 지도력도 무시할 수 없는 요소임에 틀림없다. 기술의 발전을 통행 전쟁 수행 방법의 변화는 가져올 수 있으나 전쟁의 본질 자체를 바꿀 수는 없는 것이다.[19]

따라서 양병 차원에 있어 핵심 전략은 다기능적 군의 건설이라 할 수 있다. 한 가지 기능에 집중된 군의 건설은 미래전 수행에서 매우 위험할 수 있다. 예를 들어, 정보통신의 발달은 강대국에서 보이는 특징으로 비 강대국 또는 집단에게는 좋은 공격 대상일 수 있다. 정보기술의 발전은 안보상에서 양면적 특징을 가지고 있다. 우선, 정보기술의 발전은 첨단 C4I 체계를 통해 시·공간적 제약을 줄여주어 육해공 통합 전투력 발휘가 가능토록 해줌으로써 걸프전 시 미군의 성공적 작전을 주도한 네트워크 중심전(NCW: Network-Centric Warfare)등에 기여하였다. 그러나 정보통신의 발달은 사회 제 분야가 정보통신에 대한 의존도가 높아짐으로써 이에 대한 공격의 취약성이 들어나기도 한다. 즉, 단순한 통신체계 공격을 통해서도 사회의 큰 혼란을 조성할 수 있는 것이다. 따라서 이러한 문제점을 해결 및 보완할 수 있는 양병이 필요하다.

그렇다면 용병(군사전략)적 차원은 어떠한 대비가 필요한가? 한 나라의 군사전략은 그 국가가 처해있는 안보환경과 불가분의 관계에 놓여 있다. 안보환경의 변화 중 전쟁패러다임의 변화는 특히, 군사전략에 직접적인 영향을 주는 요소이다. 군사전략은 국가의 생존과 직결되는 문제라고 할 수 있다. 만일 적이 절대적 군사력에 상당한 약점을 지니고 있다면 그들은 비대칭전 또는 게릴라전 등을 수행하는 것이 당연하다. 즉, 군사적 약소국 또는 비국가 행위자는 군사 강대국이 지금까지 아니면 앞으로도 수행할 전쟁방식이 지닌 장점들을 무력화할 전투 방식과 지형, 시간적 조건을 선택한다. 따라서 군사전략적 차원에서는 압도적 군사력을 보유한다고 해서 비대칭전쟁, 소규모 테러 등의 전쟁과 분쟁에서 승리를 거둘 수 있는 것은 아니다. 이는 결국 전쟁에서 승리하기 위해서는 군사력의 양적·질적 문제만큼 이제는 전략적 차원의 접근도 매우 중요함을 의미하는 것이다.

비대칭 전쟁의 승패는 군사력의 운용 즉 군사전략에 달려있다. 앞의 사례분석에서도 입증되었듯이 강자와 약자가 동일한 전략을 사용할 경우 강자가 승리하나 상이한 전략을 채택할 경우 약자도 승리할 수 있다. 즉, 절대적 규모에 있어서 약세라고 판단된 국가 또는 비국가 행위자의 경우 상대적 군사 강대국과 다른 전략을 수립해야 승리할 가능성이 있는 것이다. 이라크전에서 미국의 제3세대 전력과 이라크군의 제3세대 전력 간의 전쟁은 미군이 승리하였으나 이라크의 군사전략이 비대칭적으로 바뀐 뒤부터 미국의 승리는 그 가치를 잃어 갔다. 따라서 이제 각국은 전략적 차원에서 새로운 접근이 필요하다. 적이 제4세대 전쟁을 수행한다면 이를 위한 군사전략적 대처 방안을 다각도로 보완 발전시키는 방안을 강구하는 것은 당연하다. 즉, 전략적 비대칭성을 상쇄할 수 있는 전략의 개발이 필요하다.

물론, 적의 비대칭 전략을 예측하고 대비하는 것은 매우 어렵다. 비대칭 전략은 그 용어 자체에서부터 불확실성을 전제로 하고 있다. 즉, 적의 전략개념 및 작전계획에 대한 정보가 매우 부족한 상태이기 때문에 그 대비는 매운 어려운 것이다. 그렇다고 해서 전략적 대비를 하지 않을 수 없다. 혹자는 전쟁 양상의 진화로 인해 과거 억제전략의 유용성이 상실되고 있으며 상대적으로 비대칭 전략의 유용성이 증가하고 있다고 주장하고 있기도 하다.[20] 그러나 앞에서도 언급하였듯이 대부분 국가는 상대적 약소국과 강대국의 위치를 동시에 점하고 있고, 전쟁의 양상 또한 단순히 하나의 전쟁 양상으로만 전개되지 않는다는 점을 고려할 때 결국 미래 전쟁을 위한 용병적 전략은 기존의 재래식 전쟁에 있어서 전략에 새로운 전략이 가미되는 방향으로 나가야 한다. 좀 더 자세히 살펴보면 다음과 같다.

우선, 공세적 전략을 지향할 필요가 있다. 공세적 전략은 상대에게 공세적 전략을 강요할 수 있다. 그러나 적이 공세적임에도 불구하고 아군이 수세적이면 이 또한 적의 오판(miscalculation)을 유발할 수 있다. 따라서 이제는 수동적 방어를 바탕으로 하는 군사전략은 그 실효성이 점차 줄어들고 있다. 전장의 형성이 자국 영토 내에서 이루어진다면 전쟁의 승패를 떠나 산업화된 국가일수록 그 피해 규모가 훨씬 크기 때문이다. 따라서 군사전략은 선제적, 예방적 전략이 필요하며 유사사태 시 신속한 공격전략으로 전환을 통해 전장을 자국 영토 내가 아닌 외부에서 형성될 수 있도록 하여야 한다.

둘째, 억제전략의 보완이 필요하다. 군사전략 관점에서 억제전략은 전통적 전쟁의 영역에서 가장 합목적적이라고 할 수 있다. 그러나 현재 안보 상황과 새로이 변화하는 전쟁은 이러한 억제의 합목적성에 의문부호를 제시하고 있다. 세계 어느 나라도 테러와 저강도 분쟁에 있어 자유롭지 못하다. 집단과 국가 간의 전쟁은 전쟁 지역, 전술, 전략, 무기체계 등 다양한 변화를 수반하고 있다. 전쟁이 군사 분야에만 해당한다는 명제도 이제는 그 당위성을 잃어가고 있다. 민간분야, 민간인 이제는 어느 하나 전쟁의 표적이 되지 않을 수 없다. 이런 상황은 억제를 더욱 어렵게 만들고 있다. 그렇다면 억제를 이루기 위해서는 어떻게 해야 하는가? 그리고 그러한 노력에도 불구하고 억제가 실패하였을 경우 어떠한 전략이 유용할 수 있는가?

공포적·심리적 보복 전략이 필요하다. 이를 통해 억제의 성공 확률을 높여야 한다. 두 번째로는 억제력을 높임과 동시에 유사시 전투력 상승을 위해 합동 전략의 발전이 필요하다. 전장을 정확히 분석하고 공지전(air-land battle), 공해전(air-sea battle) 등 하나의 군에 의한 군사전략이 아닌 각 군의 합동 군사전략의 발전이 필요하다. 예를 들어 한국의 경우 북한에 비해 육군이 적다는 것을 고려할 때 공지전략의 중요성을 인식할 필요가 있다. 또한, 중국, 일본 등의 군사 강대국과의 군사적 대치를 고려하였을 경우에는 공해전의 준비 또한 무시할 수 없다. 즉, 3면이 바다로 둘러싸인 반도국, 90% 이상의 해상무역을 하고 있는 무역국의 입장에서 반드시 발전되어야 하는 전략이다. 따라서 상대적 군사 강대국이자 약소국인 대부분 국가들은 양쪽의 입장을 고려한 전략의 개발이 필요하며 이는 합동 전략적 차원에서 반드시 수립되어야 한다.

셋째, 전쟁 지속능력 확보가 필요하다. 비대칭전쟁은 장기간 지속되는 경우가 많기 때문이다. 뿐만 아니라 전·후방의 개념이 모호하며 전 전장 어디에서든 도발은 일어날 수 있다. 따라서 후방 지역 작전을 발전시킬 필요가 있다.

넷째, 민사작전의 전략적 발전이 필요하다. 비대칭전을 수행하고 있는 적이 주민들의 신뢰를 받을 경우 얼마나 격멸하기 어려운지 베트남, 이라크 전쟁사례는 잘 보여주고 있다. 주민의 지지가 없는 상황에서 수행되는 민사작전은 그 효과가 현저히 떨어질 것이기 때문에 지역 주민의 신뢰를 얻기 위한 전략의 수립이 필요하다.

지금까지 설명한 전쟁의 진화 양상을 고려해보았을 때 하나의 전쟁세대에 집중한 전략은 한 국가의 군사적 대비의 균형점이 될 수 없다. 또한, 군사전략과 조화를 이루지 않고 무기체계에 치중한 군사력 강화는 상대적 약소국에게 패할 수 있는 가능성도 배태하고 있다. 따라서 대부분 국가가 상대적 강대국이자 상대적 약소국의 위치를 동시에 점유하고 있는 현실을 직시할 때 각 국가는 양병과 용병의 적절한 조화를 필요로 한다고 하겠다. 진정한 군사력은 물리적 군사력과 전략적 능력이 결합되어야 하기 때문이다.

제5절 결 론

무기체계가 전쟁의 새로운 패러다임을 만들어 승패를 달성하는 핵심적 요인으로 작용한다면 이러한 경험은 새롭고 창의적인 전략적 사고를 잉태하고 이러한 새로운 전략에 의해 전쟁의 패러다임은 다시 변화하게 된다. 그리고 이러한 전략적 변화는 또 다른 진화를 위한 개발과 사색을 유발하는 방향으로 진행된다. 결국, 인류 문명이 진화하듯이 전쟁패러다임도 진화하게 되는 것이다.

단, 그 시대에 무기체계와 군사전략 중 어떠한 요소가 더 핵심적 역할을 하느냐에 따라 시대별 전쟁패러다임이 결정될 뿐이다. 즉, 무기기술의 발전은 새로운 전략 개발의 필요성을 잉태시키게 되고 결국 이 두 가지 요인에 의해서 전쟁패러다임의 변화가 지속되는 것이다. 이순신 장군이 거북선이라는 무기체계와 학인진이라는 전략을 상호 조화시켜 역사적인 승리를 이루었듯이 양병과 용병이 상호 조화로워야 전승이 가능한 것이다. 군사과학기술의 발전은 운용개념이나 전략적인 발전을 동반하여야 전쟁패러다임 변화의 동인으로 작용할 수 있다. 또한, 우리가 여기서 오해해서는 안 되는 것이 전쟁패러다임의 변화가 전쟁 본질의 변화는 아니라는 것이다.

미래전은 과연 어떠한 양상으로 전개될 것인가? 지금까지의 논의를 종합해 보면 만일 적이 절대적 군사력에 상당한 약점을 지니고 있다면 비대칭전 및 게릴라전 등을 수행하는 것이 당연하다. 즉, 군사적 약소국 또는 비국가 행위자는 군사 강대국이 지금까지 아니면 앞으로도 수행할 전쟁방식이 지닌 장점들을 무력화할 전투 방식과 지형, 시간적 조건을 선택할 것이다. 다시 말해, 미래 전쟁의 행위 주체들은 스스로의 불확실성은 증대시키면서 상대의 불확실성을 감소시키려 노력할 것인데 이는 상대방이 예측할 수 없는 전략적 대안을 선택하는 비대칭성의 추구를 의미한다 하겠다. 따라서 미래전은 지금까지의 재래전과 비대칭전이 복합적으로 나타나는 양상을 보이게 될 것이다.

그렇다면 어떻게 준비해야 하는가? 적의 공격이 산악전일 경우 산악전을 대비하여야 하고 적이 함대전을 준비하면 이를 대비하는 것이 병사(兵事)의 기본이다. 또한, 상대의 약점을 노리는 것이 병가의 기본 원리이기도 하다. 상대적 약소국의 경우 비대칭전을 준비할 것이고 상대적 강대국의 경우 강력한 전력을 바탕으로 한 전쟁을 준비할 것이다. 따라서 상대적 약소국이자 강대국의 지위를 동시에 가지고 있는 대부분 국가는 재래식 전쟁과 비대칭전을 동시에 대비하여야 한다.

제2장 제5세대 전쟁: 개념과 한국안보에 대한 함의[21]

제1절 서 론: 문제제기

　예루살렘 히브리대학의 전쟁사학자인 크레펠트(Martin Van Creveld)는 그의 저서 『전쟁의 변혁(The Transformation of War)』에서 사람이 먹고 자는 것은 그 자체가 목적인 것처럼 전쟁도 여러 가지 측면에서 봤을 때 수단이 아니라 목적이라고 표현하였다.[22] 클라우제비츠는 그의 저서 『On War』에서 전쟁은 변화할 수 있고 끊임없이 변화하는 실체(war is changeable)라고 정의하였으며,[23] 앨빈 토플러는 생산 양식의 변화에 대응하여 파괴적 성격을 가지는 전쟁의 수행방식도 동일하게 변화한다고 주장하였다.[24] 실제 BC 7,000년경부터 시작된 전쟁의 역사는 정치, 경제, 사회 및 과학기술의 변화를 수용하면서 혹은 그러한 변화를 이끄는 추동력으로 작용하면서 수행방식이 지속적으로 진화하고 있다.[25] 그리고 이러한 전쟁의 진화에 대한 논의는 다양한 학자나 전문가들에 의해 끊임없이 제기되어 오면서 전쟁의 양상이나 수행방식의 변화를 진화론적 관점에서 바라보고자 하는 시도가 진행되기 시작하였다.
　앞장에서 설명하였듯이 전쟁의 세대 개념을 처음으로 제시한 미국의 군사평론가 린드(William S. Lind)[26]는 과학기술의 발달에 기반한 새로운 무기체계의 등장과 전략개념의 변화 등을 기준으로 전쟁이 제1, 2, 3세대를 거쳐 제4세대 전쟁으로 진화했음을 주장하면서, 중국 인민전쟁과 베트남전쟁을 새로운 형태의 전쟁인 제4세대 전쟁으로 정의하였다.[27] 그러나 이전까지 국가 주도의 대규모 재래식 전쟁을 중심으로 전쟁의 진화를 논의해왔던 상황에서 등장한 제4세대 전쟁이라는 표현은 많은 학자들 사이에 어색함을 안겨주면서 논란의 대상이 되기도 하였다. 하지만, 미국이 이라크전쟁의 화려했던 서전 이후 안정화 작전에서 고전을 면치 못하게 되면서 그동안 대비하지 못했던 다른 형태의 전쟁에 대한 대비의 필요성이 부각되었고 이에 제4세대 전쟁에 대한 이론도 독자적인 입지를 굳히게 되었다.

이라크전쟁 이후 제4세대 전쟁이론에 대한 논의가 본격화되면서 제5세대 전쟁에 대한 논의도 진행되기 시작하였다. 그러나 린드는 제4세대 전쟁조차도 아직 완전하게 가시화되지 않은 상황에서 제5세대 전쟁을 논하는 것은 마치 로마제국 말기의 화려한 시절로부터 중세시대의 모습을 그려보려는 시도와 동일하다고 비판하면서 제4세대 전쟁에 내포된 광범위한 변화들부터 먼저 이해해야만 한다고 주장하였다.

반면, 햄즈(Thomas X. Hammes)는 제5세대 전쟁이 이미 우리 주변에서 진화하고 있으나 아직 제대로 인식하지 못할 뿐이라고 주장하면서, 제4세대 전쟁의 진화로 나타날 제5세대 전쟁에 적절하게 대처하기 위해서는 혁신적 리더십 훈련, 군사적 측면과 사회적 측면의 능력 강화를 위한 조직체계 정비가 필요함을 역설하였다.[28] 이후 많은 연구자들이 제5세대 전쟁이론에 대해 다양한 견해를 제시하였으며, 리드(Donald J. Reed)의 경우에는 린드의 주장을 더욱 정교하게 발전시켜 베트남전쟁을 제4세대 전쟁으로 분류하고 9.11 테러 이후 전개되고 있는 대테러전쟁을 제5세대 전쟁으로 정의하였다.[29]

전쟁의 양상이 당대의 기술적, 정치적, 경제적 및 사회적 발전을 반영하여 진화하고 있음은 분명하다. 따라서 최근의 전쟁 양상이 국가보다는 비국가 세력이 주요 행위자로 등장하여 물리적(kinetic) 영역뿐만 아니라 정신적·도덕적 영역(non-kinetic)에서 총체적으로 전쟁을 수행하고 있다는 점, 물리적 차원보다는 도덕적·인지적 차원에서의 우위가 좀 더 중요시되고 있다는 점 등을 고려했을 때, 다가올 미래의 전쟁에 효율적으로 대비하기 위해서는 과거와는 다른 형태의 접근방법이 필요하다. 그러나 아직 새로운 혹은 다른 형태의 전쟁에 대한 이론이 완벽하게 가시화되지 못했고 개별 이론가들의 주장이 광범위한 공감대를 형성하지도 못한 상황이다. 더욱이 제5세대 전쟁이론에 대한 논의를 주도하고 있는 미국과 비교했을 때 한반도가 직면하고 있는 안보 상황은 확연하게 다르다는 현실을 감안하면 테러와의 전쟁을 주축으로 제4세대 및 제5세대 전쟁이론을 발전시켜온 미국의 논리를 그대로 답습하고 그 틀 속에서 안보정책이나 군사전략의 변화 및 군사력 건설의 방향 등을 모색하는 것은 부적절한 접근방법이 될 것이다.

본 장에서는 앞장에서 설명한 전쟁세대 구분을 바탕으로 비교적 최근에 논의되기 시작한 제5세대 전쟁이론을 학술적인 차원에서 종합적으로 검토하고, 그 결과를 바탕으로 제5세대 전쟁에 대한 개념화를 시도한다. 또한, 제5세대 전쟁에 대한 논의에서 제시된 특징 중 한국의 안보 상황에서 고려해야 할 요소들이 있는지를 중점적으로 분석하고 제5세대 전쟁개념의 한국군 적용 방향과 그 한계를 제시하고자 한다.

제2절 제5세대 전쟁의 특징 분석

2.1. 제5세대 전쟁 관련 논의

린드가 전쟁세대 구분 개념을 제시한 이후, 새롭게 등장한 제4

세대 전쟁개념에 대해서는 상대적으로 많은 논의들이 진행된 반면 제5세대 전쟁에 대한 논의는 2003년 이라크전쟁 이후 본격적으로 시작되었다. 제5세대 전쟁에 대한 최초 주장은 이라크전쟁이 당초 예상과는 다르게 장기화될 조짐을 보이고 안정화 작전수행에도 난항을 겪는 가운데, 이슬람 무장단체에 의한 테러 등에 대한 대비 차원에서 새로운 국가안보 패러다임이 필요하다는 주장과 함께 제기되었다. 최초 제5세대 전쟁에 관한 논의 중점은 '제5세대 전쟁은 총력전(Total War)으로서 전체론적(holistic) 성격을 가지는 전쟁'이며 효율적 대응을 위해서는 글로벌하게 통용될 수 있는 안보전략을 수립하고 그러한 전략에 입각해 국제적인 거버넌스를 강화하면서도 군사적 개입은 최소화하는 평화적 대응수단의 구축이 필요하다는 것이었다.

한편, 2004년 린드는 자신이 주장했던 제4세대 전쟁개념이 아직 가시화되지도 않은 상태에서 추측만으로 제5세대 전쟁개념을 정립하고자 하는 시도가 시기상조임을 지적하면서, 제4세대 전쟁에 내포된 광범위한 변화들을 보다 완전하게 이해해야만 한다고 역설하였다. 같은 해 9월, 햄즈는 그의 저서[30]에서 미국이 군사적으로 어려움을 겪었던 전쟁인 베트남전쟁, 레바논 전쟁, 소말리아 전쟁을 제4세대 전쟁으로 분류하면서, 군사력의 열세에 맞서기 위해 비전통적 방식으로 싸우는 분란세력 및 테러리스트들을 상대로 미국이 전투를 벌이는 것은 쉽지 않기 때문에 적절하게 대처하기 위해서는 변화가 필요하다고 주장하였다. 물론 그는 린드와 동일하게 제4세대 전쟁이라는 용어를 제시하기는 했지만, 린드는 제4세대 전쟁을 진화론적 관점에서 사용한 반면 햄즈는 전쟁을 연구하기 위한 프레임워크로 간주했다는 점에서는 차이를 보인다. 이 과정에서 햄즈는 제5세대 전쟁이 이미 우리 주변에서 벌어지고 있을지도 모른다는 주장을 제기했으나 구체적인 개념을 제시하지는 못하였으며, 진화를 거듭하고 있을지도 모르는 제5세대 전쟁에 대비하기 위해 리더십 훈련 강화, 군사적·사회적 조직체계의 재정비 등 변화의 필요성만을 강조하였다.

새프란스키(Mark Safranski)[31]는 제5세대 전쟁개념과 관련된 초창기의 개념들을 정리하면서 잠재적인 제5세대 전쟁의 개념화를 시도하였다. 그는 제5세대 전쟁의 핵심 경향으로 막강한 권력을 가진(super-empowered) 개인이나 소그룹의 등장, 자발적인 의지에 의해 전쟁이나 작전 수행에 가담하는 '자율적 대리인(autonomous surrogates)'의 등장, 작전 수행에 있어서 유동성과 가변성의 현저한 증가(fluidity), 다차원으로 확장된 전장을 제시하였고, 인공지능이나 유전학, 나노기술 등의 핵심 과학기술이 중요한 역할을 담당하게 될 것이라고 예측하였다. 또한, 앞서 제시된 일련의 전쟁세대들은 세대가 변해감에 따라 점점 더 적의 영역 깊숙이 들어가는 경향을 보이고 있으며, 최종 단계인 제5세대 전쟁은 본질적으로 '사회 총력전'이 될 것이라고 주장하였다.[32]

아보트(Daniel H. Abbott)[33]는 새프란스키의 주장을 좀 더 확장하면서, 존 보이드 (John Boyd)가[34] 제시한 'OODA Loop'를 이용해 전쟁세대가 진화할수록 적의 영역으로 더욱더 깊숙하게 들어가는 경향성이 강해질 것이라고 주장하였다. 그는 대규모 군대에 의한 일대일 근접전투 양상을 보였던 나폴레옹 전쟁이 제1세대 전쟁에 해당되며, 적의 결심(Decide)과 실행(Act) 능력 무력화에 중점을 둔 분쟁으로 정의하였다. 제1차 세계대전으로 대변되는 제2세대 전쟁은 적의 방향 결정(Orient)과 결심(Decide) 능력의 무력화에 중점을 둔 분쟁으로 분류하였고, 전격전(기동전)이 등장한 제2차 세계대전은 제3세대 전쟁으로 분류하면서 적이 방향 결정(Orient)을 수행하는 단계에서부터 능력을 마비시켜 결심과 실행으로 이행하지 못하도록 하는 것에 중점을 두고 수행된 분쟁으로 정의하였다. 제4세대 전쟁은 베트남전을 대표적인 사례로 들었으며, 제3세대 전쟁보다 한 단계 더 적의 영역속으로 들어가 방향 결정(Orient) 이전의 관찰(Observe) 능력까지도 마비시키고자 시도했던 분쟁으로 정의하였다.

그의 주장에 따르면 제5세대 전쟁은 지적 능력 (intellectual strength)을 파괴하는데 중점을 둔 분쟁으로서, 적이 현재 누구와 싸우고 있는지조차 모르는 상태에서 전쟁을 수행하도록 유도하기 위해 관찰(Observe)자체를 조작하려고 노력하며, 훌륭하게 수행된 제5세대 전쟁의 경우 분쟁에 참여한 어느 한쪽은 전쟁이 일어나고 있는지도 인지하지 못한다. 전쟁 세대가 진화함에 따라 적의 영역으로 더욱 깊숙하게 들어가게 된다는 이러한 주장을 종합해서 도식화하면 <그림 2-1>에서 보는 바와 같다.

<그림 2-1> 전쟁세대와 OODA Loop의 관계[35]

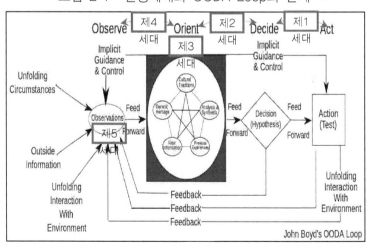

아보트는 또한 제5세대 전쟁을 '비밀전쟁(Secret War)'로 정의

하면서, 제5세대 전쟁에 참여하는 전투원들은 자신의 존재 자체
를 비밀스럽게 유지하는 것이 상당히 중요하기 때문에 주변에 자
신의 존재가 드러나지 않도록 가장 평범한 사람처럼 행동한다고
주장하였다.36) 따라서 제5세대 전쟁은 '은밀하면서도(Soundless),
형체가 없으며(Formless), 세련되고(Polished), 주도적인(Leading)'
인 4가지 특징을 보이게 된다는 것이다. 즉, 제5세대 전쟁을 수행
하는 군대는 소리도 내지 않고 아무런 형체도 없이 적을 자신들
이 의도하는 방향으로 움직이도록 만들고자 한다. 물론 이 상황에
서 제5세대 전쟁에서 패배한 상대방은 결국 자신들이 패배했다는
사실조차도 절대 인지하지 못할 뿐만 아니라 반복되는 피해로 인
해 무엇인가 잘못되고 있음을 감지했다 하더라도 관찰
(observation) 능력이 이미 무력화된 상태이기 때문에 대응 자체
도 불가능한 상황에 놓이게 될 것인데, 이것이 성공적으로 수행된
제5세대 전쟁의 최종 모습이 된다. 따라서 이전 세대의 전쟁들에
비해 전통적인 전쟁 수행 양상이 거의 보이지 않는 제5세대 전쟁
은 결국 일반적인 전쟁의 형태로 나타나지는 않을 것이라고 강조
하였다.37)

　이후 제5세대 전쟁개념에 대한 논의가 본격화되기 시작하면서
"5GW" 또는 "fifth generation warfare"라는 표현을 과거 자신들
의 이론에 대입해 넣을 수 있는 유행어쯤으로 폄훼하고, 자기 것
으로 끌어들이려는 사람들이 생겨나자 아보트는 그런 주장들에
대응하기 위해 보다 새로운 관점에서 제5세대 전쟁을 해석하기
위한 또 다른 시도를 진행하였다. 자신이 제5세대 전쟁 논의 초
기에 제안했던 전쟁세대 구분 프레임워크인 "xGW"에서 'G'의 개
념을 '분쟁의 물리적 강도(kinetic intensity)'를 측정하는 척도로
봐야 한다고 주장한 것이다. 여기서 물리적 강도는 인명 살상이나
폭력성 등을 의미하며, 0GW가 가장 폭력적이고 대량 인명손실을

초래하는 전쟁이라면 제5세대 전쟁은 물리적 강도가 가장 약한 전쟁이 된다. 그리고 새롭게 나타나는 전쟁세대는 이전 세대의 전쟁에 비해 물리적 강도가 20배 이하로 낮아질 것이라고 주장하였다.

한편, 햄즈는 제4세대 전쟁의 진화된 양상들을 정리하면서, 사회·경제·정치시스템 측면에서의 변화들을 통해 제5세대 전쟁의 조망을 시도하였다. 제4세대 전쟁의 진화 양상은 크게 전략적 측면에서의 변화, 조직체계 측면에서의 변화, 그리고 전쟁 참여자의 변화 등 3가지로 구분하여 제시하였으며, 그 외에도 발달된 과학기술로 인한 대량살상무기 제조 및 활용 가능성 증대, 또 다른 행위자인 사설군사기업(PMC, Private Military Company)과 범죄자의 등장, 국가 수준에서의 제4세대 전쟁 수행 등을 주요 진화 양상으로 꼽았다.[38] 세부적인 내용을 정리한 결과는 <표 2-1>에서 보는 바와 같다.

요약해 보면, 햄즈는 정치, 사회, 그리고 경제적 측면에서 나타난 변화들이 매우 막강한 권력을 가진 개인(super-empowered individuals) 혹은 국가보다는 대의명분을 쫓아 모여든 소규모 그룹의 출현을 암시하고 있으며, 새롭게 등장한 그러한 행위자들이 최근 떠오르고 있는 최신 기술들을 효율적으로 활용할 경우 국가급 수준의 자원을 동원해야만 막을 수 있을 정도의 파괴력을 행사할 수 있게 될 것이라고 주장하였다. 또한, 제5세대 전쟁은 'Nets-and-Jets Wars'라고 정의하였다. 네트워크는 핵심 정보를 전 세계 어디로든 실시간으로 전달하고, 작전 수행에 필요한 장비와 재료의 공급원을 신속하게 식별할 수 있도록 해 줄 것이며, 전쟁 참여자들을 손쉽게 모집할 수 있는 인력시장을 제공할 것이라는 점에서 'Nets'라는 개념을 도입하였고, 교통수단의 발달로 인해 저렴한 비용으로도 전 세계 어느 곳이든 무기를 효과적으로 단시간에 배치함으로써 동시다발적으로 전쟁을 수행할 수 있다는 측면에서 'Jets'라는 개념을 도입하였다.

<표 2-1> 제5세대 전쟁과 관련된 햄즈의 주장

구 분	세부 내용
전략 변화	· 분란전이 정보작전 기반의 군사작전에서 게릴라전이나 테러리스트들이 수행하는 전략적 소통작전으로 전환
조직체계 변화	· 계층적 조직에서 네트워크화된 조직으로 변화
참여자 변화	· 매우 다양한 무장세력들이 서로 다른 동기로 분란전 수행 중 · 3가지 동기가 동시에 나타나는 하이브리드 조직 탄생
대량살상 무기	· 발달된 과학기술로 인해 대량살상무기 제조 및 활용 가능성 증대
사설군사 기업과 범죄자	· 사설군사기업이 무력사용과 관련된 국제적 제재조치를 회피할 수 있는 유용한 수단으로 등장 · 대부분 범죄조직들이 제4세대전쟁 기법 사용 중
국가 수준에서 제4세대 전쟁 수행	· 사설군사기업을 전면에 내세워 비난을 회피하면서 국익 도모(중국) · 헤즈볼라와 이스라엘의 대치 국면을 이용해 핵 프로그램 제재 압박 회피(이란)

결국, 햄즈는 정치, 사회, 경제, 그리고 기술적 측면에서의 변화가 자신들만의 목적 달성을 위해 구성된 소규모 그룹으로 하여금 신기술을 이용해 국가에 맞설 수 있게 될 것이라는 점을 강조하면서 이는 전쟁 수행방식의 진화로 이어지게 될 것이 확실하기

때문에 새로운 형태의 전쟁을 대비하여야 하고 이를 위해서는 사고의 전환이 필요함을 강조하였다.

한편, 다양한 주제들을 자유롭게 논의하는 웹사이트 'Confusionism'에 게시된 "Fifth Generation Warfare(5GW)"[39]에서는 제5세대 전쟁이 제4세대 전쟁과 거의 유사하지만, 분쟁의 양상이 더욱더 국제화되었다는 점과 행위자들의 조직체계가 느슨한 연합으로 변모했다는 점을 주요 차이점으로 지적하였다. 제4세대 전쟁의 행위자들은 정해진 국경 내에서 전투를 벌였기 때문에 전장 영역에 대한 식별이 어느 정도 가능했었지만, 제5세대 전쟁의 행위자들은 시간과 장소를 불문하고 출몰하여 분쟁을 일으킨다는 것이다. 그리고 제5세대 전쟁의 행위자들은 알 카에다(Al Qaeda)의 예에서 잘 나타난 바와 같이 전 세계에 퍼져있는 전투원들이 특정한 지도부에 의해 지휘 통제를 받고 있지도 않으면서도 알 카에다라는 이름을 내건 거대한 세력으로서 전 세계를 위협하고 있다는 점을 제4세대 전쟁과는 차별화되는 특징으로 제시하였다. 위 글에서는 제5세대 전쟁의 주요 특징을 다음과 같이 제시하였다.

- 식별이 거의 불가능한 적(007과 유사)
- 패배를 승리로 포장해 미디어를 이용해 선전하는 행위의 일상화
- 재래식 군사력과 하드웨어의 진부화(제5세대 전쟁에서의 기능 상실)
- 전장에서 나타난 실제 결과는 철저하게 배제되고, 오로지 미디어를 통해 전파되는 내용을 전투의 최종적인 결과로 인식
- 종교나 민족성에 기반을 두거나 혹은 미디어의 의해 만들어진 편견에 영합하여 서방세계 내부에서 생겨나는 적대세력의

증가
- 벌어진 전쟁이나 전투에 대해서는 정치가들이나 군인, 그리고 정보기관들밖에는 사용하지 않는 꼬리표가 붙게 되며, 그러한 꼬리표는 대중들에게 공포심을 조장할 수 있도록 명명
- 완전하게 사라진 전선(lines of battle)
- 비국가 행위자들이 가용한 모든 기술을 창의적이고 역동적으로 사용함으로 인해 고가의 군사 무기와 기술은 무용지물로 전락
- 비국가 행위자에 의해 일방적으로 선택되는 전장
- 제대로 훈련되지도 않은 소규모 군대가 제대로 훈련되고 장비를 갖춘 대규모 군대에 승리
- 비전통적 무기의 사용 증가

이후, 제5세대 전쟁에 대한 논의는 주로 '테러와의 전쟁'이라는 측면에서 진행되는 경향을 보이고 있으며, "5G Warfare Studies"라는 웹사이트를 중심으로 관련 논의가 다수 진행된 바 있다. 대표적으로 메디슨(Wayne Madsen)은 온라인 저널인 *Strategic Culture*에 기고한 글[40]에서, 그동안 제4세대 전쟁 및 제5세대 전쟁의 주요 행위자로 언급되었던 '폭력적 비국가 행위자(VNSAs: Violent Non-State Actors)'가 최근에는 '국가의 지원을 받는 폭력적 행위자(VSSAs: Violent State-Supported Actors)'로 변모하고 있으며, 대표적인 사례로 신나치(neo-Nazi) 세력들의 우크라이나 정규군 통합을 들었다. 또한, 이슬람 극단주의자들도 국가의 지원을 받는 세력들로 탈바꿈하고 있는 추세를 지적하면서 불안정한 국가의 내정에 개입하고자 했던 미국의 정책이 전 세계에 걸쳐 제5세대 전쟁을 촉발하는 계기가 되고 있다고 주장하였다.

2.2. 제4세대 전쟁과 제5세대 전쟁의 차이점

제4세대 전쟁개념이 린드에 의해 처음 제기된 이후 제1, 2, 3세대 전쟁들과는 전혀 다른 기준을 적용하여 전쟁세대를 구분하고 있다는 지적이 상당히 강하게 제기되었다. 또한, 제4세대 전쟁의 유형으로 분류되는 게릴라전, 테러리즘, 분란전 등은 이전 세대의 전쟁에서도 지속적으로 존재해왔던 것들이기 때문에 제4세대 전쟁을 새로운 전쟁으로 받아들이지 않는 견해도 많다. 제4세대 전쟁의 목표 또는 수행방식으로 제시된 상대방의 의지 공략 및 약화 역시도 이전 세대의 전쟁에서 지속적으로 추구해왔던 전쟁 수행방식이기 때문에 제4세대 전쟁만의 전유물은 아니라고 볼 수 있다. 그리고 전쟁의 세대 구분은 이전 세대의 전쟁 수행방식을 극복하기 위한 선형적 진보라는 성격이 강한 반면 제4세대 전쟁은 앞선 세대들과는 관계없이 독자적으로 출현한 전쟁이기 때문에 세대 개념으로 묶을 수 없는 태생적 한계를 가진다는 지적도 있다.

제5세대 전쟁 역시도 제4세대 전쟁과 유사하게 전혀 새로운 전쟁이 아니며 제4세대 전쟁을 수행하는 적에게 이기기 위해 진보한 형태로 나타난 전쟁 수행방식은 더더욱 아니라는 관점에서 전쟁세대로 구분하는 것이 부적합하다고 생각하는 학자들도 있다. 그러나 새로운 전쟁 양상으로써의 제5세대 전쟁에 관한 연구는 미래 한국군에게 적용 가능한 어떠한 함의를 줄 수 있다는 점에서 연구 자체에 의미가 없다고 볼 수는 없다.

제5세대 전쟁이 '지적 능력의 조작이나 마비, 파괴에 중점을 두는 전쟁'이라는 인식은 제5세대 전쟁 주창자들 사이에서 공감대가 형성된 것으로 보인다. 또한, 상당한 부를 축적한 개인 혹은 소규모 무장 세력이 발달된 과학기술을 활용하여 비재래식 대량 살상무기를 제조하고 활용할 수 있는 가능성이 증대됨에 따른 재량권의 심화, 목표로 삼은 국가나 사회 내부로 보다 깊숙하게 침투하여 적의 관찰 능력 자체를 조작하고자 시도하는 전쟁, 전략적 소통의 중요성이 부각되는 전쟁 등의 개념도 대부분 학자들이 공통적으로 제시하는 제5세대 전쟁의 양상이다. 이러한 제5세대 전쟁은 전쟁세대 구분에 의해 정의된 제3세대 전쟁 이전의 전쟁들(제1세대, 제2세대, 제3세대 전쟁 모두 포함)과는 확연하게 다른 양상을 보이지만, 제4세대 전쟁과는 상당히 닮아있는 양상들이 많다. 하지만, 학술적으로 논의되고 있는 개념 중에는 제5세대 전쟁이 제4세대 전쟁과 확연하게 차이를 보이는 양상도 분명히 존재한다.

제5세대 전쟁이 제4세대 전쟁과 유사한 양상을 보이는 부분으로는 우선 전쟁 수행 주체의 탈국가화를 들 수 있다. 전쟁의 수행 주체가 국가가 아닌 비 국가집단, 테러리스트 그룹, 범죄그룹 등으로 소규모화 되고, 조직체계도 분권화 및 분산화 된 글로벌 게릴라의 형태로 진화하는 경향은 제5세대 전쟁에서도 계속 이어지고 있다. 다만, 제4세대 전쟁의 초기 분란전 양상에서 나타났던 맹목적 애국주의가 시간이 흐르면서 특정 이데올로기와 명분으로 옮겨갔던 현상이 제5세대 전쟁에서는 보다 심화될 것이며, 막강한 권력을 가진 소규모 전투 집단 혹은 개인이 전쟁 수행 주체로 새롭게 등장할 정도로 소규모화가 가속화될 것으로 전망하고 있다.

둘째, 지형이나 국경의 개념이 모호해지고 전시와 평시의 구분도 사라졌으며, 대응에 있어 국가나 군의 역할이 축소되었다는 점은 동일하게 적용된다. 셋째, 제4세대 전쟁과 제5세대 전쟁 모두 적의 심리적 영역을 집중적으로 공격하여 적이 의도된 방향으로 움직이도록 유도하는 전쟁이라는 측면도 동일하다. 다만, 제5세대 전쟁은 제4세대 전쟁에 비해 보다 적의 영역 깊숙한 곳으로 들어가서 전쟁을 수행한다. 이 외에도 제5세대 전쟁은 제4세대 전쟁과 많은 부분에서 공통적인 양상을 보이기 때문에 굳이 제5세대 전쟁이라고 표현하기보다는 정치, 경제, 사회 및 과학기술의 변화와 발달을 반영하면서 제4세대 전쟁이 자연스럽게 진화한 전쟁이라고 주장하는 학자들도 있다.

반면, 제5세대 전쟁과 제4세대 전쟁이 차별화되는 부분은 우선 작전 수행방식을 들 수 있다. 제4세대 전쟁이 비 국가집단, 테러리스트 단체, 범죄그룹 등이 글로벌 게릴라전, 분란전, 자살폭탄테러 등을 통해 적대 국가 혹은 사회에 직접적으로 공격을 감행하면서 공포심을 불러일으키거나 여론을 조장하여 정치적 의지를 약화시키는 전쟁이라고 한다면, 제5세대 전쟁에서는 그러한 수행 주체들이 직접 공격작전을 수행하는 것이 아니라 목표 사회 내부의 영향력자로 하여금 사회 전체를 대상으로 최종 공격을 수행하도록 유도하는 전쟁이다. 물론, 사회 내부의 영향력자를 움직이기 위해 제4세대 전쟁에서 사용되었던 물리적 차원의 테러나 비정규전은 보조 수단으로 사용될 수도 있지만, 목표를 달성하기 위한 직접적인 수단이 아니라는 점에서는 확실하게 구분된다.

둘째, 제5세대 전쟁은 제4세대 전쟁에 비해 작전 수행의 은밀함이 더욱더 강조된다. 제4세대 전쟁의 경우 외세 축출을 위한 저항적 성격이 강했기 때문에 작전 수행 주체가 명확하게 식별되었고, 각종 물리적 테러가 자행된 이후에도 즉각적으로 특정 무장세력들이 수행의 주체를 자처하고 나서서 불안감이나 공포심을 극대화하고자 시도하였다. 그러나 제5세대 전쟁에서는 배후 세력에 대한 짐작은 가능할지 모르나 실체의 파악은 불가능하며, 누구와 싸우고 있는 것인지 혹은 현재 전쟁이 벌어지고 있다는 사실조차도 인지하지 못할 정도로 작전이 은밀하게 진행된다는 것이다.

셋째, 전쟁에서 승리를 구분하는 기준에서 차이를 보인다. 제4세대 전쟁의 경우 약자 입장에서는 버틸 수 있으면 승리하는 전쟁이었고 강자의 입장에서는 확실히 승리하지 못하면 패배하는 전쟁이었다. 그러나 제5세대 전쟁의 경우에는 버팀으로써 승리한다는 개념보다는 목표로 삼은 국가나 사회가 적이 의도한 방향으로 움직이면 전쟁은 종료된 것이고, 그 국가나 사회는 패배한 것으로 간주한다. 즉, 은밀한 작전 수행이라는 측면에서 다시 생각해보면 공격자 입장에서는 목표 국가나 사회의 움직임을 통해 승리를 충분히 인식할 수 있겠지만, 방어자는 자신이 전쟁의 대상 목표였다거나 혹은 전쟁에서 패배했다는 사실조차도 인식하지 못할 수도 있는 것이 제5세대 전쟁이라 할 수 있다.

넷째, 전쟁에서 승리하기 위해 강조되는 역량에서 차이를 보인다. 제4세대 전쟁과 제5세대 전쟁 모두 조직체계 측면에서는 글로벌하게 분권화된 명령 계통과 전투원들의 분산을 기본으로 하고 있다. 따라서 분권화된 명령 체계에서 전투원들을 효율적으로 통제하고 작전을 수행하기 위해 네트워크가 상당히 강조될 수밖에 없다. 그러나 이러한 네트워크의 중요성은 제5세대 전쟁이 제4세대 전쟁보다 강조되고 있으며, 특히 제5세대 전쟁에서는 사회적 결속 강화나 개인의 역량 강화가 더욱 중요시된다. 이는 사회전체가 인지 영역을 조작당한 상태로 적의 의도대로 움직일 수도 있고, 사회 내의 영향력자가 적이 조작한 정보를 대중들에게 전파하여 적이 의도한 방향으로 대중들을 선동하도록 만드는 것이 제5세대 전쟁의 핵심 전술이기 때문이다. 따라서 제5세대 전쟁의 특징으로 제시했던 재량권도 달리 생각하면 개인의 역량 강화가 필요한 부분이라고 볼 수 있다.

다섯째, 시간 프레임 상의 차이점이다. 제4세대 전쟁은 상당히 긴 시간 프레임을 가지고 수행된다. 기본적으로 수년 이상의 프레임을 가진다. 장기적으로 피로가 누적된 강대국의 입장에서는 결국 자신들이 의도한 결과를 도출할 수 없음을 인식하고 물러설 수밖에 없다. 반면에 제5세대 전쟁은 제4세대 전쟁에 비해 비교적 짧은 시간 프레임을 염두에 두고 계획된다. 그러나 그 결과가 가시적으로 관찰 가능해지기까지는 제4세대 전쟁보다 훨씬 긴 시간이 경과해야만 한다. 어쩌면 영원히 적이 누구였는지, 전쟁이 진행되었는지 조차도 인식하지 못하고 역사 속에 묻힐 수도 있는 것이 제5세대 전쟁이다.

제3절 제5세대 전쟁의 개념화 및 한국군 적용방향

전쟁의 양상이 정치, 경제, 사회적 변화를 수용하면서 진화하는 것은 분명하며, 새로운 전쟁 수행방식은 지속적으로 출현할 것이다. 따라서 미래 전쟁 양상의 예측을 통해 군사전략을 개선하고 군사력 운영의 변화를 도모하며 새로운 무기체계를 개발하는 과정은 반드시 필요하다. 하지만, 전술한 바와 같이 전쟁세대를 시계열적 개념 혹은 당대에 주로 논의가 되는 전쟁세대에 포함된 특정 요소에만 집중하여 양병과 용병 전략을 구상하는 것은 군사적으로 현명하지 못한 선택이라고 할 수 있다.

물론 제4세대 전쟁은 새로운 전쟁 양상으로 자리하고 있으며, 전사가 증명해주고 있는 것처럼 제4세대 전쟁은 약자에게는 상당히 효율적인 전쟁 수행방식이었다. 제3세대 이전의 전쟁들과 달리 군사력의 압도적 우세를 달성했던 강대국이 제4세대 전쟁에서 많은 고전을 하였기 때문이다. 미국은 베트남, 레바논, 소말리아에서부터 이라크, 아프가니스탄에 이르기까지 많은 어려움을 겪었으며, 소련은 아프가니스탄에서, 프랑스는 베트남에서 쓰라린 패배를 경험하였다. 이로 인해 전통적으로 군사력의 우세를 통해 전쟁에서의 승리를 달성할 수 있다고 믿었던 강대국의 입장에서는 군사전략 측면에서 패러다임의 전환이 필요함을 충분히 인식하게 되었다. 즉, 군사적으로 강대국이든 약소국이든 제4세대 전쟁은 결코 외면할 수 없는 불가피한 선택이라는 측면에서 제4세대 전쟁에 대한 논의는 더욱 본격화되기 시작하였으며, 그 연장선상에서 제5세대 전쟁에 대한 논의도 촉발되었다고 볼 수 있다.

그러나 제5세대 전쟁이론은 아직 학술적으로만 논의되고 있는 단계이며, 제시된 개념들 대부분이 추측에 근거하고 있을 뿐만 아니라 군사적 관점에서 구체적인 위협의 형태로 상정할 수 있는 전쟁의 형태라기보다는 고도의 정치심리전에 가까운 형태를 가지고 있다. 또한, 제4세대 전쟁 이전의 전쟁세대처럼 구체적인 사례를 찾아보기도 힘들며, 공식적으로 제5세대 전쟁개념을 적용하고 있는 국가도 찾을 수 없다. 따라서 제5세대 전쟁개념을 공식적으로 군에 적용하는 것은 좀 더 신중한 검토가 필요할 것이다.

제5세대 전쟁의 논의 과정에서 제시된 특성 중 상당 부분은 전략적 사고의 폭을 넓힌다는 측면에서 충분히 의미를 가질 수도 있다. 특히 "인식 영역에서의 위협"에 대한 대비는 향후 국방정책 및 군사전략 수립과정에서뿐만 아니라 범국가적 차원에서 반드시 고려해야 할 요소이며, 지적 능력의 마비 혹은 조작을 통한 선전선동이 주요 작전술이라는 측면에서는 국가 및 국방부 차원의 역량 강화가 필요할 것이라 생각된다.

3.1. 제5세대 전쟁의 개념화

제5세대 전쟁에 대한 논의는 앞에서 살펴보았듯이 상당히 다양하게 제시되었다. 혹자는 진화를 거듭하고 있는 제4세대 전쟁을 두고 제5세대 전쟁을 논하는 것은 시기상조라고 주장한다. 일부학자들은 제5세대 전쟁을 물리적인 충돌이라는 개념은 배제되면서 정보 조작 혹은 선전(propaganda)에 의해 적의 인지적 측면을 공략하는 정치공작 혹은 정치심리전의 성격으로 정의했으며, 테러와의 전쟁이라는 관점을 유지한 상태에서 제5세대 전쟁에 대한 개념 정의를 시도한 이들도 있었다. 그러나 리드(Reed)를 제외한 대부분은 제4세대 전쟁과는 차별화된 특성 혹은 전쟁 수행방식만을 언급하고 있을 뿐 개념화를 시도하지는 않았다.

제5세대 전쟁 주창자들 사이에서 공감대가 형성된 것으로 보이는 개념들은 크게 '지적 능력의 조작이나 마비, 파괴에 중점을 두는 전쟁', '상당한 부를 축적한 개인 혹은 소규모 무장 세력이 발달된 과학기술을 활용하여 비재래식 대량살상무기를 제조하고 활용할 수 있는 가능성이 증대됨에 따른 재량권의 심화', '목표로 삼은 국가나 사회 내부로 보다 깊숙하게 침투하여 적의 관찰 능력 자체를 조작하고자 시도하는 전쟁', '전략적 소통의 중요성이 부각되는 전쟁' 등으로 요약해 볼 수 있다. 따라서 이러한 공통적인 요소를 가지고 제5세대 전쟁을 개념화 하면 다음과 같다.

첫째, 분쟁의 영역 측면에서 보자면, 제4세대 전쟁에서부터 정치·사회·인지적 영역이 추가되기 시작하였지만, 제5세대 전쟁에서 사회와 인지적 영역의 중요성은 더욱 확실하게 증대되었다. 그리고 강대국의 침입에 대한 저항운동의 성격이 강했던 제4세대 전쟁의 경우 적의 실체를 식별하는 것이 비교적 용이했지만, 제5세대 전쟁에서는 상대해야 할 적은 존재하지만, 그 실체가 불분명해졌으며 어쩌면 적이 누구인지도 모르는 상태에서 전쟁을 치르게 될 수도 있다. 또한, 발달된 과학기술과 범죄조직과의 연계를 통해 확보한 자금력을 바탕으로 규모는 점점 소규모화 되어 가고 있음에도 그 능력은 더욱 강력해졌으며, 인터넷과 모바일 통신수단을 기반으로 네트워크화된 조직으로의 변화가 가속화됨에 따라 분쟁의 범위도 제4세대 전쟁에 비해 훨씬 국제화되고 있다.

둘째, 전쟁의 목표 측면에서는 제4세대 전쟁과 상당히 유사하다. 그러나 물리적 테러를 기반으로 공포심을 조장하여 정치적 의지를 약화시키거나 사회 혼란을 조장하고자 시도했던 것이 제4세대 전쟁이라면, 제5세대 전쟁에서는 물리적 테러보다는 정보 조작 혹은 미디어를 이용한 선전 선동이 핵심 전술로 이용되고 있다.

셋째, 군사력의 변화 측면에서는 가용한 모든 수단을 총동원하는 형태를 취하고 있으며, 재래식 군사력의 운용은 마지막 수단으로 간주된다. 제5세대 전쟁에 대응하는 입장에서도 재래식 군사력 위주의 대응은 효과를 거둘 수가 없으며, 국가도 특별한 역할을 할 수 없게 되는 것이다.

이상과 같은 공통 개념들을 바탕으로 제5세대 전쟁에 대한 개념을 일반화시켜보면 "제5세대 전쟁은 실체를 파악하기 힘든 강력한 적이 은밀하게 목표로 정한 국가나 사회 내부로 침투하여 정보 조작 및 선동, 테러 등 가용한 모든 수단을 동원해 해당 구성원들의 인식 영역을 조작, 마비 또는 파괴시키면서 사회 혼란을 조장하고 분열을 가중시켜 나가면서 최종적으로는 해당 국가나 사회가 의도된 방향으로 움직이도록 만들기 위해 수행하는 전쟁"이라고 할 수 있다.

이러한 제5세대 전쟁은 외부로부터의 적에 의해 촉발될 수도 있을 것이고, 국가나 사회 내부의 적에 의해 촉발될 수도 있을 것이다. 외부로부터의 위협이든 내부로부터의 위협이든 상관없이 공격을 당하는 입장에서는 현재 진행되고 있는 사회 혼란이나 갈등을 일상적으로 경험해왔던 현상 정도로 가볍게 인식하게 될 것이다. 즉, 제5세대 전쟁은 그 사실을 인지하는 것이 거의 불가능할 정도로 은밀하게 수행된다. 어쩌면 이미 우리 주변에서 은밀하게 진행되고 있을지도 모르고 우리 대다수가 이미 제5세대 전쟁을 경험했을 수도 있는 것이다.

3.2. 제5세대 전쟁에 대한 한국군 적용방향

제5세대 전쟁의 개념을 바탕으로 살펴본다면 군이 담당해야 할 역할은 크지 않다고 여겨질 수 있다. 그러나 제5세대 전쟁의 개념 속에는 군과 국가가 미래 전쟁을 대비하는 차원에서 반드시 고려해야만 할 요소들도 상당수 내포되어 있다. 즉, 한국군은 제5세대 전쟁 대비를 위해서 군 단독의 준비만이 필요한 것이 아니라 범정부적 차원의 준비를 이끌 필요가 있다. 이를 위해서 다음의 네 가지 차원의 대응방안 마련이 필요하다 할 수 있다.

가. 인식 영역에 대한 위협 대비 방안 마련

제5세대 전쟁은 "지적 능력의 조작이나 마비, 파괴"를 통해 분쟁의 맥락 파악을 불가능하게 만드는 전쟁이다. 따라서 한국군은 그동안 중요성을 간과하고 있었던 '인식 영역에 대한 위협'에 대비할 필요가 있다. 또한, 국가 차원에서도 국민들의 인식 영역을 향해 가해질 위협에 대처할 수 있도록 방안을 마련하고 시행해

나가야만 한다.

가장 우선적으로 고려해 볼 수 있는 대비 방안은 국민과 군내 구성원들을 대상으로 안보교육을 강화하고 국가 정체성 확립 및 사회결속 강화에 대한 필요성을 인식시키는 것이다. 그리고 이러한 교육의 강화와 인식의 확산은 범정부 기관, 교육기관, 언론기관 등을 통해 광범위하게 이루어질 필요가 있다. 이러한 과정에서 한국군은 정확한 정보와 전쟁패러다임 변화 등에 대해 국민들에게 알릴 필요가 있을 것이다.

제5세대 전쟁이 성공하기 위해서는 국가나 사회 내부로 침투해 왜곡된 정보를 전파하고 구성원들의 지적 능력을 마비시키면서 선동하는 'Sleeper Cells'[41]이 역할을 제대로 수행하는지가 관건이다. 제5세대 전쟁을 대비하는 입장에서는 그러한 'Sleeper Cells'를 얼마나 빨리 식별하여 사회 내부로부터 제거할 수 있느냐가 중요하다. 따라서 군과 사회 구성원들이 확고한 안보의식과 정체성을 가지고 내부결속이 강화될 수 있다면 왜곡 또는 조작된 정보의 전파도 조기에 차단될 수 있을 것이고 그러한 정보의 전파를 시도하는 전투원을 식별하여 사회 내부에서 축출하는 것도 용이해질 것이다.

나. 범정부 차원의 전략적 소통 역량 강화

제5세대 전쟁은 전략적 소통이 상당히 강조되는 전쟁이다. 제5세대 전쟁의 공격자 입장에서는 인터넷이나 SNS, 미디어 등을 이용하여 왜곡된 정보나 조작된 정보를 유포하는 전략적 소통을 통해 사회나 군 내부 구성원들의 인식 영역을 조작하고자 시도할 것이다. 이런 상황에서 내부적으로 특정 사안에 대해 전략적 소통이 제대로 이루어지지 않았거나 실패한 경우에는 구성원들이 조작된 정보에 쉽게 현혹되고 적대 세력이 의도하는 방향으로 움직일 가능성이 증가할 것이다. 따라서 국방부를 포함한 전 정부 부처들은 국민들을 대상으로 하는 전략적 소통 능력과 내부적인 소통 능력을 강화할 필요가 있다.

한국군은 북한의 도발이 발생할 경우 종종 대언론 취약점이 노출되는 경우가 있다. 또한, 북한의 대남 전략적 선전 선동에 적절히 대처하지 못했다는 지적도 계속 이어져 왔다. 물론 이에 국방부, 합참, 연합사에서는 전략적 소통을 강화하기 위한 조직을 보강하기도 하였고, 각종 연습 시에도 실무 협조단을 운용하고 있는 상황이다. 그러나 제5세대 전쟁을 위한 전략적 소통은 군 내부 조직만 보강하고 역량을 키운다고 해서 해결될 문제가 아니다. 국방부를 비롯한 전 정부 부처가 모두 전략적 소통 역량을 강화해 나가면서 유기적인 협조체제를 갖추고 있어야만 한다. 전술하였던 바와 같이 제5세대 전쟁에 대한 논의는 아직까지 학술적인 단계에 머물러 있다. 하지만, 미래전을 준비하는 과정에서 한국군은 전략적 소통 역량을 강화할 필요가 있으며 또한 이것이 현대전에 있어서도 매우 중요한 강점으로 작용할 수 있을 것이다.

다. 실시간에 가까운 정보전달 수단 강구

제5세대 전쟁은 네트워크 대 네트워크의 전쟁이라고 표현할 수도 있다. 제5세대 전쟁에 참여하는 전투원들은 글로벌하게 분산된 네트워크형 조직체계를 갖추고 있지만 신속하게 정보를 전파하고 상호 소통하기 위해 인터넷이나 모바일 통신, SNS 등을 적극적으로 활용할 것이다. 실체를 파악할 수 있는 적이라면 그들이 통신을 위해 주로 이용하는 웹사이트 혹은 SNS 등의 정보 무기를 직접 공격하는 방법도 사용 가능하겠지만 움직임은 파악 가능하되 실체는 모호한 적을 상대해야만 하는 상황이라면 적보다 신속하게(근 실시간에 가깝게) 올바른 정보를 전달하고 상호 소통할 수 있는 수단이 반드시 필요하다. 따라서 네트워크화 된 적을 상대하기 위해서는 우리도 네트워크화 될 수 있어야만 한다. 또한, 이렇게 네트워크화 되었더라도 그 안에서의 정보 교환이 매끄럽지 않으면 큰 효과가 없다. 즉, 제5세대 전쟁에 대응하기 위해서는 적보다 네트워크화 되어야 하며 그를 바탕으로 정확하고 적시적인 정보의 교환이 가능한 체계를 가지고 있어야 할 것이다.

라. 국가 총력전 차원의 대비 방안 마련

제5세대 전쟁은 한국군이 지금까지 대비해 왔던 국가 정규군 대 정규군의 전쟁이 아니라 네트워크 대 네트워크, 혹은 사회 대 사회의 전쟁이다. 국가나 사회 내부로 깊숙하게 침투한 적대 세력 또는 적의 조작된 정보에 현혹된 내부의 영향력자나 구성원들이 선전 선동을 통해 사회 내부에 혼란을 유발하면서 적이 의도하는 방향으로 움직이도록 만드는 전쟁이기 때문에, 군과 국가가 전통적인 방식인 군사력 위주의 대응을 할 수가 없을 뿐만 아니라 실제 명확한 역할을 설정하기도 매우 제한된다. 어쩌면 군보다는 오히려 사회 저변의 치안을 담당하는 경찰의 역할이 증대될 것이다. 따라서 새롭게 등장하고 있는 제5세대 전쟁에 대응하기 위해서는 범정부 부처가 협력하는 가운데 국가 총력전 차원의 대비가 필요하다.
총력전의 핵심은 전시 동원체제를 어떻게 수립하느냐라고 할 수 있다. 즉, 평시 국가 자원을 전시 활용할 수 있는 능력으로 어떻게, 얼마나 빠르게 전환하느냐가 중요하다는 것이다. 물론 한국 정부는 매년 을지훈련 등을 통해 이를 점검하고 있으나 여전히 계획적인 측면은 물론 실행적인 측면에 있어서도 보완할 부분이 많이 있다. 예를 들어, 충무계획이 전시 군사작전 지원을 실제로 가능하게 잘 작성되어 있는가는 미래 전쟁을 준비하는데 매우 중요한 요소라고 할 수 있을 것이다.

제4절 결론: 정책적 함의

본 장에서는 제4세대 전쟁 이후 새로운 전쟁세대로 논의되고 있는 제5세대 전쟁의 개념을 살펴보고 새로운 위협으로서 한국의 안보 상황에 적용이 가능한지, 상정 가능한 위협 요소들이 제시되었다면 그러한 위협들에 대해 어떻게 대응해야 할지를 알아보았다.

이라크전쟁의 화려한 서전 이후 안정화 작전에서 많은 어려움을 겪고 아프가니스탄에서 고전을 면치 못했던 미국은 새로운 전쟁에 대한 대비 필요성을 인식하면서 제4세대 전쟁과 제5세대 전쟁에 대한 논의를 본격적으로 시작했다. 일부는 인민전쟁에서 시작된 제4세대 전쟁의 진화된 양상에 관심을 가졌었고, 일부는 새로운 전쟁 양상의 등장을 주장하며 제5세대 전쟁을 개념화하기 시작하였다. 제5세대 전쟁이 제4세대 전쟁의 진화라고 강력하게 주장했던 학자들은 제4세대 전쟁에 내포된 광범위한 변화부터 이해하는 것이 바람직하며, 새로운 전쟁세대를 논하는 것은 시기상조라고 주장하였다.

한편 새로운 전쟁세대로서 제5세대 전쟁을 주장하는 이들은 제4세대 전쟁과 차별화된 양상을 강조하며 제5세대 전쟁에 대한 개념화를 시도하였다. 그러나 제5세대 전쟁에서 논의된 개념 중 상당수는 제4세대 전쟁의 연장선에서 생각할 수 있는 개념들로서, 제4세대 전쟁을 주창했던 학자들이 제4세대 전쟁의 진화된 양상을 논하면서 언급했던 개념들과 대부분 일치한다. 따라서 제5세대 전쟁을 제4세대 전쟁이 정치·경제·사회적 변화와 과학기술의 발전을 반영하면서 진화된 전쟁 양상으로 바라보는 것이 보다 타당한 시각일 수도 있다. 또한, 제4세대 전쟁의 진화를 논하는 과정에서 제시된 개념들을 기반으로 마치 새로운 전쟁세대가 등장한 것처럼 무리한 개념화를 시도하려고 했던 사람들에 의해 인위적으로 만들어진 전쟁개념으로 평가할 수도 있다.

2003년 시작된 제5세대 전쟁에 대한 논의는 2010년대까지 산발적으로 이어졌으나 그 이후에는 앞서 진행되었던 논의들을 종합적으로 정리하는 수준 혹은 최근의 테러 양상들을 분석하는 와중에 일부 단어 수준으로 등장하는 선에서 언급되고 있을 뿐 새로운 개념과 이론은 등장하지 않았다. 제5세대 전쟁에 대한 논의가 활발하지 않은 이유를 명확하게 규명하기는 쉽지 않겠지만, 미루어 짐작할 수 있는 부분은 있다. 전술한 바와 같이, 제5세대 전쟁에서 제시되었던 개념들이 대부분은 제4세대 전쟁의 진화된 양상과 유사하며, 제4세대 전쟁에 이미 내포되어 있던 정치심리전과 선전 선동이라는 수단이 진화된 모습을 제5세대 전쟁이라는 별개의 전쟁세대로 구분하려는 시도로 여겨지기 때문이다. 또한, 제5세대 전쟁이 사회 내부에서 은밀하게 수행되어 감지하기도 힘든 전쟁이며 국가와 군이 전쟁의 행위자로서 역할을 할 수 없는 전쟁이라면, 전쟁이론을 기반으로 국가와 군이 변화와 혁신을 추구하기는 불가능했을 것이고 공감대 형성이나 이론 발전의 필요성을 주장하기도 어려워져서 관련 논의들도 자연스럽게 줄어든 것으로 보인다.

하지만, 지속적으로 진화하고 있는 전쟁 양상을 고려할 때 새로운 개념은 언제든지 다시 등장할 수 있으며 이를 위해 선제적인 연구와 대비가 필요하다. 따라서 제5세대 전쟁에 관한 연구는 학술적, 실무적 가치가 없다고 할 수 없다. 2003년 oss.net에 제 5세대 전쟁을 언급한 기고문이 최초 게시된 이후 진행된 학술적 논의들을 전반적으로 검토한 결과 제5세대 전쟁에 대해 비교적 공감대가 형성된 것으로 보이는 개념들은 크게 '지적 능력의 조작 이나 마비, 파괴에 중점을 두는 전쟁', '상당한 부를 축적한 개인 혹은 소규모 무장 세력이 발달된 과학기술을 활용하여 비재래식 대량살상무기를 제조하고 활용할 수 있는 가능성이 증대됨에 따 른 재량권의 심화', '목표로 삼은 국가나 사회 내부로 보다 깊숙하 게 침투하여 적의 관찰 능력 자체를 조작하고자 시도하는 전쟁', '전략적 소통의 중요성이 부각되는 전쟁' 등으로 요약할 수 있었 다. 그리고 이러한 개념들을 기반으로 본 장에서는 제5세대 전쟁 을 "실체를 파악하기 힘든 강력한 적이 은밀하게 목표로 정한 국 가나 사회 내부로 침투하여 정보 조작 및 선동, 테러 등 가용한 모든 수단을 동원해 해당 구성원들의 인식 영역을 조작, 마비 또 는 파괴시키면서 사회 혼란을 조장하고 분열을 가중시켜 나가면 서 최종적으로는 해당 국가나 사회가 의도된 방향으로 움직이도 록 만들기 위해 수행하는 전쟁"으로 정의할 수 있었다.

지금까지 학술적으로 논의되었던 개념들을 기준으로 제4세대 전쟁과 차이점을 분석한 결과 '전쟁에서 작전 수행방식', '작전 수 행의 은밀성', ' 전쟁의 승리 기준', '전쟁에서 승리하기 위해 강조 되는 역량', '전쟁의 시간 프레임' 등의 측면에서 상이한 양상을 가지고 있었다. 물론 현재 수준의 제5세대 전쟁에 관한 연구는 아직까지 학술적 담론에 머물러 있는 수준이며 한국의 안보 상황 에서 당면 위협으로 상정하기에도 다소 무리가 따르는 개념이라 할 수 있다. 또한, 제5세대 전쟁개념을 정책 및 전략 수립에 적용 하고 있는 국가도 명확하게 존재하고 있지도 않다. 따라서 제5세대 전쟁개념을 정책 및 전략에 공식적으로 반영하는 것은 아직은 시기상조로 판단된다. 그러나 제4세대 전쟁의 진화된 양상 혹은 새로운 제5세대 전쟁의 양상으로 제시된 개념 중에는 한국군이 미래를 대비하는 차원에서 고려해 볼 수 있는 요소들도 상당히 많다. 특히 이제까지 간과하고 있었을지도 모르는 인식 영역에서의 위협에 대한 대비는 반드시 고민해 보아야 할 요소이며, 정부부처들과 협력을 통해 국가적 차원에서 총체적인 대비책을 마련하는 노력이 필요하다. 또한, 비정규전, 분란전, 정치심리전 등이 미국 혹은 중동지역에만 국한된 위협이 아니며 현재 전 세계적으로 이슬람 극단주의자들에 의한 테러가 자행되고 있다는 점을 감안할 때, 한반도에서도 머지않은 미래에 펼쳐질 수 있는 위협이라는 인식을 공유하고 그에 대한 대비책을 강구해 나갈 필요가 있다.

새롭게 대두된 전쟁개념의 적용을 검토함에 있어서 인식의 전환도 필요하다. 제5세대 전쟁이 상대의 지적 능력을 조작하거나 마비시키면서 사회 내부적으로 혼란을 조장하고 분열을 가중시켜 최종적으로는 그 사회나 국가를 우리가 의도한 방향으로 움직이도록 만드는 전쟁이라면, 우리가 현재 마주하고 있는 적을 대상으로 적용할 수 있는 방안에 대해서도 고민해 볼 필요가 있다. 국가나 사회 내부적으로 현 체제에 대한 불만이 많고 이탈을 시도하려는 인원들이 많을수록 제5세대 전쟁의 성공 확률이 높아질 것임은 쉽게 예측할 수 있다. 따라서 제5세대 전쟁개념을 다가올 미래 위협으로 상정하고 우리가 대비할 사항은 무엇인지를 고민하는 것도 분명히 필요하겠지만, 적의 취약점을 극대화할 수 있는 제5세대 전쟁 활용방안이 무엇인지를 고민하는 것이 보다 바람직한 고민이 될 것이다.

이제 전쟁은 더 이상 군사적 영역에만 머물러 있지 않고 정치·

사회·경제적 영역뿐만 아니라 인식 영역까지도 포괄하는 개념으로 확장되면서 글로벌화되는 양상을 보일 것이다. 즉, 미래의 전쟁은 과거처럼 이해 당사국 간 물리적 충돌로 발현되는 것이 아니라 보이지 않는 적을 대상으로 전 세계가 전장이 되어 장기적인 전쟁을 수행할 수도 있으며, 전장에서의 불확실성은 획기적으로 증대될 것이다. 물론 미래 전쟁에서는 첨단 과학기술을 기반으로 한 스텔스, 레이저, 정밀유도무기, 우주무기 등이 초기 전세의 판도를 결정할 수 있는 중요한 요소가 되겠지만, 전쟁의 성공에 가장 결정적으로 기여하게 될 요소는 그 사회의 구성원들이 될 것이다. 따라서 우리는 학술적 담론에 머물러 있고 당장의 적용은 어려운 제5세대 전쟁개념이라 하더라도 그 함의를 보다 면밀하게 검토하고 군사적 영역뿐만 아니라 정치·경제·사회·문화 등의 모든 영역을 포괄할 수 있는 국가 차원의 총체적 대응방안을 수립해 나가야만 할 것이다.

제3장 한미동맹의 비대칭성 형성요인과 극복전략[42)

제1절 서 론: 문제제기

70년을 넘게 유지되어 오고 있는 한미동맹은, 체결 이후부터 현재까지 대한민국의 안보에 있어서 가장 중요한 요소로 자리매김하고 있다. 즉, 한국의 정치적, 경제적 발전에 안보적 바탕을 제공함으로써 한미동맹이 큰 역할을 해왔다는 것은 큰 이견이 없이 받아들여지고 있다. 특히, 최근까지 불거진 북한의 다양한 안보위협적 요소에 대해서 미국은 한국과 긴밀한 협조체제를 유지함으로써 한반도 안전보장에 현실적 역할을 하고 있는 것도 사실이다. 그러나 한국 사회 일각에서는 여전히 한미동맹의 비대칭성을 주장하는 목소리가 존재하고 있다. 한미동맹 관계에 있어서 한국은 태생적으로 동맹 상대에 대한 선택의 자유가 없었기 때문에 비대칭성이 존재할 수밖에 없다는 주장이 있기도 하고,[43) 오늘날의 한미동맹이 한국 국민들 의사에 반하는 결정을 내리는 데 효과적으로 활용되고 있다는 주장이 있기도 하다.[44) 한편, 경제적 관점에서 미국은 국제 경제 레짐의 주도 국가이기 때문에 해외 경제의존도가 75%를 상회하는 한국의 입장에서 경제안보, 경제적 이득의 우선성을 간과할 수 없으므로 양국 관계에 비대칭성은 존재할 수밖에 없다는 주장이 있기도 하다.[45)

강대국과 약소국 사이에 체결된 한미동맹은 체결 당시부터 전형적인 비대칭 동맹이었다. 한미동맹의 체결 당시 한국은 자신의 능력으로 국가의 사활적 이익을 보장할 수 없었고 따라서 제2차 세계대전의 승전국이자 세계를 양분하는 초강대국이었던 미국의 지원이 절실히 필요하였기 때문에 한국의 입장에서는 미국과의 동맹 이외에는 선택의 여지가 없었다. 그러나 한미동맹이 체결된 지 70년이 지난 현재 한국은 경제적, 정치적, 군사적으로 눈부신 성장을 하였다. 경제적으로는 세계 10위권 경제 대국으로 성장하였고, 정치적 민주화도 성공하였을 뿐만 아니라 세계적으로 문화를 선도하는 국가를 이룩하였다. 또한, 미국에게 완벽하게 의존해 왔던 50-60년대 군사력과는 다르게 이제 한국은 핵을 제외한 재래식 군사력 평가에서 북한을 크게 능가하는 것으로 평가받고 있기도 하다.

이를 바탕으로 한국 내에서는 여전히 한미관계에 대한 재정립의 목소리가 높아졌고 노무현 정부가 등장한 시기부터 관계 개선의 실질적 노력이 전개되기도 하였다. 그러나 한미동맹에 내재되어 있는 비대칭성은 여전히 존재하고 있다. 그렇다면 무엇이 이러한 비대칭성을 존재하게 하는 것이며, 이 비대칭성을 극복하기 위해서는 어떠한 전략이 필요할 것인가? 본 장은 이 문제를 집중 진단하고자 한다. 이를 위해 우선, 일반적인 비대칭 동맹의 개념을 살펴보고, 이러한 동맹에서 비대칭성이 어떤 요인에 의해 형성되는지를 분석한 후, 한미동맹 관계에서 이러한 비대칭성을 극복하기 위해서는 약소국 입장에서 한국의 전략이 어떠한 것인가를 도출한 다음, 결론을 통하여 이러한 동맹전략을 정리하여 제시하고자 한다.

제2절 비대칭 동맹의 개념

동맹의 대칭성과 비대칭성이라는 용어는 국제관계학 및 국제정치학에서 널리 통용되고 있으나 그 구분은 시대와 학자에 따라 명확하지 않은 것이 사실이다. 모로우는 동맹의 대칭성을 설명하기 위해 국가의 형태를 약소국(Minor), 강대국 (Major), 초강대국(Superpower)으로 구분한 후 같은 형태의 국가 간 동맹 관계를 대칭적 관계로, 다른 형태의 국가 간 동맹 관계를 비대칭적 관계로 구분 짓고 있다.46) 그러나 이러한 모로우의 구분은 국가형태의 구분 자체에 있어서 국력을 통한 구분을 실시함으로써 구분 자체의 불명확성을 증가시키고 있다. 왜냐하면, 국가의 크기, 인구, 자원, 경제력, 군사력 등 가변적 요소를 중심으로 국가를 분류하는 것은 시대에 따라서 그리고 상대적 위상에 따라 다르게 평가되기 때문이다. 다시 말해서 비록 초강대국의 구분은 어느 정도 명확성이 존재하는 반면 약소국과 강대국 사이의 구분은 정확히 이루어지기 힘들다는 약점이 있는 것이다. 따라서 동맹 관계 속에서 대칭성은 국가의 국력 혹은 크기가 아닌 또 다른 핵심요소를 성찰할 필요가 있다.47)

두 개 이상의 국가가 동맹 관계를 수립하는 목적은 안보라는 공공재 확보가 가장 중요한 것임은 두말할 나위도 없다. 그러나 초강대국과 약소국 사이에서 형성된 동맹, 예를 들면 한미동맹의 경우에는 그 성격이 다르다. 냉전 시기 동맹 관계는 일반적으로 미국이라는 안보 제공국이 약소국에게 일방적으로 안보를 제공하는 형태의 동맹이 형성되었다. 즉, 약소국의 경우 자신에게 안보라는 공공재를 제공해 줄 수 있는 원천으로서 동맹파트너를 찾은 것이다. 그러나 강대국의 입장에서는 다른 이해관계로 인한 동맹 형성이 이루어졌다. 왜냐하면, 약소국과 동맹 형성은 강대국에게는 으로 하여금 전쟁 연루의 가능성을 높여줌으로써 자신의 안보 수준을 낮추는 요소로 작용하였기 때문이다.48) 따라서 그들에게 있어서 약소국과 동맹 형성은 안전보장이라는 기본적 요소가 아닌 국제사회에서 정치적 지원 확보라는 요인이 더 크게 작용했다고 할 수 있다. 즉, 강대국이 약소국의 군사적, 정치적 안보를 보장해주는 대신 그들로 하여금 자주성의 제한이라는 대가를 치르게 했던 것이다.[49] 심지어 강대국들은 약소국의 국내정치에 영향력을 행사하기도 하였다. 따라서 소위 말하는 강대국과 약소국 간 동맹 관계에서는 그 동맹 목적의 차이는 분명히 존재한다고 할 수 있다.

이런 관점에서 비대칭 동맹은 동맹 형성 및 유지 과정에서 각국의 목적에 따라 정의할 수 있다. 각 국가가 안전보장이라는 측면에서 서로를 필요로 한다면 그 동맹의 비대칭성은 존재하지 않거나 존재한다고 하더라도 그리 크지 않을 것이다. 왜냐하면, 동맹 폐기 시 체결국 모두가 자신의 안보에 위협이 될 수 있기 때문이다. 그러나 동맹체결국 사이에 다른 목적이 존재한다면, 예를 들어 한 국가는 자신의 직접적 위협에 대한 안전보장, 다른 국가는 자신의 정치적, 경제적 영향력 확대라는 목적으로 동맹 관계가 형성 및 유지된다면, 이 동맹 관계를 비대칭적 동맹 관계로 정의할 수 있는 것이다. 일반적으로 약소국의 목적인 안전보장이라는 이해관계가 강대국의 목적인 영향력 확대 또는 국제적인 지지 확보라는 이해관계보다 국가 존망이라는 사활적 이익에 더 깊이 관여됨으로써 그 절실함이 강하기 때문이다. 즉, 동맹을 통해 얻어지는 상대적 이익이 사활적 이익에 가까운 국가가 그렇지 않은 국가에 비해 동맹 종속성이 높아지며 이렇게 형성된 동맹의 종속성이 비대칭성을 형성하게 하는 요인으로 작용하는 것이다.[50] 따라서 비대칭 동맹은 동맹의 형성 및 유지 과정에서 체결국 간의 상이 한 목적이 존재하고 있는 동맹 관계로 정의할 수 있다.

제3절 비대칭 동맹의 형성요인

한미동맹은 한미 양국의 국가이익에 있어 중요한 역할을 수행하여 왔다. 하지만, 한국의 미국에 대한 높은 의존성으로 인해 그 비대칭성이 여전히 존재하고 있는 것도 사실이다. 특히, 한국 사회에서 지속적으로 이슈화되고 있는 전시작전통제권의 경우가 좋은 예라고 할 수 있다. 전시 군에 대한 작전통제에 대한 권한을 의미하는 작전통제권의 경우 실질적으로 군 통수권자인 한국 대통령의 권한에 의해 통제할 수 있는 권한이 틀림없다. 작전통제는 특정 임무를 위해 변경된 지휘계통 아래에서 해당 임무를 완수하기 위해 일시적으로 부여된 것으로 "한 지휘관이 작전 임무 수행을 위해 예하 부대에 행사하는 권한으로서 작전 수행에 필요한 자원을 획득, 비축, 사용하는 등의 작전 소요를 통제하거나, 전투편성과 임무 부여, 목표의 지정과 임무 수행에 필요한 지시를 하는 권한"을 의미하는 작전지휘보다 제한된 권한이다.[51] 하지만, 상징적으로 한국민들에게 미치는 영향은 주둔군 지휘 협정과 함께 동맹의 비대칭성을 상징하는 것으로 비추어지고 있는 것은 사실이며, 실제로도 그 비대칭성의 존재를 부인하기 어렵다.

이렇듯, 약소국과 초강대국 사이의 동맹인 한미동맹이 비대칭 동맹임은 위에서 설명한 비대칭 동맹의 개념을 바탕으로 충분히 설명이 가능하다. 이를 바탕으로, 그렇다면 세부적으로 어떤 요인들이 한미동맹의 이러한 비대칭성을 형성하는 요인으로 작용하고 있는 것인지 살펴보자.

3.1 위협의 수준 및 확실성

비대칭 동맹 관계의 형성요인에는 여러 가지가 있을 수 있다. 그 중 가장 중요한 것은 위협의 존재 여부와 그 위협의 확실성이라 할 수 있다. 왜냐하면, 동맹 체결의 가장 기본적 전제 요소가 위협에 대한 인식이기 때문이다. 즉, 전쟁의 잠재적 가능성과 불확실성이 동맹 관계 형성에 가장 큰 요인으로 작용하는 것이다.52) 따라서 한 국가가 직면하고 있는 위협의 존재 여부와 위협 수준은 안보정책 결정에 많은 영향을 미치게 된다. 예를 들어, 두 개의 동맹국 A와 B가 있을 때, A가 B보다 더 강하고 직접적인 위협에 직면하고 있다면 A는 동맹 관계가 비대칭적이라도 이를 수용할 수밖에 없는 것이다.

한미동맹 관계의 비대칭성 존재도 이러한 논리로 설명이 가능하다. 즉, 북한이라는 직접적이고도 비타협적인 위협의 존재가 한국으로 하여금 미국과의 관계에 있어서 대칭적 관계를 형성하는 데 결정적 방해요인으로 작용하고 있는 것이다. 다시 말해서, 위협의 존재를 살펴볼 때 한국은 여전히 미국의 지원과 협조가 필요하다. 한국에게 있어 북한은 실질적이면서도 직접적인 위협이기 때문이다.

북한은 핵 능력 고도화에 따라 자신들의 핵 무장을 국제사회에 공식적으로 선언하였다. 2023년 9월 북한 최고인민회의 제14기 제9차 회의에서 북한은 핵 무력 강화 방침을 규정하는 헌법 개정안을 채택하기도 하였다. 당시 김정은은 "사회주의 헌법 제4장 58조에 핵무기 발전을 고도화하여 나라의 생존권과 발전권을 담보하고 전쟁을 억제하며 지역과 세계의 평화와 안정을 수호한다는 내용을 명기할 데 대하여 만장일치로 채택한 것은 매우 심원하고 중대한 의미를 가진다"고 밝혔다. 또한, 그는 "공화국의 핵 무력 건설 정책이 그 누구도, 그 무엇으로써도 다칠 수 없게 국가의 기본법으로 영구화된 것"이라며 "국가 최고법에 핵 무력 강화 정책 기조를 명명백백히 규제한 것"이라고 평가했다. 이렇듯 북한은 실질적인 핵보유국이 된 것이다.

한편, 북한의 재래식 도발도 지속되어 왔다. 한국 정부의 노력에도 불구하고 북한의 재래식 위협은 한국 정부의 보수, 진보를 가리지 않고 계속되어왔다. 북한이 지금까지 행하여 온 도발 중 셀 수 없이 진행된 미사일 발사, NLL 침범 등을 제외하고 국민들에게 큰 충격을 안겨준 주요 도발을 정권에 따라 정리하면 아래 표 <3-1>과 같다.

이렇듯 북한의 재래식 도발은 멈추지 않았다. 물론 한국 정부의 노력으로 북한이 대화 테이블로 나오기도 하였다. 하지만 결국 북한은 자신들이 원하는 조건을 한국 정부가 충족시켜주지 못하면 테이블로 돌아오지 않았고 또 다른 도발을 계속하였다. 심지어 북한은 2024년 현재 소위 '오물 풍선' 도발까지 하고 있다. 이 도발이 군사적으로 큰 위협이 아니라고 말할 수도 있지만, 북한에서 풍선을 날려 보내 한국을 위협할 수 있다는 것 자체가 북한이 한국에게 있어 얼마나 직접적이고도 사활적 위협인지를 보여주는 좋은 예라 할 수 있다. 풍선 안에 오물이 아닌 화학 물질 등이 들어있다면 그 피해는 엄청날 수 있기 때문이다.

한국이 북한의 재래식, 핵 위협에 직접적으로 노출된 반면 미국은 심각한 위협에 직접 노출되어 있지 않다. 테러 등에 의해 공격을 당하기는 하고 있으나 이는 지속적이거나 국가의 생존과 직결되는 사활적인 위협은 아니다. 물론 북한에 대해서 미국 정부는 자신들의 안보 위협으로 인식하고 있다. 북한을 악의 축으로 규정하기도 하였고, 각종 공식문서에서 북한을 잠재적 위협국으로 인식하고 있기도 하다. 북한에 대한 위협인식은 미 정부별로 크게 변화하지 않았는데, 미국은 테러 집단과 연계될 수 있는 북한의 핵 및 미사일 개발을 자국은 물론 동아시아 및 글로벌 안보를 위협할 요소로 인식하고 있을 뿐이다. 즉, 미국에게 북한 위협은 직접적이라고 할 수 없다. 단지, 미국의 세계 전략 추진에 있어 걸림돌이 되는 위협으로 작용할 뿐 미국이라는 국가 생존에 직접적인 위협은 아니라는 것이다.

<표 3-1> 북한의 주요 도발

일자	도발내용	한국정부
1999. 6. 15	제1연평해전	김대중 정부
2002. 6. 29	제2연평해전	
2006. 10. 9	북한 1차 핵실험	노무현 정부
2008. 7. 11	금강산 관광객 피살	이명박 정부
2010. 3. 26	천안함 피격	
2010. 11. 23	연평도 포격	
2015. 8. 4	DMZ 목함지뢰 사건	박근혜 정부
2020. 6. 16	남북공동연락사무소 폭파	문재인 정부
2020. 9. 21	서해 공무원 피살 사건	

이렇듯 현재 북한 위협의 존재와 그 지속성 등을 고려할 때 한국에게는 미국의 협력이 여전히 절실하다고 할 수 있다. 또한, 미국과 동맹 관계는 통일지원 세력이라는 관점에서도 그 유용성이 또한 높다. 따라서 북한이라는 직접적이고도 비타협적인 위협의

존재와 직면하고 있는 한국과 세계 전략적 차원에서 위협을 인식하고 있는 미국 사이에는 동맹에 대한 의존성이 차이가 있게 되며 이것이 대칭적 관계를 형성하는 데 결정적 방해요인으로 작용하여 양국 관계의 비대칭성이 존재하고 있는 것이다.

3.2 위협에 대한 대처 능력

한 국가가 직접적인 위협에 노출되어 있더라도 그 위협을 충분히 억제할 수 있는 능력을 보유하였다면 그 국가는 자국의 안보를 타국에게 의존할 필요가 없다. 자신의 능력 범위 내에 있는 국가 혹은 집단에 의해서 위협을 받는다면 제3국과의 비대칭적인 동맹 관계를 받아들일 필요는 없기 때문이다.53) 한국도 북한의 위협을 충분히 억제할 수 있는 능력을 보유했다면 아마도 미국과의 동맹 관계에서 비대칭성은 약화, 혹은 존재하지 않을 수도 있다.

과거 한국이 북한의 군사적 침략을 억제할 수 있는 충분한 능력을 지니고 있지 않은 것은 주지의 사실이다. 심지어 1970년대 초까지는 잠재적 전쟁 수행능력의 필수 요소라 할 수 있는 경제력에 있어서도 북한을 압도하지 못했다. 예를 들어 율곡사업이 추진되고 있던 1974년 당시 한국군의 전력은 북한 대비 50.8%로 추정되었다.54)

그러나 현재 한국은 미국과의 관계를 재정립할 정도로 경제적, 정치적, 군사적 발전을 거듭하였다. 경제적인 부분에서는 세계 10위 정도의 대국으로 성장하였고, 여러 가지 국제협력 기구에서도 중요한 역할을 수행하고 있다. 게다가 국제적 이벤트, 예를 들면 동·하계 올림픽, 월드컵, APEC 정상회담 등도 성공적으로 개최함으로써 국격을 높여오고 있다. 국내 정치적으로는 민주화를 성공적으로 이룩하였으며, 이로 인해 언론의 자유 증진, 활발한 NGO 활동이 보장되는 사회로 발전하였다.

특히, 군사적인 면에서도 재래식 전력에 있어서 월등한 경제력을 바탕으로 북한보다 상당히 우세하다는 평가를 받고 있다. 미국의 군사력 평가기관인 글로벌 파이어 파워(Global Fire Power)에 따르면 2024년 기준 한국의 군사력은 세계 5위로 평가되었다. 이는 이 조사가 이루어지고 나서 역대 최고 순위이다. 자체 군사력뿐만 아니라 무기거래도 한국은 세계에서 상위권에 포진해 있다. 스웨덴의 스톡홀름 국제평화연구소(SIPRI)에 따르면, 한국은 2018~2022년 전 세계 방산 수출 시장에서 9위를 차지했다. 특히 직전 5년(2013~2017년)보다 무기 수출 규모가 무려 74%나 증가했다. 수출만 늘어난 것이 아니라 수입도 크게 늘었다. 2013~2017년에 비해 2018~2022년 무기 수입이 61% 늘어 세계 6위를 기록했다.

하지만 이러한 군사력 평가는 단지 재래식 군사력에 관한 것이다. 핵무기를 포함하고 있지 않다는 것이다. 핵을 보유하고 있다면 재래식 능력의 격차는 큰 의미가 없다. 따라서 북한의 핵 위협과 비대칭 위협을 고려해 볼 때, 미국의 핵우산이 배제된 채 한국만의 독자적인 능력으로 북한을 효과적으로 억제한다는 것은 쉽지 않은 일이며, 특히, 일본, 중국 등 주변국의 군사 대국화와 현대화를 고려해 볼 때도 현재 한국의 군사적 수준은 이들의 능력을 억제하기에는 충분치 않은 것이 사실이다. 비록 중국, 일본과 같은 주변국들이 평화 유지를 위한 군사력 건설을 추진하고 있으나, 주변국의 이러한 군사적 활동은 상대적 약소국인 한국에게 있어서 미국이라는 강대국의 힘에 대한 편승의 필요성을 부각시키는 요인으로 작용하고 있다.[55] 게다가 한국과 미국의 능력 차, 예를 들면 국방비, 경제적, 정치적 위상 등을 고려해 봤을 때도 한국이 미국과 대등한 관계를 유지한다는 것은 어렵다고 판단될 수 있으며, 결국 이런 것들이 비대칭적 관계에 대한 수용의 가능성을 높여주는 것이다.

3.3 동맹파트너로서 가치

한편, 외부적 요인도 비대칭 동맹 관계 형성과 유지에 영향을 준다. 우선, 한 국가가 지정학적, 정치적, 경제적 이해관계를 어느 정도 가지고 있느냐 하는 문제를 들 수 있다. 즉, 동맹파트너로서 한 국가가 가지고 있는 가치가 동맹 관계의 형성에 많은 영향을 주는 것이다. 한스 모겐소는 약소국이 전혀 다른 국가들과 이해관계가 없다면 자주성을 유지할 수 있다고 주장한다.[56] 그러나 지구화, 세계화되어 가고 있는 현시대에서 자국 홀로만의 힘으로 독립과 자주를 유지하면서 존재하기는 쉬운 일이 아니다. 따라서 동맹 관계의 형성과 유지는 자국의 안보를 보장할 수 있는 다른 기제가 존재하지 않는 한 필수 불가결한 요소라고 할 수 있다. 이런 관점에서 상대 동맹국의 국가이익에 전혀 도움이 되지 않는 국가는 동맹 자체 형성에 어려움을 겪을 뿐만 아니라, 혹 동맹을 형성하게 되더라도 그 관계에서 일어나는 비대칭성의 존재에 대한 수용을 그 전제로 해야 한다.

해방 후 6.25 전쟁이 일어나기 전까지 미국에게 한국의 가치는 그리 높지 않았다. 1947년 미국의 합동전략조사위원회(Joint Strategic Survey Committee)는 한국의 전략적 가치를 자국의 안보와 관련된 16개국 중에서 15위로 평가할 정도였다.[57] 그러나 6.25 전쟁의 발발로 인해서 한반도의 전략적 가치는 재평가되었고, 동맹 형성 당시 한국은 미국에게 있어 전략적으로 중요한 위치에 놓이게 되었다. 그러나 한국의 동맹파트너로서 가치는 미국이 최초부터 한국과의 동맹을 꺼려했다는 것을 통해서 그리 높지 않았음을 알 수 있다. 즉, 미국은 한국과 상호방위조약 체결을 원치 않았지만, 한국의 이승만 정부가 반공포로 석방, 작전지휘권 환수 후 북진하겠다는 주장을 미국 측에 전달함으로써 미국이 조약체결을 수용하게 되었던 것이다.

그러나 현재 한국의 가치는 예전의 그것과는 비교할 수 없을 정도로 상승되었다. 한국은 경제적으로 미국의 6번째 교역국이자 G-20의 일원으로 당당히 성장하였으며, 중국의 성장이라는 잠재적 위협을 가지고 있는 미국에게 정치적, 군사적으로 동북아시아 지역에서 한국은 전략적 요충지임에 틀림없다. 즉, 미국을 아시아 대륙과 연결시키는 정치, 경제적 교량으로서 한반도는 그 지정학적 가치가 매우 높다고 할 수 있다.[58] 그런 점에서 한국의 가치는 미국에게 있어 중요성이 높아졌다고 할 수 있다.

한국의 가치가 어느 정도 중요한 것은 사실이나 미국에게 있어 한국의 가치는 일본의 그것보다 높지 않은 것으로 보인다. 예를 들어 한국은 북한, 중국과 관계를 고려해 소극적인 반면, 일본은 미국의 대테러 활동과 미사일 방어 등 세계 전략 참여에 있어서 전략적 파트너로 적극적인 역할을 수행하고 있다. 즉, 일본은 미국과 함께 미사일 방어체제를 구축하고 탄도미사일방어(BMD) 역량을 미국과 공조하에 강화해 나가고 있다. 뿐만 아니라 미국이 추진하고 있는 인도·태평양 전략에 있어서 가장 중요한 쿼드에 포함되어 있다.[59] 2020년 8월 31일 화상으로 열린 '미국·인도 전략적 파트너십 포럼'에서 스티븐 비건 미 국무장관은 '쿼드'를 나토(NATO) 같은 다자 안보 동맹으로 공식기구화하겠다는 뜻을 밝히기도 했다. 실제로 미국·인도·일본 3개국은 매년 말라바르 합동 해상 훈련을 실시하고 있기도 하다.

게다가 일본은 <표 3-2>에서 볼 수 있듯이 유엔과 같은 각종 국제기구에서 미국에 버금가는 재정적 지원을 함으로써 미국의 어깨를 가볍게 해주고 있을 뿐만 아니라 국제평화유지 사업에서도 미국과 함께 인적, 재정적 지원을 지속하고 있다. 이러한 점을 고려할 때 미국에게 있어 일본의 가치는 매우 크다고 할 수 있으며 이는 상대적으로 한국의 가치에 비해 크다고 할 수 있을 것이다.

<표 3-2> 유엔 정규예산 분담율[60]

순위	국 가	2019-21년 (%)
1	미 국	22.000
2	중 국	12.005
3	일 본	8.564
4	독 일	6.090
5	영 국	4.567
6	프랑스	4.427
7	이태리	3.307
8	브라질	2.948
9	캐나다	2.734
10	러시아	2.405
11	한 국	2.267
12	호 주	2.210
13	스페인	2.146

반면, 상대적으로 미국의 가치는 한국에게 여전히 없어서는 안 될 중요성을 가지고 있다. 즉, 미국은 여전히 한국에게 있어서 매력적인 동맹파트너임에 틀림없다. 한국의 안보와 경제를 위해서

미국의 존재는 여전히 필수 불가결한 요소라고 할 수 있다. 물론, 한반도 문제는 남북한이 당사자이기 때문에 미국, 중국이 아닌 남북에 의해서 직접 결정되고 해결되어야 한다는 주장에도 일리가 없는 것은 아니다. 그러나 한반도를 둘러싼 과거와 현재의 힘의 역학을 고려할 때 주변국의 협조 없이 한반도 문제를 해결하는 것은 결코 쉬운 일이 아니다. 따라서 북핵문제, 통일문제 등의 해결에 미국의 역할은 상당히 중요성을 가지고 있다고 할 수 있다. 그렇다면, 미국의 동맹국으로서 가치는 현재의 북한 위협과 잠재적 위협에 대한 억제뿐만 아니라 미래 한반도 통일에도 큰 역할을 할 수 있다는 점을 고려하면 상당히 크다고 할 수 있다. 이렇듯, 한국의 입장에서는 미국이 동맹으로써 가치가 매우 중요한 반면, 미국의 입장에서 한국의 가치는 어느 정도 인정되나 그 상대적 가치에 있어서 미국이 한국보다 높음으로써 양국 관계의 비대칭성이 존재하게 되는 것이다.

3.4 대안의 존재 여부

국제관계에서 약소국은 강대국에 비해 정책 선택의 폭이 좁다.61) 이것이 약소국과 강대국 사이의 비대칭성을 만드는 또 하나의 요소가 된다. 동맹 관계에 있어서는 많은 협상의 과정이 필요하다. 이러한 협상 과정에서 대안의 존재 여부는 협상력의 차이를 가져온다.62) 즉, 협상 테이블에 앉아 있는 상대 동맹국 외에 동일한 문제를 협상할 수 있는 다른 대안적 동맹국이 존재할 경우 대안을 가지고 있지 않은 국가보다 좀 더 자국의 이해를 강하게 주장할 수 있다는 것이다. 따라서 대안이 존재하지 않는 국가는 결국 자신의 안전보장을 위해 안보 제공국의 요구에 응하게 된다.63) 일반적으로 비대칭적 동맹 관계에서 약소국의 문제가 바로 이러한 대안을 가지고 있지 않다는 것이다.

한국은 미국이라는 동맹파트너 외에 자국의 안보를 협력할 신뢰 있는 국가 혹은 기구를 가지고 있지 못하다. 물론 한국은 UN 및 APEC 가입국이며, ASEAN 등과의 협력 관계가 활발한 것이 사실이다. APEC의 경우 아시아 태평양 지역의 정상들의 정기적인 협의를 통해서 그 유용성을 이미 입증하고 있다. 그러나 APEC은 경제적 협력을 그 중심 주제로 하고 있으므로 동북아시아 지역의 안보에 관해서 심층적으로 토론하는 데 제한이 있다. 또한, ASEAN의 경우도 안보문제에 관해 다루고는 있으나 북한 핵을 포함한 동북아시아 안보문제를 직접적으로 다루지는 못하고 있고, 다루기에는 동남아시아 국가들을 주 구성국으로 하기 때문에 한계가 있는 것도 사실이다. 또한, 북한과 직접적으로 대치하고 있는 안보 상황과 점차 발전하고 있는 군 현대화로 인한 전쟁 수행 시간의 단축 등을 고려할 때, 한국은 즉응성 있는 지원이 필요한 상황이다. 따라서 한국과 일본에 군을 주둔시키고 있는 미국이 한국에 게는 유일무이한 안보 협력자로 역할을 수행해 왔다.

반면에 미국의 경우, 동북아 전략의 수행에 있어 한국 외에 일본이라는 동맹국의 존재를 가지고 있다. 이는 한국의 협조가 없이도 일본의 협조만으로도 동북아에서 미국의 전략을 수행할 수 있다는 점에서 미국의 선택의 폭을 넓혀주는 역할을 한다. 예를 들어 미국이 수행하고 있는 대테러전략, 미사일 방어망 구성, 인도-태평양 전략 등에서 한국이 북한, 중국 등과의 관계를 고려하여 소극적인 자세를 취하더라도 미국은 일본과의 협조를 통해 자신의 계획을 무리없이 수행할 수 있는 것이다. 이는 미국이 일본의 군사 대국화, 보통 국가화를 지원해주고 있는 사실을 통해서도 알수 있다. 따라서 양국의 대안 존재 여부 자체가 협상 테이블에서 비대칭성을 유지하도록 작용할 수밖에 없는 것이다.

제4절 비대칭성 극복전략

그렇다면, 양자 관계에서 이러한 비대칭성을 극복하기 위해서는 어떠한 전략이 필요할 것인가가 현재 한국에 주어진 과제라 할 수 있다. 혹자는 동맹을 해지함으로써 이러한 비대칭성의 문제를 해결할 수 있고 민족의 자주성을 되찾을 수 있다고 주장한다.[64] 그러나 동맹의 해지는 현재 안보상황과 각 국가 간 정치, 경제, 군사적인 협력이 증진되고 있는 시대적 상황을 고려할 때 바람직한 선택이라 보기 어렵다. 따라서 한미동맹 관계를 유지하는 가운데 비대칭성을 극복할 수 있는 전략을 모색할 필요가 있다.

모로우는 안보-자주성 교환 모델(Security-Autonomy Trade-off Model)에서 자주성과 안보는 반비례의 관계임을 역설했다.[65] 그리고 이러한 주장은 이전의 약소국과 강대국의 관계를 설명하는 데 상당한 설명력을 보여줬다. 그러나 안보환경이 변화하고 동맹국의 능력, 위협 수준 등이 변화함에 따라 모로우의 모델과는 다르게 약소국은 안보 수준의 저하 없이 자주성을 높이려는 노력을 하고 있다. 즉, 자주성 확보를 통해 어느 정도 손실이 예상되는 안보 수준의 저하를 자신의 능력으로 보완할 수 있을 정도로 국력이 신장된 국가의 경우 비대칭 동맹 속에서 안보와 자주성을 동시에 증가시키려고 노력하는 것이다.

앞서 설명하였듯이 한미동맹은 한국의 관점에서 여전히 그 중요성이 존재하는 것이 사실이다.[66] 동맹전략은 반드시 미래 지향적이어야 한다. 따라서 현재 한국에게 있어 가장 중요한 전략적 선택은 어떻게 이 동맹 관계를 조정해 나가느냐 하는 문제일 것이다. 즉, 안보와 자주성을 동시에 증가시키는 방향으로 전략적 선택을 하여야 한다. 즉, 자국의 능력 신장, 동맹국으로서의 가치 증가, 대안의 설정 그리고 위협 수준의 하락이 동시에 이루어져야 하는 것이다. 예를 들어, 대북 포용정책에 집중하던 정부들의 경우 위협 수준의 하락이라는 하나의 요소에 치중함으로써 다른 분야, 특히 동맹국으로서 한국의 가치를 하락시키는 우를 범하였다. 따라서 한국 정부는 다음과 같은 정책적 선택을 동시에 시행하는 것이 바람직하다고 할 수 있다.

첫째, 남북관계 악화는 위협 수준을 증가시켜 동맹의 의존도를 높여주는 것으로 한국 정부는 남북관계의 원활한 소통을 유지토록 노력하여야 한다. 물론, 북한의 행동을 단기간 내에 바꾸는 것은 쉬운 일이 아니다. 그러나 한국 정부는 북한이 국제사회의 책임 있는 일원이 될 수 있도록 지속적인 노력을 해 나가야 한다. 북한은 자신들에게 주어진 압력을 양보가 아닌 더 큰 압력으로 부딪히는 경향이 있다.67)

혹자는 북한이 동북아 안보를 확립하는데 적극적으로 참여하지 않을 경우 북한에 좀 더 효과적인 압박 수단으로서 북한을 배제한 협력체 수립을 주장하기도 한다.68) 하지만, 이러한 북한의 배제는 북한으로 하여금 자신들에 대한 또 다른 적대적 집단의 출현에 불과할 수 있다. 즉, 이로 인해서 북한 내부 강경파의 목소리가 더 커질 수 있는 조건을 만들어 주게 되는 것이다. 막다른 골목으로 북한을 밀어 붙인다면 한반도를 포함한 동북아 안보는 점점 더 불안의 소용돌이 속으로 들어가게 될 것이다. 따라서 한국은 북한과의 관계가 악화되지 않도록 경제, 사회, 문화 등의 활발한 교류를 통해 점진적인 신뢰 구축을 강화하는 전략을 구사할 필요가 있다.

또한, 북한에게 인도적 지원을 확대함으로써 남한에 대한 북한의 의존성을 높일 필요가 있다. 이런 과정을 통해 북한이 우호적인 상대가 될 수도 혹은 되지 않을 수도 있다. 그러나 이러한 상호과정을 통해 그들이 계속해서 이익을 얻을 수 있다는 확신을 가지게 된다면 북한이 우호적인 입장을 가지고 협력할 가능성은 커지는 것이고 이것은 북한의 대남 의존성의 증가로 귀결될 것이다.69) 이런 의존성의 증가는 곧 북한의 전략적 선택의 폭을 좁힘으로써 한국에게는 위협의 감소라는 결과를 초래하게 될 것이고 위협의 감소는 한국의 대미 의존도를 줄여 비대칭성 감소에 긍정적 영향을 주게 될 것이다.

둘째, 한국은 선진 군사력 구축을 통해 미국에 대한 군사력 의존도를 줄여나가야 한다. 즉, 능력의 향상을 통해서 비대칭성을 줄여나가야 한다. 군사력 건설에 관해 한국 사회에서는 논쟁이 계속되어 왔다. 몇몇 극단적 학자들은 한국이 이미 북한을 압도할 군사력을 가지고 있기에 군사력 건설에 매진할 필요가 없다고 주장하기도 한다.70) 또한, 군사력 건설은 국민의 복지를 위해 써야 할 귀중한 국가자원을 낭비하는 것이라는 주장이 제기되기도 한다. 즉, 산업화된 국가에서는 국민들의 사회복지, 교육 등에 대한 요구가 지속적으로 증대되기 때문에 정치, 경제적으로 군사력을 증가시키기 어렵다는 것이다.

그러나 군사력 건설에 대한 이러한 부정적 시각은 현실적 관점에서 본다면 설득력을 얻기 힘들다. 우선, 미국은 한반도 방어에 대한 자신들이 역할을 축소하는 세계 전략을 추구하고 있고, 그렇다면 한반도 방어에 있어 한국의 방위책임과 역할은 더 커질 것이 자명하다. 그리고 전시작전통제권의 환수가 이루어진 후에는 이러한 과정은 더 확연히 들어나게 될 것이며, 이를 위해 한국은 군사력의 첨단화 및 현대화가 절실히 필요하다고 할 수 있다. 즉, 한국군은 한반도 방위를 위해서 자신의 능력을 바탕으로 실질적이고 독자적인 군사력을 발휘할 수 있어야 한다.

게다가 여전히 북한은 한국에게 있어 실질적 위협임은 두말할 나위 없는 사실이다. 북한의 지속적인 핵 개발로 인해 북한은 실질적인 핵보유국의 지위를 가지게 되었고 최근까지 재래식 도발도 지속하고 있다. 심지어 오물로 가득한 풍선까지 남쪽으로 날려 보내는 상황도 발생하였다. 물론 북한의 군사적 위협이 냉전 시대에는 적화통일이라는 목표를 이루기 위해 존재하였고, 냉전 후부터 현재까지는 정권 생존이라는 목표를 지향하고 있다고 할 수 있다. 그러나 이러한 정치적 지향점, 정책적 목적과는 상관없이 북한의 핵무기 및 재래식 군사력과 한국에 보이는 적대적 행위는 한국에게 있어 직접적이면서도 치명적인 위협임에 틀림없는 것이다.

한편, 군사력 건설에 사용되는 자원이 국민 복지에 필요한 예산을 낭비하는 것이라는 주장 또한 그렇게 건설적이지는 못하다. 안보는 주권국에게 있어 사활적 이익이다. 따라서 안보를 잃는다는 것은 국가 존망과 직결되는 문제이므로 군사력 건설에 자원을 배분하는 것은 지극히 당연한 것이다. 물론, 이러한 자원 사용의 투명성에 대한 감시는 지속적으로 이루어져야 한다. 하지만, 군사력 건설을 위한 자원 배분의 불필요성을 주장하는 것은 합리적이지 못한 것이다.

무엇보다 가장 중요한 것은 한미관계의 비대칭성을 줄이기 위해서도 한국의 군사력 건설은 매우 중요하다. 즉, 미국에 대한 군사적 의존도가 크다면 양국 관계의 비대칭성은 줄어들기 쉽지 않다. 노력과 투자 없이 비대칭성만을 줄인다는 것은 불가능한 일이다. 따라서 비대칭성을 줄여 대등한 한미관계를 원한다면 한국의 군사력 건설은 지속되어야 하는 것이다.

셋째, 한국은 동맹국으로서 역할을 확대하여야 한다. 냉전의 위협이 사라진 현시대에서 미국의 위협은 대량살상무기 확산과 테러, 그리고 자신의 위치를 위협할 라이벌 국가의 등장이라고 할 수 있다. 물론, 미국이 전 세계적으로 압도적인 군사력을 가지고 있는 것은 부인할 수 없는 사실이다. <표 3-3>에서 보듯이 미국은 전 세계에서 가장 많은 국방비를 지출하고 있으며, 이 규모는 세계 2위부터 10까지 국방비를 합친 국방비와 유사할 정도이다. 미국은 이러한 압도적인 투자를 통해 과학화, 첨단화된 군사력을 세계 전 지역에 투사할 수 있는 능력을 구비하고 있다.

<표 3-3> 세계 국방비 지출 순위(2023년)

순위	국가	금액 (조원)	GDP 대비 비율 (%)
1	미국	1,056	3.2
2	중국	386	1.7
3	인도	101	2.4
4	영국	90	2.1
5	러시아	87	3.1
6	프랑스	75	2.0
7	독일	74	1.4
8	사우디아라비아	74	6.6
9	일본	71	1.1
10	대한민국	66	2.8

하지만, 현재의 국제 안보문제를 미국 혼자만의 힘으로 해결할 수 없는 것 또한 사실이다. 따라서 미국은 국제적 안보 문제 해결에 있어 동맹국들에게 더 많은 기여를 요구하게 될 것이며, 한국은 이러한 요구에 적극적으로 응함으로써 미국이 한국과의 동맹

관계가 자신들에게 전략적 이익임을 다시 한번 깨닫게 하여야 한다. 물론, 이러한 전략이 한국의 자주성을 더 제약할 수 있다는 주장이 제기될 수도 있다. 그러나 일본의 경우 미국의 세계화 전략에 적극적으로 참여함으로써 동맹국의 중요성을 높이면서 양국 간의 비대칭성을 줄여나가고 있는 좋은 예를 보여주고 있다. 즉, 미국에게 동맹국으로서 역할을 다함으로써 자신들의 국제적 이익의 증진은 물론 과거 미일동맹 상에서 존재하고 있던 비대칭적 관계를 청산해 나가고 있는 것이다. 실제로 미국과 일본은 2024년 4월 10일 열린 정상회담을 통해 일방적 보호 관계를 넘어 역내 안보 분야에서 대등한 역할을 하는 관계로 전환될 것이라고 밝혔다. 따라서 한국도 동맹국으로서 미국에게 자신의 안보만을 의지하는 것이 아니라 적극적 글로벌 전략의 파트너로서 위상을 확립해 나간다면 양국관계의 비대칭성을 희석시킬 수 있을 것이다.

넷째, 다각적인 안보협력을 꾀하여야 한다. 동북아시아의 안보적 불확실성을 고려해 볼 때 현재 한국은 미국 외에 실질적인 대안이 없는 것이 사실이다. 이는 곧, 미국에 대한 한국의 안보 의존성이 매우 높음을 의미하며 이로 인해 관계의 비대칭성 수용은 불가피한 것이다. 따라서 이러한 비대칭성의 완화를 위해서 미국 외에 다른 국가들과의 협력 관계를 강화해 나가야 한다. 특히, 중국, 일본 등 인접국과는 그 관계 정립이 매우 중요하다.

우선, 중국과 관계를 살펴보면 양국은 1992년 관계 정상화 이후 제 분야에 걸쳐 급속도로 협력체제를 유지 및 발전시키고 있다. 1993년과 1994년에 각각 국방무관을 파견하였으며 국방부 장관의 상호 방문도 이루어지고 있다. 게다가 활발한 군사 분야 인적 교류도 이루어지고 있는 실정이다. 특히, 경제 분야에 있어서 중국은 2003년 이래 한국의 제1의 교역국이 되었다. 따라서 중국은 미국을 대신해 한국안보의 대안으로 그 가치를 가지고 있다고 할 수도 있다.

그러나 중국은 한국의 궁극적 국가목표 중 하나인 한반도 통일에 대해서 한국과는 다른 인식을 하고 있다. 즉, 중국은 북한의 존재를 한반도에 주둔하고 있는 미군에 대한 완충지대로 인식하고 있으며, 통일 시 발생할 수 있는 북한 주민의 대량 유입을 자신들의 안보적 문제로 여기고 있다.[71] 이에 중국이 바라고 있는 한반도의 상황은 북한이 자신들 방식의 경제 개혁을 통해 "지금보다 발전된 경제와 정치적 성숙"을 이룩하되 붕괴하지 않는 것이다. 게다가 한국의 동맹국인 미국이 중국을 잠재적 위협으로 평가하고 있다는 사실 또한 한중관계 형성에 중요 고려 요소라고 할 수 있다. 즉, 미국은 중국과의 경제적 협력이 증가하고 있기는 하나 중국의 부상을 자신의 세계적 패권에 도전할 심각한 도전으로 여기고 있다. 그러나 한국은 점증하고 있는 중국과의 경제적 협력과 대중 경제의존도를 고려할 때, 안보상의 관계 또한 잘 유지할 필요가 있다. 따라서 한국은 미국이라는 동맹국의 자극을 최소화할 수 있으면서 중국과의 안정적인 안보적 관계를 보장할 수 있는 방안을 강구해야 하는 것이다. 한중 불가침 조약의 수립과 같은 방법이 하나의 대안이 될 수 있을 것이다.

한편, 일본과 관계에 있어서는 미국을 사이에 둔 현재의 준동맹 체제(quasi-alliance system) 성격의 관계를 바탕으로 협력을 유지해 나가야 한다. 물론 일본과의 관계에 있어 역사 왜곡 문제, 영토 문제 등이 그 관계 형성에 부정적으로 작용하고 있는 것은 사실이다. 단적인 예로 일본 정부는 2024년 현재까지 독도가 일본 고유 영토라고 주장하고 있다. 그러나 일본과의 관계는 한국의 안보 및 경제에 있어 상당히 중요하다는 것은 주지의 사실이다. 유사시 주일미군은 한국안보의 억제력을 제공하고 있다. 이를 바탕으로 혹자들은 3국 간의 삼각동맹을 주장하기도 한다.[72] 하지만, 이러한 삼각동맹의 형성은 오히려 동북아 안보를 더 위협할 가능성을 내포하고 있다. 즉, 삼각동맹의 형성은 이에 대항하는 반동맹체제를 형성하게 함으로써[73] 새로운 냉전체제를 동북아 지역에 확립하는 결과를 가져올 수 있다. 따라서 한미일 삼국의 공식적인 삼각동맹은 바람직한 선택이 아니며, 일본과의 관계는 공식적인 동맹 체결이 아닌 현재 미국을 사이에 둔 관계를 바탕으로 한 협력 관계 유지가 필요하다.

제5절 결 론

한반도 관련 문제는 남북이 직접 결정하는 것이 옳다는 의견은 이론적으로 혹은 감성적으로 타당하다고 할 수 있다. 그러나 현재의 급변하는 한반도 주변의 안보 역동성을 고려해볼 때 한반도 문제가 남북한만의 문제일 수는 없다. 즉, 주변국과의 협조가 필요한 것이다. 이런 상황에서 미국은 한국에게 믿을만하고 능력 있는 동맹국임에 틀림없다. 그러나 한미동맹이 한반도 안보 유지에 중요한 역할을 했을지라도 그동안 한국의 정치적, 경제적, 군사적 변화는 한미동맹의 변화를 요구해 왔다. 한미동맹의 현실을 반영한 변환을 요구하는 목소리가 계속되었던 것이다. 동맹은 상황과 조건이 변화한다면 그 자체도 변화해야 한다. 물론, 세계화, 국제화로 인해 국가 간의 상호의존성이 증가하고 있는 현시대에서도 무정부 상태를 특징으로 하고 있는 안보환경을 감안할 때 동맹은 약소국 혹은 중립국에게 있어 자국의 안보 수준을 적은 비용으로 확보할 수 있는 효과적 방법임에 틀림없다. 따라서 한국에 있어서 미국과 동맹 관계 유지는 획기적인 다자안보 협의체 출현과 같은 대안적 안보 기재의 등장이 이루어지기 전까지는 그 실효성이 지속될 것이다.

그렇다면 문제는 경제적, 정치적, 군사적 성장을 통해 향상된 한국의 국력에 걸맞는 한미관계를 위해서는 어떠한 전략이 필요한 것인가가 핵심적 사안이라고 할 수 있다. 즉, 양국관계의 비대칭성을 완화하는 전략이 현재 그리고 미래의 한반도에게 필요한 것이다. 이에 본 장에서는 비대칭성을 형성하는 요인을 제거 또는 완화하는 동시다발적 전략을 제시하였다. 첫째, 한국은 자국의 능력을 향상시켜 대미 의존도를 줄여나가야 한다. 둘째, 미국이 추진하는 국제적 이슈에 대한 적극적 참여를 통해 동맹국으로 가치를 향상시키려는 노력을 해야 한다. 셋째, 남북관계 개선을 통해 북한의 대남 의존도를 증가시켜 북한의 위협 수준을 낮추려는 노력을 해야 한다. 넷째, 주변국과의 지속적인 관계 개선, 국제적 레짐의 적극적 참여, 미래 동아시아 안보 공동체 형성 추구 등을 통해 안보의 대안을 확대시켜 나가야 한다.

이러한 전략을 통해 한국은 대미관계에 있어 형성된 비대칭성을 점차 완화시켜 나갈 수 있을 것이며, 현재보다 상호성과 평등성이 강화된 동맹 관계를 유지시킬 수 있을 것이다. 또한, 이러한 관계를 바탕으로 현재 계속되고 있는 안보위협에도 효과적으로 대처해 나갈 수 있을 것이다.

제4장 전시작전통제권 전환을 위한 조건[74]

제1절 서 론: 문제제기

한미동맹은 1954년 발효되어 6.25 전쟁 이후 70여 년간 한국의 안보에 있어 주춧돌 역할을 해왔다. 특히, 북한이라는 직접적이고도 치명적인 위협에 직면한 한국에게 한미동맹의 존재는 굳건한 안보를 제공함으로써 짧은 시간에 세계적인 경제적 성장을 이룰 수 있는 토대를 마련해 준 것이 사실이다. 그러나 다른 많은 동맹들이 그렇듯 한미동맹이 항시 순탄하게만 유지된 것은 아니다. 기본적으로 강대국과 약소국 사이에 체결된 동맹이기에 유지 과정에서 약소국인 한국이 감당해야 할 여러 가지 불합리한 부분이 있어 왔다.

1980년대 이후 한국의 국력 신장과 민주화 등으로 인해 한미관계에 있어 자율성(autonomy)이라는 이슈가 부각되었다. 이 과정에서 한미동맹 내 한국의 자율성을 제한하고 있는 요인들이 국민적 관심을 갖게 되었고 그 중 하나가 바로 작전통제권이다. 물론 전시 군에 대한 작전통제 권한을 의미하는 '작전통제권'은 한국군의 최고 통수권자인 한국 대통령에 의해 통제할 수 있는 권한이다. 이는 특정 임무를 달성하기 위해서 일시적·제한적으로 부여되는 권한이기 때문이다.[75] 전작권이 실행되기 위해서는 다음과 같은 과정을 거치게 된다. 우선, 한미 양국 정상회의를 통해 전쟁지도지침이 작성되고 이를 바탕으로 양국 국방부 장관은 한미안보협의회의(SCM: Security Consultative Meeting)에서 한미합참의장 협의체인 군사위원회(MC: Military Committee)에 전략지침을 하달한다. 이후 이를 받은 양국 합참의장은 군사위원회를 통해 연합사령관에게 전략지시 및 작전지침을 하달하며 이에 따라 연합사령관이 작전통제권을 부여받게 되는 것이다.

일반적으로 동맹국의 군사적 결속력을 강화하기 위해서는 연합군, 연합연습, 연합지휘체계 등이 확립되어 있어야 한다. 한미동맹이 굳건히 유지될 수 있었던 것도 이러한 세 가지 요소가 잘 유지되어 왔기 때문이다. 하지만, 한국군은 전시작전통제권 전환을 통한 연합지휘체계의 변화를 추진하고 있다. 물론 이 과정이 그리 순탄하지만은 않았다. 많은 논쟁이 지속되었으며 2005년 최초 전시작전통제권 전환에 합의한 이래 두 차례에 걸쳐 전환이 연기되기도 하였다. 하지만 문재인 정부는 전시작전통제권 전환에 대해 그 어느 때보다 적극적인 행보를 펼쳤다.

한·미는 2018년 10월 제50차 한미안보협의회의(SCM: Security Consultative Meeting)에서 주한미군 지속 유지 등 전작권 전환 이후 한미 연합방위태세 작동을 위한 가이드라인격인 연합방위지침(Guiding Principles Following the Transition of Wartime Operational Control)을 발표하였다.76) 2019년 4월 1일에는 한국의 정경두 국방부 장관과 패트릭 섀너핸 미국 국방장관 대행이 미 워싱턴DC에서 회담을 열고 전작권 전환에 필요한 조건을 조기에 충족할 수 있도록 긴밀히 협력해 나가기로 합의하였으며, 이후 6월에 열린 회담에서는 전작권 전환을 위한 '조건 충족'에서 상당한 진전이 이루어지고 있다고 평가하기도 하였다.77)

이와 함께 한국의 박한기 합참의장과 로버트 에이브럼스 주한미군사령관은 기존에 현안을 논의하기 위해 1년에 두 번 열리는 상설군사위원회(PMC)와는 별도로 전작권 전환 논의만을 위한 별도 회의체인 특별상설군사위원회(SPMC)를 마련하고 3월부터 매달 진행하였다. SPMC는 전작권 전환의 핵심 조건 중 하나인 '한미 연합방위를 주도할 수 있는 한국군의 핵심 군사능력'을 집중

점검하였다. 여기서 주목할 점은 상설군사위원회가 있음에도 불구하고 전작권 전환 준비만을 위한 협의체를 만들었다는 것이다. 이는 전작권 전환 조건을 평가하기 위해 한미 양국이 더 자주 접촉하겠다는 것으로 앞으로 전작권 전환에 더욱 속도를 내겠다는 의지를 보여주었다고 할 수 있다.

<그림 4-1> 전작권 전환이후 연합지휘구조

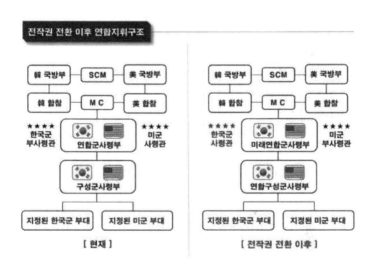

윤석열 정부는 전 정부에 비해 전작권 전환에 신중한 모습을 보이고 있다. 윤 대통령은 당선인 시절 "작전지휘권 귀속을 어디에 두느냐의 문제는 전쟁에서 승리하는 가장 효과적인 길이 무엇이냐에 따라 결정됩니다. 명분이나 이념 등으로 결정할 문제가 아닙니다"라고 주장하였다. 2022년 5월 21일 윤석열 대통령은 방한한 조 바이든 미국 대통령을 서울에서 만나 조건에 기초한 전작권 전환에 대한 의지를 재확인했지만, 양국 정상은 역내 안보환

경을 고려해 전작권 전환을 서두르지 말자는데 생각을 함께 한 것으로 알려지고 있다.

전작권 전환 단계는 3단계로 이루어져 있다. 한국군의 주도적인 연합작전 수행능력을 검증하기 위해 우선적으로 최초작전운용능력(IOC) 평가를 실시하고, IOC 검증이 이뤄진 이후에는 완전운용능력(FOC), 완전임무수행능력(FMC) 평가가 이어지고 이것이 성공적으로 마무리 될 경우 전작권이 전환되는 것이다. 하지만 지금까지 진보와 보수를 막론하고 역대 정부들이 추진해 왔던 전작권 전환은 여전히 많은 논쟁을 불러일으키고 있다. 이 논쟁의 핵심은 자주와 안보의 충돌이라고 할 수 있다. 즉, 자국에 대한 전작권을 가지지 못한 군대에 대한 자율권 회복 필요성에 대한 자각과 한미동맹의 약화를 초래하여 국가안보에 부정적 영향을 줄 것이라는 인식의 충돌이 그것이다. 현재까지도 이러한 쟁점이 완전히 해결된 것은 아니다.

이런 상황을 바탕으로 본 장에서는 전시작전통제권 전환을 위한 조건들에 대해 살펴보고자 한다. 즉, 전작권이 전환되기 위해서는 어떠한 조건들이 최소한 필요한지를 알아보고자 한다. 이를 위해 우선 전작권 전환을 추진하게 된 논리적·이론적 배경을 논의하고 이를 통해 전환 조건의 대전제를 도출한다. 이후 전작권 전환 과정에서 논란이 되고 있는 주요 쟁점들을 살펴본 후 이를 바탕으로 전작권 전환을 위한 준비사항을 제시함으로써 전작권 전환을 위한 조건을 도출하고자 한다.

제2절 이론적 논의: 전작권 전환 추진 동기

한미동맹은 전형적인 비대칭 동맹으로 형성되었다. 초강대국과 약소국사이에서 체결된 동맹으로 공식적으로는 '상호방위조약'의 성격을 가지고 있으나 양국이 서로 동맹을 통해 교환하는 가치에는 다소 차이가 있었다. 강대국인 미국의 경우 동맹을 통해 세계 전략적 차원의 이익을 강화할 수 있었던 반면 약소국인 한국은 직접적인 북한의 위협으로부터 자국의 안전을 보장받을 수 있었다.

비대칭 동맹을 형성시키는 요인은 매우 다양하게 설명되어 왔다. 앞장에서 설명하였듯이 일반적으로 위협에 대한 대처 능력의 부족, 동맹국으로서 가치 차이, 대안 동맹 형성 가능국의 존재 여부 등이 핵심적으로 영향을 준다고 할 수 있다.[78] 자국의 능력으로 대처할 수 없는 위협이 존재하나 이에 대한 충분한 능력을 가지고 있지 못한 국가이거나, 국제사회에서 차지하는 비중이 그렇게 크지 않은 국가, 또한 여러 국가들과 동맹을 맺을 정도로 효과적인 국제관계를 형성하지 못한 국가의 경우 비대칭 동맹을 형성할 수밖에 없는 것이다.

한국의 경우도 동맹 체결 시 북한이라는 직접적인 위협에 직면하고 있었으며 전 세계에서 최빈국에 속할 정도로 능력적인 면에 있어서도 매우 부족한 형편이었다. 그리고 당시 미국 이외에는 다른 선택의 여지가 없었다. 이에 한국은 동맹 수립과정에서 비대칭적인 요소를 받아들일 수밖에 없었던 것이다. 이후 오랜 시간 동안 한미동맹이 가지고 있는 '자율성-안보 교환관계'라는 비대칭 동맹의 성격은 크게 변화하지 않고 유지되어 왔다.

비대칭 동맹 관계를 이론적으로 설명하기 위해 제임스 모로우(James D. Morrow)는 '자율성과 안보 상호교환모델'을 제시하였다. 이 모델은 약소국이 동맹을 통해서 안보라는 사활적 이익을 지켜낼 수 있지만 이에 대한 대가로 국가정책 수립 및 추진과정에서 일부 자율성을 양보해야 한다고 설명한다.[79] 즉, 안보와 자율성은 서로 반비례한다는 것이 이 모델의 핵심 주장이다. 이 주장에 따르면 비대칭 동맹에서 약소국이 자국의 자율성을 높이기 위한 노력을 견지할 경우 안보 수준의 일정 부분 하락을 감수해야 한다. 모로우의 이 모델은 지금까지도 한미동맹과 같은 비대칭 동맹을 설명하는데 많이 사용되고 있으며 특히 전시작전통제권 전환 문제에 있어 한미관계 약화를 우려하는 주장들에 대한 논거를 제시하는데 매우 유용한 틀을 제공하고 있다. <그림 4-2>를 보면 최초 I_1 지점에서 약소국은 A_1 수준의 자주성과 S_1 수준의 안보를 유지하고 있다. 이 상태에서 약소국이 자국의 자주성을 A_2 수준으로 올리려는 시도를 한다면 안보는 S_1 수준에서 S_2 수준으로 이동하여 감소하게 된다는 것이다.

<그림 4-2> 안보와 자율성 상호 교환 모델

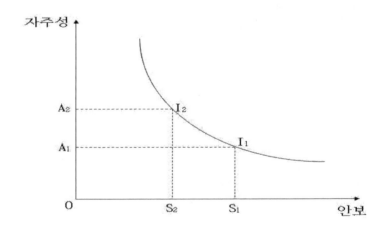

위의 이론적 배경에도 불구하고 한국 정부는 전작권 전환을 지속적으로 추진하고 있으며 이른바 자주국방을 위해 노력해 오고

있다. 여기서 자주국방이란 "외부의 침략으로부터 국가의 기본 가치를 군사적으로 안전하게 보위하되, 이를 다른 나라에 의해 부당하게 통제 또는 강요됨이 없이 자국의 자조적 의지와 자립적 능력, 자율적 행위에 기초하여 성취 및 달성하는 것"이라 정의할 수 있다.[80] 즉, 국방문제에 대한 자율권을 가지고 독자적인 전략을 개발하고 이를 추구하기 위한 전력을 국가 스스로 조달할 수 있는 체계라고 할 수 있는 것이다.

전작권 전환을 추진하고 있는 한국은 자주국방과 공고한 동맹의 양립을 주장하고 있다. 전작권 전환을 포함한 자주국방을 추진한다고 해서 한미동맹이 약화되지 않는다는 것이다. 노무현 정부에서 제시한 협력적 자주국방의 경우도 이와 궤를 같이 한다고 할 수 있다. 당시 제기된 협력적 자주국방은 "한미동맹과 자주국방의 병행 발전을 추구"하는 것으로 요약될 수 있는데 이는 곧 "동맹을 발전시키고 대외 안보협력의 능동적 활용을 통해 북한의 전쟁 도발을 억제하고 도발 시 이를 격퇴하는 데 한국이 주도적인 역할을 수행할 수 있는 능력과 체제를 구비"함을 의미한다.[81]

문재인 정부도 전시작전통제권 전환을 추진함에 있어 미국과 공조가 변화하지 않을 것이며 오히려 더 공고하게 될 것이라고 지속적으로 강조하고 있다. 예를 들어, 문재인 대통령은 건군 제69주년 국군의 날 기념사에서 "정부는 굳건한 한미 연합방위 태세를 바탕으로 군사적 대비태세를 더욱 튼튼히 하는 가운데 긴장 고조가 군사적 충돌로 이어지지 않도록 상황을 안정적으로 관리하는 데 총력을 모으고 있다"고 밝히며 "정부는 전시작전통제권 조기 환수를 목표로 하고 있으며 독자적 방위력을 기반으로 한 전시작전통제권 환수는 궁극적으로 우리 군의 체질과 능력을 비약적으로 발전시킬 것이며 우리가 전시작전권을 가져야 북한이 우리를 더 두려워하고, 국민은 군을 더 신뢰하게 될 것"이라며 주장하였다.

<표 4-1> 상대적 약소국의 선택

구분	이익 1 (안보)	이익 2 (자율성)	평가
정책 추진 결과	상승	상승	최선
	상승	유지	차선
	유지	상승	
	하락	상승	차악
	상승	하락	
	하락	하락	최악

그렇다면 이러한 주장은 이론적으로 어떻게 설명할 수 있을까? 이는 우선 모로우의 모델에 대한 비판적 접근에서 시작할 수 있다. 모로우 모델의 경우 약소국과 강대국의 국력을 상수화시켜 설명하였다.[82] 따라서 약소국과 강대국의 국력이 변화한다면, 예를 들어 강대국이 쇠퇴한다거나 약소국이 중진국 또는 그 이상으로 성장할 경우의 동맹 관계 변화를 설명하기에는 제한이 된다.[83] 국가는 자국의 능력에 변화가 생기면 이를 국제관계에 반영하려 하기 때문이다. 일반적으로 국가는 자신의 이익은 최대화하고 손실은 최소화(Maximum Benefit Minimum Cost)하기 위해 국가정책을 추진하기 때문에 능력의 변화는 새로운 이익 추구로 나타난다. 이는 국가가 성장 기조를 가지고 있을 경우 더욱 강하게 들어난다.

따라서 만일 국가가 동맹 관계에서 획득할 수 있는 이익이 앞의 모델에서 제시하였듯 자율성과 안보라는 두 가지 재화가 있다면 국가가 선택할 수 있는 최선의 정책은 자율성과 안보를 둘 다 얻는(높이는) 것이고 차선의 경우는 하나의 재화의 수준에는 변화가 없이 다른 한 재화를 높이는 것이라 할 수 있다. 물론 하나를 얻기 위해 다른 하나를 잃는 정책은 국가정책 추진 측면에서 바람직하지 못한 정책이라고 할 수 있다. 이를 정리해보면 <표 4-1>과 같다.

<그림 4-3> 안보와 자주성의 동시 상승 모델

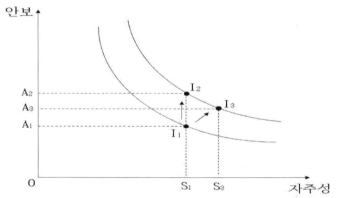

출처: Park, M. H. and Chun K. H., "An Alternative to the Autonomy-Security Trade-off Model: The Case of the ROK-U.S. Alliance," *The Korean Journal of Defense Analysis* Vol. 27, No. 1(2015), pp. 47-49.

이를 바탕으로 했을 때 약소국의 입장에서 자율성을 강화하는 정책을 추진하기 위해서는 안보가 함께 상승하거나(최선) 또는 안보는 현 상태로 유지되어야 하는(차선) 것이 좋은 정책 방향이라고 할 수 있다. 예를 들어 최초 I_1 지점에서 A_1 수준의 자주성과 S_1 수준의 안보를 가지고 있던 약소국이 안보와 자주성을 동시에 증진시킬 수 있는 I_3 지점으로 이동하거나 또는 자주성은 높아지나 안보 수준은 저하되지 않고 유지할 수 있는 l_2 지점으로 이동한다면 해당 정책은 효과적이라 할 수 있을 것이다.

이를 한미동맹에 적용해보면 한국의 입장에서 전작권 전환을 추진하는 가장 기본적인 대전제를 도출할 수 있다. 즉, 전작권이 전환되면서 한미동맹 내에서 한국의 자율성이 증가되는 것과 동시에 한미동맹이 강화된다면 한국에게 있어서는 이것이 가장 좋은 정책이라 할 수 있을 것이며, 전작권 전환 후 한미동맹이 현 수준으로 유지될 수 있다면 이것이 차선의 정책이 될 수 있을 것이다. 결국, 전작권 전환을 위한 가장 좋은 조건은 이러한 최선 또는 차선을 만족시킬 수 있어야 될 것이다.

제3절 전작권 전환 관련 주요 쟁점

3.1 전작권 전환 추진과정 개요

전작권 이양에 대한 역사는 6.25 전쟁으로부터 시작된다. 6.25 전쟁 중이던 1950년 7월 14일, 계속된 패배와 후퇴로 위기를 느낀 이승만 대통령은 작전지휘의 일원화와 효율적인 전쟁지도를 위해 무초 당시 주한미국대사를 통해 한국군에 대한 작전지휘권(Operational Command)를 유엔군 사령관인 멕아더에게 이양하겠다고 서신을 전달하였으며, 7월 25일 맥아더의 답신이 유엔 사무총장에게 전달되어 안보리에 제출되어 공식화되었다.[84] 이것이 1954년 11월 14일에 발효된 한미상호방위조약에서 작전통제권이라는 용어로 대체되어 지금까지 사용되고 있다.[85]

정전협정 체결 후 유엔 회원국들의 복귀가 단행되었고 1972년 태국군을 마지막으로 유엔사에는 미군만 남게 되었다. 이와 함께

1971년 중국이 유엔 안전보장이사회 상임이사국이 되면서 유엔 내 공산권 국가들이 유엔사에 대한 정당성 문제를 제기하였고 이런 상황은 유엔사를 대체할 새로운 조직의 필요성을 대두시켰다. 이에 한미 양국은 제11차 SCM에서 유엔사를 대체하여 한국의 방위를 책임지는 연합사령부 창설에 합의하였다.

<표 4-2> 시기별 주한미군과 연합지휘체제의 변화

구분	70년대 초반	70년대 후반	90년대 초반	2000년대
미국 안보 정책	· 월남전 종식, 아시아 미군감축 · 닉슨 행정부, 주한미군 감축	· 미중수교, 아시아 미군감축 · 카터 행정부, 주한미군 철수	· 공산권 몰락, 해외 미군 감축 · 부시 행정부, 주한미군 철수	· 중동지역 전쟁, 해외미군 개편 · 주한미군 일부 감축
연합 지휘 체제 변화	· 한미 1군단 창설	· 한미연합사 창설	· 평시작전통제권 전환	· 전작권 전환 추진
주한 미군 규모 (명)	· 6.2만('69년)	· 4.2만('77년)	· 4.3만('90년)	· 3.75만('03년) → 2.85만('07년)
비고	· 先 주한미군 감축 → 後 연합지휘체제 변화			

출처: 김경환, "전작권 전환은 왜 필요한가?"『합참』제71호(2016), p. 102.

1978년 11월 7일, 한미 연합사령부가 창설되었고 유엔군 사령관에게 있었던 한국군에 대한 작전통제권은 한미연합사령관에게 이양되었으며 유엔군사령부의 역할은 정전관리에 국한되도록 조정되었다. 당시 연합사의 창설은 양국 통수권자, 국방부장관, 합참의장 등으로부터 하달된 지침과 지시에 의해 한국군을 작전통제하는 연합지휘체계로의 발전을 의미하며 이를 통해 한측의 역할이 확대되었다고 할 수 있다.

1980년 말, 탈냉전 이후 국제안보환경의 변화와 한국의 국력 신장, 그리고 88서울올림픽의 성공적인 개최를 통한 국민적 자긍심 고취 등은 작전통제권 전환 논의를 촉진시켰다.[86] 이러한 시대적 기류로 인해 한미 간 주한미군 역할 조정 논의와 함께 전작권에 대한 논의가 이루어졌는데 그 결과 1992년 제24차 한미연례안보협의회(SCM)에서 정전시(평시) 작전통제권을 한국군에 이양하기로 합의하였으며 김영삼 정부 시절이었던 1994년 12월 1일 평시 작전통제권이 환수되었다. 이로 인해 한국군은 평시 경계임무와 초계활동, 부대이동, 군사대비태세 강화조치 등에 대해서 한미연합사의 사전 승인을 받지 않고 수행할 수 있는 권한을 가지게 되었다.[87]

이후 상대적으로 다른 정부에 비해 '자주와 주권'을 강조한 노무현 정부가 등장하였고 한국 사회에서 전시작전통제권 문제가 주요 쟁점으로 부각하기 시작하였다. 노무현 대통령은 2003년 광복절 경축사에서 "아직 우리 군은 독자적인 작전 수행능력과 권한을 갖지 못하고 있다. (중략) 앞으로 10년 이내에 우리 군이 자주국방의 역량을 갖출 수 있는 토대를 마련하고자 한다. 이를 위해서 정보와 작전기획 능력을 보강하고 군비와 국방체계도 그에 맞게 재편해나갈 것이다"라고 천명하였다.

2006년 광복절 축사에서는 "작전통제권 환수는 나라의 주권을 바로 세우는 일이다. 또한, 달라진 우리 군의 위상에 걸맞는 일이다. 지난 20년 동안 준비하고 미국과 긴밀히 협의하면서 체계적으로 추진해 온 일이다. 확고한 한미동맹의 토대 위에서 진행되고 있고, 미국도 적극적으로 협력하고 있다. 저는 우리 군의 역량을 신뢰한다"고 밝혔다.[88] 대통령의 이러한 발표가 있은 직후 2006년 9월 열린 노무현 대통령과 조지 W. 부시 대통령의 한미정상회담에서 양국은 전시 작전통제권을 전환한다는 기본원칙에 합의하였고, 2007년 2월 23일 열린 한미 국방부장관 회담에서 전작권 전환 시기가 2012년 4월로 최종 결정되었다.[89]

<표 4-3> 전작권 관련 주요 사항

일시	추진내용
50.7.14	이승만 대통령, 한국군 작전지휘권 유엔군사령관에게 이양
54.11.17.	유엔군사령관에게 작전통제권 부여
61.5.26.	30-33 경비단 등 일부부대 작전통제권 전환
68.4.17	대침투작전 수행권한 한국군 단독수행
78.11.7.	한미연합사령부 창설, 연합사령관에게 작전통제권 이양
94.12.1.	한국 합참의장에게 정전 시 작전통제권 전환
06.9.16.	한미 정상, 전작권 전환 합의
07.2.23.	한미 국방장관, 전작권 전환일자 (2012. 4. 17) 합의
07.6.28.	『전략적 전환계획(STP)』합의
10.6.26.	한미 정상, 전작권 전환시기 조정 합의 (2015. 12. 1.)
10.10.8.	『전략동맹(SA) 2015』합의 (SCM)
13.10.2.	미래 연합지휘구조 개념 합의 (SCM)
14.10.23.	한미 국방장관, '조건에 기초한 전작권 전환' 추진 합의
18.11.1.	전작권 전환이후 연합방위지침 합의

그러나 당시 전작권 전환 결정 시 점차 줄어들 것으로 예상했던 북한의 위협은 예상과는 다르게 큰 변화가 없었다. 심지어 2010년 3월 북한에 의한 천안함 폭침 사건이 발생하였다. 이에 국민적 안보 불안감은 점차 고조되어 갔다. 결국, 2010년 6월

26일 열린 이명박 대통령과 오바마 대통령 간의 한미정상회담에서 당시 안보 상황을 고려할 때 한국군의 준비가 여전히 부족하다는 이유 등을 들어 전작권 전환 시기를 당초보다 3년 8개월 미룬 2015년 12월로 연기하였다.

이후 계속되는 북한의 핵실험으로 인해 2014년 4월 25일 열린 박근혜 대통령과 버락 오바마 대통령의 정상회담에서 전작권 전환 시기의 재검토에 합의하였고 2014년 10월 23일 열린 제46차 한미안보협의회에서 한·미 국방장관은 지속적인 북한 핵·미사일 위협을 포함한 역내 안보환경의 변화로 인해 '조건에 기초한 전작권 전환'을 추진하기로 합의하였다.90) 이는 기존의 시기에 기초한 전작권 전환을 능력과 안보환경을 전환 조건으로 설정하여 조건이 충족되는 시기에 전작권을 전환하는 방식으로 바꾼 것이었다.91)

당시 한미 간 합의한 전환 조건은 크게 세 가지로 첫째, 전작권 전환 이후 한국군이 한미 연합방위를 주도할 수 있는 핵심 군사능력을 확보하고, 둘째 북한의 핵·미사일 위협에 대해 한국군은 초기 필수대응능력을 구비하고, 셋째 안정적인 전작권 전환에 부합하는 한반도 및 지역 안보환경을 관리하는 것이었다.

이후 들어선 문재인 정부는 전작권 전환에 대해 적극적인 행보를 보였다. 2017년 6월 30일 발표된 문재인 대통령과 트럼프 대통령의 정상회담 공동성명에서 "양 정상은 조건에 기초한 한국군으로의 전작권 전환이 조속히 가능하도록 동맹 차원의 협력을 지속해 나가기로 결정하였다"고 합의하였다. 문재인 대통령은 2017년 새로 임명된 국방부 장관에게 "전작권을 환수할 수 있는 시기를 앞당길 수 있도록" 요구하기도 하였으며 2017년 국군의 날 기념사에 전작권 전환에 대한 의지를 피력하기도 하였다.92)

이후 2018년 10월 31일 '전시작전통제권 전환 이후 연합방위지침'을 통해 한국군 4성 장군이 연합군 사령관, 미군 4성 장군이 연합군 부사령관의 임무를 수행하며 전작권 전환 이후에도 한미 동맹을 유지 및 발전시켜 나갈 것을 합의하였다. 2019년 8월 11일 한국과 미국은 연합훈련을 실시하였는데, 이 연합훈련은 2019년 3월 키리졸브 훈련을 대체하여 실시된 '19-1 동맹' 연습과 같이 최초 '19-2 동맹연습'이라고 명명되었으나 북한과의 관계를 고려하여 '한미연합지휘소 훈련'으로 실시되었다.[93] 이 훈련에서는 전시작전통제권 전환에 대비해 기본운용능력(IOC)을 검증하였는데 처음으로 한국군 대장이 사령관을 미군 대장이 부사령관을 맡아 진행되었다. IOC에서는 4개 분야(정보, 지휘통제, 화력, 지속지원)에서 총 10대 과제를 검증하였다.

하지만, 한국군의 IOC 확인을 위한 한미연합훈련이 2019년 북한의 반발로 축소되고 2020년 예정됐던 FOC 검증을 위한 연합훈련은 코로나19로 시행되지 못하는 등 계획에 차질이 생겼다. 한국군의 핵심 군사 능력을 검증하는 절차가 마무리되지 못했고, 문재인 정부 내 전작권 전환은 불발됐다. 더욱이 전작권 전환의 조건 중 하나인 한반도와 역내 안보환경이 한층 악화하고 북한의 핵·미사일 능력 고도화로 한국군이 갖춰야 할 필수 대응 능력의 기준 또한 높아졌다. 물론, 2024년 현재까지 한국군은 조건에 기초한 전작권 전환에 대한 의지는 확고하다. 하지만, 한국군의 능력이 여전히 부족하다고 판단하고 있으며 이에 따라 전환에 대해 신중함이 커지고 있다.

3.2 전작권 전환 추진 간 주요 쟁점

전작권 전환에 대한 논쟁은 사안의 본질보다는 정치적, 이념적 해석으로 인해 많은 논쟁을 불러일으켜 왔다. 전작권 전환에 찬성하는 측면에서는 주권 문제와 한국의 강화된 능력에 집중한다. 세계 10위권의 경제 대국이자 군사 대국이 된 한국이 자국의 군에 대한 작전통제권을 여전히 미국에게 의존한다는 것은 논리적으로 맞지 않는다는 것이 그들의 주장이며[94] 이럴 경우, 유사시 한국이 원하는 것과 다른 방향으로 미국이 전쟁을 몰고 갈 수 있다고 주장한다.

이와 함께 전작권을 소유하면 이제까지 북한이 전작권 미소유로 인해 한국과 협상할 수 없다는 주장을 더 이상 하지 않게 될 것이기 때문에 대북 협상력 증가를 가져올 것이라고 주장하기도 하며, 전작권을 가지고 있을 경우 미국의 일방적인 대북정책 추진을 완화할 수 있다는 주장도 제기되고 있다. 이러한 주장들은 한국군의 군사적 능력이 비록 양적인 측면에서는 북한에게 열세하지만 질적으로는 북한을 압도한다는 자신감이 바탕이 되고 있다. 즉, 오랜 기간 경제적 어려움으로 인해 북한의 재래식 군사력은 노후화되어 있고 북한 국력 자체가 전쟁을 수행하는 데는 무리가 있다는 평가를 하고 있는 것이다.[95]

반면 전작권 전환에 반대하는 측면에서는 북한의 핵이나 화학무기 등의 비대칭 위협에 대응하기 위해서는 전작권 전환이 빨리 이루어질 필요가 없다고 주장한다. 즉, 여전히 북한의 핵 위협이 존재하는 가운데 전작권이 전환된다면 한미 간 굳건한 공조체제를 약화시킬 수 있어 한반도의 안보 불안요소가 발생할 수 있다는 것이다. 또한, 공고한 한미연합사 체제를 지속적으로 유지함으로써 한국의 입장에서는 저비용 고효율의 안보를 보장받을 수 있다는 것이다. 이러한 주장을 펴는 인사들은 주권의 문제에 대해서도 다른 해석을 내놓고 있다. 작전통제는 육군, 해군, 공군 간의 합동작전은 물론 국가 간의 연합작전에서 자주 사용되고 있는 용어로 공통의 임무를 달성하는 범위 내에서만 관련 부대들을 제한적으로 통제한다는 것이지 인사권이나 행정권까지 포함된 개념은 아니므로 작전통제권을 군사주권으로까지 해석한다는 것은 다소 무리가 있다는 의견이다.

이와 함께 전작권 전환이 너무 빨리 이루어질 경우 아직까지 능력이 제대로 갖추어지지도 않은 한국이 한반도 안보의 주도적 역할을 함으로써 대북 억제력이 부족하게 될 것이며, 미국의 전략적 유연성 전략으로 인해 미국의 안보공약이 약화 될 수 있다는 것, 그리고 전작권 전환으로 인해 단일 지휘체계의 연합사가 결속력이 약화될 경우 작전의 효율성이 떨어진다는 주장들이 제기되고 있다. 특히 이러한 주장들은 전쟁에서 승리하기 위한 전쟁원칙(Principles of War)중에서 '단일지휘(Unity of Command)'를 집중적으로 강조한다.[96] 이외에도 전작권 전환과 관련된 여러 가지 논쟁이 있는데 이를 주요 분야별로 정리하면 아래 <표 4-4>와 같다.

결국, 이러한 논쟁이 벌어지는 이유는 하나의 문제에 대한 시각차로 인해 발생하는 의견 불일치라 할 수 있다. 특히, 북한 문제를 바라보는 기본적인 시각차가 그 핵심 요인이라 할 수 있다. 후자는 북한의 위협과 도발에 대처하기 위해서는 미국과 철저한 동맹 관계 구축이 중요하다는 주장이고 전자의 경우는 북한 문제해결을 위해서는 북한에 일방적인 태도 변화만을 요구해서는 안된다는 주장과 한국의 군사주권 확립이 필요하다는 것이 그 핵심이다. 또한, 후자의 경우 북한 정권에 대한 신뢰도가 전혀 없는 것으로 보이나 전자의 경우 북한 정권도 변화할 수 있다는 어느 정도의 신뢰를 바탕으로 하고 있다고 하겠다.

<표 4-4 > 전작권 전환 관련 주요 쟁점

구분	찬성측	반대측
정치 / 안보	자주적 군사주권 회복	안보효율성이 아닌 '자주'라는 정치적 관점에서 정치화
	한국의 국가위상과 한국군의 정체성 확립	전작권 전환은 한미연합사 해체 및 미국의 자동개입 파기 의미
	대북 및 주변국에 대한 군사 외교의 자율성 확보	주한미군은 철수 가능성 증대로 한미동맹 와해 위기 초래
	대북 협상 시 북한의 대남협상 태도 변화 유도	전작권은 한미 양국이 공동으로 행사하는 것
	동맹 간 상호 부담을 경감하여 관계 발전에 기여	전작권 전환은 북한이 추구했던 목표를 이루게 하는 것
군사 / 기술	대미 의존적 군사구조 개선	한국군 역량 감안시 시기상조
	육해공 군사력 균형 발전을 통한 자주국방 역량 강화	한반도 유사시 미국의 단독 작전 견제를 못함
	한국군 사명의식 강화를 통한 전투수행능력 향상	한국군 합참의장과 유엔군사령 관의 지휘관계 복잡 및 모호
경제	세계 10대 경제강국의 국가 위상에 걸맞는 국방력 구축	동맹 관계 활용으로 안보 비용을 줄이는 것이 국가이익에 부합
	전작권 전환 비용 별도 불필요	전작권 전환 비용의 국가 경제 적 부담 가중
전환 시기	전작권의 조기 전환	전작권 전환 시기 연장 또는 미 추진

제4절 전작권 전환을 위한 조건

일부 학자와 전문가들은 전작권 전환이 한미동맹 자체의 변화가 아니라 연합지휘구조의 변화를 의미한다고 설명한다. 전작권 전환이 이루어지더라도 한미안보협의회의 및 군사위원회 등 한미

안보협력체계는 동일하게 유지되며 주한미군도 변함없이 남아있게 된다는 것이다.[97] 실제로 한미 양국은 2018년 8월 31일 미국 워싱턴에서 열린 제50차 한미연례안보협의회에서 '미래지휘구조 기록각서 개정안'을 포함하여 미래사 창설 안, 조건에 기초한 전작권 전환계획 수정안, 한미연합방위지침, 한국 합동참모본부-유엔군사령부-연합사 관계 관련 약정 등 전작권 전환에 직결된 4가지 전략문서에 합의하였다.

그러나 이러한 노력에도 불구하고 명심해야 할 것은 전작권 전환 문제는 명분과 자존심의 문제라기보다는 국가 안위의 문제라는 것이다. 북한 위협과 주변국의 잠재적 위협에 대해 한국 주도의 방위력으로 충분히 대비되지 않는다면 전환 시기에 대한 재고를 냉철하게 판단할 필요가 있는 것이다. 즉, 전작권 전환은 조건에 기초해 추진되어야 하며 그 조건이 충족되었을 때 전환이 추진되는 것이지, 그렇지 않을 경우 서둘러 추진할 사항이 아니다.

국익에 부합된 전작권 전환을 추진하기 위해서는 향후 전작권 전환이 되면 어떠한 변화가 생길 것이고 한국군의 역할은 어떠한 변화가 올 것인지를 명확하게 판단하여야 한다. 한미 양국은 2014년 열린 제46차 한미안보협의회의(SCM)에서 이른바 '조건에 기초한 전작권 전환' 원칙에 합의하였다. 여기서 말한 조건은 앞에서 말했듯이 크게 3가지인데 첫째, 한미연합방위를 주도할 수 있는 한국군의 핵심군사능력 확보, 미국은 보완·지속능력 제공, 둘째 북한의 핵·미사일 위협에 대한 한국군의 초기 필수대응능력 구비, 미국은 확장억제 수단 및 전략자산 제공 및 운용, 셋째 전작권 전환에 부합하는 한반도 및 지역 안보환경 평가 등이다.

이러한 조건을 바탕으로 한국으로 전작권이 전환되기 위해서는 세부적으로 어떠한 준비를 해야 하는지를 평가할 수 있을 것이다. 물론 이 세 가지 조건의 하위 항목으로 150여 가지의 세부 조건이 있다고 알려지고 있다. 하지만, 이에 앞서 2절에서 설명하였듯이 대전제가 만족되어야 할 것이다. 즉, 안보와 자율성을 둘 다 증진시키거나 아니면 자율성을 얻되 안보의 수준은 그대로 유지시켜야 하는 것이다. 전작권을 전환하면서 한미동맹이 강화되거나, 최소한 현 상태로 유지되어야 한다는 것이다. 이것이 이루어지지 않는다면 전환 자체에 대한 재고가 필요하다고 할 수 있다.

위에서 제시한 조건 중 첫 번째 조건과 두 번째 조건의 경우 능력적 측면이라는 공통점을 가지고 있다. 따라서 여기에서는 능력적 측면으로 함께 논의하고 안보 환경적 측면, 그리고 마지막으로 기타 준비사항 순으로 전환 조건을 제시하고자 한다.

4.1 능력 측면: 연합방위 주도 및 북핵·미사일 위협 초기 대응능력

여러 가지 조건 중에 능력에 관련된 조건이 가장 기본적이고 핵심적인 조건이라고 할 수 있다. 일반적으로 우리는 한국군의 능력을 배양한다고 했을 때 흔히 미국의 물리적 능력을 대체할 수 있는 군사력 건설에 집중한다. 그러나 능력 강화를 위해서는 물리적 능력과 함께 전략적 능력의 강화도 필요하다. 따라서 두 가지 능력이 조화를 이루면서 강화되어야 할 필요성이 있다.

우선, 물리적 군사력의 증강은 현재 미국에 전적으로 의존하고 있는 분야에 집중투자할 필요가 있다. 특히, 가장 시급한 것은 미국에게 크게 의존하고 있는 정보자산의 획득이라고 할 수 있다. 북핵 위협에 대응하기 위해서는 적의 징후를 사전에 파악할 수 있는 능력이 가장 중요하고, 북핵 뿐만 아니라 현대전 전체적으로도 정보 능력은 가장 중요한 분야이기 때문이다. 이러한 중요성에도 불구하고 현재 한국군은 감청을 비롯한 정보 능력의 상당 부분을 미국에게 의존하고 있다. 특히 북한의 핵심 목표시설에 대한 영상·사진 정보는 대부분 미군에 의존하고 있는 것으로 알려지고 있다. 따라서 전작권 전환을 위해서는 이러한 능력을 구비하는 것이 가장 기본적인 단계라고 할 수 있다.

물론 한국 국방부는 '정보 공백'을 초래하지 않고, 전작권을 행사하는데 필요한 대북정보를 독자적으로 수집할 수 있도록 군 정찰위성을 차질없이 전략화하겠다고 밝히고 있다. 2019년 8월 14일 발표된 '2020-2024 국방중기계획'에서는 2023년까지 군 정찰위성 5기를 전력화 할 것이라고 밝히기도 하였다.[98] 실제로 한국군은 2023년 12월 2일 미국 캘리포니아 소재 반덴버그 우주군 기지에서 군사정찰위성 1호기를 팰콘9에 탑재해 성공적으로 발사했고, 2024년 4월 8일에는 군사정찰위성 2호기를 미국 플로리다주 소재 케이프커내버럴 공군기지에서 성공적으로 발사하였다. 이를 통해 한국군은 독자적인 정보 감시정찰 능력을 향상시켜 나가고 있다. 하지만, 여전히 정보 능력을 지속적으로 강화할 필요가 있으며 계속되는 기술 발달에 따른 최신화 노력도 함께 진행되어야 할 것이다.

정보 능력과 함께 정밀타격 능력 향상을 위한 화력 강화도 핵심 과제로 삼아야 할 것이다. 그러나 이러한 노력에는 남북관계의 변화가 제한사항으로 작용할 수 있다. 예를 들어, 2018년 4월 27일 남북정상회담 이후 발표된 판문점 공동선언에서 양측은 군사적 긴장 상태 완화와 전쟁위험 해소를 위한 공동의 노력을 기울이자고 합의하였으며 이를 이행하기 위한 구체적인 이행 계획으로 9.19 군사합의서를 채택하였다.[99] 이 합의서 제1조 1항에서는 앞으로 남북군사공동위원회에서 논의할 사항으로 대규모 군사훈련 및 무력 증강 문제 등을 포함하고 있다. 실제로 2018년 12월 북한은 한국군이 최신형 페트리엇 요격 미사일, 탄도탄 조기 경보 레이더(그린파인), 이지스 구축함에 탑재할 함대공 미사일 SM-2 등의 도입에 대해 9.19 남북군사 합의에 어긋나는 군사적 움직임이라고 주장하였다. 당시 북한은 노동신문을 통해 "남조선 군부 세력은 정세의 요구와 북남관계 개선 분위기에 배치되게 해외로부터의 군사 장비 도입에 박차를 가하고 도발적인 전쟁 연습 소동을 벌여놓으면서 대결 기운을 고취하고 있다"고 비난하였다.

이렇듯 9.19 군사합의와 같은 남북한 화해 분위기 속에서 채택된 문서들로 인해 한국의 전력 강화에 제한이 될 수 있다. 2024년 6월 한국 정부는 북한의 오물 풍선 등의 도발에 대한 조치로 9.19 군사합의의 효력을 전면 정지한다고 밝혔다. 화해 분위기 속에서 합의된 것이 효력을 상실하는 순간이었다. 군사력 건설의 경우 단기간에 이루어질 수 있는 것이 아니며 또한 국방의 경우 최악의 상황을 대비해야 하기 때문에 물리적 능력의 구비는 절대적으로 필요하다. 따라서 전작권 전환을 위해서는 필요한 전력에 대한 적시 적절한 보강이 가능해야 할 것이다. 일시적인 화해 분위기로 인해 이러한 노력이 중단되어서는 안 된다.

둘째, 전력적 측면과 함께 전략적 능력의 강화를 도모할 필요가 있다. 전략적 능력의 강화는 최우선적으로 새로운 형태의 한미연합방위체제를 지탱할 수 있는 지휘체계를 확립할 필요가 있다. 현재까지 계획되어 있는 한국 주도-미국 지원 시스템을 위한 효율적 체제를 준비하고 이를 위한 제도적 절차도 마무리하여야 한다. 혹자는 "미군이 다른 나라 지휘를 받지 않고 독자적인 지휘권을 행사하는 전통"인 이른바 퍼싱 원칙을 들어 과연 지금 준비한대로 한국군 사령관, 미군 부사령관 체제가 유지될 수 있을 것인가에 대한 의문을 제기하기도 한다. 따라서 이러한 우려를 없앨 수 있는 다양한 노력이 필요하다. 전작권 전환으로 인해 한미 군사관계가 소위 말하는 미끄러운 비탈길(slippery slope)에 들어선 것으로 보여서는 안 될 것이다. 따라서 이에 대한 철저한 준비가 필요하다. 전작권 전환 이후에도 지금과 유사한, 아니 더 확고한 한미간 연합작전 체계를 확립하여 북한과 주변국들의 위협을 적극적으로 억제할 수 있는 체계가 마련되어야 할 것이다. 이를 위해 전략적인 수준에서 기존에 유지되고 있는 전략대화체제인 SCM과 MCM 등을 유지하고 한미간 명확한 임무 분담 체계를 확립하여 한국이 주도하는 연합지휘체계를 확고히 할 필요가 있다.

이와 함께 교리적인 측면의 지속적인 개발 및 보완이 필요하다. 한국군 주도로 연합작전을 수행하기 위해서는 기존 미군이 주도하는 전투수행 방법과 교리와는 다른 개념이 필요하다. 따라서 현재 작성되었고, 또 앞으로 작성될 교리는 한국군이 주도하는 작전수행 개념과 연합 및 합동교리로써 기능을 집중적으로 검증 및 발전시킬 필요가 있을 것이다. NATO의 경우 합동교리위원회를 통해 연합 교범을 발간하는 체계를 가지고 있는데[100] 이와 유사한 형태의 노력을 할 필요가 있을 것이다.

더불어 전구급 작전계획 수립 능력과 연합 및 합동작전 능력의 배양에 집중하여야 한다. 전작권 전환은 지난 70여 년간 유엔사와 연합사가 하던 일을 한국 장성이 주도하는 지휘체계로의 전환을 의미한다. 따라서 연합작전 및 합동작전 등을 주도할 수 있는 능력 배양이 필수적이라 할 수 있다. 이를 위해 교육체계 개혁, 인적역량 강화 등을 위해 집중투자해야 할 것이다.

4.2. 안보상황 측면: 지역 안보환경 평가

전작권이 전환되기 위해서는 '전작권 전환에 부합하는 한반도 및 지역 안보환경'이 조성되어야 한다. 이는 지역 국가 간 군사적 대결 가능성이 희박하고 상대적으로 안정적인 안보환경이 조성된 상황을 말한다. 그러나 현재 한반도를 둘러싼 안보환경은 안정적인 모습과는 다소 거리가 있다.

미·중 갈등 국면에서 중·러는 한반도 주변 군사 활동을 늘리고 있다. 2022년 중국은 70여 회, 러시아는 10여 회 한국방공식별 구역(KADIZ·카디즈)를[101] 침범했다. 2023년 12월에는 중국 군용기 2대와 러시아 군용기 4대가 동해 KADIZ을 무단 진입하였다. 중·러는 2019년 이후 한반도 주변에서 연평균 1~2차례 연합 항공작전을 펴고 있다. 이렇듯 한반도에서는 북핵 문제 뿐만 아니라 지역 국가 간의 안보 상황도 녹록치 않다. 미국의 월스트리트 저널은 "중국과 러시아가 미국의 인내를 시험하고 있다"고 논평하면서 중국과 러시아의 이러한 행위는 "미중이 패권을 다투는 가운데 아시아·태평양 지역에서의 긴장을 고조시키고 있다"고 평가하기도 하였다.

이와 함께, 2024년 6월 블라디미르 푸틴 러시아 대통령이 북한을 방문하여 "북-러관계가 포괄적 전략 동반자 관계로 격상"하였음을 천명하기도 하였다. 동아시아 안보환경에 더 치명적인 것은 블라디미르 푸틴 대통령이 이번 방북에서 사실상 북한을 핵보유국으로 인정하는 행보를 했다는 것이다. 이는 중국 등 여타 주요국들에게도 영향을 줄 수 있어 북한의 핵보유국 지위를 강화하는 결과를 가져오게 될 것이며, 이는 지역 안보는 물론 세계 안보 상황에 하나의 큰 변수가 될 수 있다.

또한, 역사적으로 한국에게 위협의 대상이었던 중국은 군사적으로 급격하게 성장하고 있다. 오랜 기간 한국에게 있어 북한이라는 직접적인 위협으로 인해 다소 위급성이 축소되기는 하였으나 중국은 군사 및 안보 면에 있어 한국에게 위협적인 존재가 될 수 있다. 2016년 발생했던 THADD 관련 중국의 행동을 보면 중국은 한국에게 심각한 위협이 될 수 있다는 것을 보여주고 있다. 실제로도 중국의 군사력 강화는 빠르게 진행되고 있다. 시진핑 주석은 세계 강군 건설을 위해 2035년까지 국방·군대 현대화 실현, 21세기 중반까지 세계 일류 군대를 건설하는 로드맵을 제시하였다.

2024년 열린 양회에서 중국은 새로운 국제질서 변화를 추동하기 위한 군사력 강화 차원에서 2027년 건군(建軍) 100주년 분투 목표를 제시하며 대만과의 통일 능력을 구비하고 첨단군사과학 기술혁신 및 지능화(智能化)에 중점을 두고 조속한 군 현대화 달성을 추진해 나갈 것이라 밝혔다. 특히 신흥첨단군사기술영역, 신형작전역량(新型作戰力量), 새로운 질적 전투력(新質戰鬪力) 발전에 모든 역량을 강화해 나간다는 방침으로 2024년도 중국 국방비 규모를 2023년 대비 2.3% 증가한 약 1조 6,700억 위안(한화 301조 원)으로 책정하였다. 중국의 국방비 규모는 미국에 이어 세계 2위 규모이며 지난 30년간 중국 국방비 증가율이 평균 약 6.6%나 되고 있다.

한편, 최근에는 한국과 일본 관계도 안보적 불확실성을 증가시키고 있다. 사실 한국과 일본은 미국을 매개로 하여 준 동맹체제(quasi-alliance)라고 불릴 정도로 안보, 경제적 협력 대상국이다. 2023년 한미일 캠프데이비드 선언이 이를 가장 잘 보여주는 예라고 할 수 있다. 그러나 2019년 벌어진 한일간의 갈등은 미래 한국과 일본의 관계가 언제든지 다시 경색될 수 있다는 것을 잘 보여주고 있다.

일제 강제징용 피해자들에 대한 일본 기업의 배상 책임을 한국 대법원이 인정하자 일본은 이 판결이 국제법 위반이라고 강력 반발하였고, 결국 한국에 대한 수출규제 조치를 취했다. 이에 한국

정부는 2019년 8월 22일 한일정보보호협정(GSOMIA: General Security of Military Information Agreement)을 종료시키는 조치로 맞섰다. 당시 한국 정부의 주장은 일본이 수출규제의 명분으로 '안보상 신뢰'를 문제 삼았기 때문에 한·일 GSOMIA를 더 이상 유지할 수 없다는 논리였다. 사실, GSOMIA는 한·일 양국 간의 문제를 넘어 미국의 아시아전략의 핵심과 직결된 사안이다. 이 사례는 한·일 역사갈등이 무역문제로 확대되고 이것이 안보문제로 비화할 수 있다는 것을 잘 보여준다고 할 것이며, 역사문제로 인한 한일 갈등이 지속되는 한 앞으로도 계속 발생할 가능성이 크다.

이런 상황에서 일본은 2018년 말, 기존의 '통합기동방위력' 개념에서 '다차원 횡단방위' 개념으로 전략을 변화시켰으며 이를 위해 「방위계획대강」 및 「중기방위력정비계획」을 개정하고 국방비도 전년 대비 1.3% 증가시켜 약 5조 2,986억 엔으로 확장하였다. 이를 바탕으로 전력증강에 열을 올리고 있으며 이와 함께 통합막료장이 각종 사태 발생 시 부대 운용에 전념할 수 없는 결점을 보완하고 총리 보좌에 집중할 수 있도록 통합사령부를 창설하여 육상, 해상, 항공 자위대를 통합적으로 지휘할 수 있도록 군조직도 개편하였다.[102]

2022년 12월에는 군대 보유 금지와 교전권 불인정을 규정한 평화헌법에도 불구하고 '국가안보전략'을 개정해 '반격 능력'(적기지 공격 능력) 보유를 선언하고, 국내총생산(GDP)의 1% 이내로 억제해왔던 방위비 지출을 5년 뒤 2%로 늘리겠다고 선언하기도 하였다. 2024년 4월 열린 미·일 정상회담에서 바이든 대통령과 기시다 총리는 "글로벌 차원에서 행동하는 동맹으로 거듭나기 위한 미·일 군사동맹 업그레이드에 합의했다"라고 강조했다. 정상회담 뒤 발표한 공동성명은 미국과 일본이 글로벌 어젠다를 총망라해 협력하겠다는 내용을 담고 있는데, 방위 및 안보협력 강화, 우주에서 새로운 프런티어 개척, 기술혁신 추진, 경제안보 강화, 기후 변화 대책 가속화, 글로벌 외교 및 개발 협력 등 매우 광범위하다. 일본은 미국의 지지하에 이른바 군사 대국화의 길로 접어들었다.

이렇듯 최근 주변국과의 군사 관계는 한국에게 있어 큰 부담이 되어가고 있다. 물론 상황에 따라 한일관계, 한중관계가 평화롭게 유지될 수 있다. 한중일 3국의 경제 규모는 세계 총생산의 1/3에 가까우며 외환보유고도 전 세계의 절반에 달한다. 또한, 역내 국가 간 활발한 무역, 투자, 교류 등을 통해 경제적 상호의존성은 그 어느 때보다 강화되고 있다. 하지만 위에서 제시한 일련의 사건들은 언제든지 주변국들이 한국에게 있어 안보적인 위협이 될 수 있다는 것을 잘 보여주고 있다. 이는 높은 경제 협력 수준에도 불구하고 정치·안보 분야의 협력이 높지 않은 이른바 '아시아 패러독스' 현상이 지속될 것을 의미한다. 이럴 경우, 역내 상대적 약소국 입장에 있는 한국에게 있어서는 미국과의 동맹은 그 가치가 매우 크다고 할 수 있을 것이다.

안보환경적 요인 중 가장 중요한 것은 북한의 위협이 해소되어야 한다는 것이다. 지금까지 남북관계는 '냉탕'과 '온탕'을 넘나들고 있는 실정이다. 2018년에 실시되었던 남북정상회담, 북미정상회담 등은 북한 위협을 줄일 수 있다는 희망을 안겨다 주었다. 하지만 2019년 2월 이른바 "노딜"로 종결된 하노이 제2차 북미정상회담 이후 북핵 문제해결에 대한 긍정적 전망은 급속하게 줄어들었다. 하노이 회담은 '북한 핵시설 폐기'와 '제재 해제'가 서로 맞교환 카드로는 부적절하다는 것을 보여주었다.

남북 간에도 4.27 판문점 선언에서 군사분야 남북한 군사적 긴장완화 및 신뢰구축을 위한 노력의 일환으로 합의된 "9.19 군사

합의"에 대한 이행 노력은 몇 가지 성과를 보였던 것이 사실이다. 남북이 분단의 전초기지로 여겨왔던 GP를 철수하기도 하였고, 공동경비구역 비무장화, 확성기, 전단살포 중지 등도 즉각 시행되었다. 그러나, 2024년 6월 결국 9.19 군사합의는 효력 정지된 상태가 되었다. 그 이유는 북한의 계속되는 도발 때문이다. 북한은 국제사회의 반대에도 불구하고 지속적인 핵무기 개발을 계속하였으며, 핵보유국임을 선언하고 이를 헌법에 명시하기도 하였다. 2018년에 비해 2024년 현재 북한의 위협은 전혀 감소하지 않았으며, 오히려 더 커지고 있다.

한반도의 평화 정착은 누구나 바라는 핵심가치 중에 하나임에 틀림없다. 따라서 이러한 과정의 기본 조건이라 할 수 있는 군사적 긴장 완화 조치는 가장 기본적인 사항이라고 할 수 있으며 성공한다면 그 효과도 매우 크다 할 수 있다. 그러나 안보는 최악의 경우를 대비한다는 차원에서 북한의 핵·미사일 위협이 상존하고 있는 한 한국의 안보태세를 변경시킬 수 있는 조치는 신중을 기할 필요가 있을 것이다.

4.3. 기타조건

위의 조건 이외에도 전작권을 전환하기 위해서는 필요한 요소들이 있다. 우선, 그 중 가장 중요한 것이 국방비의 증액이라고 할 수 있다. 현재 한국은 북핵과 관련된 부분은 한미간에 맞춤형 억제 전략을 적용해서 미국이 한국에게 핵우산을 제공하고 그 외 재래식 전략이나 무기체계는 한국이 대응하는 능력을 구비하는 전략을 추진하고 있다. 그러나 이러한 전력을 보강하기 위해서는 비용적인 측면에서 한국에게 큰 부담을 줄 수 있다.

2018년 8월 발표된 한미연합방위지침에서는 한국이 연합방위를 '주도(leading)'할 수 있는 능력을 지속발전시키고 미국은 이를 위해 '보완 및 지속(bridging and enduring)'능력을 제공하며, 한국은 외부의 침략을 억제하기 위한 '책임을 확대(expand its responsibility)'한다는 내용이 포함되어 있다. 이것은 앞으로 한반도 방위를 위해서 한국이 상당한 능력을 갖추어야 할 것이며 이를 위해 많은 투자를 필요로 한다는 것을 말해주고 있다. 미국 정부는 동맹국들에게 더 많은 책임을 요구하고 있다. NATO 동맹국들에게는 2% 이상의 국방비를 요구하고 있으며, 한국에게는 추가적인 방위비 분담금을 요구해 왔다. 따라서 한국은 전작권 전환을 위해서는 상당량의 추가적인 국방비 지불이 필요할 것이다.

　그러나 이러한 국방비 증액은 국민적 저항에 부딪힐 가능성이 크다. 세계적인 저성장 기조의 경제 상황에 맞물려 현재 한국의 경제 상황 또한 좋지 않은 상황이며 지속적인 복지정책의 확장 등은 충분한 전력 확보를 위한 국방비 증액에 부정적으로 작용할 것으로 보인다. 여론조사에서도 2023년 말 현재 한국 국민들중 국방비 증액의 필요성을 인식하는 비율이 그다지 높지 않다. '현재 한국의 국방비 수준'에 대한 질문에 '늘려야 한다'는 응답이 38.57%로 나타났다 ('적절하다' 50.5%, '줄여야 한다' 11.0%). 이는 60% 이상의 국민들이 현재 국방비 수준이 어느 정도 적절하거나 과다하다고 판단하고 있다는 의미가 되기도 한다.[103]

　이러한 기류는 미래에도 쉽게 바뀌지 않을 것으로 보인다. 왜냐하면, 국민들은 상당 기간 국방비 사용에 대한 부정적 시각을 가지고 있었기 때문이다. 즉, 국방비의 효율성 문제에 있어 국민들은 많은 의문을 가지고 있는 것으로 나타나고 있다. 동일한 설문조사에서 국민들은 국방비 사용의 효율성에 대해 '비효율적이다'는 응답이 56.3%로, '효율적이다'(36.2%)는 응답보다 거의 2배 이상 높게 나타나고 있다. 이는 전작권 전환을 위해서 필요한 국방비 확보에 있어 상당한 어려움으로 작용하게 될 것이며 따라서 전작권 전환이 적절하게 이루어지기 위해서는 국방비 재원 확보 방안과 국민들의 이해가 반드시 필요할 것으로 보인다.

둘째, 한미연합사와 유엔사의 관계 설정을 명확히 할 필요가 있다. 현재 미국의 경우 유엔사 재활성화(revitalization)를 추진하고 있는 것으로 알려져 있다. 이러한 전략의 목표는 유엔사를 국제적인 성격을 띠도록 하겠다는 것이다. 현재 미국이 추진하고 있는 유엔사 변화에는 극소수에 불과한 한국군 비율을 20% 이상으로 늘리고 미군과 UNC 회원국 등으로 구성하겠다는 안도 포함되어 있는데[104] 이럴 경우, 한국이 주도하는 새로운 연합사 체계와 어떠한 차이가 있을 수 있는지 고려해 볼 필요가 있다. 한미연합 지휘소훈련 간 '유엔사가 한미연합사를 지휘할 수 있다'는 조항을 두고 한미 간 이견이 있었던 것으로 알려지고 있다.[105] 전작권 전환 이후에도 미국이 어떻게 영향력을 남길 것인가를 고민하고 있는 것으로 보인다. 그러나 이러한 고민에 대해 한국이 무조건 거부해서도 안 될 것이다. 양국이 서로 양보해서 동시에 만족할 수 있는 방안을 마련해야 할 것이다.

실제로 한국군이 한미연합사령관을 맡고 미군이 부사령관이 된다면 미국 입장에서 한국 방위에 대한 주된 책임이 없어지고 지원 역할을 하게 되기 때문에 한반도 유사사태 발생 시에 현재처럼 대규모 증원이 이루어지기 어려울 수도 있다. 실제로 주일미군 사령관의 경우 현재 3성 장군이 맡고 있는데 2024년 4월 열린 미일 정상회담에서 주일 미군의 지휘 구조를 업그레이드하겠다는 합의가 이루어졌다. 이는 3성 장군인 주일 미군 사령관을 4성 장군으로 격상시킨다는 의미라고 볼 수 있다. 그렇다면 주한미군 사령관이 오히려 3성 장군으로 변화할 수 있다. 미군 4성 장군이 주도하는 연합사 체제와 미군 3성 장군이 지원하는 연합사 체계는 그 파괴력 면에서 차이가 크다. 따라서 현재 안보 수준을 유지하기 위해서는 한반도를 방위하는 미군 선임장교의 수준이 4성 장군으로 유지될 필요가 있으며 이를 위해서는 유엔사령부 재편성 시 4성 장군 체제가 유지될 수 있도록 노력할 필요가 있다. 물론 이 과정에서 앞에서 말했듯이 새로운 연합사와 강화되는 유엔사와의 역할 분담은 명확하게 할 필요가 있을 것이다. 한미가 함께 고민하는 자세가 필요하다 하겠다.

제5절 결 론: 정책적 함의

전작권 전환 문제는 단순히 명분과 자존심의 문제라기보다는 국가 안위의 문제라고 할 수 있다. 따라서 안보태세에 공백이나 문제가 생길 수 있다면 지나치게 서두르거나 명분에 치우칠 필요가 없다. 즉, '시기'의 문제가 아니라 '조건'의 문제임을 명심할 필요가 있다. 지금까지 논의했던 바와 같이 전작권 전환을 위한 핵심 대 전제는 전환을 통해 한국의 자율성을 증가시키면서도 한미동맹을 유지 또는 강화시킬 수 있어야 한다는 것이다. 그래야만 한국이 원하는 안정적 전환이 가능하다고 할 수 있을 것이다.

세부적으로는 능력적인 면에서 정보자산을 우선적으로 포함한 감시 능력과 타격 능력을 강화할 필요가 있다. 물론 이것이 남북관계로 인해 다소 저항에 부딪힐 수도 있으나 물리적 군사력 없이는 전작권 전환의 가장 중요한 요소를 달성시키지 못하게 될 것임을 인식하여야 한다. 이와 함께 전략적인 측면에서 연합작전 주도 능력을 배양해야 할 것이며 한국이 주도하는 새로운 연합작전 개념의 교리 연구에도 박차를 가해야 할 것이다.

안보 상황적인 측면에서는 동북아시아의 '아시아 패러독스'의 완화와 북핵 문제 해결이 전작권 전환을 위한 기본 조건이라고 할 수 있을 것이다. 즉, 전작권 전환이 안정적으로 진행되기 위해서는 주변국과의 군사적 대결 구도의 가능성이 크게 낮아지고 북핵 문제가 원활히 해결되는 과정이 필요하다. 한국에게 있어 직접적인 위협이라고 할 수 있는 북한의 위협에 대해 한국 주도의 방위력으로 충분히 대비되지 않고 잠재적 위협이 명확하게 관리될 수 있는 상황이 아니라면 시기적인 차원에서 재고가 필요할 것으로 보인다.

이런 것들과 함께 원활한 국방비 증액이 가능해야 할 것이다. 현재 추진되고 있는 전작권 전환을 위해서는 한국의 부담이 상당이 증가하게 될 것이며 이에 대한 국민들의 세금 부담이 증가하게 될 것이다. 따라서 이에 대한 국민들의 동의가 필요할 것이다. 한편, 미국과의 관계에 있어서는 한국군이 주도하는 연합사와 유엔사와의 관계를 명확하게 설정할 필요가 있으며 미래 주한미군사령관의 지위가 떨어지지 않도록 방안을 마련할 필요가 있을 것이다.

현재 전작권은 최초 전환이 합의된 이후 두 차례의 연기가 이루어진 상태이다. 시간적으로 연기의 의미는 '정해진 기한을 뒤로 미루는 것'일 뿐, '하고자 하는 것 자체를 포기'한다는 의미는 아니다. 언젠가는 한국의 전작권이 미국 4성 장군인 현재의 연합사령관에서 한국 4성 장군인 새로운 연합사령관에게 이양될 것이다. 그렇다면 전작권이 전환되기 전까지의 기간은 한국에게 있어 또 다른 기회가 될 수 있다. 즉, 전작권 전환의 연기는 한국이 독자적인 전작권을 수행할 수 있는 능력 배양의 시간을 얻은 것이라 할 수 있다. 중요한 것은 '어떤 준비를 해야 하는가' 이다.

북핵 문제를 포함한 동아시아 안보환경은 여전히 한국에게 있어 미국과의 동맹 관계에 대한 유용성이 높다는 것을 보여주고 있다. 이는 한반도 평화체제가 정착되는 과정에서도 마찬가지이며 더 나아가 통일 이후에도 지속될 것이다. 점차 상호의존성이 증가하는 국제체제가 더 이상 한 국가의 힘만으로는 자국의 안전을 보장할 수 없기 때문이다. 특히 한국과 같이 강대국에 둘러싸여 있는 국가의 경우 안보를 확보하기 위해서는 다중적인 안보 장치가 필요하다. 따라서 지난 70여 년간 제도화된 한미동맹은 한국에게 있어 안보 측면에서 큰 자산이라고 할 수 있다. 물론 한미관계에서 한국의 역할과 자주성을 넓히는 것은 당연한 것이라고 할 수 있다. 그러나 그러한 움직임이 안보를 약화시키는 방향으로 가서는 안 될 것이다. 한 번 잃어버린 안보를 되찾기는 매우 어렵기 때문이다.

제5장 한국의 대미 협상 전략: 방위비 분담금을 중심으로[106]

제1절 서 론: 문제제기

한미동맹이 지금까지 한국의 안보를 지켰음은 물론 경제발전의 밑거름으로 역할을 충실히 하였다는 것은 명확한 사실이다. 6.25 전쟁으로 국토 대부분이 초토화된 한국은 불과 70년도 안 되어 세계 10권의 경제 대국으로 발전하였는데 이는 한국인들이 태생적으로 근면 성실하다는 것도 큰 요인이었지만 한미동맹을 바탕으로 한 미국의 경제적, 안보적 지원이 크게 작용하였다는 것은 부정하기 어렵다.[107] 그렇다고 동맹을 유지하는 과정에서 한미 간의 갈등이 전혀 없었던 것은 아니다. 양국 간의 국력 차이로 발생한 비대칭적 관계로 인해 한국은 여러 가지 자주성에 침해를 받아왔으며 이러한 점이 양국 간의 갈등요인이 되기도 하였다. 특히, 1970년대 한미 양국은 동맹의 형성에 있어 근간이 되는 공동의 위협 인식에 있어서 균열을 보였으며 안보 현안에 관한 협의 과정에서 미국 정부는 한국 정부를 무시하는 일방적인 외교 행태를 취함으로써 동맹 관계가 약화되기도 하였다.[108] 물론 시간이 지나면서 양국의 합리적인 협상 과정을 통해 갈등은 결국 봉합되고 한미동맹은 지속적으로 유지 및 강화되어 왔다.

하지만 최근에 또 하나의 이슈가 한미 간 갈등요인으로 발전할 가능성이 커지고 있다. 바로 방위비 분담금 문제이다. 실제로 2023년 말 발표된 여론조사에 따르면 미래 한미동맹 관계 발전을 저해하는 요인으로 전문가들은 '한·미 간 경제분야 이해갈등'(29%)

을 가장 많이 꼽았고, 다음으로 '한미 간 군사정책에 대한 이견'(27%), 그리고 '주한미군 방위비 분담문제'(17.0%)를 관계 악화 요인으로 응답하기도 하였다.109)

2019년 2월 10일, 한미 양국은 제10차 방위비 분담금 협상을 마무리하였다. 협상 결과는 총액 1조 389억 원으로 지난 분담금 9,602억 원보다 8.2% 증가한 수준이며, 유효기간은 1년이었다. 협상을 담당했던 한국 외교부는 미국 측이 대폭적인 증액을 요구하였지만, 주한미군의 한반도 방위 기여도, 한국의 재정 부담 능력, 한반도 안보 상황 등을 고려해 양측이 납득 가능한 합리적인 수준에서 분담금이 합의되었다고 주장하였다.110) 사실 제10차 방위비 분담금 협상은 그리 순탄하지 않았다.111) 거의 1년 동안 지속된 방위비 분담금 협상은 결국 '금액'은 미국이 '기간'은 한국이 양보한 수준에서 합의가 되었다는 평가를 받았으나 합의와 동시에 다음 협상을 해야 하는 상황에 놓이게 되었다. 여기서 주목해야 할 것은 총액 면에서 사상 처음으로 1조 원을 넘기게 되었다는 사실보다는 계약이 1년이라는 점이라고 할 수 있는데, 1991년 제1차 방위비 분담금 협상 이후 처음으로 다년 계약이 아닌 1년 계약이 이루어졌기 때문이다. 물론, 유효기간은 1년이지만 '한미 양측이 합의를 통해 1년 더 연장할 수 있다'는 내용이 부속 합의문에 들어가 있었다. 하지만, 이는 말 그대로 예외 조항일 뿐 원칙은 1년 단위 협상인 것이다. 따라서 한미 양국은 매년 실시되어야 하는 새로운 협상 과정에서 또 다른 갈등에 봉착할 가능성이 있으며 이는 동맹 자체의 위기로 확대될 가능성까지 배제할 수 없게 되었다.

실제로 제10차 방위비 분담금 협상이 타결되기 직전에 실시한 한국인들의 여론조사에서 미국이 제시한 1조 1,300억 원을 한국이 '받아들여서는 안 된다'(58.7%)는 여론이 '받아들여야 한다'(25.9%)는 여론보다 2배 이상 높이 조사되었으며, 심지어 한 미동맹 유지의 핵심 기제라고 할 수 있는 주한미군 감축 및 철수를 가정하더라도 미국이 제시한 방위비 분담금을 인상해서는 안된다는 여론이 크게 높았다.112) 이는 미래 한미 방위비 분담금 협상이 잘 이루어지지 않을 경우 동맹 자체에 대한 문제로 이전될 가능성이 크다는 것을 시사해 준다고 할 수 있다.

〈그림 5-1〉 제10차 협상 타결 직전 방위비 인상에 대한 한국인의 인식

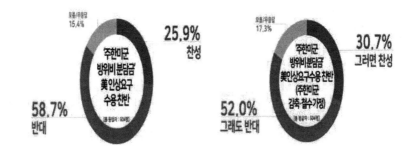

출처: YTN 현안조사, 『2019년 주한미군 방위비 분담금에 대한국민여론』, 2019.1.25.

한미는 지난 2021년 3월, 2025년 말까지 유효한 11차 방위비 분담금 협상을 타결했다. 당시 2021년 방위비 분담금을 전년(1조 389억 원)보다 13.9% 인상한 1조 1833억 원으로 합의하고 이후 4년간 매해 전년도 국방비 증가율만큼 반영해 올리기로 합의하였다. 그리고 2024년 현재 한미는 제12차 방위비 분담금 협상을 진행 중이다. 종전과 같이 한국은 '합리적 수준의 분담', 미국은 '방위태세 유지를 위한 분담의 당위성'을 각각 내세우고 있다. 동맹을 유지함에 있어 고통을 분담하는 것은

어떻게 보면 당연한 일이라 할 수 있다. 그러나 이러한 분담은 서로를 이해하는 차원에서 합의가 이루어져야 하는 것이지 동맹의 가장 기본적인 결속력의 약화까지 초래할 수 있는 갈등을 내재시키는 방향으로 가서는 안 될 것이다.

이상의 논의를 바탕으로 본 장에서는 한미동맹 내에서 상대적 약소국인 한국의 방위비 분담금 협상 전략을 도출하고자 한다. 이 전략은 앞에서 논의하였듯이 동맹 자체에 대한 문제로 전이되지 않고 한국이 어떻게 더 합리적인 방법으로 방위비 분담금 협상에 임해야 하는지에 집중할 것이다. 이를 위해 우선 한미동맹에서 상대적 약소국인 한국의 전략 도출에 이론적 기반이 될 수 있는 퍼트남의 양면 게임이론에 대해 살펴본다. 이후 지금까지의 한미 방위비 분담금의 역사를 살펴보고, 미래 방위비 분담금 협상에 영향을 줄 수 있는 요인은 무엇인지를 도출한다. 그리고 나서 이상의 논의를 바탕으로 한국의 대미 방위비 분담금 협상 전략을 제시하고자 한다.

제2절 이론적 논의: 퍼트남의 양면게임이론

미국 하버드 대학교 로버트 퍼트남(Robert Putnam)교수는 양면게임이론을 통해 국가 간의 협상을 설명하고 있다.[113] 이 이론은 '국가들은 다른 국가들과의 협상 시 국제적 요인과 국내적 요인을 동시에 고려한다'고 주장한다. 즉, 양면게임이론은 국제정치적 측면과 국내정치적 측면으로 구분하여 국가 간 갈등 및 협력 관계를 설명하는 기존 이론들을 비판하고 두 가지 측면이 상호 밀접하게 연관되어 국가들이 협상에 임한다고 주장한다.

이 이론에 따르면 모든 협상은 두 개의 영역에서 동시에 진행되는 게임이다. 제1면(Level 1)에서는 국가 간 합의를 위한 국제적 게임이 진행되는데 이는 각 국가의 협상 대표자(단)들 간의 게임이다. 한편, 제2면(Level 2)에서는 국내적 차원의 게임이 진행되는데 이것은 각 국가의 협상 대표자(단)과 국내의 단체 간의 이루어지는 게임이다. 즉, 협상 대표자(단)에게 영향을 줄 수 있는, 예를 들어 의회, NGO 단체, 기타 이익 집단 등과 게임을 말한다. 이 이론은 결국 한 국가가 다른 국가와 협상하기 위해서는 협상 상대국가의 대표자와 협상과 동시에 국내의 관련 집단들의 주요 당사자들과도 협상을 해야 하며, 협상이 성공적으로 이루어지기 위해서는 상대국가의 대표자와 원만하게 협상을 진행하는 것도 중요하지만 협상 당사국 내부 이해 당사자들로부터의 동의를 얻는 것도 매우 중요하다고 주장하는 것이다.[114] 이러한 관계를 그림으로 도식하면 아래 <그림 5-2>와 같다.

〈그림 5-2〉 양면게임의 영역

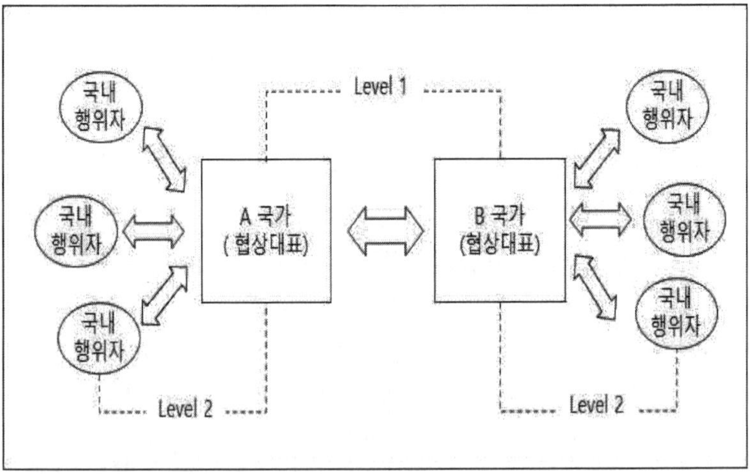

이때 중요한 것은 국제적 게임과 국내적 게임이 인과적 과정 위에 놓여 있는 것이 아니라 두 게임이 동시에 진행된다는 점이다. 즉, 국가는 단일한 하나의 행위자가 아니고 내부의 의회, 정당, 국내 각 기관, 이익집단, 국민 등 다양한 이해 당사자가 존재하는 복합적인 행위자이고 내부 당사자들은 협상 사안에 관한 선호와 이해관계를 가지게 되며 이러한 다양한 당사자들의 선호가 결국 국가의 정책 결정에 영향을 미친다는 것이다.

양면게임이론에서 가장 중요한 개념은 윈셋(winset)이라 할 수 있다. 국가가 특정 국가와 협상에 있어서 국내에서 양보를 할 수 있거나 혹은 양보를 이끌어 낼 수 있는 정도를 윈셋(winset)이라고 한다. 국가 간의 협상이 진행되기 위해서는 이에 앞서 국내에서 여론형성 등 윈셋 설정이 이루어지고 이를 바탕으로 협상이 진행되게 되는데 양 국가 간 윈셋이 교차하는 부분이 있어야 합의가 가능하며, 윈셋이 교차하는 범위가 넓을수록 국가 간 합의 가능성이 증가한다.

〈그림 5-3〉 윈셋의 크기와 협상력

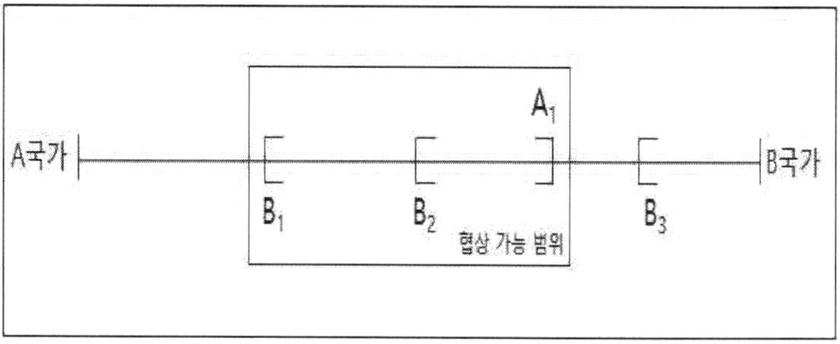

예를 들어 협상 당사국들이 모두 큰 윈셋을 가지고 있을 경우, 윈셋이 교차될 가능성도 그만큼 커진다. 이는 협상의 성공 가능성

이 커진다는 것을 의미한다. 그러나 한 국가만 윈셋이 클 경우 상대적으로 큰 윈셋을 가진 국가의 양보로 협력이 이루어질 가능성이 크다. 따라서 국가의 윈셋이 큰 국가의 경우, 즉 국내 행위자 간 협상 주제에 대한 이견이 적으면 상대 국가와 합의 가능성은 커지지만, 상대국의 윈셋 크기에 따라 자국의 이득이 줄어들 수 있다. 결국 윈셋의 크기와 교차하는 범위에 따라 협상의 타결 가능성과 협상에서 아측의 입장 반영 수준이 달라진다고 할 수 있다.

위의 <그림 5-3>에서 봤을 때 협상은 양국의 윈셋이 겹쳐지는 범위인 A_1과 B_1 사이에서 이루어질 수 있다. 만약 여기서 B국가의 윈셋이 B_1보다 더 확대되면 합의 가능 범위는 더 늘어나 협상이 타결될 가능성은 더 커지겠지만, A국가가 양보 받을 수 있는 여지가 더 커지기 때문에 B국가 입장에서는 상대적으로 협상력이 낮아진다. 그러나 반대로 B국가의 윈셋이 B_3까지 줄어들게 되면 A국가와 윈셋이 교차하는 지점이 없기 때문에 협상은 교착상태에 빠지게 될 수 있다.

한편, 양면게임이론에서는 협상 대표자가 사용하는 전략에 따라 윈셋이 변화하게 되며 이를 통해 협상이 합의에 이르거나 결렬될 수 있다고 설명한다. 이때, 윈셋의 크기 변동을 위해 사용 가능한 전략은 크게 세 가지 유형으로 설명이 가능하다. 첫째, 자국의 윈셋을 변화하는 전략이다. 이는 또 두 가지로 나눌 수가 있는데 우선, 자국의 윈셋을 축소하는 전략이 있을 수 있다. 이러한 전략은 협상 주제에 대해 반대하는 국내 세력들에게 공개적인 약속을 하거나, 정치 쟁점화를 유도하여 국내에 강경한 입장을 강화하는 전략을 말한다.

물론 이러한 전략의 경우 협상 대표자(단)의 유연성을 제한하여 아측에 불리하게 작용할 수 있기 때문에 협상 상대국의 윈셋이 충분히 클 경우에 시행되는 것이 일반적이다. 반면, 아측의 윈셋을 확대하는 전략도 있는데 이는 협상으로 인해 아측이 얻을 수 있는 결과가 확연히 클 경우 사용되는 전략으로 이 전략을 수행하기 위해서는 협상 테이블에 올라와 있는 주제를 되도록 '사활적 이익'에 부합하는 차원으로 확대하여야 한다. 이런 전략을 '고삐 늦추기'라고 한다.

〈표 5-1〉 양면게임의 협상전략

행위주체	행위객체	전략의 종류
정부	자국민, 개인·집단	발목잡히기
		정치쟁점화
		고삐늦추기
	외국 내 개인·집단	표적 사안연계
		메아리
	외국 정부	정부간 담합
국내외 개인·집단	외국 정부	초국가적 로비
	외국 내 개인·집단	초국가적 제휴

출처: 홍석수·이재석, "양면게임이론을 활용한 절충교역 협상의 영향요인 연구," 『한국방위산업학회지』, 제17권 제2호(2010), p. 8.

둘째, 상대국의 윈셋을 변화시키는 전략이 있다. 이는 협상을 아측에 유리하게 하기 위해 상대방 내부의 변화를 유도하는 전략으로 직접적인 로비, 강경파 또는 무관심 집단을 온건한 입장으로 변화시키는 행동 등이 해당된다. 전자의 경우를 상대방에게 직접적으로 호소하는 전략이라 하여 '메아리 전략'이라 하고, 후자의 경우는 특정 집단을 표적으로 사안의 구조 자체를 바꾼다고 하여 '표적 사안 연계'라고 부른다.

셋째, 초국가적 외교전략이 있다. 이는 국내 이익 집단을 통해 상대국의 정책 결정 과정에 영향력을 행사하는 것으로 브로커, 현지 법률고문 등의 자문을 통해 상대국에 직접 영향을 주는 방법과 공동의 이해관계를 가진 상대국의 이익 집단과 연대 또는 제휴를 통해 간접적인 영향을 주는 것을 말한다. 이상의 전략을 정리하면 <표 5-1>과 같다.

제2절 한미 방위비 분담금 변화과정 분석

일반적으로 방위분담(Burden-Sharing)은 동맹 관계 유지 및 관리에 필요한 여러 가지 책임을 분담하는 것으로 비용분담, 역할분담, 역외분담, 안보분담이 포함된다. 본 장에서 다루어지고 있는 방위비 분담은 이 중 비용분담(Cost-Sharing)에 해당되며 군사동맹 관계를 유지하고 있는 동맹국 간 공동의 안보이익을 보호하고 증진시키는데 필요한 군사적·물질적·경제적 비용을 공정하게 배분하는 것을 의미한다.[115] 이러한 비용분담은 직접 및 간접지원으로 나누어지고 이중 직접지원은 특별협정에 의한 것과 여기에 포함되지 않는 것으로 구분할 수 있다. 이를 세부적으로 정리하면 아래 <표 5-2>와 같으며 본 장에서 다루고 있는 방위비 분담은 직접지원 중 특별협정에 포함된 부분을 의미한다.

한국이 미국에게 방위비를 분담한 것은 미국이 이른바 쌍둥이 적자로 어려움을 겪었던 1991년부터이다. 그 이전까지는 미국이 주한미군에 대한 모든 경비를 부담하였다. 그러나 한국 경제가 점차 발전함에 따라 미국은 한국에게 방위비에 대한 분담을 요구하였고 이에 양국은 주한미군지위협정(SOFA) 5조(시설과 구역, 경비와 유지)에 대한 특별협정으로 '방위비분담 특별협정(SMA: Special Measures Agreement)'을 체결하였다. SOFA 5조 1항에서는 "대한민국이 부담하는 경비를 제외하고는 대한민국에 부담을 과하지 아니하고 합중국 군대의 유지에 따르는 모든 경비를 부담하기로 합의"한다고 되어 있다. 이에 따라 특별협정이 필요하게 되었고 이를 근거로 주한미군의 직접 주둔비용의 일부를 분담금 형태로 한국이 지불하고 있는 것이다.[116] 이렇게 지급되고 있는 방위비 분담금은 한미 양국 간의 협상을 통해 그 규모가 결정되어 왔다. 1991년부터 2021년 3월까지 총 11차례의 SMA 협상이 진행되었고 2024년 현재는 제12차 협상이 진행 중이다.

〈표 5-2〉 방위분담의 개념 및 분류

방위분담 (Burden-Sharing)	①비용분담 (Cost-Sharing)	직접 지원	SMA	· 인건비 · 군사건설 및 CDIP[117] · 군수지원
			비 SMA	· 사유지 임차료, KATUSA/경찰지원, 기지주변 정비 등
			YRP, LPP[118]	
		간접 지원		
	②역할분담(국방비지출) ③역외분담(PKO, 해외파병) ④안보분담(해외원조)			

출처: 민주연구원, "한미 방위비분담금 협상의 방향성 모색," 『이슈브리핑』 2018-34호, p. 2.

사실 한국은 1953년 한미상호방위조약 체결과 1966년 주한미군지위협정 체결을 통해 주한미군에게 토지와 시설을 무상으로 공여하고, 각종 세금과 공공요금 등에 대한 감면 혜택을 부여하고 있으며, 필요 인력 등을 지원해왔다. 1969년 '아시아 국가의 방위는 아시아 국민의 힘으로'라는 문구로 요약할 수 있는 닉슨독트린이 발표된 이후 주한미군은 일부 감축되었고,[119] 1974년 연합방위증강사업을 시작으로 미국이 신무기체계와 장비, 기술 등을 제공하면서 한국이 이에 대한 토지와 시설을 제공하였으며 연합방위증강사업과 함께 미국의 전쟁예비물자(WRSA: War Reserve Stocks for Allies) 탄약 저장비용도 한국이 부담하기 시작하였다. 이후 미국의 쌍둥이 적자가 급증한 1980년대 후반부터 한미 양국은 방위비 분담에 대한 본격적인 협의를 시작하게 되는데 1988년 6월 제20차 한미 연례안보협의회의(SCM: Security Consultative Meeting)에서 한국이 방위비 분담금의 일정액을 지원하기로 결정되었다. 이에 1989년 4,500만 달러, 1990년 7,000만 달러를 지원하였다.

이후, 미국은 주한미군 한국인 고용원 인건비와 군사건설비 등을 포함한 지속적인 지원을 요청하였고 결국 양국은 특별협정을 만들어 분담을 공식적으로 시작하게 되었다. 한국과 미국은 1991년 제1차 협정을 시작으로 2021년까지 총 11차례의 방위비 분담 특별협정(SMA)을 맺었으며, 2014년 타결된 제9차 협정은 2018년 12월 31일로 마감되었고, 2018년 3월부터 협의가 새롭게 적용될 분담금 협정이 진행되었으며 2019년 2월 10일 분담금 1조 389억 원, 유효기간 1년으로 합의된 제10차 방위비 분담금 특별협정문이 서명되었다. 2021년 3월에는 제11차 방위비 분담금 협정이 타결되어 2025년까지 적용되고, 2025년까지는 매해 전년도 국방비 인상률을 반영해 인상하기로 합의되었다.

각 협정별 중요 합의사항을 살펴보면 다음과 같다. 1991년 1월에 서명된 제1차 특별협정에서는 1억 5천만 달러를 지원하였고 제2차 협정에서는 매해 분담 비용을 증액시켜 1995년까지 미군 급여를 제외한 주한미군 주둔비용의 1/3을 한국이 부담하기로 합의하였다. 이는 5년간 2.2배의 방위비 분담금이 증가한 것이었다. 그러나 협상을 벌이면서 양국 간의 갈등이 발생하자 1996년 제3차 특별협정에서는 3년 동안 전년 대비 10%를 일괄 증액하는 것으로 결정하였다. 1999년부터 2001년까지 적용할 분담금을 결정했던 제4차 특별협정에서는 한국의 국내총생산 증가율과 물가지수 등을 고려하여 기간 내 인상률을 결정하기로 합의하였다. 이 협정에서는 분담금의 일부(57%)를 원화로 지급하기로 결정하기도 하였다.[120]

2002년부터 2004년까지를 대상으로 했던 제5차 특별협정에서는 기간 내 인상률을 전년도 분담금의 8.8%에 전전년도 물가상승률만큼 추가 증액하는 것으로 합의하였으며 원화 지급 비율은 88%로 증가시켰다. 2005년부터 2006년까지를 대상으로 했던 제6차 특별협정에서는 기간 내 인상률을 동결하고 분담금을 전액 원화로 지급하기로 결정하였으며, 2007년부터 2008년까지를 대상으로 했던 제7차 특별협정의 경우에도 전년도 금액에 전전년도의 물가상승률만큼만 증액하는 수준에서 합의하였다. 이 두 차례의 협상은 노무현 정부에서 시행된 것으로 당시 미국에 대한 자주성을 강조하던 정부의 성향이 협상에 반영되었다고 할 수 있다.

2009년부터 2013년까지 적용될 제8차 특별협정에서도 이전 협상과 유사한 결과를 보여주었는데 전전년도 물가상승률로 증액하되 4% 상한선이 적용되었으며 2014년부터 2018년까지 적용될 제9차 특별협정에서는 2014년도에만 9,200억 원으로 6% 증액되었고 그 이후는 전전년도 소비자 물가지수를 적용하되 4% 상한선이 유지되었다. 이런 상황을 종합해볼 때 방위비 분담금은 주한미군 감축으로 8.9% 삭감된 2005년 제6차 협정과 단년도 협상을 진행하여 동결된 11차 첫해를 제외하고 매번 2.5-25.7% 까지 증액되었다. 시기별 인상률을 살펴보면 제2차(1994년) 18.2%, 제3차(1996년) 10%, 제4차(1999년) 8.0%, 제5차(2002년) 25.7%, 제6차(2005년) -8.9%, 제7차(2007년) 6.6%, 제8차(2009년) 2.5%, 제9차(2014년) 5.8%, 10차(2019년) 8.2%, 11차 (2021년) 13.9%였다. 연도별 방위비 분담금 현황 및 증가율을 요약하면 아래 <표 5-3>과 같다.

<표 5-3> 연도별 방위비 분담금 현황 및 증가율

SMA 협정구분 및 서명연도		분담금액(억원)	증가율(%)
1차 (1991.1.25.)	1991	1,073	
	1992	1,305	
	1993	1,694	
2차 (1993.11.23.)	1994	2,080	18.2
	1995	2,400	
3차 (1995.11.24.)	1996	2,475	10.0
	1997	2,904	
	1998	4,082	
4차 (1999.2.25.)	1999	4,411	8.0
	2000	4,684	
	2001	4,882	
5차 (2002.4.4.)	2002	6,132	25.7
	2003	6,686	
	2004	7,469	
6차 (2005.6.9.)	2005	6,804	-8.9
	2006	6,804	
7차 (2006.11.22.)	2007	7,255	6.6
	2008	7,415	

	2009	7,600	2.5
8차	2010	7,904	
(2009.1.15.)	2011	8,125	
	2012	8,361	
	2013	8,695	
	2014	9,200	5.8
9차	2015	9,320	
(2014.2.2.)	2016	9,441	
	2017	9,507	
	2018	9,602	
10차 (2019.3.28.)	2019	10,389	8.2
11차	2020	10,389	동결
(2021.4.8.)	2021	11,833	13.9

출처: 정재용, 『대통령과 한미동맹』(서울: 바른북스, 2019), p. 73-74.

제3절 방위비 분담금 협상 영향요인

2024년 9월 현재, 제12차 방위비 분담금 협상은 여전히 타결이 되지 않고 있다. 미국은 "우리가 공유하는 안보를 증진시키는 상호 납득 가능한 합의 도출이라는 공동의 목표를 향해 계속 노력하길 기대한다"고 밝히고 있으며, 한국 정부는 "주한미군의 안정적 주둔 여건 마련과 한미 연합방위태세 강화를 위한 방위비 분담이 합리적 수준에서 이뤄져야 한다는 입장 아래 협의를 진행해나갈 예정"이라고 주장하고 있다. 양쪽의 세부 주장은 다소 차이가 있을지라도 지금까지 대부분의 분담금 협상 때와 마찬가지로 미국은 '더 많이', 한국은 '더 적게'를 외치고 있는 형국이다.

이러한 방위비 분담금 협상은 이번 한 번으로 종료되는 것은 아니다. 2024년 또는 2025년 초에 제12차 협상이 종료되면 그 이후에도 협상은 계속될 것이다. 따라서 이번에 얼마가 인상되는

지 문제도 중요하겠으나 앞으로 협상을 위해서는 어떠한 요인이 협상에 영향을 주었는지를 되짚어 보아야 미래 협상에서 좀 더 합리적인 대응전략 수립을 할 수 있을 것이다.

협상에 영향을 주는 요인은 연구자들에 따라 다양하게 분석되어 왔다. 김성우는 협상의 영향요소로 '동맹의 필요성'과 '동맹국들의 능력'을 주장하였다.[121] 이는 동맹에 대한 필요성이 강하면 방위비 분담금 협상에서 다소 양보할 수 있다는 것이고, 지원할 수 있는 경제적 능력에 따라 분담금 결정에 영향을 준다는 것이다. 이 두 가지 요인을 조합하여 분담이 결정되는데 필요성과 역량이 모두 높을 경우에는 협상에 따라 결정되는 분담금을 지원하게 되지만(유형 Ⅰ), 반면에 경제적 역량은 높으나 동맹의 필요성이 낮다면 분담금에 대한 기여가 감소하게 된다고 주장한다(유형 Ⅲ). 반면, 역량이 부족함에도 불구하고 동맹이 필요성이 높다면 상대국도 이를 어느 정도 고려하여 대체적으로 역량에 부합하는 기여를 요구하게 되지만 능력이 증가할수록 부담양도 증가하게 되며(유형 Ⅱ) 마지막으로 역량도 부족하고 동맹의 필요성도 낮다면 전혀 기여하지 않는 상황이 나타날 수도 있다는(유형 Ⅳ) 것이 주장의 핵심이다. 이를 종합하면 아래 <표 5-4>와 같다.

〈표 5-4〉 동맹국의 분담 유형

부담분담 결정요소	동맹 지원의 필요성		
	수준	높음	낮음
목표 달성 능력	높음	유형 Ⅰ (협상 기여)	유형 Ⅲ (낮은 기여)
	낮음	유형 Ⅱ (공정/기여 증가)	유형 Ⅳ (무 기여)

출처: Kim Sung Woo(2012), p. 94.

이러한 논리와 유사하게 발트러세이티스는 국내정치적인 요인을 강조한다.[122] 그는 '국가 정치구조가 얼마나 집권화 되어 있는지'와 '국회로부터 행정부가 얼마나 자유로운지'가 방위비 분담금 협상에 영향을 준다고 주장하고 있다. 그러나 위의 연구와 발트러세이티스의 연구 모두 더욱 근본적인 문제를 간과하고 있는 것으로 보인다. 즉, 그들이 제기한 요인들에게 영향을 주는 기본적인 요인들이 있을 수 있다는 것이다. 동맹 지원의 필요성에 영향을 주는 요인이 있을 수 있으며, 국제 안보환경의 변화로 인해 국내정치 변화를 가져올 수도 있기 때문이다.

따라서 본 장에서는 위의 두 연구에서 제시한 요인들보다 좀 더 기본적인 요인들에 집중한다. 본 장에서는 미국 트럼프 정부 시절 이루어진 지난 제11차 방위비 분담금 협상의 사례를 바탕으로 협상 간 미국의 의지, 주변국과의 관계변화, 북핵문제, 한미관계 변화 등 네 가지 요인이 핵심적으로 작용하고 있음을 밝히고자 한다. 이러한 분석은 미래 지속될 협상에 있어서도 유사하게 적용 가능할 것이다.

3.1. 미국의 의지: 미 정부의 방위비 분담금에 대한 인식과 한미동맹

당시 트럼프 대통령은 대통령 후보시절부터 "비용을 내지 않는 동맹은 동맹이 아니다"라고 주장하면서 한국의 무임승차(free-riding)문제를 노골적으로 지적하였다. 가난해지고 있는 미국이 이제 부국이 된 국가들, 예를 들어 일본, 한국, 사우디아라비아 등의 동맹국들에게 과도한 국방비를 지출하고 있다는 것이 주장의 핵심이었다.[123] 심지어 그는 대통령에 당선되면 "동맹국들의 방위비 분담금을 100%까지 늘리겠다"고 공언하기도 하였다.[124]

대통령이 되고 나서는 방위비 분담금 협상에 대해서 "우리는 호구(sucker)가 아니다"는 노골적인 표현도 서슴지 않았다.125) 또한, 이른바 트럼프노믹스(Trumpnomics)라고 불리는 트럼프 정부의 경제정책은 자유무역이나 세계 경제 질서보다는 자국 경제에 집중되어 있으며 이러한 정책이 종래에서는 안보이익을 저해할 것이라는 비판에도 전혀 아랑곳하지 않았다.126) 결국, 트럼프 대통령이 재임하던 당시 미국 정부는 한국과의 동맹을 안보적인 시각에서 접근하기보다는 경제적인 시각으로 접근하고 있다고 보여진다.127)

앞에서 언급하였듯이 2018년 방위비 분담금 협상에서 협정의 유효기간이 1년이 되었다는 것은 타결과 동시에 바로 재협상이 시작된다는 것을 의미한다. 제10차 방위비 분담금 협상 과정에서 경험해 보았지만, 한미 간 협상 과정은 그리 순탄치 않았다. 양국은 협상 과정에서 자국의 협상력을 높이기 위한 노력을 계속하였고, 이 과정에서 한미동맹 관계 자체를 악화시킬 수 있다는 우려를 자아내기도 했다. 특히, 트럼프 대통령은 동맹국에 대한 방위비 분담금의 새로운 틀이 필요하다고 주장하며 동맹을 안보가 아닌 경제적 잣대로 평가하기도 하였다. 결국, 이러한 미국의 정책적 압박으로 인해 당시 NATO의 경우 동맹국들의 분담금을 1000억 달러 증액하였으며 이에 대해 트럼프 대통령은 매우 당연한 일이라 평가하였다.128)

이러한 인식은 한미동맹에 대해서도 마찬가지였는데 2019년 2월 12일 백악관에서 열린 각료회의에서 트럼프 대통령은 "우리는 한국을 방어하는데 1년에 수십억 달러의 돈을 쓴다"며 "전화 몇 통에 5억 달러를 받아냈다"고 말하기도 하였다. 트럼프 대통령의 이러한 언급에서 그가 한미 간의 방위비 분담금 협상을 어떻게 인식하고 있는지 확인할 수 있다. 첫째, 트럼프 대통령은 한국 방위를 위해서 미국의 돈을 쓰고 있다는 인식이 강하다고 할 수 있다. 즉, 주한미군의 주둔, 한미연합연습의 시행 등이 대부분 한국 방위만을 위한 것이라는 인식을 하고 있는 것으로 보인다. 둘째, 실제 증액된 규모는 5억 달러 미만임에도 불구하고 5억 달러라고 이야기하는 것은 단순한 실수라기보다는 그가 생각하고 있는 것이 2019년 협상안보다 훨씬 많은 양이라는 것을 알 수 있다. 이에 앞으로 추가적인 인상을 요구할 것이며 이를 위해 한국 정부에 대한 압력도 증가할 것을 예측할 수 있다. 셋째, '전화 몇 통에'라는 표현으로 볼 때 자신들이 원하기만 하면 쉽게 방위비 분담금을 올릴 수 있다는 인식을 하고 있는 것으로 보인다. 즉, 자신의 의도대로 협상이 용이하게 진행될 것이라는 자신감을 가지고 있다고 할 수 있다.

이러한 상황을 바탕으로 했을 때 미국 트럼프 대통령이 한국을 포함한 동맹국에 미군 주둔비용 전액뿐만 아니라 전략자산 전개 등 기타 비용까지 부담하도록 할 것이라는 전망이 당시에는 허무맹랑한 소리로만 들리지 않았다. 제10차 한미 방위비 분담금 협상 과정에서도 미국은 전략자산 전개 비용인 작전 지원 (operational support) 항목의 신설을 최초 주장하였다가 철회하기도 하였다. 그러나 트럼프 대통령의 언행을 고려하였을 때 결국 미국은 이러한 새로운 항목의 신설은 물론 다양한 전략을 통해 한국을 더욱 압박할 가능성도 있다. 그중 하나가 주한미군 철수 카드일 수 있다. 트럼프 대통령은 2019년 2월 3일 미 CBS 방송과의 인터뷰에서 주한미군의 철수 계획도 없고 논의 대상도 아니라고 일축하였지만, "어쩌면 언젠가는 누가 알겠는가. 한국에 군대를 주둔시키는 것은 비용이 매우 많이 든다는 것을 알고 있다"라고 언급하였다. 주한미군 카드가 언제든지 사용될 수 있다는 가능성을 엿볼 수 있는 대목이다.

물론 당시 미국 내에서도 이러한 트럼프 대통령에 동맹 인식에 대한 우려의 목소리가 있기도 하였다. 2019년 9월 말 존 햄리 미 국제전략문제연구소(CSIS) 소장은 "중국의 부상 등으로 인해 한미동맹이 더 중요해진 시기인데, 오히려 이 중요성에 대한 의식이 미국에서 낮아져 우려스럽다"고 주장하기도 하였으며,129) 미 상원 군사위원회 민주당 간사인 잭 리드 의원은 "트럼프 행정부가 북한과 관련해 한국이 상당히 기여한 값진 동맹국임을 인식해야 한다"고 말하며 공정한 방위비 분담이 이루어져야 한다고 주장하기도 하였다.130) 이러한 주장은 한국과의 동맹체제를 미국 안보에 대단히 핵심적인 요소로 인식할 필요가 있다는 것이었다.131)

그러나 여전히 트럼프 대통령은 한국을 포함한 동맹국들의 부담을 늘리기를 요구하였고 이를 관철시키려는 의지가 매우 강해보였다. 예를 들어, 2019년 8월 7일 그는 자신의 트위터를 통해 "한국과 나는 합의를 보았다. 한국은 미국에 더 많은 돈을 내기로 동의했다"라고 주장하면서 "한국은 매우 부유한 국가다. 이제는 미국이 한국에 제공하는 군사방어에 대한 대가를 치러야 한다는 것을 느끼고 있을 것"이라고 강조하였다. 뿐만 아니라 미국의 어떤 정치인, 언론인도 '동맹국이 방위비를 더 내어야 한다'는 명제 자체에 대해서는 반대하기 쉽지 않은 상황이고, 미 국민들도 동맹국들이 미국을 더 도와주기를 바라는 여론이 높다.

결국, 미국의 정책은 방위비 분담금 인상을 요구하게 될 것으로 보이며 미국의 이러한 강한 의지는 앞으로 지속될 한미 양국의 협상 간 가장 큰 영향을 주게 될 것이다. 앞에서도 살펴보았듯이 당시 미국의 의지는 매우 확고하였다. 트럼프 대통령은 협상이 시작되기 전부터 한국이 인상에 합의했다는 등의 언론플레이도 서슴지 않았으며 특히, 무엇보다도 지난 제10차 방위비 분담금 협상의 기간을 1년으로 해 놓은 것은 결국 한국에 대한 인상을 다시 요구하고자 했던 미국의 의지가 있었던 것으로 평가할 수 있을 것이다. 따라서 이러한 미국의 의지와 성향은 방위비 분담금 협상에 있어 매우 중요한 요인 중 하나라고 할 수 있을 것이다.

3.2. 주변국 관계 변화

한미 방위비 분담금에 영향을 줄 수 있는 또 다른 요인으로는 주변국 관계의 변화를 들 수 있다. 이는 한미 방위비 분담금 협상이 단순히 양국만의 문제가 아니라는 것을 의미한다. 즉, 주변 안보환경 변화에 따라 영향을 받을 수 있다는 것이다. 우선, 제11차 방위비 분담금 협상의 경우 한일관계 악화가 하나의 요인이었다. 당시, 한국과 일본은 전례 없는 갈등을 겪고 있었다. 일본은 공식적으로는 부인하였으나 한국 대법원의 '강제징용 근로자에 대한 손해배상 채권 승소 판결'에 대한 조치로 무역보복을 한국에 행하고 있었으며 특히 한국을 화이트리스트에서 제외하였고 이를 관보에 게재함으로써 확정하였다. 일례로 일본은 2019년 7월 1일 경제 산업성의 규제 발표 이후 7월 4일부터 한국에 대한 반도체, 디스플레이 관련 소재, 부품의 수출허가기준 강화 조치를 실시하였다.[132]

한국 정부는 이러한 일본의 움직임에 대해 조속한 수출규제 조치 철회를 촉구하였고 국제사회를 대상으로 일본 측 조치의 부당성과 한국 정부 입장을 설명하는 노력을 전개하였다. 하지만, 일본은 이러한 노력에도 불구하고 정책적 변화 가능성을 보이지 않았으며 결국 이에 대한 대응으로 한국도 일본과의 GSOMIA 연장을 거부하였고 독도방어훈련 시행, 화이트리스트에서 일본을 제외하는 조치를 취하였다. 뿐만 아니라 부품 국산화 추진을 통해 장기적으로 일본에 대한 의존도를 줄이겠다는 전략을 추진하기도 하였다.

한국과 일본은 미국이라는 동맹을 공유하고 있다. 한일 양국 간의 직접적인 동맹을 맺고 있지는 않지만, 미국을 매개로 하여 이른바 준 동맹체제(quasi-alliance)를 이루고 있다.[133] 이런 상황에서 한일 양국의 관계가 악화되는 것은 결국 중재자로서 미국의 영향력을 높여주는 결과를 가져오게 되며 이는 한국과 미국의 협상에서도 한국 측에 불리하게 작용하게 될 수 있다. 특히, 당시 일본의 경우 보통국가화, 군사대국화 등을 추진하는 과정에서 미국과 긴밀한 관계를 유지하기 위해 노력하는 등 미국의 요구를 적극적으로 수용하는 자세를 보이고 있었다.

또한, 당시 미국 내에서도 일본의 위상이 점차 강화되고 있었다. 미국의 일본 전문가들이 2018년 10월 3일 "중국의 세력 확장 및 북한의 핵미사일 위협 속에서 미일동맹을 강화해야 한다"라는 내용의 '신(新) 아미티지 보고서'를 발표했다.[134] '그 어느 때보다 더 중요한 21세기 미일동맹의 쇄신'이라는 제목으로 발간된 보고서는 트럼프 행정부 하에서 미일동맹의 미래가 불확실하다고 지적하며, 미일동맹을 강화해야 한다고 제안했다. 그러면서 중국의 해양진출을 염두에 두고 동중국해 및 남중국해 등에서 발생할 수 있는 우발적 사태에 대비하기 위해 서태평양에서 유사시에 대응하기 위한 '미일합동통합부대' 창설과 미국과 일본이 일본 내 자위대 기지를 공동으로 운용하고, 중국의 광역 경제권 구상인 '일대일로'에 대응하기 위해 미일 펀드 창설 등을 제안하기도 하였다.[135] 이렇게 미일관계가 지속적으로 강화되는 과정에서 한미관계가 불편하게 될 경우 한국 입장에서 여러 가지 어려움에 노정될 수 있다. 즉, 이러한 미일관계 변화는 한국에게 있어서 부담으로 작용하였다.

이런 점들을 고려해볼 때 한일관계 악화는 한미 방위비 분담금 협상에 있어서 한국에게 불리하게 작용할 것으로 보인다. 반면, 한일관계가 긍정적으로 유지된다면 미국에 대한 정책적 방향도 함께 할 수 있어 미국의 지나친 요구나 자국의 이익에 부합하지 않는 요구 등에 힘을 합쳐 의견을 개진할 수 있다는 점에서 대미 협상력 제고에 긍정적으로 작용할 가능성이 크다고 하겠다.

한일관계와 함께 미중관계도 한미 방위비 분담금 협상에 있어 영향을 줄 수 있는 요인이다. 미국과 중국은 경제문제와 남중국해 문제 등 다양한 분야에서 지속적으로 충돌하고 있다. 당시 미국은 '인도·태평양 전략보고서'에서 "대만·싱가포르·뉴질랜드·몽골은 인도·태평양 지역의 민주국가로 미국의 파트너"라고 하며 "4개 국가 모두 미국의 임무에 기여하고 있다"고 선언하였다.[136] 이는 미국이 대만을 공식적인 국가로 인정한 것으로 1979년 미중 수교 40년 만에 처음 있는 일로 '하나의 중국'이라는 대 원칙에 대한 폐기 가능성을 시사하였다고 분석되었다. 미국의 이러한 행위에 대해 중국은 "우리는 두 개의 중국을 만들려는 어떠한 시도도 결연하게 반대한다"고 강력 반발하였다. 또한, 2019년 8월 5일에는 미국이 중국을 환율조작국으로 지정하였고 이에 대해 중국은 "무역 체계를 악화시키는 악랄한 행위"라고 비난하였으며 의도적으로 '포치(破七)'를 인용하기도 하였다.[137]

미중관계는 단기간에 해결될 수 없다. 미중관계가 첨예화되면 미국에게 있어 동맹국들의 역할이 중요하다. 특히, 전통적인 동맹국인 한국과 일본에게 미국은 많은 역할을 기대하게 될 것이다. 이런 점은 미국과의 협상을 벌이는 한국의 입장에서 유리하게 작용할 수 있을 것으로 보인다. 그러나 한국은 중국에게 경제적으로 많은 의존도를 가지고 있어 미국의 요구를 들어주는 것에 있어서도 많은 제한이 따른다. 즉, 미중 갈등 관계속에서 노골적인 미국 지원은 어렵다는 것이다. 이것은 고고도미사일방어체계(THADD) 문제가 발생하였을 때를 되돌아보면 유추할 수 있다. 또한, 미중 간의 경제적 갈등 양상은 미국과 중국에게 각각 불이익을 주기도 하지만 한국에게도 큰 손해가 될 것으로 예측되고 있다.

〈표 5-5〉 미중 간 관세부과가 한국 경제에 미치는 영향

구 분	중 국	미 국	전세계	한 국		
				공급 채널	수요 채널	합계
미국의 대중 관세부과	-1.06	-0.01	-0.18	-0.15	-0.17	-0.32
중국의 대미 관세부과	-0.00	-0.08	-0.02	-0.01	-0.01	-0.02
동시부과	-1.06	-0.09	-0.20	-0.16	-0.18	-0.34

출처: KDI, "중국경제의 위험요인 평가 및 시사점," 2019년 11월 4일.

<표 5-5>에서 보듯이 미중 간의 관세부과는 서로에게 손해를 주지만 한국도 이로 인해 국내총생산(GDP) 성장률이 0.34%포인트 하락한다. 따라서 이럴 경우, 갈등으로 인해 경제적 어려움에 처한 미국이 동맹국인 한국의 부담을 더 요구할 수 있을 것이며 한국은 미중 갈등으로 인한 경제적 손해와 동시에 추가적인 부담까지 지게 되는 이중고에 직면할 수도 있다.

3.3. 위협 수준: 북핵 문제 해결 여부

2018년 당시, 긍정적 기류를 가지고 진행되었던 북핵 협상은

하노이 회담의 '노딜' 이후 교착상태에 놓여 있었다. 2019년 6월 판문점에서 트럼프-김정은의 전격 회동으로 인해 다시 한번 긍정적인 기류가 형성되는 듯하였으나 10월 북미 실무협상이 결렬되었고 별다른 진척이 보이지 않았다. 북한은 여전히 미사일을 발사하고 있었으며 북미가 별다른 실무회담을 추진하지 않는 실정이었다.

남북관계도 9.19 군사합의 등을 통해 일정 성과를 내기도 하였지만, 계획된 공동 유해발굴 사업을 남측 단독으로 실시하는 등 관계가 정체되어 있는 상태였다. 물론 9.19 군사합의는 실질적인 성과를 이루기도 하였다. 9.19 군사합의의 핵심적인 목적이었던 접적 지역에서 긴장 완화는 어느 정도 달성되고 있었다. 북한 미사일 도발은 계속되었지만, 지상, 해상, 공중에서 도발은 일어나지 않고 있었다. 이 때문에 "남북 군사 당국 간 9·19 군사합의 이행을 통해 군사적 긴장이 실질적으로 완화됐다"고 평가되기도 하였다.[138] 그러나 군사합의에 대한 우려가 있던 것도 사실이다. 그러한 우려의 핵심은 지금까지 역사적으로 보여준 북한의 행동에서 기인한 것인데, 북한이 일방적으로 합의를 깼을 경우 안보적인 공백이 발생할 수 있다는 점이었다.

북핵 협상이 교착된다는 것은 한국에게 있어 북한의 위협이 커진다는 의미를 가지고 있다. 위협이 커진다는 것은 동맹의 중요성이 그만큼 부각된다는 것이기도 하다. 따라서 북핵 협상이 순조롭게 진행되지 않는 것은 한국에게 있어 미국과의 협상에 불리하게 작용하게 될 것이다. 한미동맹과 같은 비대칭 동맹에서 상대적 약소국의 위협 수준이 크면 클수록 관계의 비대칭성을 받아들일 수밖에 없기 때문이다.[139] 따라서 미래에도 한국이 직면하게 될 즉시적인 위협과 잠재적인 위협의 수준은 미국과의 협상에 있어서 한국의 협상력에 지대한 영향을 줄 것이다.

3.4. 한미관계 변화

미래 한미관계 변화도 방위비 분담금 협상에 있어 하나의 큰 변수라고 할 수 있다. 현재 추진 중인 여러 가지 변환 중에서 한국 방위의 한국화의 핵심이라고 할 수 있는 것 중에 하나가 전시작전통제권의 전환이다. 한국과 미국은 2018년 10월에 열린 제50차 한미안보협의회의(SCM)에서 주한미군의 지속 유지 등 전작권 전환 이후에 한·미 연합방위태세 작동을 위한 핵심 가이드라인이라고 할 수 있는 연합방위지침(Guiding Principles Following the Transition of Wartime Operational Control)을 발표하였다.140) 2019년 4월 1일에는 정경두 국방부 장관과 패트릭 섀너핸 미 국방장관 대행이 워싱턴DC에서 회담을 열고 전작권 전환에 필요한 조건들을 조기에 달성할 수 있도록 긴밀히 협조해 나가기로 합의하였다. 또한, 이후 6월에 서울에서 열린 회담에서는 전작권 전환을 위한 조건에 관한 논의에 있어서 상당한 진전이 있다는 평가를 하기도 하였다.141)

이와 함께 한국의 박한기 합참의장과 로버트 에이브럼스 주한미군사령관은 현안 토의를 위해 기존에 1년에 두 번 개최하는 상설군사위원회(PMC)와는 별도로 전작권 전환 논의를 위한 별도 회의체인 SPMC를 마련하기도 하였다. SPMC는 전작권 전환의 조건 중 하나인 '한미 연합방위를 주도할 수 있는 한국군의 핵심 군사능력'을 집중적으로 점검하였다. 2020년 10월, 전작권 전환에 대한 분위기는 다소 변화가 보이기 시작하였다. 2020년 10월 14일 미국 국방부에서 열린 제52차 SCM에서 서욱 국방부 장관과 마크 에스퍼 미 국방장관은 전작권 전환에 대해 조금은 다른 시각을 드러내었다. 한국의 서욱 국방부장관은 "전작권 전환의 조건을 조기에 구비해 한국군 주도의 연합방위체제를 빈틈없이 준비하는 데 함께 노력할 것"이라고 언급한 반면 에스퍼 장관은 "전작권의 한국 사령관 전환을 위한 모든 조건을 완전히 충족하는데 시간이 걸릴 것"이라고 밝혀 전작권 전환 시기가 예정보다 늦어질 가능성을 시사하였다. 하지만 한국 정부의 공식적인 입장은 "조건에 기초한 전작권 전환 계획에 따라 한미 간 긴밀한 공조 하에 안정적으로 전작권 전환을 추진 중"이라는 것이었다.

시기나 조건은 차치하더라도 한국이 전작권 전환을 추진한다는 것은 명백한 사실이다. 한국은 전작권을 가지고 오는 노력을 통해 '한반도 안보의 한국 주도'를 이룰 수 있을 것이다. 이는 상대적으로 한반도 안보에 대한 미국의 역할을 줄임으로써 한국에게 협상력을 제고시키는 요인이 될 수도 있다. 그러나, 전작권 전환 이후에도 주한미군이 필요하고, 한미동맹이 필요하다고 전제한다면 한국에게만 유리하게 작용하지는 않을 것이다. 현재 주한미군의 장비를 대체하기 위해서는 엄청난 비용이 수반된다. 따라서 한국은 전작권이 전환되더라도 미국의 능력이 필요하다. 전작권 전환 이후에도 미국이 제공하는 상당한 부분의 능력이 한국에게 지속적으로 필요하다면 당분간은 협상에 있어 한국에게 유리한 영향력을 발휘하기는 쉽지 않다. 하지만, 한국의 능력을 키운다는 것은 결국 동맹 내에서 한국의 역할을 키우게 되는 것이고, 한국의 역할 범위를 확장할 수 있다는 측면에서 협상력을 제고시킬 수는 있을 것이다.

제4절 한국의 대미 방위비 분담금 협상 전략

한국의 입장에서 한미동맹은 국가안보를 지키는데 있어 가장 중요한 기제라고 할 수 있다. 이에 따라 동맹을 유지 및 강화할 필요가 있는 한국으로써는 방위비 분담금 협상에서 항상 불리한 입장에 처할 수밖에 없다. 이러한 점은 협상 상대국인 미국도 잘 알고 있을 것이다. 따라서 좀 더 신중한 전략 수립이 필요하다.

전략 수립에 앞서 방위비 분담금이 단순히 주한미군만을 위해 사용되지 않는다는 점을 유념할 필요가 있다. 2022년 국방백서에서 국방부는 "방위비 분담금이 대부분 우리 경제로 환원됨으로써 일자리 창출, 내수 증진과 지역경제 발전에 기여하고 있다"고 밝히고 있다.[142] 일반적으로 방위비 분담금은 크게 주한 미군 관련 군사건설비, 인건비, 군수지원비로 등으로 나누어지며[143] 2022년을 기준으로 했을 때 방위비 분담금 1조 2,472억 원 중 군사건설비 5,561억 원(44.6%), 인건비 5,084억 원(40.8%), 군수지원금 1,827억 원(14.6%)의 순으로 지출됐다.

〈그림 5-5〉 2022년 국방비 배정현황

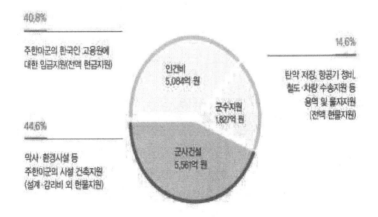

출처: 국방부, 『2022 국방백서』(서울: 국방부, 2022), p. 158.

우선, 인건비는 주한 미군에 근무하는 한국인 근로자들에게 전액 지급됨으로 한국 내 사용이 100%에 가깝게 이루어지고 있다고 할 수 있다.[144] 군사건설비의 경우 현금으로 지급하는 약 12%의 설계·감리비를 제외하곤 한국 업체가 공사계약, 발주, 공사 관리를 맡게 되므로 집행액의 88%가 한국 경제로 되돌아온다고 볼 수 있으며 군수지원비는 100% 한국 업체를 통해 현물(시설물, 장비, 용역 등)로 지원되고 있다. 국방부의 이 같은 설명에 따르면 최대 94%가량 방위비 분담금이 한국 경제로 환원되는 것으로 분석할 수 있다. 따라서 미래 한국의 전략은 이러한 점을 고려할 필요가 있다.

현재까지 한국 정부는 협상에 임하면서 "합리적이고 공정한 방향으로 방위비분담 문제를 협의해 나갈 것"이라고 주장하고 있으나 무엇이 합리적이고 무엇이 공정한지에 대해서는 모호성이 크다고 할 수 있다. 따라서 "불필요하고 과도한 지출이 되지 않게 하는 방향성"을 유지하는 차원에서 전략적 접근이 필요하다. 즉, 방위비 분담금 인상이 확실한 상황에서는 '얼마를', '어떻게' 인상하느냐가 매우 중요하다. 예산이 추가로 투입되더라도 그것이 한국 경제발전에 긍정적으로 작용하게 하여야 한다. 이러한 원칙과 위에서 제시한 퍼트남의 양면게임이론을 바탕으로 한국의 전략을 도출해 보면 다음과 같다.

첫째, 한국은 미국과 협상 이전에 협상력을 극대화하기 위해 윈셋을 최소화 할 필요가 있다. 이를 위해 방위비 분담금에 대한 공론화가 필요하다. 즉, 협상에 대한 정확한 정보를 공개함으로써 방위비 분담금에 대한 국민들의 많은 참여와 관심을 유도할 필요가 있다. 높은 국민적 관심과 치열한 국내에서 논쟁은 한국의 협상력에 긍정적으로 작용하게 될 것이다. 여기서 한 가지 주의할 것은 분담금 인상 반대 여론이 너무 높이 형성되지 않게 해야 한다. 인상 반대 여론이 너무 높게 형성될 경우 오히려 미국에게 도움이 될 경우가 생길 수도 있기 때문이다. 예를 들어, 방위비 분담금 협상의 불공정성 등을 주장하면서 반미시위가 발생할 경우 미국은 이에 대한 대응으로 주한미군 철수 카드를 협상 테이블에 올릴 수 있기 때문이다. 이럴 경우, 동맹 자체에 대한 갈등으로 비화되어 상대적 약소국인 한국에게 더욱 불리하게 될 수 있다. 이와 함께 너무 조급하게 협상을 마무리 짓고자 하면 윈셋이 확대되는 효과가 발생할 수 있다. 따라서 충분한 시간을 가지고 협상할 수 있도록 협상 방향성을 설정할 필요가 있다. 앞에서 제시한 분담금 협상에 영향을 주는 요인들은 현재 한국에게 대부분 불리한 것들만 있다. 그러나 이러한 요인들은 시간이 지나면서 다시 변화할 수 있는 사항들이다. 따라서 어느 정도 시간을 두면서 그 추이를 지켜보는 것이 한국 입장에서는 효과적일 수 있다.

둘째, 상대방의 윈셋을 넓힐 필요가 있다. 방위비 분담금 협상 과정에서 미국이 한국을 압박하기 위해 주로 사용하는 논리는 이른바 '무임승차론'이다. 능력이 있는 국가임에도 불구하고 자신의 안보를 다른 나라에 맡기고 자신은 그에 상응하는 비용을 지불하지 않는다는 것이다. 따라서 한국은 방위비 분담금 협상 과정에서 이러한 무임승차론을 희석시킬 필요가 있다. 동북아 지역 내에서 군사력 균형 유지라는 것은 한국의 목표이기 보다는 미국의 목표에 가깝다. 주한미군은 한국의 안보 강화라는 역할이외에도 지역 내 군사력 균형 유지의 역할도 하고 있다. 따라서 한반도 내 미군의 주둔은 한국의 이익에도 부합하지만 미국의 국익에도 부합된다. 이에 한국은 미국 측에 방위비 분담금을 너무 경제적 측면에만 집중해서 본다면 동맹의 핵심 목적이라 할 수 있는 군사 및 안보적인 측면을 간과할 수 있다는 것을 강조할 필요가 있다.

실제로 이러한 주장은 미국 내에서도 나타나고 있는데 한국은 이러한 논의들이 미국 내에서 확대될 수 있도록 노력할 필요가 있다. 정부는 미 백악관, 국방부, 국무부, 의회를 대상으로 한미동맹 관계에서 한국 측의 기여를 홍보할 필요가 있으며 민간 한미동맹 관련 단체를 통해 미 언론, 연구기관, 재향군인회, 참전단체, 주한미군전우회 등을 대상으로 양국 간 호혜적인 관계를 적극적으로 홍보할 필요가 있다. 일례로 친한파 및 지한파 학자들의 미국 내 영향력 있는 매체의 기고 등을 통해 동맹의 중요성을 지속적으로 강조할 필요가 있다.

이와 함께 한국의 동맹국으로서 역할을 부각시킬 필요가 있다. 미국은 현재 한국에게 군사 분야에 있어 적극적인 참여를 요구하고 있다. 따라서 한국은 이러한 이슈들과 방위비 분담금 협상을 함께 진행하는 것이 효과적일 것이다. 예를 들어 국제 분쟁 지역으로 파병에 대한 미국의 공식 요청이 오면 이에 대한 적극적인 참여를 검토하면서 방위비 분담금 협상을 병행하여야 할 것이다. 뿐만 아니라 미국의 요청이 앞으로 올 수 있는 사항들에 대해 한국 정부의 입장을 정확히 마련한 후 이것을 협상에 이용할 필요가 있다. 미국이 추진하고 있는 동맹국 내 미사일 배치의 경우 한국이 이를 수용할 가능성이 없다면 이 문제가 방위비 분담금 협상과 연계되지 않도록 해야 할 것이다. 미래에 있을 협상에서도 한국은 동맹국으로써 활발한 역할을 한다는 것을 적극 강조해야 하며 이는 결과적으로 미국의 윈셋을 확장시켜 한국의 협상력을 제고시키게 될 것이다.

셋째, 아측의 윈셋을 줄이고, 미측의 윈셋을 늘이는 과정에서 양측의 윈셋이 교차되지 않는 상황이 야기되어서는 안 된다. 즉, 합의가 이루어질 수 없을 정도로 아 측의 윈셋을 줄여서는 안 된다는 것이다. 협상은 <그림 5-4>에서 보았듯이 양국의 윈셋이 겹쳐지는 범위인 A₁과 B₁ 사이에서 이루어질 수 있다. 만약 B국가의 윈셋이 더 확대되면 합의 가능 범위는 더 늘어나 협상이 타결될 가능성은 더 커지겠지만, A국가가 양보받을 수 있는 여지가 더 커지기 때문에 B국가의 협상력은 상대적으로 약해진다. 그러나 반대로 B국가의 윈셋이 B_3까지 줄어들게 되면 A국가와 윈셋이 교차하는 지점이 없기 때문에 협상은 교착상태에 빠지게 될 수 있다. 따라서 한국은 협상이 교착상태에 빠지지 않기 위해 협상의 가장 기본적인 전제는 굳건한 한미동맹의 유지임을 밝힐 필요가 있으며 주한미군 철수, 연합연습 축소 등 동맹의 견고함에 부정적인 영향을 줄 수 있는 것들을 협상 테이블에 올리지 않도록 유의해야 할 것이다.

넷째, 이른바 연계전략을 통한 협상력 제고가 필요하다. 즉, 방위비 분담금과 그 외 지원 내용 및 제도 변경 등을 연계하여 한국의 협상력을 제고할 필요가 있다. 한국의 많은 연구들은 현재 한국이 미국에게 지원하고 있는 총량이 방위비 분담금으로 계상되는 것보다 훨씬 많다는 것을 보여주고 있다. 따라서 방위비 분담금 인상과 동시에 해당 지원을 해제 또는 한국에게 유리하게 변화시키는 전략을 구사할 필요가 있다. 예를 들어, 카투사 제도 폐지, 주한미군에 대한 각종 면제 부분 재검토, 연 단위 미사용 예산/현물 반납 제도 설치, 관련 예산 예치 한국은행 사용 등 다양한 이슈들을 해결할 수 있도록 협상에 임할 필요가 있다.

제5절 결 론

향후 방위비 분담금 협상은 단순한 "돈"의 문제가 아니라 "동맹" 자체의 문제로 발전할 가능성이 매우 크다. 미국은 세계적으로 주둔하고 있는 자국 부대들의 주둔비용에 대해서 주기적인 검토를 진행하고 이를 바탕으로 새로운 원칙을 수립하는 노력을 하는 것으로 알려져 왔다. 세부적인 원칙은 여러 가지 이유로 인해 명확하게 확인하기 어렵지만 한 가지 확실한 것은 동맹국 부담을 높이는 방향으로 진행되고 있다는 것은 자명해 보인다.[145] 이러한 기조는 2024년 말 미국에 공화당이든 민주당이든 어떤 정부가 들어서더라도 크게 변하지 않을 것이다.

동맹이라는 안보 기제를 유지하기 위해서는 다양한 분야에 있어서 협상 과정이 계속된다. 이러한 협상에서 어떻게 대처하느냐는 더 건강한 관계를 형성하는데 매우 중요하다. 한국도 이에 대한 효과적이고도 합리적인 대응전략을 수립할 필요가 있다. 문제가 복잡할수록 기본부터 시작할 필요가 있다. 미래 협상은 기존의 협상과는 다른 요인들이 작용함으로써 또 다른 문제들이 발생할 수 있다. 따라서 가장 우선적으로 한국은 미국과의 관계를 어떻게 정립해 나갈 것인가를 고려해야 한다. 한국의 선택지는 그렇게 많지 않다.

우선, 동맹 자체에 대한 문제를 볼 경우, 미국과 동맹 파기, 동맹 약화, 동맹 강화 등이라고 할 수 있다. 그러나 동맹 파기의 경우 현재 및 미래의 안보 상황을 고려할 때 실질적인 대안이 될 수 없다. 따라서 한국은 현재 입장에서 동맹을 더욱 강화하는 방향으로 갈 것인가 아니면 어느 정도 거리를 두는 방향으로 갈 것인가를 선택해야 한다. 앞에서도 살펴보았듯이 현재까지 한국의 안보 상황은 동맹이 매우 필요하다는 것을 느끼게 해주고 있다. 북한은 사실상의 핵보유국이 되었으며 2024년 6월 푸틴 러시아 대통령은 북한을 방문하여 우호 관계를 다지기도 하였다. 여전히 한국에게 있어 북한과 주변국은 미국이라는 동맹국의 중요성을 각인시켜주고 있는 것이다. 이와 함께, 러시아-우크라이나 전쟁도 한국에게 동맹의 중요성을 깨닫게 해주고 있다. 만약, 우크라이나가 미국 주도의 북대서양조약기구 회원국이었다면 러시아는 지금과 같은 전쟁을 일으키는데 매우 신중했을 것이기 때문이다. 이런 점들을 고려할 때 한국은 동맹을 더욱 강화해야 할 것으로 보인다.

원하는 바를 얻기 위해서는 불가피하게 치러야 할 대가가 있다. 모든 문제 해결에는 비용이 수반된다는 뜻이다. 이러한 원칙은 개인은 물론 기업, 국가 모두에게 적용된다. 실질적 변화를 이뤄내기 위해서는 일정한 인내와 고통, 불편함 등을 감수해야 하는 것이다. 따라서 어떠한 문제를 해결하기 위한 첫 번째 출발점은 원하는 변화를 위해 치러야 할 대가를 분명하게 인식하는 태도라고 할 수 있다. 원인을 제대로 파악해야 제대로 된 문제해결이 가능할 것이기 때문이다.

상대적인 약소국과 강대국의 관계에서 약소국이 강대국을 움직일 지렛대는 그렇게 많지 않다. 특히, 강대국이 협상 문제에 대해서 자국의 주장을 강력하게 관철시키고자 할 때 더욱 그렇다. 이러한 상황에 처한 약소국은 더욱 철저하고도 현명한 전략이 필요하다. 따라서 한국은 미국과 협상에 철저한 준비를 할 필요가 있으며 이는 "어떠한 것을 양보하는 대가로 무엇을 얻을지"를 한국의 입장에서 정확하게 계산하는 과정이라 할 수 있을 것이다. 협상은 더 많은 것을 얻는 과정임에 틀림없지만, 최소한으로 잃는 과정일 수도 있다는 것을 명심해야 할 것이다.

국가는 언제나 안보문제에 있어 다음과 같은 우려를 하는 경향이 있다. "우리가 손해 보는 것은 아닌가?", "우리가 불리해지는 것은 아닌가?", "우리 주도권이 상실되는 것은 아닌가?" 이러한 불안 심리가 오히려 상대방의 행동을 과대 해석하게 만들 수 있다. 즉, 상대방의 새로운 언급이 있을 때마다 정책을 변화시키는 조급함을 보일 수 있는 것이다. 따라서 방위비 분담금 문제에 대한 미국 측의 움직임에 너무 민감하게 반응할 필요는 없다. 또한, 너무 자주성과 연계시켜 조급하게 대응하는 것도 지양해야 할 필요가 있다.

한국의 안보를 위해서는 한미동맹이 매우 필요하다. 방위비 분담의 기본 목적은 동맹 관계를 더욱 튼튼하게 하기 위함이지 이를 손상시키기 위함이 아니다. 따라서 한국은 한미동맹의 장점은 극대화하고 갈등요인은 감소시키는 방향으로 정책을 추진할 필요가 있다. 물론 주한미군의 한반도 주둔이 한국뿐만 아니라 미국에게도 이익이 된다는 주장이 있기도 하다. 그러나 한국이 미국을 필요로 하는 비중과 미국이 한국을 필요로 하는 부분이 같을 수 없다는 점도 냉정하게 인식할 필요가 있다.[146] 한국의 국가안보와 국익 차원에서 실제로 한미동맹이 기여하는 비중과 역할을 냉정히 분석하고 이에 대한 전략 수립과 시행이 필요하다 하겠다.

제6장 완충체계이론과 북중동맹의 변화[147)

제1절 서 론 : 문제제기

2018년 평창동계올림픽 이후 진행된 남북정상회담, 북미정상회담 등 일련의 과정들은 한반도 안보에 매우 긍정적인 신호를 보여주었고 이러한 역사적인 사건들로 인해 국제사회는 물론 국내에서도 북핵 문제해결에 대한 기대감은 그 어느 때보다 높아졌다. 하지만 2024년 현재 한반도 안보는 여전히 위험한 상황에 직면하고 있으며, 북한은 핵무장 완성을 이루어가고 있다. 2018년 당시 상황과 작금의 상황은 이렇듯 대조적이다. 이것은 한반도 안보문제를 해결되기 위해서는 여전히 넘어야 할 산이 많다는 것을 보여주는 것이다.

한반도 문제는 동북아 각 국가들의 이해관계가 첨예하게 대립되어 있다. 이 중에서도 우리가 특히 주목해야 할 문제 중 하나는 바로 중국이다. 한중관계는 뒤에서 논의하기로 하고 본 장에서는 북중관계를 우선적으로 알아보고자 한다. '중국이 과연 급변하는 안보상황 속에서 북한과의 관계를 어떻게 구상할 것인가?' 즉, 중국이 미래 북한에 대해서 어떻게 평가하느냐는 앞으로 한반도 평화정착을 위한 매우 중요한 변수라고 할 수 있기 때문이다.

2017년 9월 12일, 유엔안보리가 북한의 제6차 핵실험과 계속되는 탄도미사일 발사 등으로 9번째 대북제재 결의안을 만장일치로 채택했을 때 중국은 북한산 석탄 수입을 잠정적 금지하기로 결정했고, 심지어 중국은행에서 북한인들에 대한 계좌개설 금지뿐만 아니라 북한거주 화교들까지 은행계좌 개설을 불허하는 등 대북제재에 강력하게 동조하는 제스처를 취하였다. 하지만, 이러한 중국의 공식적인 대북제재 조치 이면에는 북한 선박 10척이 중국 산둥성에 입항한 사실이 확인됐고, 단둥과 평양을 오가는 고려항공 전세기 신규 취항을 허가하는 등 중국의 대북제재에 대한 미온적 참여 증거는 어렵지 않게 여러 루트로 확인되었다. 또한, 당시 제재 결의안도 원유 공급 중단이나 노동자 국외 송출금지 등 북한을 실질적으로 압박할 수 있는 조치가 빠졌는데, 이는 미국이 추가 제재에 미온적인 중국, 러시아 등과 사전 조율을 거치는 과정에서 고강도 제재 수단이 배제된 것이라고 할 수 있다.148)

2022년 1월 20일, 중국은 북한의 계속되는 탄도미사일 발사에 대한 대응 차원의 유엔 안전보장이사회 대북 추가 제재 시도에 러시아와 함께 반대하였다.149) 당시 중국은 "미국이 대북제재 만능론을 포기하고 북한이 느끼는 안보위협을 해결해야 한다"는 입장을 밝힌 것으로 전해졌다. 중국 외교부에 따르면 류샤오밍 중국 한반도사무특별대표는 이날 "대북제재만으로는 문제를 해결할 수 없고 대립과 긴장만 심화시킬 것이라는 점이 증명됐다"며 "미국은 대화 재개를 위해 한반도 비핵화와 평화체제 프로세스의 조건을 만들어야 한다"고 주장하였다.

이렇듯 중국은 수많은 국제사회의 비난을 받고 있는 북한의 핵 및 미사일 도발에 대해서 국제사회와는 다른 입장을 취하고 있다. 과연 무엇이 중국을 이러한 정책 방향으로 이끌었을까? 이 의문에 가장 합리적인 대답은 중국은 여전히 북한의 지정학적인 가치를 높이 평가하고 있다는 것이다. 즉, 중국에게 있어 북한의 '존재(being)'는 그 자체만으로 안보면에서 긍정적 역할을 하고 있는 것으로 간주되고 있다는 것이다.

역사적으로도 중국은 북한이 6.25 전쟁 당시 직면한 위협을 사회주의 전체 위기로 간주하고 이를 지원하였고, 비록 1958년 10

월 중국 인민군이 한반도에서 철수하였지만 상호 지도부 방문, 대북 무기지원 등을 통해 전략적으로 북한 안보의 후견인 역할을 자처해왔다.[150] 물론, 북중동맹 관계에 대해서 몇몇 학자들은 정치·군사적 이익의 상호 교환이 이루어지지 않는다고 주장하며 사문화(死文化)된 '가상동맹(virtual alliance)'이라고 주장하기도 한다.[151] 또한, 오랜 기간 합동군사훈련을 하지 않았다는 점,[152] 중국 내부의 인식 변화 등을 핵심 요인으로 들어 북중동맹 관계를 부정적으로 평가하는 경우도 있다.[153] 또한, 북한은 중국의 반대에도 불구하고 지속적인 핵실험을 실시함으로써 중국의 안보와 외교 이익을 심대하게 침해해 왔다는 주장도 있다. 하지만, 흔히 북중동맹으로 일컬어지는 「조선민주주의인민공화국과 중화인민공화국 간의 우호, 협조 및 호상 원조에 관한 조약」 제7조에 명시되었듯이 "양국이 조약의 개정 또는 효력의 상실에 대해 합의하지 않는 이상" 본 조약은 그 효력이 유지된다고 할 수 있다. 따라서 북중동맹은 시기별 그 결속력의 차이는 있을 수 있으나 그 존재의 가치는 여전히 유효하다고 볼 수 있다.

실제로도 북한이 국제사회의 반대에도 불구하고 지속적인 핵무기개발로 국제적 문제아가 된 상황에서도 중국은 제재에는 참여하였으나 북한의 존재 그 자체를 위협하지는 않았다. 심지어 양국 간의 관계를 공고히 하기 위한 노력이 진행되기도 하였는데, 2016년 5월 6일 북한의 제7차 당 대회 시 중국 정부는 "조선노동당의 지도 아래 북한 인민이 사회주의 건설사업 가운데 끊임없이 새로운 성취를 이룩하기를 축원"하며 "쌍방의 이전 세대 지도자들이 친히 창건하고 정성들여 키운 역사적 전통에 빛나는 중·조 우의는 양국 공동의 고귀한 보물"이라는 내용의 축전을 보냈다. 2017년 10월 제19차 당 대회 이후 겅솽(耿爽) 중국 외교부 대변인은 정례 브리핑에서 "북한과 중국의 우호협력 관계 발

전은 양국 이익에 부합할 뿐만 아니라 지역 평화 안정에도 도움이 된다"고 밝히기도 하였다.[154]

북중 간의 관계 개선은 2018년 들어 더 극적으로 이루어지고 있는데 3월, 5월, 6월 세 차례의 정상회담이 실시되었으며 특히, 6월 실시된 정상회담에서 시진핑 주석은 김정은 위원장과 미국 트럼프 대통령의 정상회담에서 한반도의 영구적 평화체제 건설이라는 공동인식을 달성한 것을 높이 평가하면서 "국제 정세가 어떻게 변하더라도 북중관계를 공고히 하려는 중국의 확고한 입장과 북한에 대한 지지는 변함이 없을 것"이라고 말하기도 하였다.

또한, 김정은은 2022년 10월 23일 중국 공산당 제20차 전국대표대회에서 시 주석의 3연임이 확정되자 축전을 보내 북중관계 강화를 다짐했다. 이에 대한 답장으로 2022년 11월 22일 시진핑 주석은 "새로운 형세하에서 중조관계를 설계하고 인도하는 사업을 강화하며 중조관계를 훌륭히 수호하고 공고히 하며 발전시켜 두 나라 인민에게 보다 훌륭한 복리를 마련해주고 두 나라 사회주의 위업의 발전을 추동하며 지역과 나아가서 세계의 평화와 안정 발전과 번영을 촉진하기 위하여 새롭고 적극적인 공헌을 할 용의가 있다"고 밝혔다. 이는 미중 간 대립 심화, 우크라이나 전쟁 등으로 국제사회의 신냉전 기류가 짙어지는 상황에서 전통적 우방인 북한과의 관계 강화 방침을 재확인한 것이라 할 수 있다.

이러한 상황분석과 논의를 바탕으로 본 장은 '중국은 북한이 자신들에게 어떠한 전략적 가치가 있다고 판단하기에 동맹 관계를 유지하고 있는 것일까?'에서부터 시작한다. 일반적으로 중국의 對 북한 인식을 설명하는데 있어 가장 먼저 등장하는 단어가 '완충국(Buffer State)'이라는 것이다.[155] 따라서 본 장에서는 완충국은 과연 무엇이며, 어떠한 조건이 충족되어야 완충국으로서의 가치가 있는 것인지를 우선적으로 탐구하고자 한다. 이를 위해 파렘과 론델리가 제시한 완충체계이론을 통해 북한이 과연 완충국인지, 또한 완충국이라면 그 가치는 있는 것인지를 증명할 것이다.156)

이후, 이를 바탕으로 완충국으로서 북한과 중국의 동맹관계 변화를 살펴볼 것이다. 즉, 어떠한 요인이 작용할 때 북중동맹이 변화하였으며 그럴 경우 완충국으로써 북한을 어떻게 정의할 수 있는지를 론델리가 제시한 완충국의 분류를 바탕으로 살펴보고자 한다. 이를 위해 동맹 관계의 변화가 가장 컸다고 판단되는 1960년대 초반과 1990년대를 집중적으로 분석하고 이를 바탕으로 현재와 향후 북중동맹 관계를 전망할 것이다. 마지막으로 미래 한국의 대중, 대북정책 방향 설정에 대한 함의를 제시하고자 한다.

제2절 이론적 논의: 완충국의 개념과 완충체계이론

2.1. 완충국의 개념과 구분

지정학에서 많이 사용하고 있는 용어 중 하나인 '완충국'이라는 용어는 1880년대 인도와 중앙아시아를 각각 지배하던 영국과 러시아 사이에 놓여 있던 아프가니스탄의 지정학적 위치와 조건을 표현하기 위해 처음으로 사용되었다.157) 이후 국제정치학자들이 개념적 수준에서 정의를 내리고 어떤 상황 또는 현상을 적용하는 방식으로 연구가 이루어지고 있다.

우선, 완충국의 정의를 살펴보면 마티슨(Teygve Mathisen)은 "일반적으로 경쟁 관계인 두 개의 큰 국가들 또는 어떤 지역 체제 사이에 놓인 상대적으로 힘이 약한 독립국"이라고 정의한다.158) 완충국은 지리적 차원으로 다른 두 국가 사이에 놓여 있어야 하며, 국력 측면에서는 다른 두 국가에 비해 약한 국력을 가진 국가이고, 대외정책 측면에서 완충국과 관계가 있는 다른 국가들은 통상 경쟁 관계에 있어야 한다는 것이다. 와이트(Martin Wight)는 완충국을 "두 개 이상의 상대적으로 강한 국가 사이에 위치한 약소국"으로 정의하고, 이것은 강대국 사이의 갈등을 감소하기 위해 유지되거나 만들어진다고 보았다. 그리고 완충지대는 두 개 이상의 강대국 사이에서 하나 이상의 약소국들이 점유하고 있는 지역이며, 이것은 때때로 힘의 공백 지역으로 묘사된다고 하였다.159) 이렇듯 마티슨과 와이트는 지리적으로 두 강대국 사이에 위치하고 상대적으로 국력이 약한 국가를 완충국으로 정의하고 있다.

이에 반해 파젤(Tanisha M. Fazel)은 "만일 대양과 같은 거대한 자연적 지형에 의해 경쟁 구도의 강대국들이 분리되어 있지 않다면, 지리적으로 경쟁 관계에 있는 국가들 사이에 위치한 국가"를 완충국으로 규정했다.160) 특히, 그는 강대국들과 인접하지 않지만, 그들 사이에 위치한다면 완충국으로 간주하였다. 하지만, 그의 구분은 완충국의 군사력을 포함한 국력이나 대외정책을 전혀 고려하지 않았기 때문에 다수의 국가들이 완충국으로 규정되는 결과를 낳았다. 그의 정의에 따르면, 1차 세계대전 당시 프랑스가 독일과 영국의 완충국으로, 1960년대 몽골이 중국과 소련의 완충국으로, 1870~1900년의 러시아도 프랑스와 중국의 완충국이 될 수 있다.

물론, 앞에서 언급한 완충국의 정의처럼 국력이 현저히 약한 독립국이 강대국들 사이에서 자신의 영향력을 행사하기는 쉽지 않다. 강대국들은 대체로 완충국을 중립국이 아닌 자국의 세력권 안에 포함시키길 원하기 때문에 상대적으로 힘이 약한 완충국은 쉽게 어느 한 강대국의 세력권 내에 있는 위성국가가 될 수 있기 때문이다. 그리고 해당 강대국의 국력이 약해지거나 위성국가의 국력이 강대국을 상대로 저항할 정도로 신장될 경우 세력권에서 이탈하여 다시 완충국이 될 수 있다. 이러한 현상에 주목하여 터마니제(Tomike Turmanidze)는 '준완충국(quasi buffers)'이라는 용어를 사용하였다.161) 즉, 완충국은 해당 지역 체제에 포함된 모든 강대국에 대해 완충 역할을 하면서 그들을 분리하는 역할을 하지만, 준완충국은 한 강대국에게만 완충국으로서 역할을 수행하고 경쟁 강대국을 견제한다는 것이다. 특히, 그는 준완충국과 강대국은 군사적인 측면뿐만 아니라 경쟁 강대국에 대한 대외정책적인 측면에서 한목소리를 내는 등 협력적 관계를 지향한다고 설명한다. 물론 완충국이라고 해서 각각의 강대국들에게 똑같은 정책을 취하는 것이 아니라 어느 한쪽에 좀 더 우호적인 정책을 구사할 수 있기 때문에 현실에서 완충국과 준완충국을 구분하기는 애매하다. 하지만, 군사적으로 강대국의 방어계획 내에 완충국까지 포함하고 있고 이러한 사항을 경쟁 강대국도 인정할 경우 준완충국이라고 할 수 있다는 것이다.

한편, 론델리는 완충국을 '위성-완충국', '중립-완충국', '적극적-완충국' 또는 '안전판-완충국'으로 구분하였다. 위성-완충국은 형식적으로 독립국임에도 불구하고 인접한 강대국 중 어느 한 국가(A)의 영향력 아래에서 군사동맹까지 맺고 있는 국가를 의미하며, 경쟁 강대국(B)에 대한 외교정책 수립 시 강대국 A의 정책 기조에 영향을 받는 국가를 의미한다. 반면, 중립-완충국은 인접한 강대국들과의 군사 관계를 맺지 않으며, 그들 간의 전쟁에 개입하거나 어느 한쪽을 지원하지 않는 완충국을 의미하나, 앞서 설명한 위성-완충국과 마찬가지로 대외정책적 측면에서 강대국 A의 정책 기조에 영향을 받는 국가를 말한다. 적극적-완충국 혹은 안전판-

완충국은 기본적으로 중립-완충국과 마찬가지로 군사적 행동을 같이 하지 않는 특징이 있고, 강대국의 정책 기조에 영향을 거의 받지 않으면서 자국의 이익에 부합한 대외정책을 수행하고 심지어 일정한 수준에서 주변국들에게 영향력도 행사할 수 있는 완충국을 의미한다.162)

여기서 주목할 것은 강대국의 입장에서 위성-완충국의 경우는 두말할 나위 없이 그 가치가 매우 높지만, 중립-완충국과 안전판-완충국의 경우는 다소 차이가 있다는 것이다. 즉, 군사적 관계의 강약과 상관없이 중립-완충국의 경우는 정책 기조 면에서 방향성이 유사함으로 인해 완충국의 가치가 있다고 할 수 있다. 하지만, 안전판-완충국의 경우는 군사 관계뿐만 아니라 정책 기조 또한 그 유사성이 크지 않을 경우를 말하는데 이럴 경우, 결국 '존재(being)' 자체만이 가치가 있는 경우라고 할 수 있다. 터마니제와 론델리의 완충국과 준완충국의 구분은 비슷한 개념을 다른 언어로 정의했다고 볼 수 있지만 론델리가 좀 더 세분화하였다 할 수 있다. 그 구분을 정리해 보면 아래 <표 6-1>과 같다.

<표 6-1> 완충국과 준완충국 구분

구 분	완 충 국	준 완 충 국	비 고
터마니제	완 충 국	준 완 충 국	이분법적 구분
론 델 리	중립-완충국	위성-완충국	완충국 개념 세분화
	적극적-완충국 (안전판-완충국)		

2.2 파템의 완충체계 이론

한편, 파템은 완충체계이론을 통해 완충국을 설명하고 있다. 그는 "완충체계는 두 개 이상의 강대국들이 지정학적으로 그들 사이에 위치한 완충국을 두고 영향력 경쟁을 하는 지역 정치체제"라고 정의한다.163) 이 과정에서 파템은 완충국은 역내 강대국들에 비해 매우 약한 약소국으로서, 각각의 강대국과 양자 분쟁에서 승리할 가능성이 거의 없고, 어떤 강대국과 동맹을 맺고 행동한다고 해도 강대국 간 세력 구도에 유의미한 영향을 미치지 않는 국가로 가정하였다.164) 또한, 그는 완충국에 대한 세부 평가를 위해서 지리적 조건, 국가 간 힘의 배분, 대외정책이라는 세 가지 변수를 사용하였다.

파템에 따르면 완충국 X는 지리적으로 강대국 A, B국과 인접해야 한다. 이러한 예의 대표적으로 해양세력과 대륙세력이 충돌하는 반도국을 들 수 있는데, 이를 지정학적 용어로 림랜드(rimland)라고 규정하고 있다.165) 즉, 림랜드에 위치한 국가들은 지리적 관점에서 완충국이 될 가능성이 크다는 것이다. 또한, 파템은 강대국인 A국이나 B국 모두 완충국 X와의 1대1 전쟁에서 이길 확률이 매우 높고, X국이 다른 세력 누군가와 동맹을 맺고 일방적으로 한 강대국을 지원하는 것이 결정적인 승리조건은 아니라고 정의했다. 다시 말해, 완충국 X는 어느 지역 체제에서 강대국의 영향력 싸움에 결정적인 역할을 하지 못할 만큼 힘이 약하다는 의미다. 아마 지리적 조건이 충족된 국가라면 대부분의 중견국, 약소국들은 완충국의 조건에 부합한다고 볼 수 있다. 하지만 강대국 간 대결에 영향을 미치지 않는 범위 안에서 완충국의 국력이 성장한다면 강대국이 볼 때 완충국으로서 가치는 더욱 높아진다.

그리고 그는 완충국 X는 강대국 중 어느 누구와도 군사동맹을 맺지 않는다고 주장한다. 이러한 주장은 완충국이 중립국의 위치에 서서 주변 강대국의 도움 없이 스스로 안보를 지킬 수 있다는 의미로 해석할 수 있으나, 이는 완충국의 완전한 외교적 중립을 말하는 것이 아니라 주변 강대국 세력에 완전하게 포함되지 않은 상태를 의미한다고 할 수 있다. 한편, 완충국의 경우 지역 내에서 강대국들이 서로 군사적인 행동을 고려할 때 전략적인 가치를 지니고 있어야 한다. 즉, 강대국 간의 경쟁 체제에서 완충국의 존재 자체가 군사적으로 그 효용성이 높아야 한다는 것이다.

본 장에서는 지금까지 논의 중 파템의 이론을 채택한다. 동북아시아의 안보 상황을 고려할 때, 본 장의 핵심 질문에 대한 해답을 찾기 위해 파템의 이론이 더 설명력이 있다고 생각되기 때문이다. 따라서 이하에서는 국제사회에서 G2 강대국으로 부상하고 있는 중국이 '국제적인 비난을 감수하면서까지 왜 북한을 놓지 못하고 있는 것인지'를 파템의 완충체계 이론을 중심으로 분석한다. 즉, 완충국으로서 북한의 가치를 분석함으로써 중국이 북중동맹을 유지하는 이유를 밝히고자 하는 것이다. 완충국으로서 북한의 가치를 검증하기 위해서 중국에 대한 북한의 지리적 조건, 국력의 격차, 전략적 효용성이라는 세 가지 측면을 검토한다.

이후 완충체계의 조건을 기준으로 북중동맹 관계 변화를 분석한다. 우선, 완충국의 지리적 조건은 객관적인 지정학적 분석을 통해 알 수 있지만, 이러한 지리적 위치가 특정 시기마다 변하는 것이 아니기 때문에 동맹 관계 변화요인으로 분석하기에 제한이 따른다. 따라서 완충국의 국력과 대외정책을 통해 그 관계를 측정한다. 완충국의 국력은 강대국들과 양자 분쟁에서 승리할 가능성이 없는 범위 내에서 완충국의 국력은 커질수록 완충국의 가치는 높아지고 동맹 관계도 좋아질 것이다. 즉, 동맹 상대방에게는 위협이 되지 않는 범위에서 가장 큰 국력을 보유할 경우 완충국으로서 가치가 크다는 것이다.

<표 6-2> 동맹 관계의 변화

구 분	국력성장	국력정체
정책 기조 유사	관계 최상(위성완충국)	관계 유지
정책 기조 상이	관계 유지	관계 악화/와해 (안전판 완충국)

또한, 완충국의 대외정책 측면에서는 역내 강대국과 유사한 기조로 추진된다면 해당 강대국의 완충국으로서 가치는 높아지고, 동맹 관계도 강화될 가능성이 커진다고 할 수 있다. 반대의 경우는 동맹 관계 악화를 가져오게 될 것이다. 이러한 두 가지 변수들을 바탕으로 네 가지 경우의 수를 조합하면 아래 <표 6-2>와 같이 분류할 수 있다.

제3절 '완충국'으로서 북한의 가치 평가

3.1. 지리적 조건: 역사적, 지정학적 의미

중국 문명의 발원지는 중국식으로 표현하면 중원(中原)이라 언급되는 북중국 평원이라고 알려져 있다. 만주 남부, 내몽골 아래, 그리고 황화 안쪽과 주위를 끼고 돌아 양쯔강 하단을 지나는, 그

넓이만도 거의 43만 제곱킬로미터에 달하는 평원이 바로 그곳이다.166) 북중국평원은 아시아 지역의 경제, 문화, 정치, 인구, 그리고 결정적으로 농업의 중심지로서 이 평원에 10억 이상의 인구가 밀집되어 살고 있어 세계에서 인구가 가장 많이 사는 곳이기도 하다. 이 심장부의 지형이 정착과 농경 생활에 적합했던 관계로 초기 한족 왕조들은 자신들을 에워싸고 있는 이민족들의 위협을 느낄 수밖에 없었으며, 특히 중원의 동쪽인 만주지역의 고구려나 중국 북쪽의 몽골은 그들에게 항상 두려운 존재였다.167)

중국이 이러한 지리적 조건을 고려하면서 수립했던 지정학적 전략의 핵심은 북중국평원을 둘러싼 주변 지역의 안보에 있었다. 중국은 육지 국경선의 길이가 약 2만 289km에 달하고 해안선의 길이가 약 1만 8,000km에 이를 만큼 광활한 영토를 보유하고 있고 그만큼 많은 국가들과 국경을 맞대고 있다. 중국과 국경을 맞대고 있는 국가는 총 14개 국가로 북한, 몽골, 러시아, 카자흐스탄, 타지키스탄, 키르기스스탄, 아프가니스탄, 파키스탄, 인도, 네팔, 미얀마, 베트남, 라오스, 부탄 등이 있다. 이런 수많은 인접 국가들과 군사적으로 대치하기에는 부담스러울 정도로 많은 자원이 필요하기 때문에 중원을 지배한 국가들은 한반도, 몽골, 티베트, 인도차이나 지역, 동투르키스탄 등의 약소국들을 자국 변방을 방어하기 위한 완충국으로 간주하면서, 주공-조공의 긴밀한 관계를 유지하기 위해 노력했다.168)

이런 역사적 배경과 함께 최근 남중국해를 둘러싼 미국과의 대치 상황은 중국에게 북한과의 관계를 등한시할 수 없게 하는 이유로 작용하고 있다. 미국은 중국의 남중국해 정책에 대해 "그 어떤 국가라 할지라도 힘으로 다른 나라들을 종속시키려 한다면 미국은 이를 무시할 수 없다"고 천명하였다. 반면 중국은 남중국해 도서의 12해리 이내를 자신들의 영해로 간주하면서 "미국 군용기가 중국 도서의 상공을 침범하거나 미국 군함이 중국 도서 12해리 해역으로 들어온다면 중국군은 이에 대한 적극적인 조치를 할 것이다"라고 강도 높게 주장하고 있다.

이렇듯 중국은 국가의 자존심을 걸고 남중국해에 대한 통제권을 행사하고자 한다. 사실 지정학적으로도 그럴 수밖에 없다. 여기를 통하지 않고는 전 세계에서 가장 중요한 무역 해로에 진출할 수가 없기 때문이다. 평시에 이 통로는 여러 지역으로 개방돼 있지만, 전시에는 어렵지 않게 봉쇄할 수 있는데 이는 곧 중국이 봉쇄될 수 있다는 것을 의미한다. 따라서 지역 내 미국의 동맹 관계, 특히 한국과 일본과의 관계가 對 중국 견제를 목적으로 하고 있다는 평가는 중국에게 지리적으로 한국, 일본과 근접해 있는 북한과의 동맹 관계를 더욱 견고하게 유지할 수밖에 없는 요인으로 작용하고 있는 것이다.

3.2. 국력의 격차

앞에서 설명했듯이 파템은 어느 한 국가의 국력이 두 개 이상의 강대국(세력)에 비해 아주 약하고, 강대국(세력) 간의 국력 차이가 상대적으로 크지 않으며, 그 국가가 강대국(세력) 중 어느 하나에 편승하더라도 강대국(세력) 간 국력 차이의 변화를 거의 주지 못할 때, 그 국가를 완충국으로 정의할 수 있다고 주장했다. 그는 상대적 국력 평가의 척도로 인구력(인구수), 경제력(GDP), 군사력(GDP 대비 국방비 지출 비중 또는 병력/장비 수)을 사용하여, 완충국을 규정했다.

이러한 파템의 분석을 바탕으로 해서 먼저, 인구력 측면에서 보면 강대국인 중국, 미국의 인구는 2023년 기준으로 각각 14억

2,567만, 3억 3,997만 명으로 집계되었다. 중국은 최근까지 1가정 1자녀 정책을 펼쳤음에도 불구하고 14억 명이 넘는 인구를 보유하고 있으며, 미국은 출산율은 점점 떨어지고는 있으나 여전히 유럽 선진국에 비해 높은 편이며, 약 30초에 1명씩 유입되는 이민자의 증가로 인해 인구가 지속적으로 증가하고 있는 실정이다. 이에 반해 북한은 만성적인 식량난과 질병 등으로 인구 증가율이 연평균 1%도 되지 않으면서 2,600만 전후의 인구를 유지하고 있다. 따라서 북한이 어느 한쪽에 편승하여 간다고 해도 객관적인 인구수 측면에서 승부의 추를 기울이기는 매우 어렵다.

경제력 측면에서 보면 두 강대국(미국, 중국)에 비해 북한의 GDP는 비교하는 거 자체가 무색할 정도로 차이가 크다. 2024년 6월 기준, 국제통화기금(IMF) GDP 통계에 따르면 미국(28조 7810억 달러)와 중국(18조 5326억 달러)은 3위인 독일(4조 5911억 달러)에 비해서도 각각 5배, 4배 차이가 날 정도로 강력한 경제력을 가지고 있다. 이에 반해 북한의 GDP는 약 300억 달러로 예상되고 있으며 이는 GDP 1, 2위 국가인 미국, 중국에 비해 매우 미약한 능력이며 미국의 0.10%, 중국의 0.16%에 지나지 않는다.

군사력 측면을 평가해보면 다른 부분에 비해 북한의 능력이 상대적으로 높이 평가되고 있으나 여전히 강대국들에 비해서는 부족하다. 미국 군사력 평가기관 '글로벌 파이어 파워(GFP)'가 2024년 세계 145개국을 대상으로 핵무기를 제외하고, 인구, 장비, 병력, 경제력, 연료 생산능력 등 50여 가지 변수들을 종합해 산출한 결과에 따르면 미국은 압도적인 1위를 차지했고, 중국은 러시아에 이어 3위에 올랐다.[169] 북한은 이와는 비교될 수 없는 수준인 36위에 위치했다. 이러한 평가는 물론 핵무기가 제외되고 실제 한국군에서 파악한 북한군의 능력보다 과소평가된 경향이 있지만, 미국, 중국에 비하면 북한의 군사적 능력은 크지 않다는 것은 명확한 사실이다.

군사력을 평가할 수 있는 또 하나의 방법으로 국방비 지출액을 고려할 수 있는데, 2023년을 기준으로 했을 때 미국은 전 세계에서 가장 많은 국방비를 지출하고 있으며, 이 규모는 세계 2위부터 10까지 국방비를 합친 국방비와 유사할 정도이다. 구체적으로 살펴보면 미국은 8,317억 달러로 세계 1위, 중국은 2,270억 달러로 2위를 기록하였다. 미국과 중국은 이러한 압도적인 투자를 통해 과학화, 첨단화된 군사력을 세계 전 지역에 투사할 수 있는 능력을 구비하고 있다. 반면, 북한의 경우 약 35억 달러의 국방비를 사용 중인 것으로 알려지고 있는데, 이는 미국의 0.5% 수준, 그리고 중국의 1.5% 수준에 지나지 않는다.

이러한 결과를 파템의 완충국 조건에 대입하여 보면 첫째, 강대국인 중국, 미국은 상대적 약소국 북한과 양자 분쟁에서 승리할 것이라고 확신할 것이다. 둘째, 인구수, GDP, 군사력 등을 고려해 볼 때 중국, 미국 양국 모두 전쟁에서 완벽하게 승리할 수 있을 만큼 상대적으로 강한 국력을 가지고 있다고 볼 수 없다.[170] 셋째, 북한이 중국과 미국, 어느 한쪽에 대한 지원을 통해 양자 분쟁에서 한 국가의 승리를 결정할 수 있는 국력을 가졌다고 볼 수 없다. 따라서 이런 점을 고려할 때 북한은 국력 배분 측면에서 완충국이라 할 수 있다.

3.3. 전략적 효용성

완충체계를 이루고 있는 지역 내에서 강대국들이 완충국을 소중히 여기고 경쟁할 수밖에 없는 이유는 단순히 지리적으로 강대국들을 구분 지어주기 때문만이 아니라 완충국이 가지고 있는 전략적 가치가 작용한다. 따라서 강대국들은 완충국의 전략적 가치를 선점하기 위해 그들을 위성완충국으로 만들려고 노력한다. 왜냐하면, 완충국을 위성완충국으로 차지할 경우 다음과 같은 세 가지의 이점을 얻기 때문이다.171)

먼저, 위성완충국을 통해 상대 강대국의 침략이나 도발을 억제할 수 있다. 만약 미국이 중국을 공격하기로 결정했다면, 그 결정 배경에는 반드시 북한의 군사력까지 고려해야 한다. 반대로 중국이 미국을 공격할 때도 미국의 동맹국인 한국이나 일본의 군사력을 고려해야 하는 것과 같은 맥락이다. 물론 완충국이 스스로 강대국과 상대할 수 있는 국력을 가지고 있지 않지만, 공격하는 강대국은 경쟁국에 진입하기 전에 위성완충국을 먼저 상대해야 하는 부담이 생기는 것이다. 이처럼 위성완충국은 상대 강대국의 전쟁 수행 시 고려요소를 늘림으로써 경쟁국의 침략을 억제하는 역할을 한다.

둘째, 전쟁이 실제 발발할 경우 위성완충국의 전략적 가치는 더욱 빛을 발하게 된다. 강대국은 완충국을 자신의 세력권에 넣어 위성완충국으로 만들면 자국의 영토가 아닌 완충국의 국경에서 방어선을 구축하면서 방어 종심을 확장할 수 있다. 당연히 힘이 약한 완충국이 강한 상대편 강대국에 맞서 전쟁을 수행할 수 없지만, 최소한 그들은 상대편 강대국을 자국의 땅에 붙잡아 둠으로써 실제 강대국이 전쟁을 수행할 수 있는 시간적, 물리적 여유를 확보해 준다. 또한, 실제 전쟁을 자국이 아닌 위성완충국 영토에서 수행할 수 있기 때문에 자국의 안보에 심대한 영향을 끼치지도 않아 국내정치적 측면에서도 부담이 크게 경감될 수 있다.

셋째, 상대 강대국을 선제공격하기 위한 교두보로 위성완충국을 이용할 수 있다. 만약 중국이 경쟁 강대국 미국이나 일본을 무력으로 제압하기로 결정했다면, 이미 중국은 전쟁에서 승리하는 것 이외의 것들은 신경 쓸 필요 없이 국가의 역량을 총동원하여 전쟁에서 승리해야 한다. 당연히 중국은 위성완충국을 자국 내 하나의 중요한 군사적 요충지로 간주하고 그 해당 국가의 병력이나 군사 장비, 자원 등을 활용하여 전쟁을 수행할 것이다. 보통 위성완충국이 강대국 A, B 사이에 위치해 있어 위성완충국 또는 상대편(B) 영토에서 전쟁을 수행할 가능성이 크기 때문에 위성완충국을 가지고 있는 강대국 A의 영토와 국민의 생명은 상대적으로 더 많이 보존될 수 있다.

이처럼 위성완충국을 가지고 있는 강대국은 해당 완충국을 경쟁 강대국의 침입을 막는 방파제 역할 수행과 더불어 역으로 경쟁 강대국을 공격하기 위한 거점으로 활용 가능하다. 역으로 완충국을 경쟁 강대국에게 내준다면 엄청난 손실을 감수하고 전쟁을 치러야 하는 문제에 직면하게 된다. 따라서 역내 강대국들은 상대방이 완충국을 자신의 세력권 내로 편입하여 전략적 이점을 얻는 것을 막기 위해 노력하는 것이다.

이상의 논의를 바탕으로 볼 때 중국에게 있어 북한은 전략적 효용성 측면에서 자본주의 세력의 침략이나 도발을 억제할 수 있고, 유사시 군사적 교두보로 활용 가능하기 때문에 완충국으로서 가치가 충분히 있다고 볼 수 있다. 물론, 그 가치는 위성완충국으로서 존재할 경우 높아지는 것이지 그렇지 않은 경우 그 가치는 현저히 줄어들게 된다.

제4절 북중동맹 관계 변화 분석

앞서 언급했듯이 북한은 중국에게 전략적으로 핵심적인 완충지대이면서 군사적인 요충지로서 가치가 있다. 따라서 역대 중국 지도부들의 특성이나 국내정치적인 상황에 관계없이 중국은 한반도를 지정학적으로 매우 중요하게 인식해왔다.[172] 하지만, 북중관계가 오랜 역사적 관계, 공산주의라는 이념적 사고와 6.25 전쟁을 함께 수행한 혈맹국으로 특수한 형태의 동맹이지만, 1961년 북중우호조약이 체결된 이래 항상 돈독한 관계를 유지했던 것은 아니다. 오히려 역사적으로 긴밀하고 우호적인 관계를 유지했던 시기는 그리 길지 않았다.

<표 6-3> 주요 시기별 북중관계 변화

시기	주요 관계 변화
1960년대 초	· 동맹체결 직후로 결속력 최상 * 중국의 대북 원조 활발
1960년대 후반	· 사회주의 이데올로기적 갈등 표출 * 북한의 실리외교 추구
1970-80년대	· 중국 실용외교 실시, 경제 중심 정책 표방 * 상호 전략적 협력 지속
1990년대-2000년대	· 한중수교 수립으로 북중관계 냉각 * 북한 "고난의 행군" 돌입
2010년대 이후	· 북한 핵실험 지속으로 중국 부담 가중 · 한미일 협력 강화로 북중 관계 개선

북중동맹 관계에 변화를 줄 수 있었던 사건을 바탕으로 주요 변곡점을 정리하면 최초 동맹 체결 시점인 1960년대 초, 중국의 문화대혁명과 북한의 중·소 실리외교가 추진되었던 1960년대 후

반, 중국의 개혁·개방 정책이 추진되었던 1970-80년대, 한중수교가 이루어진 1990년대, 그리고 2000년 이후 등으로 나누어 설명할 수 있는데 각 시대별 관계를 간략히 정리하면 아래 <표 6-3>과 같다.

이렇듯 북중관계는 우호기와 냉각기를 거치면서 지금까지 이어져 오고 있다. 이에 본 절에서는 앞서 완충체계 이론에서 제시하였던 완충국인 북한의 국력변화와 북한과 중국의 대외정책 기조를 바탕으로 북중동맹 관계가 어떻게 변화하였는지를 분석하고자 한다. 이를 위해 특히, 동맹 관계가 가장 긍정적이었다고 판단되는 북중동맹 체결 전후 시기(1960~65년)와 가장 약화되었던 탈냉전과 한중수교 시기(1990~2000년)를 집중 분석하고 이를 바탕으로 앞으로의 북중동맹을 평가하고 미래를 전망하고자 한다.

4.1. 동맹관계 강화기(1960년대 초반): "위성완충국"

우선, 완충국인 북한의 당시 국력을 살펴보자. 북한 정권 수립 이후 1960년대 초까지만 해도 북한의 경제는 김일성과 당을 중심으로 비교적 체계적으로 발전했다. 1961년까지 한국과 북한의 경제력을 비교한 아래 <표 6-4>와 같이 당시 북한은 한국에 비해 상대적인 우위를 보이고 있었다. 예를 들어 북한은 석탄, 철광석 등 자원은 말할 것도 없고, 식량을 제외하고 인프라 구축에 절대적으로 필요한 자원 및 발전량이 압도적으로 우위에 있었다. 당시 북한의 발전량은 한국 대비 약 5배 정도 많았고, 철광석은 8배 가까이 많이 생산했으며, 국가기반시설을 건설하는데 절대적으로 필요한 시멘트도 남한의 4배 이상 생산했다. 특히, 남한이 북한에 지원하는 대표적 품목 중 하나라고 할 수 있는 화학비료의

경우도 당시에는 북한이 20배 이상 우위에 있었다.[173)

또한, 북한은 일찍이 선진 공업기술과 탄탄한 산업구조를 갖춘 소련으로부터 인프라 구축에 필요한 장비 지원과 고급기술을 받아들이고, 비록 소련만큼 발전되지 않았으나 개발이 한창인 중국으로부터는 원자재나 식료품을 들여왔으며, 1950년대부터 소련과 중국 등 공산 국가들의 지원을 바탕으로 기초를 닦은 중화학 공업과 경공업이 가파르게 성장하기 시작하였다. 따라서 1960년 전후 경제력, 군사력을 포함한 북한의 국력은 주변 공산 국가들의 지원과 자국의 풍부한 자원을 바탕으로 박정희 정부 초기 한국보다 식량을 제외한 모든 부분에서 우위에 있었으며, 최빈국이었지만 분명한 성장세를 보였다고 할 수 있다.

<표 6-4> 남북한 경제 지표(1950~61년)

단위 : 톤

구 분	석 탄	발전량	철광석	화학비료	시멘트	어획량	식 량
한 국	590	20	14	3.8	51	45	600
북 한	1,200	116	116	86	207	59	220

출처 : 김광희, 『박정희와 개발독재 1961~1979』(서울: 선인, 2008), p. 44.

한편, 당시 북한과 중국의 대외정책 기조를 살펴보면 당시 북한의 국가목표는 '반제 자주역량의 단결 강화와 비동맹 운동의 발전' 및 '대내 사회주의 역량과 국제적인 공산주의 운동의 단결'이었다. 다시 말해 당시 북한의 외교는 대남 외교 우위 확보를 통한 한반도의 공산화 및 공산국가로서의 국제적 역량 강화에 주안점을 두고 정책을 추진하였다고 할 수 있다.[174] 1953년 7월 정전 협정이 체결된 이후 북한은 본격적으로 전후 복구와 경제적 원조를 받기 위한 전방위 외교를 펼쳤는데 같은 공산권 국가이면서 강대국으로 군림하고 있는 소련과 한국전쟁 당시 중공군 파병 등 각별한 관계에 있는 중국으로부터 인프라 구축을 위한 경제적, 군사적 무상원조를 받기 위해 협력을 강화해 나갔다.

당시 북한은 미국과 관계 개선을 위한 노력은 별다르게 강조하지 않았다. 하지만, 1955년 4월 반둥회의에서 '반둥 10원칙'[175]이 언급되면서 사회주의 국가에 국한된 진영외교에서 벗어나 개발도상국 및 비동맹 국가들과 관계 개선 노력을 지속적으로 경주했다. 또한, 1950년대 후반부터 중국과 소련이 이념 갈등으로 서로 관계가 소원해지자 북한은 우호 관계에 있는 양국 사이에서 균형적인 중립외교를 펼치기도 하였다.[176] 이런 상황 속에서 북한은 대남 관계 우위 확보를 통한 전 한반도 공산화를 이룩하기 위해 자주적인 국가발전을 선언하고 제3세계 국가들과 외교 관계를 맺음으로써 국제적 입지 강화를 꾀하기도 하였다. 결국, 1960년대 북한의 대외정책은 체제 결속력을 다지기 위한 국력 신장에 중점적으로 매진하는 가운데, 미국에 대해서는 별다른 외교정책을 추진하지 않았고 단지 비난의 대상으로 간주하였다. 1950년대 공산국가와의 관계에만 집중했던 진영외교에서 벗어나 1960년대에는 제3세계 국가들과 관계 개선을 위한 노력에 집중했다.

한편, 같은 시기 중국의 외교정책은 한마디로 '중간지대론'에 기초하여 전개되었다. '중간지대론'은 미국과 소련 두 국가 사이에 중간지대가 존재하며, 이 중간지대에 놓여 있는 국가들이 연합하여 제국주의에 대항해야 한다는 것을 의미한다.[177] 이는 모택동이 오랜 항일전쟁과 건국과정에서 자신의 혁명전략과 경험에 의한 논리를 세계인식으로 발전시킨 것으로서 반제국주의 투쟁을 위한 연합전선 이론이라고 할 수 있다. 모택동은 1958년 9월 최고 국무원회의에서 아시아, 아프리카, 라틴아메리카를 중간지대로 명명하고 '중간지대론'을 공식적인 개념으로 제시하였는데 중국은 이를 1960년대 중반까지 반제국주의 대외정책의 이론적 기반으로 운용하였다.

이에 중국은 사회주의 진영의 모든 국가와 우호, 협력 관계 증진을 표방하였고, 평화공존 5개 원칙[178]의 기본 위에서 제국주의 정책을 반대하는 국가와 평화공존 노력을 강조했다. 따라서 1960년대 중국의 대외정책 노선은 우선적으로 북한을 포함한 공산권 국가와 상호원조 및 협력 관계 구축을 표방하면서 소련과는 공개적으로 경쟁하여 공산주의 핵심국가로 입지를 다지는 것이었다. 이를 위해 소련에게 집중된 경제의존도를 벗어나고자 프랑스, 일본 등 공산권 이외의 일부 국가들과도 활발하게 무역활동을 추진하였다. 반면, 공산주의의 중심국가로서 역할을 하기 원했던 중국은 자본주의 핵심세력인 미국과 적대적 대립 관계를 형성하면서 대외정책을 펼쳐나갔다. 특히, 대만 문제를 둘러싸고 중국에게 미국은 통일을 방해하는 외부세력으로 인식되었다.

이를 종합하면, 1960년대 초반 북한과 중국의 대외정책은 자국의 체제 결속력 강화를 위해 미국과 관계는 대치 국면을 유지하는 반면 주변 공산국가와 관계 개선, 이와 함께 제3세계 국가들과 관계의 폭을 넓히는 등의 유사한 대외정책 기조를 유지하였다. 결국, 완충국으로서 북한의 국력이 중국을 직접적으로 위협하지는 않고, 대립하는 강대국 간의 균형추를 움직이지 않는 상황이었으나 확연한 상승국면에 있었으며, 두 행위자 간의 유사한 대외정책 기조를 보이고 있었다. 따라서 이러한 상황들이 당시 북중동맹의 결속력을 강화시키는 요인으로 작용하였다고 볼 수 있다.

4.2. 동맹관계 악화기(1990년대~2000년대): "안전판 완충국"

1994년 7월 북한은 50여 년간 독재 권력으로 군림하던 김일성이 갑자기 사망하면서 큰 혼란에 빠졌다. 엎친 데 덮친 격으로 이듬해 북한지역에 홍수를 포함한 대규모 자연재해가 잇따라 발생하면서 주민들의 고통은 상상 그 이상이었다. 1990년 탈냉전 이후 1999년까지 10년간 연평균 -3.8%의 성장률을 기록하면서, 국가 총 생산력이 1980년대 대비 절반 이하로 하락했다. 이 시기 대부분의 공장과 기업소가 원자재와 전력 부족 등으로 가동이 중단되었고 일부 군수공장 등 핵심시설만 겨우 가동되었다. 이른바 '고난의 행군' 시기였던 이 때 북한 경제는 군수산업을 제외하고 대부분의 민생 관련 산업은 붕괴된 상황이었다.

그러나 이렇게 급격한 경제적 위기 속에서 집권한 김정일은 위기를 극복하기 위한 대책 마련에 고심하기보다는 이러한 상황을 취약한 자신의 권력을 공고화하는데 활용함으로써 인민들의 삶은 더욱 곤궁해졌다. 김정일은 식량이나 생필품을 자신이 직접 통제하면서 정권에 대한 충성 정도에 따라 차등 배급함으로써 충성경쟁을 유도했다. 이러한 과정에서 아사하는 주민이 33만여 명에 이를 만큼 수많은 인명 피해가 발생했다.

실제로 김일성이 사망하기 전까지만 해도 1인당 쌀 배급량은 600g 정도로 한 사람이 섭취하기 충분한 양이 배급되었지만, 이후 쌀 배급량이 점점 줄어 이듬해 350g까지 쌀 배급량이 줄더니 1996년부터는 아예 쌀 배급이 중단되었다.[179] 공산주의 국가에서 쌀 배급이 중단되었다는 것은 단지 경제적인 면에서만 기능이 마비된 것이 아니라, 거의 국가 기능이 마비된 상태나 다름없었다. 따라서 이 시기 북한의 국력은 김일성 사망과 김정일의 선군

정치를 바탕으로 한 민생경제의 붕괴로 최악의 상태였다. 그나마 중국이 적극적인 개혁개방에 따른 고속성장으로 전력이나 유류, 식량 등을 일부 지원해줌으로써 북한 체제 유지가 가능했다고 볼 수 있다.

한편, 이 시기 북한의 대외정책 기조는 급변하는 안보정세에 많은 영향을 받았다. 1990년대 초반 북한은 소련 붕괴로 인한 동유럽 국가들의 붕괴, 서독의 동독 흡수통일 등으로 인해 체제 존립 자체에 대한 우려가 매우 커진 상황이었다. 특히, 북한과 비슷한 국력을 가지면서 중동에서 서방세력과 대치 중인 이라크가 미국과 연합군에 의해 무참히 패배하는 걸프전을 바라보면서 북한의 안보에 대한 위기감은 최고조에 달했다. 만약 미국과의 대립이 극에 치달아 전쟁이라도 하게 된다면 이라크와 마찬가지로 자신들의 정권이 몰락할 수도 있다는 위기감이 최고조에 달했던 것이다.[180] 이에 북한은 미사일 발사 등 도발을 통해 동아시아 역내 위기를 조성한 후 이를 매개로 김정일 정권의 체제보장과 경제적 지원을 동시에 얻어내려는 이른바 '벼랑 끝 전술'을 구사하였다.

반면, 이 시기 중국은 국내 경제발전과 국제사회에서 자국 영향력 확대를 가장 중요한 국가목표로 상정하고 안정적인 외부 환경 조성을 위해 노력하였다. 이에 중국은 덩샤오핑 시대부터 유지해 온 '평화와 발전'이라는 기조를 지속 유지하는 가운데, 1990년대부터 진행되어 온 다극화와 세계화에 대해서도 새롭게 인식하고 접근하였다. 즉, 냉전 시대 미국과 소련 중심의 강대국 외교에서 벗어나 주변국 외교와 제3세계 국가들과 함께 다자외교도 적극적으로 추진하는 등 전방위적 외교를 펼쳤다. 1992년 한중수교도 이러한 외교정책의 일환이라고 볼 수 있다.

그러나 한중수교는 북한에게 있어서 중국에 대한 신뢰감을 크게 손상시키는 요인으로 작용하였다. 즉, 북한은 한중수교 이후 기존 중국, 소련 비호 아래에서 자신의 이익만을 위해 양다리 전술을 활용했던 정책에서 탈피하고, 장거리 미사일 발사와 핵 개발 등 전략무기를 앞세워 미국과의 직접협상을 시도하면서 북미 관계 정상화를 위해 노력하였다. 이러한 노력의 결과로 2000년 10월 북한의 조명록 차수가 워싱턴을 방문해 '북미 공동 성명'을 발표하고, 곧이어 미국의 울브라이트 국무장관이 평양을 방문함으로써 북미관계가 급진전하는 양상을 보였다.

또한, 북한은 중국과 대치 중에 있는 대만과 관계 개선을 시도하기도 했다. 일례로 북한은 1995년 4월 평양축전기간 중 평양-타이페이 간 전세기를 운항하는가 하면 1996년 12월 대만 핵폐기물을 북한으로 반입하기로 결정하고 1997년 3월 평양과 대만 간 무역대표부 설치를 논의하기도 했다.181) 이러한 북한의 정책은 한중수교를 우회적으로 비난하기 위한 행동이었다고 할 수 있다.

이렇듯 당시 북한은 완충국으로써 국력은 최악의 상황에 놓임과 동시에 정책 기조면에서도 중국과는 다소 분열된 양상을 보이고 있었다. 특히, 북한 김정일 정권은 최악의 경제적 어려움을 극복하기 위해 핵 개발을 통한 '벼랑 끝 전술'을 추진하였고, 중국을 배제하고 미국과 직접협상에 나서기도 하면서 중국과 관계는 소원해지게 되었다. 반면, 경제적으로 급성장하고 있던 중국에게 '경제발전의 지속'이라는 최우선적 국가목표 달성을 위해서 오히려 북한의 가치는 크게 하락하게 되었다. 결국, 완충국 북한의 급격한 국력 하락과 정책 기조의 분열은 당시 북중동맹 관계를 크게 약화시키는 요인으로 작용하였다고 볼 수 있다. 따라서 당시 북한은 중국에게 있어 이른바 '안전판'의 역할을 하는 완충국으로써의 역할만 있었다고 할 수 있다.

4.3. 김정은 시대 북중동맹 전망

2000년대 초 북한 경제는 여전히 인민들의 풍요로운 삶을 보장하기에는 턱없이 부족하지만 마이너스 성장에서 벗어나 2% 내외의 성장세를 보였다. 1999~2005년 동안 연평균 약 2.2%의 성장률을 기록하였고, 2006~2010년 5년간에는 다시 마이너스 성장세로 돌아섰지만, 그 이후 연평균 0.6%의 성장률을 기록하였다.[182] 또한, 2011년 김정일 사후 김정은이 집권하면서 속도는 상대적으로 더디지만 시장 활용 정책을 일부 시행해 다소 활성화된 경제활동이 나타났다.[183] 게다가 2010년대에는 홍수나 태풍과 같은 큰 규모의 자연재해도 발생하지 않아 농산물 생산도 큰무리 없이 진행되었으며, 김정은이 식량난 해결을 위해 수산업을 강조하면서 어획량도 개선되었다. 이와 더불어 북한은 대규모 건설사업을 추진하여 평양에는 고층 아파트들이 들어서면서 위성과학자치구나 여명거리 등의 신도시들이 생겨나고 있다.

그러나 대북제재와 코로나 19 봉쇄로 인해 지금 현재 북한의 경제는 여전히 어려움을 겪고 있다. 김정은은 2024년 1월 23-24일 열린 노동당 중앙위원회 제8기 제19차 정치국 확대 회의에서 "지방 인민들에게 기초식품과 식료품, 소비품을 비롯한 초보적인 생활필수품조차 원만히 제공하지 못하고 있다"고 밝혔다. 이는 북한 경제가 얼마나 어려운지를 잘 보여주고 있는 것으로 특히, 지방경제는 더욱더 큰 어려움에 직면하였다는 것을 자인한 것이라 볼 수 있다.

군사적 능력 측면에서 북한의 군사력은 상대적으로 열세에 있는 재래식 전력을 증강시키는 것보다 비대칭 전력인 전략무기 개발과 확보를 위해 매진해왔다. 즉, 비대칭 무기 개발을 통해 북한은 대외적으로 한반도 내 군사력 우위를 확보하면서 국제사회와 협상 수단으로 활용하는 한편 대내적으로는 기술적 우위와 무기 개발을 선전함으로써 체제 결속을 도모하고자 했다. 물론 북한은 군사 부분의 모든 역량을 전략자산 개발에 집중시켜왔기 때문에 대부분의 재래식 전력은 노후화되어 작전능력이 현저히 떨어졌다. 특히, 첨단 고도화된 기술력을 요구하는 해·공군은 1960~70년대 중국과 소련으로부터 받은 함정과 항공기가 대부분 군의 주력 장비로 활용되는 등 심각한 수준이기는 하다. 하지만, 상대국들에게 군사적으로 위협을 가할 수 있는 충분한 능력을 가지고 있어 위성 완충국이 된다면 여전히 가치는 상당히 높다고 할 수 있다.

<표 6-5> 남북한 주요 재래식 군사력 비교

2022년 12월 기준

구분		한국	북한
병력	육군	36.5만여 명	110만여 명
	해군	7만여 명	6만여 명
	공군	6.5만여 명	11만여 명
	전략군	·	1만여 명
	예비전력	310만여 명	762만여 명
장비 (지상군)	전차	2,200여 대	4,300여 대
	장갑차	3,100여 대	2,600여 대
	야포	5,600여 문	8,800여 문
	다련장/방사포	310여 문	5,500여 문
	지대지유도무기	60여 기	100여 기

출처: 국방부, 『국방백서 2022』(서울: 국방부, 2022), p. 334.

그러나 김정은 정권에서 연일 계속되는 핵무기 개발, 장·단거리 미사일 발사 등으로 인해 북한은 국제적으로 고립되어 왔다. 특히, 국제사회에서 미국이 주도적으로 초강경 대북제재를 구사함으로써 북미관계는 경색되었으며 더욱이 북한의 인권문제까지 겹쳐 북·미 간 갈등을 더욱 고조되었다. 물론, 트럼프 행정부 시기 북미정상회담이 열려 긍정적인 전망이 예측되기도 하였으나, 이른바 '노딜'로 끝나고 말았다. 이런 상황에서는 북한의 군사적 능력, 특히 핵무기 보유 의지는 중국에게는 '자산'이 아닌 오히려 '부담'으로 작용하였던 것도 사실이다.

김정은은 2018년에만 3번이나 중국을 방문하여 시진핑 주석과 정상회담을 실시하는 등 '북중 친선 우호 협력'을 다졌다. 북한은 북미정상회담 이전이었던 2018년 3월과 5월 북중 정상회담을 통해서 미국과의 북핵폐기 협상 과정에서 중국의 지지를 얻으려는 노력을 하였으며, 북미정상회담 직후인 6월 19일 열린 3차 정상회담을 통해서는 북미정상회담에서 논의된 주요 사안에 대한 설명 및 협의를 통해 향후 정책 추진에 있어 중국과 협의 의사를 강하게 표했다. 이는 결국, 미국과 관계가 '적대적'에서 '협력적'으로 변화해가는 과정에서도 전통적인 우방인 중국과 관계를 여전히 중시한다는 것을 보여줌으로써 미래 북중관계를 더욱 공공히 하려는 의지를 표했다고 할 수 있다.

또한, 김정은은 2024년 4월 방북한 중국 서열 3위 자오러지(趙樂際) 전국인민대표대회(전인대) 상무위원장을 만난 자리에서 "조중(북중) 사이의 전통적 친선 협력 관계를 공고히 하고 발전시켜나가는 것은 북한 노동당과 정부의 확고부동한 방침"이라고 강조하였다. 그러면서 "두 나라 관계는 새 시대의 요구에 맞게 끊임없이 새롭고 높은 단계로 발전하고 있다"면서 "올해는 조중 수교 75돌이 되는 해이자 '조중 우호의 해'로, 조중관계의 새로운 장을

써 내려갈 것"이라고 말했다. 이는 그동안 중국의 반대에도 불구하고 추진되었던 핵 개발로 인해 다소 소원해진 중국과 관계를 강화하기 위한 것으로 미래 중국과 정책적 기조를 함께 하겠다는 것을 보여주었다고도 할 수 있다.

한편, 중국은 2017년 10월 18일에 개막한 중국 공산당 제19차 전국대표대회(당대회) 보고를 통해 집권 2기 청사진을 제시했다. 그 주요 내용은 '샤오캉(小康·모든 인민들이 편안하고 풍족한 생활을 누린다는 뜻) 사회의 전면적 실현'과 '중화민족의 위대한 부흥'으로 요약된다. 이를 '신시대 중국 특색 사회주의'라는 통치 이념으로 설명했다. 특히, "2020년부터 2035년까지 샤오캉 사회의 전면적인 기초 아래 사회주의 현대화를 기본적으로 실현하고, 2035년부터 21세기 중반까지 부강하면서도 아름다운 사회주의 강국을 건설하겠다"고 밝힌 것이다. 또한, 시진핑 주석은 군에 대해서도 "2035년까지 국방과 군대 현대화를 기본적으로 실현해 21세기 중엽까지 세계 일류 군대로 만들겠다"고 했다. 2050년에는 세계적인 리더국가로 부상하는 '중국의 꿈'을 선포한 것이다.

이를 위해 중국 정부는 미국을 비롯한 주변국에 대한 공세적 외교전략을 당분간 지속할 것으로 보인다. 이는 미국 중심의 유일 패권체제를 부정하고 동아시아 지역, 나아가 세계질서를 미국과 함께 주도하는 새로운 국제질서 수립을 촉진하는 핵심 요인이며, 그에 따른 중미 간 세력전이 현상이 동아시아 지역에서 보다 가속화될 것이다. 특히, 중국은 동아시아 지역에서 미국의 아태지역 군사력 증강, 한국·일본과 동맹 강화, 일본의 보통국가화 추진에 따른 해외파병 등 군사활동 증가, 북한의 핵 개발, 미사일 발사와 같은 도발에 따른 한반도 정세 불안 등을 주된 위협 요인으로 인식하고 있다. 이렇듯 역내 주요 위협들이 미국 또는 미국 세력권에 있는 국가들과 연관되어 있어 미국과의 충돌 가능성이 매우 크기 때문에 중국은 '신형대국관계'를 강조하는 한편, 평화적으로 협력을 확대해 상생하는 미·중 관계를 원하고 있다.

이러한 정책 기조하에서 중국은 북한 정권의 붕괴보다는 북한에 대한 영향력을 확대하기 위해 노력하면서 완충국으로써 북한을 유지하고자 하는 전략을 구사하게 될 것이다. 이것이 중국의 전략목표 달성에 더욱 유리한 환경을 조성할 수 있기 때문이다. 북핵 협상이 시작되려 했던 2018년 3월 19일 환구시보는 '중국과 북한의 우호적인 관계는 한·미·일 3국의 교란에도 절대 흔들리지 않을 것이다'라는 제목의 사설을 통해 "북한은 존중받을 가치가 있는 국가"라고 전하면서 중국 사회가 북한에 대해 올바르게 인식해야 한다고 역설"하였다.184) 또한, 2018년 5월 9일 북중 정상회담 이후 인민일보는 "양국의 전통적인 우호관계를 보호하고 발전시키는 것은 중북 양국 이익에 부합하는 유일한 선택"이라며 "북중관계의 건강하고 안정적인 발전에 도움이 될 뿐 아니라 한반도의 장기적인 안정과 지역의 평화와 안정, 번영에도 도움이 된다"고 강조하기도 하였다.185) 2024년 4월 방북한 자오러지 상무위원장은 "중조(중국과 북한)관계의 전통적 우호 협력 관계를 수호하고 공고히 하며 발전시켜 나가는 것이 우리의 확고부동한 방침"이라고 밝혔으며, "중국은 북한과 양자 협력을 심화해 양국 관계의 함의를 풍부하게 할 의향이 있다"고 덧붙였다.

이렇듯 최근 북중동맹 관계는 다시 강화되는 방향으로 나아가고 있다. 이는 지금까지 중국에게 부담만 되었던 북한이 다시금 동맹국의 역할을 할 수 있는 능력과 의지를 보여주고 있기 때문으로 보인다. 특히, 북한이 국제사회에서 문제아가 아닌 모두가 인정하는 일원이 되고자 하는 모습을 보여줌으로써 중국이 북한에 대한 가치를 재평가하는 계기가 마련되었다고 할 수 있다. 따라서 이러한 상황이 지속된다면 김정은 시대 북중동맹 관계는 지속적으로 강화되는 방향으로 갈 것으로 보인다.

제5절 결 론: 정책적 함의

지금까지 북한은 지속적인 핵 개발과 미사일 발사 등을 통해 국제사회가 우려하는 가장 심각한 안보위협을 야기하여 왔다. 특히, 북한이 행한 미국에 대한 군사적 위협은 한반도에서 언제든지 군사적인 충돌이 발생할 수 있다는 불안감을 조성하여 왔다. 하지만, 남북, 북미정상회담을 통해 조성된 대화 분위기는 한반도 평화 정착을 위한 긍정적 기류를 조성하기도 하였으나 끝내 실패하고 말았다.

한반도 내 평화가 달성되기 위해서는 한국의 동맹국인 미국과 북한의 동맹국인 중국의 협조가 대단히 필요하다. 즉, 이들이 한국이 추진하고 있는 정책에 부정적 영향을 주지 않도록 하여야 한다. 특히, 북중동맹 관계의 변화를 전략적으로 이용할 필요가 있다. 이를 위해서 한국은 다음과 같은 정책적 방향성을 유지할 필요가 있다.

우선, 중국이 북한에 대한 영향력이 감소하였다고는 하지만 여전히 북한을 변화시킬 수 있는 가장 큰 힘을 지닌 국가는 중국이라는 것을 명심할 필요가 있다.[186] 중국의 대북 영향력을 과소평가하여 대미 협조체계만을 중시한다면, 한중 및 남북관계 경색은 물론 나아가 북중동맹 결속력이 한미동맹에 대한 대응 차원에서만 강화시키는 계기가 되는 우를 범할 수 있다. 따라서 한반도 내 평화 정착을 위해서는 한미 협조 체계 뿐만 아니라 한중 협조체계도 유지할 필요가 있다.

둘째, 중국이 추진하고 있는 정책을 달성하기 위해서는 한반도의 안정화 및 평화 정착이 필수 조건임을 중국에게 꾸준히 인식시킬 필요가 있다. 중국이 북한을 1960년대처럼 위성완충국화시키고자 한다면 그것이 오히려 한반도 평화 정착에 도움이 되지 않는다는 점을 부각시킬 필요가 있는 것이다. 현재 중국은 "중국이 세계무대 중앙에서 인류에 더 많은 공헌을 하는 시대"를 열고자 한다. 따라서 이러한 정책 추진에 동력을 얻기 위해서는 동아시아 정세 안정과 경제 성장이 필수적이며 이를 위해서는 북한과의 공조뿐만 아니라 한국과 발맞춰 나아가야 된다는 점을 중국에게 명확히 인식시켜 줄 필요가 있다. 사실 한국과 중국이 수교를 맺은지 30여 년이라는 세월 간 양국 교역량은 30배가 넘게 증가했다.187) 이 기간 일본 2.3배, 미국이 3배 늘어난 것과 비교해 폭발적 증가를 보였으며, 2003년 이후 중국은 한국의 가장 큰 교역 상대국 지위를 현재까지 고수하고 있다. 한국도 중국의 주요 수출국 중 4위를 기록하고 있기도 하다. 즉, 중국에게도 한국은 중요한 무역 상대국인 것이다. 물론, 한반도 사드배치 등 역내 안보문제와 연계되어 한중 경제 협력이 난항을 겪기도 하였지만, 드라마, 음악 등 한국 문화가 중국 내 깊숙이 스며들어 있어 장기적인 관점에서 양국 국민의 인식을 긍정적인 방향으로 이끌 수 있는 가능성은 충분히 있다.

이런 상황속에서 북한이 예전과 같이 국제사회의 반대에도 불구하고 핵 개발 및 보유, 미사일 시험발사 등을 통해 군사적 긴장감을 조성한다면 미래 지도국의 위치를 노리고 있는 중국에게는 매우 부담스러울 수밖에 없다는 점을 부각하여야 한다. 한반도 평화 정착이 잘 이루어지지 않을 경우 중국은 '얻는 것보다 잃는 것이 많다'는 것을 인식시켜야 한다. 따라서 완충국 개념에 매몰되어 국제적인 '신뢰'라는 중요한 이익을 잃을 수 있음을 끊임없이 설득하여 한반도 평화 정착에 적극 기여할 수 있도록 하여야 한다.

셋째, 한국의 대북정책은 기본적으로 한반도 비핵화 원칙을 고수하되, 북한이 스스로 대화의 장에 지속적으로 나올 수 있는 명분을 유지시켜 줄 필요가 있다. 강한 압박과 제재로 인해 어쩔 수 없이 대화에 나왔다는 인상을 주게 된다면 협상 과정에서 갈등의 소지가 발생할 가능성이 크다. 따라서, 북미관계 개선을 필두로 하여 인도적 지원, 경제교류 협력 등을 동시다발적으로 추진하여 강대강 대결 국면이 다시금 발생하지 않도록 중재할 필요가 있다.

한국은 평화적인 통일을 국가목표로 하고 있다. 이는 다른 어떠한 국가이익보다 중요한 것이 사실이다. 이를 달성하기 위해서 과연 어떤 노력을 해왔는지 자문할 필요가 있다. 특히, 본 장에서 다루었듯이 북중관계에 대한 평가를 정확하게 할 필요가 있다. 이론적으로 북한은 중국에게 완충국으로서 가치가 충분히 있어 왔던 것은 사실이다. 결속력이 가장 강력했던 시기에는 '위성완충국'으로서 가치가 있었고 결속력이 약했던 시기에는 '안전판'으로서 기능이 있었다고 할 수 있다. 또한, 본 장에서 제시하였듯이 변화하는 미래 시대상을 고려할 때 북중동맹은 다시금 강화될 가능성이 매우 크다.

그러나 여기서 중요한 것은 비록 북중동맹이 강화되더라도 1960년대와 같이 적대적인 남북, 북미 관계가 아닌 협력적인 관계를 바탕으로 하고 있다는 것이다. 따라서 새로운 동아시아 안보지형에서는 전통적인 중국의 완충국으로서 북한이 아니라 한반도 및 동아시아 평화체제의 일원으로서 북한의 가치가 평가되어야 할 것이며 이를 바탕으로 한 북중동맹이 유지되어야 기존의 냉전적 대결 구도를 완화시킬 수 있을 것이며, 또한 동아시아 평화체제 정착에 기여하게 될 것임을 명심할 필요가 있다 하겠다.

제7장 동맹이론과 북중동맹 와해 전략[188]

제1절 서 론: 문제제기

앞장에서 살펴보았듯이 본 장에서도 '중국은 왜 국제사회의 문제아로 전락된 북한과 여전히 동맹관계를 유지하고 있는 것인가?'를 핵심 질문으로 삼는다. 본 장에서는 이 문제에 대한 해답을 찾기 위해 앞 장과는 다르게 동맹이론의 원초적 의문에서 시작한다. 일반적으로 많은 북중동맹에 대한 연구는 크게 "동맹 지속에 관한 연구,"[189] "변화에 관한 연구"[190]로 진행되어 왔다. 일부 동맹 이론적 측면에서 연구가 진행되고 있기는 하나 여전히 부족한 면이 있다. 따라서 본 장에서는 동맹 이론적 연구의 관점에서 북중동맹을 분석하여 한국의 전략적 함의를 도출하고자 한다. 즉, 중국에게 북한은 어떠한 전략적 가치가 있기 때문에 국제사회에서 문제 국가로 전락하는 북한과 동맹관계를 유지하고 있는 것인가를 본 장에서는 동맹 이론적 관점에서 성찰하고자 한다. 따라서 본 장에서는 어떠한 요인이 북중동맹을 유지시키는 핵심 요인인지를 살펴보고 이러한 분석을 통해 한국의 전략적 함의를 도출할 것이다. 이를 위해 우선적으로 동맹이론을 바탕으로 왜 동맹이 형성되며 어떠한 요인이 동맹 유지 및 와해에 작용하는지를 살펴본 후 북중관계 균열을 위한 미래 한국의 전략적 함의를 제시하고자 한다.

제2절 이론적 논의: 비대칭 동맹의 유지 및 와해조건

　국제정치는 상대가 있는 게임이기 때문에 한 국가가 동맹국을 잘 선택하는 것도 중요하지만 적대국의 동맹을 약화 또는 단절시키는 것도 그에 못지않게 중요한 동맹전략이라 할 수 있다. 즉, 한 국가의 동맹전략은 다른 국가와 동맹을 형성하는 것이기도 하지만 적대국의 동맹을 단절시키는 것도 포함된다고 할 수 있다. 그렇다면 우선적으로 어떠한 요소가 동맹의 형성 및 유지에 영향을 주고, 또한 동맹의 와해에 영향을 주는 것인가를 살펴볼 필요가 있다.

　사회과학에서 분열의 문제를 설명하는 데는 크게 두 가지가 있을 수 있다. 하나는 행위론이고 다른 하나는 구조론이다. 행위론은 행위자들의 개별적 특성에 초점을 맞춘다. 반면, 구조론은 여러 행위자들이 놓여 있는 정치적 환경에 초점을 맞추어 설명한다. 물론 좀 더 명확한 설명을 위해서는 이 두 가지를 접목시키기 위한 노력이 필요하다. 따라서 일반적으로 동맹에 대한 갈등 문제를 위해서는 행위론과 구조론을 접목시켜 위협에 대한 인식의 차이, 국가의 대외 전략의 차이, 상대에 대한 기대감의 차이 등으로 인해 갈등 상황을 설명하기도 한다.191)

　한편, 북중동맹을 설명하기 위해서는 해당 동맹의 기본적 특성을 이해할 필요가 있다. 북중동맹과 같이 강대국과 약소국 사이에 체결된 동맹을 일반적으로 비대칭 동맹(Asymmetric Alliance)이라 한다. 하지만 이러한 비대칭 동맹에 대한 논의는 시대와 학자에 따라 차이가 있다. 모로우는 동맹의 비대칭성을 설명하기 위하여 국가들을 약소국(Minor), 강대국(Major), 초강대국(Superpower)으로 구분하여 같은 형태의 국가 간의 동맹을 대칭적 관계로, 다른 형태의 국가 간의 관계를 비대칭적 관계로 구분하고 있다.[192] 하지만 이러한 구분은 매우 단선적인 것으로 논란의 소지가 있다. 따라서, 동맹관계의 대칭성을 구분하기 위해서는 동맹 형성의 목적에 주목할 필요가 있다.

동맹을 형성하는 기본 목적은 안보라는 공공재의 확보라고 할 수 있다. 하지만 강대국과 약소국 사이에 체결된 동맹의 경우 그 성격이 다를 수 있다. 즉, 한 국가는 안보라는 목적을 가지고 동맹을 체결하고자 하고 다른 국가는 자국의 국제사회에서의 영향력 확대 등을 목적으로 한다면 이 관계에 있어서도 동맹관계 성립은 가능하다. 이럴 경우, 전자의 경우가 약소국일 가능성이 크며 후자의 경우는 강대국일 가능성이 크다. 이렇듯 동맹체결국 사이에 상호 다른 목적이 존재한다면 이를 비대칭 동맹이라고 할 수 있다. 왜냐하면, 일반적으로 약소국의 목적인 안보 확보가 강대국의 목적인 영향력 확대라는 이해관계보다 국가 존망이라는 사활적 이익에 더 깊이 관여됨으로써 동맹에 대한 종속성이 높아지기 때문이다.[193]

위의 관계를 잘 설명하는 이론이 안보와 자주성의 상호교환모델(Autonomy Security Trade-off Model)이라 할 수 있다. 이 모델은 약소국이 강대국과의 동맹관계를 형성함으로써 안보를 증진시킬 수 있으나 이에 대한 대가로 정치적 자율성을 희생당하는 결과를 가져온다는 것을 보여주고 있다. 즉, 이러한 동맹관계에서는 일국의 안보에 대한 타국에의 의존성이 그 국가의 정책 결정에서 독자성을 제한한다는 것이다. 이러한 비대칭 동맹을 형성시키는 요인은 여러 가지가 있을 수 있으나 일반적으로 위협에 대처할 수 있는 능력, 동맹국으로써의 가치, 대안의 존재 여부 등이 영향을 준다고 할 수 있다.[194] 즉, 위협이 존재하나 이에 대한 능력이 부족하다면 약소국은 자국의 자주성에 대한 제한을 받아들일 수밖에 없으며 강대국의 동맹국으로써 가치가 크고 반면 약소국이 대안이 없다면 비대칭 동맹이 유지될 수 있다는 것이다. 결국, 비대칭 동맹이 유지되기 위해서는 상대적 약소국은 자신의 안보를 보장받는 대신 어느 정도의 자주성을 양보해야 하는 것이다.

한편, 왈트는 동맹의 유지 조건으로는 상대적 강대국의 리더십, 신뢰도의 유지, 국내정치와 엘리트에 의한 조작, 제도화 및 이념·정책의 공유 등을 들고 있다.195) 강대국의 리더십의 경우 동맹국 중 상대적으로 강한 국가가 글로벌한 국가이익을 갖고 있거나 심각한 위협에 직면해 있을 경우 동맹을 유지하는 유인으로 작용한다는 것이다. 신뢰도의 경우 양국 간의 기본적인 믿음의 문제를 말하는 것이나 특정한 동맹이 가치가 떨어져도 이 동맹이 다른 동맹관계에 미치는 영향력이 존재한다면 지속할 수 있음을 의미한다. 국내정치적 관점에서는 동맹의 유지 자체가 전체 사회에 도움이 되지 않는다 하더라도 정치를 이끌어나가는 엘리트들에게 자신들의 정치력 유지에 필요하다면 이를 유지함을 의미한다. 마지막으로 제도화 및 이념의 공유 문제는 두 국가가 오랜 기간 제도화 되어 있는 기구를 지니고 있다거나 국가의 핵심 이념을 공유하고 있다면 동맹관계가 유지된다는 것이다.

왈트는 같은 연구에서 동맹을 해체하는 요인도 제시하고 있다. 우선 그는 위협 인식의 변화를 들고 있는데 이는 동맹이 형성되는 과정에서 가장 중요한 요인이라고 할 수 있는 위협에 대한 각국의 평가가 변화되었을 경우 동맹의 유지가 어렵게 된다는 것을 의미한다. 두 번째 신뢰도의 저하는 동맹의 유지 요인에서 논의하였듯이 믿음이 약화 될 경우, 동맹의 유지가 어렵다는 것을 말한다. 특히, 이 요인은 양국이 안보문제에 있어서 정책적으로 얼마나 공조해 가느냐가 매우 중요한 요소임을 말해주는 것이다. 마지막 세 번째 요소로는 국내정치적 요소를 들고 있는 데 이는 동맹에 대해서 양국의 정치 세력은 물론 국민들이 이에 대한 얼마만큼의 지지가 형성되고 있는지를 의미하는 것으로 이러한 지지가 없을 경우 동맹은 와해 될 수 있다는 것을 말한다.

결국, 이상과 같은 이론적 논의를 종합해 보면 북중동맹 같은 비대칭 동맹이 유지되기 위해서는 우선적으로 양국의 전략적 이해관계인 위협 인식이 공유되어야 한다. 또한, 양국이 서로 신뢰할 수 있을 정도의 정책적인 협조가 이루어져야 하는데 특히 상대적 강대국이 약소국에 대한 영향력이 발휘되어야 한다. 이와 함께 약소국의 전략적 가치가 존재하여야 동맹관계가 유지될 수 있다. 따라서 본 장에서는 동맹 유지 및 와해를 야기할 수 있는 여러 가지 요인 중 위의 이론적 논의를 바탕으로 위협 인식, 정책적인 협조, 전략적 가치라는 세 가지 변수에 집중하여 북중동맹을 분석하고자 한다.

제3절 북중동맹 평가

동맹은 체결 국가 간 정치적 또는 군사적 이익의 교환이 이루어져야 성립 및 유지될 수 있다. 이런 인식을 바탕으로 스코벨은 북중동맹은 사실상 사문화된 관계로써 '가상동맹 (virtual alliance)'에 불과하다고 주장하기도 한다.[196] 뿐만 아니라 중국이 북한에 대해서 군사 장비의 수출 및 지원을 하거나 합동군사훈련 등을 하지 않는다는 점을 들어 동맹으로 보기 어렵다는 의견도 제시되고 있다.[197] 즉, 중국은 과거 북한과의 혈맹관계를 전통적 우호 관계, 심지어 일반국가 간의 관계로 새롭게 인식하고 있다는 것이다.[198] 하지만, 북중우호조약 제7조에 "양국이 조약의 개정 또는 효력의 상실에 대해 합의하지 않는 이상 효력이 유지된다"

고 명시되었듯이 이 조약은 지금까지 폐기되거나 수정되지 않고 있어 그 유효성은 여전히 남아있다고 보는 것이 타당하다. 즉, 북중조약이 크게 약화되었다고 하더라도 이것이 완전히 끝난 것은 아니다. 따라서 위에서 제시한 세 가지 요인을 바탕으로 북중동맹의 현재 상황을 상대적 강대국이라 할 수 있는 중국의 입장에서 평가해보고자 한다.

3.1. 위협인식의 측면

동맹 형성의 가장 기본적인 전제조건이 바로 공동 위협의 존재라고 할 수 있다. 즉, 북중동맹은 동맹 형성 당시의 중국과 북한의 공동 위협 인식의 공유가 성립의 기본적 요인이었다. 북중동맹은 전문과 7개 조로 이루어졌는데 이중 위협과 관련되어 특히 주목해야 할 것은 제2조라고 할 수 있다. 왜냐하면, 이 조항이 북중우호조약이 군사동맹임을 명확히 보여주고 있기 때문이다. 조약에서는 "체약 쌍방은 체약 쌍방 중 어느 일방에 대한 어떠한 국가로부터의 침략이라도 이를 방지하기 위하여 모든 조치를 공동으로 취할 의무를 지닌다"면서 "체약 일방이 어떠한 한 개의 국가 또는 몇 개 국가들의 연합으로부터 무력 침공을 당함으로써 전쟁 상태에 처하게 되는 경우에 체약 쌍방은 모든 힘을 다하여 지체 없이 군사적 및 기타 원조를 제공한다"고 명시하고 있다.

중국은 동맹 형성 당시 중소분쟁의 상황에서 미국의 위협에 대처하기 위해서 주변국들과 관계 개선을 꾀하고 있었다.[199] 중국은 미국에 대항하기 위해서 북한이 필요했던 것이다. 사실, 이러한 인식의 시작은 1950년대로 거슬러 올라간다. 1950년 마오쩌둥이 6.25 전쟁의 참전을 결정하면서 북한이 남쪽에 편입되면 미국의 영향력 아래 있는 한반도와 바로 국경을 마주하게 된다는 이른바 순망치한론(脣亡齒寒論)이 그것이다.200) 이러한 상황은 냉전 기간 내내 지속되었는데 자본주의와 공산주의 양대 진영의 대결구도 속에서 중국과 북한은 동맹국으로서 결속력을 강화시켰다.

그렇다면 현재는 어떠한가? 현재도 중국은 남중국해 영토 분쟁으로 미국과 군사적 갈등을 빚고 있으며 미일 군사동맹 강화를 우려하는 상황에서 북한의 전략적 가치를 포기하기 어려운 상황이다. 동아시아 지역에서 미국은 한미동맹과 미일동맹을 바탕으로 정치, 군사적 영향력을 여전히 유지하고 있는 것이 사실이며 이를 통해 중국을 견제하고 있다. 중국은 1990년대 중반부터 미일동맹 강화에 대해 꾸준히 비판적 주장을 제기하였다. 중국이 미일동맹을 위협으로 여기는 핵심이유는 크게 2가지로 나누어 볼 수 있는데 첫째, 미일동맹의 주요 목표가 중국이라는 점이며, 둘째 미일동맹 강화는 일본의 군사력 증강을 촉진시키는 역할을 한다는 것이다.201) 중국의 이러한 우려와 함께 한미동맹에 대해서도 "역사가 남긴 산물이며 냉전시기 군사동맹을 가지고 당면한 안보문제를 처리하는 것은 불가능하다"라는 견해를 피력해왔다. 결국, 중국의 이러한 주장들을 통해 한미, 미일 동맹 관계를 자신들의 안보적 위협으로 인식하고 있음을 알 수 있다.

특히, 최근에는 남중국해를 둘러싼 미국과의 대치 상황이 이러한 위협 인식을 강화시키고 있다. 중국의 남중국해 관련 정책에 대해 미국은 "그 어떤 국가도 크기와 힘을 키워 다른 나라들을 종속시키려 시도한다면 미국이 이를 무시할 수 없다"고 천명한 반면 중국은 남중국해 도서의 12해리 안을 자신의 영해로 간주하면서 "미 군용기가 중국 도서의 상공을 침범하고 미 군함이 중국 도서의 12해리 해역으로 들어오면 중국군은 이에 대해 적극 조치"할 것을 밝히고 있다. 결국, 중국의 이러한 위협 인식은 북한과 관계를 등한시할 수 없게 하는 이유로 작용하고 있다. 즉, 지역 내의 미국의 동맹관계, 특히 한국과 일본과의 관계가 중국에 대한 견제를 목적으로 하고 있다는 중국의 평가는 중국이 북한과 동맹관계를 유지할 수밖에 없는 요인이 되고 있는 것이다.

3.2. 정책적 공조 측면: 안보와 자주성의 교환

국제사회에서 협력은 상호 이익이 존재해야 이루어진다. 물론 현실주의는 상대적 이득(relative gain)의 개념을 강조하여 국제사회에서 협력이 이루어지기 어렵고 이루어지더라도 유지하기 어렵다고 강조한다.[202] 하지만, 자유주의 이론은 이에 대해 절대적 이득(absolute gain)의 개념을 강조하며 국가들은 협력을 통해 협력이 이루어지지 않았을 경우에는 생기지 않는 이득을 얻을 수 있기 때문에 협력에 긍정적으로 행동한다고 설명한다.[203]

이러한 이론들의 설명은 상황에 따라 그 적용이 다를 수 있지만 하나의 공통점은 협력이 이루어지려면 어떠한 형태로든 이익이 존재하여야 한다는 것이다. 이는 가장 강한 형태의 군사협력이라 할 수 있는 동맹관계에 있어서도 마찬가지이다. 즉, 강대국과 약소국의 동맹관계에 있어서도 강대국이 약소국에게 안보를 보장해 주면 약소국은 강대국에게 이에 상응하는 이익을 제공해 주어야 하는 것이다. 일반적으로 이것은 자주성의 양보로 이루어진다.[204] 이러한 이유로 힘의 우위를 바탕으로 하는 비대칭동맹 관계는 비교적 오래 지속될 것으로 추정되기도 한다.

북중동맹 제4조는 "체약 쌍방은 양국의 공동 이익과 관련되는 일체의 중요한 국제 문제들에 대하여 계속 협의한다"는 내용으로 되어 있다. 이는 양국 간의 정책적 공조를 뜻한다고 할 수 있다.

하지만 최근 북한과 중국의 정책적 공조 측면은 균열이 있는 것으로 보인다. 특히 최근 국제사회의 중요 의제로 부각되어 있는 북한 핵 문제에 대한 양측의 공조 상태를 살펴보면 이러한 경향은 더욱 도드라진다.

동맹 유지를 위해서는 긴밀하게 협의하고 중요한 사항에 대해서는 통보하여야 한다. 특히 중요한 안보적 의제의 경우는 더욱 그렇다고 할 수 있다. 이런 관점에서 북한 핵 및 미사일 문제는 한 국가의 안보적 의제일 뿐만 아니라 동맹 차원에서도 매우 중요한 협의 사항임에 분명하다. 공식적으로 중국은 "유엔안보리 결의에 위배되는 어떤 행동도 반대한다"는 입장을 견지해 왔다.

하지만, 북한은 김정은 체제가 들어서면서 핵 개발에 더욱 박차를 가하여 왔다. 김정은은 2013년 3월 노동당 전원회의에서 '핵-경제 병진노선'을 발표하였는데, 이는 핵을 지속적으로 개발하여 안보 억지력을 보유하고 이를 통해 절감된 국방비는 경제를 살리는 데 사용한다는 것이었다. 북한에게 노선은 일반적인 국가에게 있어 국정 기조에 해당한다. 일반적으로 국정 기조는 정권에 따라 변화한다. 이는 정권의 변화가 없다면 국정 기조가 변화하기 어렵다는 것을 의미한다. 따라서 김정은 정권이 추구하고 있는 이른바 '핵-경제 병진 노선'은 그렇게 쉽게 포기되지 않을 것이다. 실제로도 북한은 지금까지 핵 개발을 추진해 왔으며, 2024년 현재 실질적인 핵보유국의 지위에 올라있다. 또한, 북한은 이른바 '주체사상'을 가장 중요한 사상적 바탕으로 삼고 있다. 이는 앞으로 대국으로서 영향력 확대를 지향하고 있는 중국의 외교 노선과 정면으로 배치될 것이다. 자주를 가장 우선적 가치로 표방해왔던 북한에게는 안보와 자주성의 상호 교환이라는 것이 어렵기 때문이다.

북한과 중국은 2023년 8월 압록강 신의주-단둥 국경을 통해 코로나19 대유행 이후 3년여 만에 대규모 인적 왕래를 재개했고,

비슷한 시기 평양-베이징 항공편을 다시 가동하며 북중 교류를 재개하였다. 2024년 초, 북중은 수교 75주년을 맞아 '조중(북중) 우호의 해'로 선언하고 고위급 왕래에 나서며 활발한 교류를 예고 하기도 했다. 하지만, 2024년 6월 19일 블라디미르 푸틴 러시아 대통령이 북한을 방문해 사실상의 '군사동맹' 수준으로 양국 관계 를 격상한 시점을 전후로 심상치 않은 기류가 나타나기도 하였다. 중국 랴오닝성 다롄에 2018년 설치된 김정은 북한 국무위원장과 시진핑 중국 국가주석의 발자국 기념물이 제거되기도 하였으며, 베이징에 있던 북한 외교관이 중국 당국에 자택 수색을 당하기도 하였다. 그런가 하면 북한이 관영매체인 조선중앙TV와 조선중앙 방송 대외 송출 수단을 중국 위성에서 러시아 위성으로 전환했다 는 발표도 있었다.

북한과 중국은 수교 75년 동안 시기별로 밀착하기도, 소원해지 기도 하였다. 미중 경쟁 속에 한반도의 현상유지와 안정적 관리가 목표인 중국 입장에서는 북한의 대결 행동으로 긴장이 높아지면 자국의 전략적 행동에 차질을 빚게 된다. 북한이 조성하고 있는 군사적 긴장감과 북한 정권의 독단적 행보는 미래 지도국의 위치 를 노리고 있는 중국에게는 매우 부담스럽다고 할 수 있다. 따라 서 전술하였듯이 북중 간 균열 가능성은 충분히 존재하고 있다. 하지만, 기존에 그래왔듯이 또다시 북중 간 관계가 돈독해질 수 있는 가능성도 배제할 수 없다. 이는 중국에 의한 북한과 관계 변 화를 기대만 해서는 안 된다는 것을 의미하기도 한다. 즉, 북중관 계 변화를 위해서 적극적인 노력이 필요하다는 것이다.

3.3. 동맹의 가치 측면: 대국으로서 신뢰성

국제정치 역사에서 일국의 경제력이 급속도로 성장하면 자국의 경제력 상승에 맞춰 더 강화된 국제정치적 영향력과 역할을 추구한다. 예를 들어, 제2차 세계대전 이후 미국은 자국의 경제력이 세계 전체 경제의 절반을 차지할 정도로 강해지자 그에 부합하는 영향력을 행사하기 위해 국제정치의 새 틀을 만드는데 주력하였다.205)

　세계은행 및 국제통화기금 등의 국제기관들은 GDP의 구매력평가(PPP: Purchasing Power Parity)를 기준으로 할 때 중국이 2014년부터 이미 미국을 추월한 것으로 평가하였다.206) 이것은 기존에 있었던 예측들보다 더 앞당겨진 것으로 중국의 경제 성장이 매우 빠르게 이루어졌음을 의미한다. 미래에도 경제면에 있어서는 중국이 명실공히 세계 1위 지위를 유지할 수 있을 것으로 보이며 세계 경제에서 미국이 차지하는 비중은 중국에 비해 감소할 것으로 보인다. 물론 중국에게는 부의 불균형, 환경문제, 사회 안전망 미비, 부패, 소수 민족 문제 등 단기간에 극복이 쉽지 않은 과제가 많은 것도 사실이다. 2023년, 골드만삭스를 포함한 주요 경제기관들은 중국의 총 GDP가 미국을 추월하는 시점을 2026년에서 2035년으로 조정하였다. 그 이유로는 중국의 노동 인구 급감에 따른 인구구조 변화가 생산성 둔화를 초래할 것이고, 반(反)시장 정책과 미중 패권 전쟁에 따른 글로벌 공급망 재편으로 급격한 자본 이탈과 성장률 둔화가 발생하고 있는 것을 들고 있다. 하지만, 여기서 한 가지 중요한 것은 경제적인 측면에서 중국이 어느 시점에서는 미국을 추월할 것이라는 점은 변하지 않고 있다는 것이다.

　한편, 군사적으로 중국이 미국을 추월하기는 당분간은 어려울 것이다. 왜냐하면, 군사력의 투사력을 향상시키기 위해서는 오랜 기간 국방비 투자가 필요하기 때문이다. 제3장에서 <표 3-3>을 통해 제시하였듯이 미국은 전 세계에서 가장 많은 국방비를 지출하고 있으며, 이 규모는 세계 2위부터 10위까지 국방비를 합친 국방비와 유사할 정도이다. 미국은 이러한 압도적인 투자를 통해 과학화, 첨단화된 군사력을 세계 전 지역에 투사할 수 있는 능력을 가지게 될 것이며 이를 바탕으로 미래 미국의 군사적 지위를 지속적으로 유지하고자 할 것이다. 하지만, 중국의 경우도 지속적인 투자의 증대를 통해 그 격차는 점차 줄어들 것으로 보인다. 영국 국제전략문제연구소(IISS)가 2024년 발간한 『2024년 세계 군사력 균형 평가 보고서』에 따르면 중국의 국방비는 2020년 대비 2023년에 2배가량 증가한 것으로 나타났다. 최근 격화되고 있는 남중국해 영유권 분쟁과 대만침공 시나리오 등을 고려하면, 중국 국방비는 더욱 빠르게 늘어날 전망이다.

그렇다면 현재의 중국은 어떠한가? 현시점에서 중국은 세계적으로 미국과 동등할 수는 없다고 하더라도 지속적으로 증대되고 있는 군사력을 바탕으로 아시아 지역 내에서 자신의 역할을 확대하고 있다. 실제로 21세기 중국은 상승하는 경제적 기반을 바탕으로 지역패권국으로 부상을 추진하고 있다. 즉, 중국은 미래 국제사회의 지도국 역할을 추구하고 있다. 시진핑 시대의 중국은 소위 말하는 '중국 민족주의'를 표방하고 있는데 이는 마오쩌뚱의 사회주의 발전, 덩샤오핑의 경제적 발전 전략과는 다른 것으로 중국의 눈부신 경제적 발전을 바탕으로 강력한 중국 민족주의를 강조하고 있는 것이다. 지난 1세기의 치욕적 역사를 벗어나 중국의 번영을 되찾자는 것이다. 이를 위해 중국은 미국과도 신형대국관계를 강조하고 있다.207)

하지만 중국이 국제사회에서 강대국의 지위를 유지하기 위해서는 국제적 신뢰도를 유지 및 강화할 필요가 있다. G2로 부상한 중국은 그 위상에 부합하는 책임을 다할 필요가 있기 때문이다.

국제사회에서 중국과 북한 관계는 이미 잘 알려진 협력 국가로서 북한의 몇 개 되지 않은 우방으로 알려져 있다. 하지만 이러한 중국이 북한의 핵 무장을 제지하지 못한다면 동맹국의 핵무장을 제어하지 못하는 국가로서 이미지를 갖게 될 것이며 이는 중국이 과연 세계의 G2로서 역할을 할 수 있을지에 대한 의문을 확산시킬 수 있다.

미래 국제사회의 리더국을 추구하고 있는 중국 입장에서 안정적인 국제정치 환경은 매우 중요하다. 따라서 중국은 이에 기여할 수 있는 협력국 즉 동맹국을 요구하게 될 것이다. 대국으로 성장하는 중국에게는 국제적 신뢰성의 중요성이 지속적으로 높아질 것이기 때문이다. 북중동맹으로 인해 자신들이 얻는 것보다 잃는 것이 많다고 판단한다면 북한의 동맹국으로서 가치가 점차 감소할 가능성이 매우 크다 하겠다.

제4절 북중동맹 와해를 위한 한국의 전략

한국은 평화통일을 지향하고 있다. 한국 정부는 국정 기조 중하나로 "평화통일 기반 구축"을 설정하고 있으며 이를 달성하기 위한 전략을 지속적으로 추진하고 있다. 한국이 이러한 목표를 달성하기 위해서는 북한과 관계 개선이 필요하며 이는 중국의 협조가 매우 중요한 사안이라고 할 수 있다. 중국이 북한에 대한 전략적 가치를 높이 평가하여 북한을 지속적으로 지원한다면 평화통일은 물론 북한체제의 변화도 쉽지 않을 수 있다. 따라서 한국은 북중동맹의 변화를 유도하는 전략을 추진할 필요가 있다. 그렇다면 어떤 부분에 집중하여 대 중국 전략을 구사해야 하는지가 핵심 의문으로 남는다.

1990년대 초 냉전이 종식되고 나서 중국은 크게 네 가지 전략을 구사하였는데 첫째 러시아와 구소련에서 독립한 신생국가들과 정치, 경제, 안보적 협력 강화, 둘째 북한 체제를 존속시켜 한반도의 중국 영향력 유지, 셋째 아세안(ASEAN)국가들과 관계 증진, 넷째 경제·기술적 지역협력체 발전(community-building) 등이 그것이다.208) 이 전략들 중 한반도 정책을 추진하기 위해서 중국은 3가지 기조를 유지하고 있는데 한반도의 평화와 안정유지, 한반도의 비핵화, 남북대화를 통한 문제 해결 등이다. 따라서 이러한 전략과 기조를 유지하고 있는 중국에게 한국은 기존보다 적극적인 전략수립을 통해 북중관계의 변화를 꾀하여야 한다.

4.1. 중국의 위협인식 변화 노력: 군사·안보적 전략

우선, 위협 인식의 변화 차원에서 한국은 한미동맹이 중국에게 있어 위협이 되지 않음을 명확하게 할 필요가 있다. 앞에서 논의한 동맹이론을 바탕으로 볼 때 미중관계, 한중관계의 협력적 발전은 중국의 외적 위협 인식 변화를 가져옴으로써 북중동맹의 균열을 야기시킬 수 있을 것이다. 일례로 1992년 한중수교 직후 북중관계는 매우 경색되었다. 고위급 교류가 거의 전무한 상태가 되었고 특히 1994년 5월에는 중국과 사전 상의없이 북미 간 직접 협상을 통한 '새로운 평화보장 체제의 수립'과 기존 휴전체제의 무용화를 주장하면서 군사정전위원회 중국 대표단의 철수를 요구하기도 하였다.

한국 정부는 한중관계 개선을 위해 많은 노력을 해왔다. 2024년 현재에도 이러한 노력은 계속되고 있다. 지난 정부 중 박근혜 정부 시절 한중관계 개선 노력을 살펴보면 다음과 같다. 박근혜 대통령은 중국 시진핑 주석과 2015년까지 외국 정상 가운데 가장 많은 여섯 차례 정상회담을 가졌으며, 2015년 9월 중국 전승절 기념식에서는 시 주석과 나란히 천안문 망루에서 열병을 지켜보았다. 또한, 취임 후 첫 특사단 파견도 미국이 아닌 중국이었다. 이에 한국 정부는 2015년 7월 한중관계를 "역대 최상"이라고 평가하기도 하였다. 특히, 2015년 12월 31일 한중 국방부 간 핫라인이 개통되어 양국 간의 군사안보 분야 협력이 매우 강화되었다는 평가도 있었다. 당시 한국의 한민구 국방부 장관은 "앞으로 안보문제에 대한 양국의 긴밀한 협력과 소통을 위해 잘 활용되기를 기대한다"고 밝혔으며 중국이 창완취안(常萬全) 국방부장은 "핫라인 개통은 중국이 한중관계와 양국 군 관계를 고도로 중시하고 있다는 것을 보여주는 것"이라고 언급하기도 하였다.

위의 예와 같이 한국은 중국과 군사적 협력이 지속될 수 있도록 지속적으로 노력하여야 한다. 이와 함께 중국이 미국을 위협이라고 인식하고 또는 동아시아에서 미국의 영향력을 줄이기를 원한다면 북한과 관계를 청산할 필요가 있음을 중국에게 지속적으로 설득할 필요가 있다. 또한, 북한으로 인해 한중관계가 나빠진다면 미국의 동아시아에 대한 정치, 군사적 집중은 더욱 강화될 것이라는 점을 중국에게 각인시켜야 한다. 예를 들어 동중국해 분쟁 후에 일본이 미국과의 관계를 강화하였고, 남중국해 분쟁으로 인해 필리핀과 베트남 또한 미국과 관계를 강화하였다.[209]

물론, 북한의 핵 개발로 인해 미국의 동아시아에 대한 전략자산도 강화되고 있다. 심지어 북한의 핵 능력 강화는 오히려 일본과 한국의 핵무장에 대한 강한 유인요소로 작용하고 있기도 하다. 이런 점들을 중국에게 지속적으로 강조할 필요가 있다. 혹자는 한미일 삼각동맹의 형성을 주장한다.[210] 하지만, 한미일 삼각 동맹관계 형성에 한국 정부는 신중할 필요가 있다. 한미동맹이 북한 위협에 대한 대응이라는 논리는 타당성이 있을 수 있지만, 이것이 한미일 삼각 동맹으로 진화된다면 중국에 대한 견제 의미가 부각되기 때문이다. 집단 동맹의 형성은 이에 대한 반동맹 형성의 유인으로 작용한다. 이럴 경우, 중국은 오히려 북한과 관계를 강화할 것이며 러시아 등과 군사 관계 개선에 나설 가능성도 크다.

4.2. 한중 정책 공조 강화: 경제·사회적 전략

동맹이론 측면에서 보면 강대국과 약소국의 관계에 있어서 강대국은 약소국이 자국의 영향력 아래 놓이기를 바라지만 약소국은 자국의 이익을 위해 자주성을 추구하면서 갈등을 빚게 된다. 만약 미래 북중관계에 있어서 향후 중국의 영향력에 대한 북한 김정은 정권의 지속적인 저항이 이루어질 경우 중국의 북한에 대한 방기 가능성은 점차 커질 수 있다. 따라서 한국은 중국과 정책 공조를 강화할 필요가 있다. 이러한 정책 공조는 동맹국으로써 공조하지 않는 북한의 입지를 더욱 약화시켜 북중 간 마찰을 확대하는 효과가 있기 때문이다. 정책적 공조는 최근까지 지속되고 있는 경제, 사회적 분야를 중심으로 하되 다른 분야로 확대를 위해 한국 정부는 노력해야 할 것이다.

사실, 한중 경제 관계는 수교 20년 만에 최대 교역국이 될 정도로 그 성장 속도가 매우 빨랐다. 2022년 중국의 무역 상대국 순위는 미국(7천 594억 달러), 한국(3천 623억 달러), 일본(3천 574억 달러) 순이었으며, 2023년에는 일본과 한국이 근소한 차이로 2, 3위 자리를 바꾸었다. 그렇더라도 한국이 중국에게 있어 매우 중요한 경제적 파트너임은 명확한 사실이며 한국은 이러한 경제 관계를 지속적으로 강화하여야 한다.

뿐만 아니라 국가들이 책임지는 사업에서 한중협력을 강화할 필요가 있다. 양국의 국책 사업 시행은 국가 간 경제적 상호의존성을 더욱 증진시켜 정책적 결속을 더욱 강화하는 좋은 방안이 아닐 수 없다. 따라서 한국은 중국과 협력사업을 지속적으로 개발할 필요가 있다. 이와 함께, 한중 인적 교류도 지속될 수 있도록 노력하여야 하며 문화 교류의 장을 확대시킬 필요가 있다. 여론은 한 국가의 정책을 결정하는데 핵심 요인이라고 할 수 있다. 이는 여전히 정치적으로 경직성을 가지고 있는 중국에서도 무시할 수 없는 요인이다. 따라서 한국은 중국과의 활발한 문화 교류를 이어가야 할 것이다. 최근 발표된 한 언론 발표에서는 중국인들이 선호하는 아시아 여행지 3위로 한국이 선정되기도 하였다.[211] 이는 중국인 관광객들에 의한 한국의 평가이자 중국 내 한국에 대한 여론이라 할 수도 있다. 좋은 여론의 형성은 결국 양국 관계를 긍정적으로 추동하는 동력으로 작용할 것이다.

4.3. 한국의 지정학적 가치 증대: 정치적 전략

중국이 친 남한화 한다는 것은 북한과의 공식적인 관계를 고려했을 때 쉬운 일이 아니다. 북중조약 제3조에는 "체약 쌍방은 체약 상대방을 반대하는 어떠한 동맹도 체결하지 않으며 체약 상대방을 반대하는 어떠한 집단과 어떠한 행동 또는 조치에도 참가하지 않는다"라고 되어 있기 때문이다. 이런 관계 속에서 한국은 중국이 북한과의 관계보다 한국과의 관계를 유지하는 것이 더욱 국익에 부합하다는 것을 중국 정부에 명확하고 지속적으로 알릴 필요가 있다.

중국 정부의 일관된 한반도 정책은 앞에서도 언급되었듯이 한반도의 평화와 안정유지, 한반도의 비핵화, 남북대화를 통한 문제해결이다. 중국이 북한을 가치 있게 생각하는 것은 바로 지정학적 가치 때문이다. 즉, 중국은 북한을 여전히 전략적 완충지(strategic buffer)로서 그 가치를 지니고 있다고 인식하고 있는 것이다. 하지만 여기서 우리가 주목해야 할 점은 중국이 북한을 동맹국이라서 지원해왔던 것이 아니라 자신의 국가이익 때문에 지원해 왔다는 점이다. 중국은 북한이 붕괴함으로써 자국의 안보를 위한 완충지대가 없어지는 것을 우려하여 북한을 지원해 온 것이다.

따라서 한국은 북한이 가지고 있는 이 가치보다 한국의 가치가 더욱 크다는 것을 중국에게 보여 줄 필요가 있다. 특히 남한에 의한 통일이 중국의 국익에 더욱 부합하다는 것을 알릴 필요가 있다.212) 중국 베이징 대학의 주펑(朱鋒) 교수는 "한반도 통일 과정에서 중국의 가장 큰 관심사는 한국이 중국의 안보이익을 얼마나 존중해 줄 것이냐"라고 말하고 있다.213) 또한, 중국은 "한반도가 통일되면 중국과 접경지대에 대한 영유권 주장을 한국 정부가 더욱 강하게 펼칠 것이고, 조선족이 많은 중국 동북부지역이 한국의 영향권에 놓일지 모른다는 불안감을 가지고 있으며, 통일된 한국에서 주한미군이 접경 근처에 주둔하지 않을까 하는 우려"를 하고 있다.214)

뿐만 아니라 중국은 북한이 붕괴하여 대규모 난민이 동북 3성에 밀려들어 이것이 중국 국내의 도미노 효과를 발휘할 수 있을 가능성을 우려하고 있기도 하다. 따라서 한국은 장기적으로 한반도 통일에 대한 명확한 비전을 설정하여 이를 제시함으로써 중국의 이러한 우려를 불식시켜 한국의 미래 가치를 중국이 자신의 국익 차원에서 정확하게 계산할 수 있도록 해 주어야 한다. 또한, 단기적으로는 북한 급변사태 발생에 대한 명확한 준비를 실시하고 확실한 난민 관련 정책을 수립하여 중국이 이러한 우려에서 벗어날 수 있도록 해야 할 것이다.

제5절 결 론

최근 안보 개념은 군사적 분야에 집중하던 전통적 관점에서 비군사적 분야를 포함하고 있는 비전통적 안보, 그리고 이들을 모두 아우르는 포괄적 안보로 진화를 거듭하고 있다. 즉, 한 국가의 안보는 이제 단순히 군사적 능력의 확장을 통해서 확보되는 것은 아니다. 물론 안보에서 군사 분야는 여전히 가장 중요한 부분 중 하나라는 사실은 변함이 없다.

이렇게 변화하는 안보 개념은 이제 과거 동맹국들에게 확장된 안보 개념에서 기여를 요구한다. 단순히 동맹국이 군사적으로 협력한다는 개념에서 이제는 확장된 국가안보 개념 전반에서 협력하는 체제로 진화하고 있는 것이다. 한미동맹은 70년이 넘는 기간 유지되어 오고 있다. 지난 세월 가장 굳건한 군사동맹의 역할을 수행해 왔던 한미동맹은 이제 안보와 경제뿐 아니라 세계 이슈에서도 협력하는 이른바 포괄적 전략동맹으로 발전하는 비전을 제시하고 이를 지향하고 있다.

반면에 북중동맹은 여전히 냉전적 위협 인식에 바탕을 두고 이에 대한 대응적 차원에서 유지를 이어가고 있다. 하지만, 현재의 중국은 북중동맹을 맺을 당시의 중국과는 비교가 되지 않을 정도의 경제적 성장을 가져오고 있으며 국제사회의 대국으로 성장했다. 따라서 이런 중국에게는 미래 자신들과 함께 할 전략적 파트너가 필요하다고 할 수 있다. 이런 과점에서 본다면 북한은 더 이상 중국에게 매력적이지 못한 동맹국임에 틀림없다.

본 장에서는 북중동맹 관계를 위협 인식, 정책 공조, 동맹국으로서 가치 측면에서 평가해 보았다. 위협 인식 측면에서는 여전히 북중동맹 관계를 유지할 수 있는 요인이 중국에게는 있는 반면 정책 공조측면이나 동맹국으로서 가치 측면에서는 와해의 가능성이 매우 크다는 것을 알 수 있었다. 특히, 국제사회의 반대에도 불구하고 지속적으로 핵 개발 및 보유에 매진하고 있는 북한은 국제사회의 강대국으로서 신뢰도를 높여야 되는 중국에게는 큰 부담으로 작용할 것임이 명약관화하고, 이로 인해 동맹관계의 원활한 유지가 힘들 것으로 평가할 수 있었다.

하지만 한 가지 잊지 말아야 할 것은 여전히 북중동맹은 유효하다는 것이다. 몇몇 학자들에 의해 "사문화", "무력화" 등이 주장되고 있기는 하지만 공식적으로 폐기되지 않았으며 심지어 양국의 우호 관계에 대한 재확인이 종종 이루어지기도 한다. 따라서 한반도 급변사태 발생 시 동 조약의 존재는 한국에게 있어 부정적으로 작용할 가능성이 매우 크다.

한국은 동북아시아에서 상대적인 약소국임에 틀림없다. 역사적으로 수많은 약소국들이 국제정치 환경을 정확히 판단하지 못해 피해를 입은 사례가 많다. 따라서 북한이라는 심각한 위협을 가지고 있는 한국에게는 북한을 지원하는 북중관계를 약화시키는 것이 매우 중요하다. 즉, 북중관계의 아킬레스건이 무엇인지를 명확하게 판단하여 이를 집중적으로 공략할 필요가 있다. 이를 위해 한국은 우선적으로 북중동맹의 와해를 야기할 수 있는 분야에 대해서는 그 균열의 가속화를 위하여 노력하여야 한다. 국제사회의 강대국을 지향하는 중국에게 실질적인 정책적 공조자이자 가치 있는 파트너는 북한이 아니라 남한이라는 것을 명확하게 보여주어야 할 것이다. 또한, 중국이 군사적으로 상정하고 있는 위협 인식에 대해서도 한국의 입장을 명확히 함으로써 한반도 문제와 다른 지역의 문제가 결부되지 않도록 노력할 필요가 있다. 마지막으로 한반도의 통일은 중국에게 있어 도전의 요인이 아닌 기회의 요인임을 명확하게 설득할 필요가 있다. 이를 위해 통일에 대한 확고한 전략을 수립하고 이를 중국 측에 지속적으로 설명할 필요가 있다 하겠다.

일국의 동맹전략은 아국의 능력을 향상시키는 방향으로 유지, 강화되는 것이 가장 기본적인 추진 방향이라 할 수 있다. 하지만, 적국의 동맹을 약화 또는 와해시킴으로써 상대적으로 아국의 능력을 향상시키는 결과를 얻을 수 있다면 이 또한 가장 효과적인 동맹전략이라 할 수 있을 것이다.

제8장 한반도 평화프로세스와 동아시아 안보 기재 변화[215]

제1절 서 론: 문제제기

미래학자 버크민스터 풀러(Buckminster Fuller)는 '지식 두 배 증가 곡선'이라는 개념으로 인류의 지식이 얼마나 빨리 증가하고 있는지 설명하고 있는데, 그의 주장에 따르면 인류의 지식 총량은 100년마다 2배씩 증가해왔다고 한다.[216] 그러나, 1900년대부터는 25년마다 2배씩 증가하였고, 현재는 13개월 그리고 2030년이 되면 3일마다 2배씩 증가할 것으로 예측되었다. 이른바 지식의 빅뱅이 일어나고 있는 것이다. 이렇듯 인류 문명은 전례 없는 변화를 겪고 있다. 정치, 경제, 기술 등 모든 영역이 새로운 개념들로 재구성되고 있으며 이러한 현상은 군사안보 측면도 예외는 아니다.

한반도 안보 상황도 급변해왔다. 특히, 2018년 6월 12일 열린 제1차 북미정상회담은 대체적으로 "한반도 평화정착의 역사적 시발점"으로써 큰 의미가 있다는 기대가 높았다. 하지만, 2019년 2월 하노이에서 열린 제2차 북미정상회담에서 북미 간 합의가 도출될 가능성이 매우 클 것이라는 예상과 달리 이른바 '노딜'로 회담이 종료되면서 한반도 비핵화에 대한 기대는 크게 꺾이기 시작하였고 이후 한반도 비핵화에 대한 미국과 북한의 힘겨루기는 계속되었고 결국 북한은 사실상의 핵보유국 수순을 밟아가고 있다.

그렇다고 해서 미래 한반도 비핵화가 완전히 좌절된 것은 아니다. 여전히 미국을 포함한 국제사회는 북한의 핵 포기를 위해 노력하고 있다. 2024년 6월, 북한을 방문한 블라디미르 푸틴 러시아 대통령은 북한을 사실상의 핵보유국으로 인정하는 행보를 보이기는 하였으나, 아직도 국제사회는 북한의 핵을 포함한 대량살상무기와 탄도미사일 프로그램 문제를 해결하기 위해 긴밀히 협력해 나가고 있다.

이런 상황 속에서 한국은 한반도 비핵화 과정, 더 나아가 한반도 평화정착 과정에서 나타날 수 있는 안보 상황 변화에 대한 전략을 구체화할 필요가 있다. 그중에서도 한국 국방정책의 핵심이라 할 수 있는 "한미동맹이라는 안보 기재가 어떻게 변화해야 하는지?", 또한, 변화하는 동아시아 안보 상황에서 "한미동맹을 보완하는 다른 안보 기재는 무엇이 있는지?" 등에 대한 심도 깊은 논의가 필요하다.

이에 본 장에서는 미래 한국의 국방정책 수립을 위한 바탕으로 동아시아 안보 기재 변화를 예측하고자 한다. 이를 위해 최후통첩게임 이론을 적용하여 급변하는 동아시아 안보 상황에서 주변국들과 한국은 어떠한 선택을 하게 될 것이며, 가장 적합한 안보 기재로 판단할 수 있는 것은 과연 어떠한 것인지를 규명하고자 한다. 즉, 본 연구는 급변하는 동아시아 안보환경 평가를 바탕으로 최후통첩게임 이론을 적용하여 국가들은 단순한 "이익"이 아닌 "공정함", "정체성" 등을 우선시하는 경향으로 변화하게 될 것이며 이 과정에서 동아시아에서 한국은 어떠한 안보전략을 수립해야 하는지를 제시하고자 한다.

이를 위해 우선적으로 최후통첩게임 이론을 살펴보고 그것이 비대칭동맹에 주는 함의는 무엇인지를 살펴본다. 이후, 미래 한국 안보에 핵심적으로 영향을 줄 수 있는 두 가지 변수인 미중관계 변화와 한미동맹 변화를 분석한다. 그리고 나서 이를 바탕으로 미래 한국의 안보전략은 어떠한 방향성을 가지고 추진되어야 하는

지를 제시할 것이다.

제2절 이론적 논의: 최후통첩게임과 비대칭동맹

2.1. 최후통첩게임의 개념과 의미: '이익'과 '공정함'의 딜레마

최후통첩게임(Ultimatum game)은 1982년 독일 훔볼트대학교 경제학 교수 베르너 귀트(Werner Güth) 등이 고안한 게임이론 중 하나로 두 명의 참여자가 등장해 돈을 분배하는 게임이다. 참가자 중 A 참가자가 자신의 마음대로 돈을 어떻게 분배할지를 제안할 수 있고 참가자 B는 이를 받아들이거나 거절할 수 있다. 만약 받아들이는 참가자 B가 제안을 거절하면 두 참가자 모두 전혀 이익을 얻을 수 없으며, B가 A의 제안을 받아들이면 A의 제안에 따라 이익이 나누어진다는 것이 기본 개념이다. 즉, 최후통첩게임은 얼마의 손해를 감수하고서라도 공평함을 추구하는가에 대한 이론이라 할 수 있다. 최후통첩게임은 아주 간단한 구조를 가지고 있지만 이기심(self-interest)과 공정성(fairness)의 상대적인 중요성을 평가하는데 있어 유용한 툴을 제공한다.

최후통첩게임에 대한 실험결과는 매우 흥미롭다. 제안자의 경우 자신이 더 많은 양을 가지기 위해 노력할 것으로 보이지만 5:5로 나누겠다는 비율이 가장 많았고, 6:4나 7:3으로 나누겠다는 비율까지 합치면 대략 80%에 달했다.[217) 이는 아무리 제안자일 경우라도 자신의 이익을 극대화하려 하지만 그에 못지않게 자신의 제안을 상대방이 받아들일 수 있는 가능성을 중요시 한다고 할 수 있다.

여기서 더 중요하게 살펴볼 점은 제안을 받아들여야 하는 B의 결정이라고 할 수 있다. B가 상대적인 약자의 입장에 처해 있기 때문이다. B는 A의 제안이 불공정하다고 판단할 경우 이를 거절할 수 있지만 그럴 경우 어떠한 이익도 얻을 수 없다. 하지만 불공정한 제안이라고 하더라도 10:0이 아닐 경우를 제외하고 B가 A의 제안을 받아들인다면 B는 어느 정도의 이익을 가져갈 수 있다. 경제학적인 관점에서만 보면 제안자가 어떠한 제안을 하더라도 합리적인 행위자라면 얻지 않는 것보다 조금이라도 얻는 것이 최적 전략이므로 불공정한 분배를 받아들여야 한다. 하지만 실제로 이러한 결정이 이루어지지 않고 있다는 점이 이 게임이론의 설명이다.

<그림 8-1> 최후통첩게임의 기본 개념도

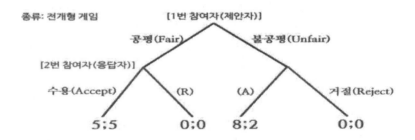

최후통첩게임을 위한 실험에서 A로부터 8:2나 9:1로 나누겠다는 제안을 받으면 제안을 거절하겠다는 B의 비율이 67%나 되었으며 제안금액이 적어서 나타날 수 있는 상황을 피하기 위해 제안금액을 자신들의 월급의 3배 정도로 올릴 경우에도 9:1로 제안했을 경우에는 48%의 수용자가 제안을 거절하였다.[218] 이는 수용자가 자신이 어느 정도 얻을 수 있는 이익이 있다고 하더라도 그것의 불공정성이 심하다고 생각할 경우 이를 받아들이지 않을

가능성이 매우 크다는 점을 보여준다고 할 수 있으며, 이것은 비록 약자의 입장에 있지만 자신의 소규모 이익보다는 공정함을 더 중시한다고 할 수 있다.

최후통첩게임을 한 단계 발전시킨 것으로는 경쟁적 최후통첩게임(competitive ultimatum game)이 있다. 이것은 제안을 하는 A가 2명 이상의 여럿이고 제안을 수용하는 B는 여전히 한 명인 경우를 말하는데, B는 각 A들의 제안 중 마음에 드는 제안 1개만을 수용하는 게임으로, B의 선택을 받지 못한 나머지 A들은 돈을 하나도 받지 못한다. 일반적으로 B의 선택을 받은 A의 제안은 당연히 B에게 주기로 제안한 돈의 액수가 다른 A보다 크다. 이러한 게임 논리는 결국 국제관계에서 양 강대국 간에서 선택의 기로에 놓인 상대국에게 적용할 수 있는 여러 가지 함의를 줄 수 있다.

2.2. 비대칭동맹관계에서 최후통첩게임의 적용

국가 간 관계는 결국 협상에 의해 이루어진다. 특히, 한국과 같이 안보의 역동성이 강한 지역에 위치한 상대적 약소국의 경우 더욱더 강대국들과 협상이 중요하다. 물론 가장 좋은 것은 행위자가 서로 윈-윈(win-win)할 수 있는 결과가 나오는 것이다. 하지만 강대국과 약소국 간 협상에 있어서 '이익'과 '공정함'이 동시에 달성되는 것은 참여자 간의 국력 차이로 인해 쉽지 않다.[219] 따라서 한미동맹과 같은 비대칭 동맹에서 약소국 입장인 한국에게는 여러 가지 선택의 순간이 지속될 수 있다.

국제정치이론의 양대 이론 중 하나인 현실주의에서는 무정부적인 국제체제에서 자신의 안보를 확보하기 위한 두 가지 방법 중

하나로 외적균형(external balancing)을 제시하는데 이는 국가가 동맹을 형성, 확대 및 강화하거나 적대국이 맺고 있는 동맹을 약화시키는 것으로, 경제력 성장, 군사력 증강, 그리고 효과적인 전략 수립 등을 통해 자국의 능력을 성장시키는 '내적균형(internal balancing)'과 대비되는 개념이다. 그러나 문제는 무조건적인 군사력 추구는 안보 딜레마를 가져오게 된다는 점이다. 뿐만 아니라 군사 우선주의적 자원 분배는 국가의 재정적, 경제적 어려움을 가중시키기도 한다. 따라서 현실세계에서 국가들은 자신의 안보를 지키기 위해서 현실주의가 제시하는 수단 외에도 다양한 수단을 사용한다. 특히 여기서 중요한 점은 현실주의는 국가 간의 협력을 설명할 때 상대적 이익(relative gain)의 개념에 집중한다는 점이다. 즉, 국가들은 다른 국가들과 협력을 추구할 때 이익의 배분이 어떻게 되느냐에 관심이 높다는 것이다. 이익의 배분이 불공정하게 이루어진다면 협력이 어렵게 된다는 것이 주장의 핵심이다.

반면, 자유주의는 모든 국가들은 자신의 안보를 추구한다는 기본 가정을 수용하지만, 협력을 통해서 공동의 이익을 추구하는 것이 최선의 전략이며 어떠한 국가도 상대방을 배신할 유인을 가지고 있지 않다고 주장한다. 이들은 일단 협력을 통해 집단안보가 이루어지면 모든 국가는 그 제도적 안보 장치에서 이탈할 유인이 적으며 이러한 제도는 유지될 가능성이 크다고 주장한다.[220] 특히, 상대에 대한 정보 부족과 불확실성의 문제 등과 같은 협력 저해 요인을 국제적 레짐 등을 통해 해결한다면 무정부적인 국제체제에서도 국가 간 협력이 가능하다고 본다. 이러한 자유주의 이론은 절대적 이익(absolute gain)에 집중한다. 협력을 통해 모든 국가들은 협력을 하지 않아서는 얻을 수 없는 이익을 얻을 수 있기 때문에 협력에 적극적이라는 것이다. 이러한 점은 '공정함'보다는 '이익' 자체를 더 중요하게 본다고 평가한다고 할 수 있다.

그러나 지역 내에서 상대적 약소국인 한국의 안보 상황을 고려하였을 때 현실주의 또는 자유주의라는 단 하나의 패러다임으로 안보전략을 수립하고 설명하는 것은 여러 가지 한계가 있다. 군사적 능력 향상에만 치중할 경우 비용과 시간의 문제점이 발생할 수 있고 외부적 능력에 과도하게 의존한다면 유사사태 발생 시 타국에게 전적으로 의지해야 하는 상황이 발생할 수 있기 때문이다. 따라서 한 국가의 안보 기재 선택은 여러 가지 변수들을 고려하여 외부의 지원을 효과적으로 이용하면서 자국의 능력을 증진시키는 전략적·경제적 균형점을 찾아가는 것이라 할 수 있다.

앞에서 설명한 최후통첩게임은 인간은 때로 이익을 포기하더라도 공정함을 기준으로 행동하며 이때 가장 빈번하게 직면하게 되는 것이 바로 자원 배분의 문제임을 강조한다.221) 이 논리를 국가에 적용하면 상대적 약소국인 한국이 위협의 감소와 자신의 능력 증가로 인해 비대칭 동맹 하에서 불공정함에 대한 새로운 인식을 하게 될 경우 미래 안보전략 수립 시 새로운 방향성을 설정하여야 한다. 즉, 북한이라는 위협 수준이 감소하거나 한국의 능력이 점차 증가함에 따라 한국은 '이익'도 중요하지만 '공정성'을 중시하는 경향으로 바뀌어 간다는 것이다. 물론 이익과 공정성에 대한 선택이 제로섬 게임을 의미하지 않는다. 둘 중 하나를 선택하여야 하는 것은 아니라는 것이다. 중요한 점은 상대적 약소국 입장에서 만약 사활적 이익이라고 할 수 있는 국가안보를 지킬 수 없는 상황이라면 공정한 배분보다는 이익에 집중할 가능성이 크지만, 점차 위협에 대응할 수 있는 자신의 능력이 증가한다면 이익과 공정함의 균형을 추구하게 되는 경향을 보이게 될 것이라는 점이다.

제3절 한국의 미래 안보전략 수립

　미래 안보전략을 수립하기 위해서는 정책 방향부터 세울 필요가 있다. 일반적으로, 합리적인 정책 방향을 만들기 위해서는 많은 요소를 고려해야 하지만 이 중 본 장에서는 미 합참에서 전략 수립 시 적용하고 있는 적절성, 타당성, 수용성이라는 세 가지 분야에 초점을 맞추고자 한다.222) 적절성이라 함은 주요 원칙 내에서 임무를 완수하기 위한 정책의 효과를 의미한다. 즉, '원하는 성과를 달성할 수 있는가'라는 것이다. 타당성은 실현 가능성을 의미하는데 목표가 정해진 시간, 공간, 자원 한계 내에서 과연 실현될 수 있을 것인가가 핵심이라고 할 수 있다. 즉, 그 정책을 추구할 충분한 능력을 가지고 있는지 여부라고 할 수 있다. 수용성은 위험 및 비용과 관련이 있다. 정책이 추진될 때 우리가 비용을 부담할 수 있느냐, 또한 발생할 수 있는 위험을 감수할 수 있느냐의 문제라고 할 수 있다. 이 세 가지 고려요소를 가지고 한국이 선택할 수 있는 대안을 점검해보면 과연 어떤 안보전략이 가장 합목적적인지를 평가할 수 있을 것이다.

　그렇다면 미래 한국이 선택할 수 있는 안보전략은 무엇이 있는가가 매우 중요한 문제로 남는다. 한국이 선택할 수 있는 대안으로는 우선 한미동맹과 함께 다자안보체계를 마련하여 이 두 가지를 동시에 추진하는 방향이 있을 수 있다. 양자동맹과 다자안보협력체제는 절대 배타적이지 않다. 유럽의 체계가 이를 잘 보여주고 있다. 둘째, 현재의 한미동맹을 강화하여 양자동맹 위주로 안보를 지켜나가는 것이 있을 수 있다. 세 번째는 현재의 한미동맹 체제를 다자 안보체제로 변화시키는 것이다. 즉, 양자 간의 관계에서 올 수 있는 여러 가지 문제점을 최소화하기 위해 다자간 안보협력 체제만을 유지하기 위한 새로운 프레임을 만들어 나가는 것이다.

이러한 세 가지 대안에 대해 우선 목표를 달성할 수 있는 가능성 측면인 적절성부터 살펴보자. 동아시아에서 가장 이상적인 안보목표는 각국의 갈등을 봉합하고, 협력과 상생의 효과를 극대화시키는 것이라 할 수 있다. 따라서 가장 합리적인 방향은 정치, 경제, 사회, 문화 등을 통합할 수 있는 안보 공동체를 형성하는 것이라 할 수 있다. 그러나 동아시아 안보환경은 미국과 중국의 패권경쟁으로 인해 한국과 같은 지역 내 상대적 약소국들은 국익을 도모하는 것이 쉽지 않은 상황이다. 특히 국가 간 이익 분배 측면에서 강대국 간 신 냉전체제가 형성될 경우 이는 더욱 어려운 상황에 놓이게 될 확률이 높다. 다자협력안보체제는 권력이 아닌 이성과 논리를 통한 의사결정을 통해 강대국과 약소국이 모두 존중받을 수 있는 공정하고 평등한 국제질서를 형성할 수 있게 해준다는 점에서 상대적 약소국에게는 공정한 분배를 가능하게 해 줄 수 있다는 장점이 있다.[223]

그러나 이와 함께 동아시아 지역은 냉전 이후 세계 패권을 다투는 강대국들 사이에 첨예한 이해충돌을 겪고 있음과 동시에 한국에게는 북한이라는 실질적 위협도 상존하고 있다. 따라서 실질적인 군사적 위협이 존재하는 한 지역의 안정을 유지하기 위해서는 힘의 균형(balance of power)도 필수적이다. 따라서 지역 내 안정적인 안보 프레임 조성이 성공하기 위해서는 역내 군사적인 균형을 도모할 수 있는 한미동맹도 함께 유지될 필요가 있다. 따라서 한국의 미래 국가이익과 공정성을 고려할 때 첫 번째 대안인 한미동맹과 다자안보협력의 공동 추진이 다른 대안들에 비해 적절성 측면에서 더 유리하다고 할 수 있을 것이다. 또한, 위협에 대한 대비 측면에서는 여전히 안보위협이 상존한다는 점을 고려할 때는 두 번째 대안인 한미동맹의 유지가 여전히 다자안보협력체만을 유지하는 세 번째 대안보다 더 유리하다고 평가할 수 있다.

둘째, 실현 가능성을 평가할 수 있는 타당성 측면을 살펴보면, 탈냉전 시대로 접어들면서 여러 지역에서 유럽의 OSCE 등 다자협력체제 구축 여부에 대한 논의가 활발하게 시작되었다. 동남아국가연합(ASEAN)은 역내 안보 현안을 논의하기 위한 외교장관회의인 아세안지역안보포럼(ARF)을 설립하였고, 1990년대부터 아시아태평양 안보협력협의회, 동북아시아협력대화 등이 설립되기도 하였다. 그러나 이러한 노력에도 불구하고 여전히 동아시아 지역에서는 유럽의 다자안보협력체제와 같은 공식적인 기구가 존재하고 있지 않으며 상대적으로 이를 위한 노력도 높지 않은 상태이다.

냉전 이후 미국은 이미 양자 동맹을 바탕으로 동아시아에서 확고한 영향력을 행사해왔는데 지역 내 다자안보협력체제가 등장한다면 자신들의 영향력이 감소할 수 있다는 불안감을 가질 수 있다. 이와 함께 중국은 대만 문제와 인권문제 등 다자안보협력체가 등장함으로써 논의될 수밖에 없는 주제들에 대해서 큰 부담을 느끼고 있고, 북한도 동아시아 국가들이 자신들에게 공동 압박을 가할 가능성에 대해 우려하고 있다. 따라서 이러한 각 국가들의 이익의 대립은 결국 지역 내 다자안보협력체 형성에 걸림돌이 되고 있는 상황이다.

그럼에도 불구하고 동아시아 지역 내 다자안보협력 체제 실현의 필요성이 꾸준히 논의되고 있으며, 여기에 북핵 문제, 코로나19 등 비전통적 안보위협 증가 등으로 인한 국제협력의 필요성에 대한 요구는 앞으로도 계속 증가할 것으로 보인다. 다만, 분명한 것은 현재의 안보 상황을 고려할 때 타당성, 즉 실현 가능성 측면에서 한미동맹, 미일동맹, 북중동맹 등 양국 간의 동맹을 통해 현 수준의 안보 상황을 유지하려는 유인이 더 높다는 점은 확실해 보인다. 즉, 타당성 측면에서는 두 번째 대안인 한미동맹 유지가 첫 번째, 세 번째 대안보다 그 유용성이 높다고 할 수 있다. 물론, 첫 번째 대안이 세 번째 대안보다 실현 가능성이 큰 것도 사실이다. 즉, 한미동맹을 유지하는 가운데 다자안보협력 체제를 논의할 가능성이 한미동맹을 전면적으로 다자안보협의체로 전환할 가능성보다 크다는 것이다.

셋째, 수용성 측면이다. 동맹과 다자안보체제는 상대적으로 약소국의 안보를 보장하는 매우 중요한 요소이다. 이러한 체제들의 공통된 특징은 약소국들이 그들의 안보를 보장받는 대신 비용 부담을 어느 정도 해야 한다는 것이다. 즉, 안보라는 이익을 얻는 대신 정책 결정 과정에서 얼마간의 공정성을 잃게 된다는 것이다. 따라서 약소국에게 가장 합리적인 전략은 비용을 최소화하면서 안보상의 이익을 얻는 것이라 할 수 있다.

역사적으로 많은 나라들이 안보에 대한 자국의 힘을 증진시키기 위해 다른 나라들과 동맹을 맺어왔다. 현실주의적인 입장에서 보면 자구적 방식으로 안보를 달성하는 방법과 다른 나라와 동맹을 맺어 힘의 균형을 형성하는 상호작용 방식이 선호됐지만, 이는 심각한 안보 딜레마로 이어지면서 두 차례의 세계대전으로 이어지기도 하였다. 이러한 실패 경험과 국제 상호의존성의 증가로 현대 국가들은 자구 또는 동맹체제의 한계를 뛰어넘어 다른 국가들과 협력하는 방식으로 안보를 달성하는 방안을 강구해 왔다.

무엇보다 다자안보체제는 관련국 간 이해충돌의 조정을 넘어 공동의 이익을 실현하기 위해 적극적으로 협력해야 한다는 특징을 가지고 있다. 그리고 그것은 모든 관련국들이 이 제도에 의해 요구되는 정책 조정의 결과로 얻는 이득이 그렇지 않은 경우보다 더 유리하다는 믿음을 공유해야만 형성될 수 있다. 즉, 이 제도의 성패는 참가국들의 공동 이익을 극대화하는데 달려 있다. 다만, 앞서 언급했듯이 동아시아의 특수한 안보 상황 때문에 다자안보 체제만으로도 한국처럼 약소국과 중진국들의 안보를 지킬 수 있을지는 회의적이다. 따라서 비용과 위험성 측면에서 세 가지 옵션을 평가할 때 다자안보협력 체제로의 전면적인 전환은 동아시아 지역에서 다른 옵션들에 비해 가장 위험성이 높다고 평가될 수 있을 것이다. 이 중 최적의 옵션은 물론 양자동맹과 다자안보를 동시에 추진하는 첫 번째 옵션이라고 할 수 있을 것이며, 두 번째 합리적인 방안은 현상유지를 의미하는 한미동맹 유지라고 할 수 있을 것이다.

<그림 8-2> 미래 한국의 안보전략 평가

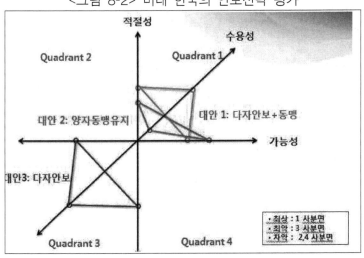

이 세 가지 대안에 대해 위에서 제시한 적절성(목표달성), 타당성(실현가능성), 수용성(위험 및 비용)의 입장에서 평가해보면 다

음과 같다. 우선 <그림 8-2>에서 볼 수 있듯이 세 가지 차원에서 각 축은 세 가지 판단 기준의 값의 척도를 나타낸다. 즉, +는 플러스 점수를, -는 마이너스 점수를 의미한다. 세 가지 대안들에게 정확한 점수를 부여하는 것은 제한되나 어떠한 대안이 해당 기준에서 더 유리한지는 평가할 수 있다. 따라서 그 해당 평가를 가지고 도식화 시켜보면 4개의 사분면을 생성할 수 있다. 이 중 1/4분면은 모든 면에서 긍정적인 점수를 가지고 있기 때문에 가장 좋은 선택이라고 할 수 있으며 3/4분면은 모든 면에서 마이너스 점수를 가지고 있기 때문에 최악의 선택이라고 할 수 있을 것이다. 2/4분면과 4/4분면은 최소한 1-2 두 개의 긍정적인 점수를 가지고 있기 때문에 차선 또는 차악이라고 할 수 있을 것이다.

결론적으로 미래 한국이 선택할 수 있는 안보적 수단의 대안은 한미동맹과 다자안보 협력체 형성을 동시에 추진하는 것이 가장 합리적인 방안이라고 할 수 있다. 그림에서 살펴보듯 이 대안은 모든 요인에서 가장 긍정적인 면이 많이 나타나고 있다. 두 번째 대안은 현 상태의 한미동맹을 더욱 강력하게 유지하는 것이라 할 수 있다. 이 대안의 경우도 긍정적인 방향성을 보이고 있으나 수용성과 적절성 측면에서 대안 1보다는 낮게 평가되고 있다. 반면, 한미동맹을 해체하고 다자안보협력체만을 유지하는 것은 여전히 한국의 안보상황을 고려할 때 시기상조 또는 비합리적이라고 평가할 수 있다. 그림에서 보듯 모든 측면에서 가장 부정적으로 나타나고 있기 때문이다.

제4절 결 론

북한이 지금까지 그래왔던 것처럼 군사적 도발을 자행한다면 역내 긴장은 고조될 가능성이 매우 크다. 실질적인 군사적 도발을 하지 않더라도 핵에 대한 포기를 하지 않는다면 한국의 안보는 비핵화라는 큰 이슈에 직면하게 될 것이다. 따라서 한반도 비핵화라는 문제를 풀기 위해서 한국에게는 여전히 한미동맹이라는 강력한 안보 기재가 필요하다. 하지만, 한국은 COVID-19를 성공적으로 대응하면서 국제적인 위상이 높아지고 있으며 이를 바탕으로 포스트 코로나 시대 국제협력을 주도할 수 있는 기회를 가지게 되었다. 이러한 점을 안보적인 측면에서 적극 활용할 필요가 있다. 코로나 19로 초래된 위기극복 노력은 새로운 국제협력의 계기로 작용할 가능성이 매우 크기 때문이다.

인간은 진화론적으로도 혼자서 살아남을 수는 없다. 이는 국가도 마찬가지라고 할 수 있다. 국제체제의 무정부적인 특성상 단기적으로는 승자 독식이 이득일 수 있지만, 장기적으로 볼 때 공생과 협력이 더 큰 이익을 나눠 갖게 한다는 점은 국가 간 상호의존성이 증대함에 따라 더욱 뚜렷하게 나타날 것이다. 독재와 독식의 시대가 번영을 가져다 준 적은 한 번도 없었다. 즉, 인류는 계속 협력의 방향으로 진화해 왔던 것이다.

이러한 논리를 바탕으로 했을 때 새로운 안보환경에서 동아시아는 현재 양자동맹 위주의 안보 기재를 유지한 가운데 미래에는 새로운 다자안보 기재 설립을 추구하여야 할 것이다. 이는 한국의 미래 안보를 위해서도 합리적인 선택이 될 수 있다. 즉, 한미동맹과 다자안보협력이 동시에 존재하는 구조가 필요하다는 것이다. 다시 말해, 지역적 약소국인 한국의 안보 기재에 대한 선택이 '단층적인 안보 기재의 성장'만에 있다는 사고에서 벗어나 '다층적 안보 기재의 성숙'으로 전환되어야 한다는 것이다.

제9장 한반도 정전체제 복원: 국제협력을 위한 한국의 전략[224]

제1절 서 론: 문제제기

6·25 전쟁이 종결되고 정전협정이 체결된 지 70여 년이 지났다. 그 기간 소련이라는 공산주의 맹주는 해체되었고 끝나지 않을 것 같은 미국과 소련 간의 냉전도 종식되었다. 하지만 냉전의 산물이었던 한반도 분단은 여전히 지속되고 있으며 남북 간의 갈등도 질적으로나 양적으로 크게 줄어들고 있지 않다. 물론 이러한 냉전적 요소를 종식시키기 위해 여러 가지 노력이 있었던 것도 사실이다. 하지만 이러한 노력들은 큰 성과를 이루어내지 못했으며 남북 간의 갈등은 지금까지도 계속 이어지고 있다. 심지어 북한은 세계사적으로 유례가 없는 3대 세습에 성공하였고 최근에는 김정은 이후의 후계 구도까지 종종 거론되고 있기도 하다. 뿐만 아니라 북한은 주민들의 궁핍한 삶에도 불구하고 여전히 핵을 포함한 대량살상무기 개발을 지속하고 있으며 이를 통해 한반도는 물론 지역적, 전 지구적 군사적 긴장을 고조시키고 있기도 하다.

1950년 발발한 6·25 전쟁은 수많은 사상자와 재산 피해를 한반도에 입히고 교전 쌍방 간의 적대행위를 잠정적으로 중지하는 협정을 체결하고 나서야 정전에 이르렀다. 이것을 일컬어 정전협정이라 한다. 이러한 정전협정은 전쟁 발발 70여 년이 지난 지금까지 이어져 오고 있는데 이는 한반도에서 전쟁이 완벽하게 종결된 진정한 평화가 아닌 불안정한 정전체제가 지속되고 있음을 의미한다. 물론, 한반도에서 제2의 전쟁이 발발하지 않았다는 사실만으로도 정전체제가 어느 정도 효과적으로 작동하고 있다는 주장을 펼 수도 있다.225) 예를 들어, 1968년 1월 미국 첩보선 푸에블로(Pueblo) 사건은 중립국감독위원회를 매개로 비공식 접촉을 벌여 군사정전위원회의 틀에서 협상을 타결하였고, 1976년 판문점 미루나무 사건에서도 유엔군사령관은 군사정전위원회를 소집하여 협상을 실시함으로써 갈등의 확대를 막을 수 있었다.

이러한 사건들의 발생 자체가 정전체제의 한계를 보여주는 것이라 할 수도 있으나 위기관리 측면에서 본다면 정전체제의 존재로 인해 대규모 전쟁으로 위기가 확대되지 않았다고 볼 수도 있다.226) 이는 정전체제가 가지고 있는 패러독스(paradox)라고 할 수 있다. 하지만, 최근 들어 점점 더 심각해지고 있는 북핵 위협과 일련의 군사적 도발을 정전체제 하 규범, 기구 등을 통해 전혀 제어하지 못하고 있는 점 등을 감안할 때 현재의 정전체제는 많은 문제점을 내재하고 있다고 할 수 있다. 이렇게 정전체제의 역할이 지속적으로 무의미해진다면 한반도 위기관리에 치명적인 결과를 초래할 수도 있을 것이다.

한반도에서 평화통일이 이루어지기 위해서는 현재의 정전체제를 평화체제로 전환하는 것이 무엇보다 중요하다. 이러한 당위성을 바탕으로 정전체제를 항구적인 평화체제로 전환하자는 주장도 끊임없이 제기되어 왔다.227) 이러한 주장을 분석해 보면 도발을 억제하는 소극적 평화에서 도발의 원인을 해소하는 적극적 평화로 전환하자는 것이며 이는 곧 정전체제를 평화체제로 대체하자는 것이다. 평화체제를 정전체제의 '대안'으로서 규정짓고 있는 것이다. 하지만, 평화체제로 전환하기 위해서는 정상적으로 작동하는 정전체제의 복원이 선결 조건이어야 한다. 평화체제는 정전체제의 '대안'이 아니라 원활한 정전체제를 기반으로 하여야 한다는 것이다.228)

물론, 한반도 통일은 전 독일 국가안보보좌관인 호르스트 텔칙의 말처럼 "벼락같이" 찾아올 수도 있다. 그러나 이것 또한 점진적이고 단계적인 준비를 해온 상태에서 가능한 것이다. 정전협정을 준수하면서 평화체제를 구축한 후 여건이 조성되어야 가능하다는 것이다. 정전체제라는 '국제적 약속'을 지키지 않는 상대방에게 평화체제라는 다른 약속을 지킬 것이라고 믿는 것은 현명하지 못한 선택일 수 있다.

이에 본 장에서는 "한반도 군사질서를 규율하고 있는 국제규범으로서의 한반도 정전체제가 왜 정상적으로 기능하지 않고 있는가?"라는 문제의식을 가지고 평화통일을 위한 평화체제로 전환의 사전 단계로서 정전체제 복원의 필요성을 그 핵심 논의 주제로 삼고자 한다. 현재의 불안정한 정전체제 복원에 대한 해법을 찾는 것은 한반도 안보는 물론 지역 및 세계 안보 차원에서 의미 있는 일이라 할 수 있다. 하지만, 현재 급변하는 안보정세 등을 고려할 때 정상적인 정전체제의 복원은 한국 단독의 힘으로 이루어내기는 힘든 일이다. 즉, 정전체제의 원활한 복원을 위해서는 국제적 협력이 필수적이라 할 수 있다. 따라서 본 장에서는 우선, 한반도 정전체제의 문제점을 살펴보고, 정전체제 복원을 위한 국제협력의 필요성과 그 조건을 제시한 후 이를 위한 한국의 전략적 접근법을 논의하고자 한다.

제2절 이론적 논의: 분석의 틀

국제사회에서 협력이 항상 가능한 것은 아니다. 전통적으로 현실주의자들은 국제사회에서 협력에 회의적이다. 이들은 무정부(anarchy) 상태라는 국제사회의 구조적 특성으로 인해 국가 간의 협력은 이루어지기 어려우며 이루어지더라도 유지되기 어렵다고 주장한다. 예를 들어, 대표적 현실주의자인 케네츠 월츠(Kenneth N. Waltz)는 "갈등하는 국가들에 대한 조정 기능의 부재"를 무정부 상태로 정의하면서 이러한 특성으로 인해 국제사회는 본질적으로 힘의 논리에 의해 좌우된다는 주장을 펴고 있다.229) 현실주의자들은 국가 간의 협력이 어려운 이유로 상대적 이득(relative gain)으로 인한 갈등과 속임수(cheating)의 두려움을 들고 있다. 즉, 협력으로 인해 파생된 이득의 배분 과정에서 발생할 수 있는 불균형적 분배의 문제와 협력 간 행위자 간에 발생할 수 있는 속임수에 대한 두려움이 협력을 어렵게 한다는 것이다. 따라서 국가들은 자국의 안보를 위해서 궁극적으로 힘(power)을 키워야 하며 이러한 힘을 바탕으로 국가들은 균형을 추구하게 된다는 것이 현실주의자들의 핵심 주장이다.230)

현실주의자들의 이러한 주장과 달리 제1차 세계대전 이후 월슨과 같은 이상적 자유주의자들에 의해 제기된 집단안보(Collective Security), 1980년대 신뢰 구축과 국제적 군축의 분위기에서 등장한 상호안보(Mutual Security), 공동안보(Common Security), 1990년대 탈냉전 시기에 등장한 협력안보(Cooperative Security), 그리고 오늘날의 비전통 안보 분야의 협력을 포함한 포괄적 안보(Comprehensive Security) 등을 주장하는 자유주의자들은 국가 간의 협력에 긍정적이다. 자유주의자들은 현실주의자들과는 다르게 협력을 통해 발생하는 절대적 이득(absolute gain)에 집중하면서 협력 간 발생하는 신뢰에 대한 문제는 규범, 제도, 경험 등을 통해 제어할 수 있다고 주장한다. 조셉 나이(Joseph S. Nye)와 로버트 코헤인(Robert O. Keohane)은 국가 간 '복합적 상호의존성(complex interdependence)'의 증가로 인해 절대적 이익을 위한 협력이 발생할 수 있다고 주장하고 있으며,231) 국제기구나 제도를 통하여 국제체제의 무정부적 환경을 극복할 수 있다고 주장한다.232) 즉, 갈등의 이해관계를 조정할 다자적인 조직, 규범, 레짐을 통해 협력을 발생시킬 수 있고 이를 유지할 수 있다는 것이다.233)

그렇다면 국제협력이 이루어지기 위해서는 과연 세부적으로 어떠한 조건들이 필요한 것인가가 중요한 문제로 남는다. 즉, 국제협력이 이루어지기 위해서는 관련국들 모두가 만족할 수 있는 조건이 있어야 성공할 가능성이 크기 때문이다. 본 장에서는 국제협력의 조건을 살펴보기 위하여 많은 연구 가운데 로버트 저비스(Rober Jervis)의 연구에 주목한다. 그는 국제사회에서 국가 간 안보협력의 조건으로 4가지를 들고 있는데 강대국의 호응, 공동안보 및 협력에 대한 공동인식, 팽창을 지향하는 국가의 부재, 높은 비용에 대한 부담 등이 그것이다.234)

강대국의 호응이란 강대국이 협력에 대해 선호를 해야 한다는 것을 의미한다. 통상적으로 강대국은 모든 국가들이 개별적으로 행동하는 것에 대해 규제할 수 있는 국제적 환경을 선호한다. 따라서 강대국들은 자국의 이익에 상반되지 않는다면 이러한 국제정치적 영향력 행사를 위해 지역적 또는 세계적 차원에서 협력에 긍정적일 가능성이 크며 이러한 강대국의 호응이 있다면 협력의 가능성도 매우 크다고 할 수 있다. 두 번째로 국가 간 협력이 발생하기 위해서는 행위자 간 공동안보와 협력에 대한 가치를 공유해야 한다는 것이다. 즉, 협력에 참여하는 행위자들 간 그 필요성에 대한 의견 일치가 이루어져야 한다는 것이다. 이는 지역적 문제라 하더라도 그 파급효과가 전 세계적일 수 있다면 공감대 확산 및 가치 공유를 통해 세계적 협력도 가능함을 의미한다. 세 번째, 팽창을 지향하는 국가의 부재란 강대국이 아무리 협력에 대해 긍정적이라 할지라도 하나 혹은 몇몇 국가들이 국제사회에서 세력의 팽창을 지향한다면 안보협력은 어렵다는 것이다. 이는 지역적 협력에서 한 국가가 패권 또는 영향력 확대를 지속적으로 추진하려는 경향을 보인다면 지역적 협력이 어렵다는 것을 의미한다. 네 번째 요소인 높은 비용에 대한 부담은 협력에 대한 비용과 이익에 대한 계산을 의미하는데, 이는 협력을 함으로써 얻을 수 있는 이익이 하지 않음으로써 얻는 이익보다 클 경우 국가들은 협력을 하게 된다는 것이다.

국제정치학에서 말하는 현실주의와 자유주의 이론 중 하나만으로 국제사회의 현상을 설명하는 것은 쉽지 않다. 특히, 본 장의 핵심 주제라 할 수 있는 한반도 정전체제의 경우 더욱 그렇다. 현재 남북한은 힘의 균형을 통해 불안정한 평화를 유지하고 있으며, 정상적으로 작동하지는 않으나 정전체제라는 제도와 규범이 이를 보완하고 있다. 따라서 본 장에서는 자유주의 이론이 협력을 위해 필요하다고 주장하는 규범과 제도의 관점에서 한반도 정전체제의 문제점을 분석하고 이러한 문제점을 해결하기 위한 방안으로 국제협력의 필요성을 강조할 것이다. 그리고 '국제협력을 위해서는 어떠한 전략적 접근이 필요한가'라는 질문에 대한 해법을 찾기 위해서 로버트 저비스가 위에서 제시한 네 가지 협력의 조건을 바탕으로 한국의 전략을 도출하고자 한다.

제3절 한반도 정전체제 분석

3.1. 정전협정의 세부 내용

한반도 정전협정은 유엔군사령관과 북한군 및 중국지원군 사령관 사이에 체결되었다. 이 협정의 정식 명칭은 "국제연합군 총사령관을 일방으로 하고 조선인민군 최고사령관 및 중국인민지원군사령관을 다른 일방으로 하는 한국(조선)군사정전에 관한 협정"이다.[235) 정전협정을 위한 최초 접촉은 1951년 7월 8일 개성의 래봉장에서 시작되었다. 그 이후 2년여의 긴 협상을 거쳐 마침내 1953년 7월 27일 오전 10시 20분 판문점에서 정전회담 유엔군 측 대표인 헤리슨과 북·중 공산군측 대표인 남일이 정전협정에 조인하였고 이를 당시 유엔군 사령관 클라크, 중국군 사령관 펑더화이, 그리고 북한인민군 사령관 김일성이 협정문서에 서명하였다.[236) 당시 정전협정 체결을 위한 협의가 2년이 넘게 진행된 주요 원인은 군사분계선 문제와 전쟁포로 처리문제 등을 들 수 있는데 군사분계선의 경우 유엔군 측은 38선 이북을 주장한 반면 공산군 측은 원상복구를 주장하였고, 전쟁포로 처리문제에 대해서는 유엔군 측은 포로의 개인 권리에 대한 불가침을 주장하면서 개별적 의사를 존중하자고 주장한 반면, 공산군 측은 제네바 협정 제118조에 의거 전원 송환을 주장하였기 때문이었다.[237)

이렇게 어렵게 체결된 정전협정은 전문에 "쌍방에 막대한 고통과 유혈을 초래한 한국충돌을 정지시키기 위하여서 최후적인 평화적 해결이 달성될 때까지 한국에서의 적대행위와 일체 무장행동의 완전한 정지를 보장하는 정전을 확립"하는 것을 주된 목적으로 한다는 것을 명확하게 밝히고 있다. 세부적으로는 제1조 군사분계선과 비무장지대, 제2조 정화와 정전의 구체적 조치, 제3조 전쟁포로에 관한 조치, 제4조 쌍방 관계정부들에의 건의, 제5조 부칙 등 총 5개조 63항과 부록 11조 26항으로 이루어져 있으며 서명 당사자의 국적을 고려하여 영문, 한국어, 중국어 등으로 작성되었다.

제1조는 정전협정의 기본 조항이라 할 수 있는데 "한 개의 군사분계선을 확정하고 쌍방이 이 선으로부터 각기 2Km씩 후퇴함으로써 적대 군대 간에 한 개의 비무장지대를 설정한다(1항)"라고

규정하고 있으며 "쌍방은 모두 비무장지대 내에서 또는 비무장지대로부터 또는 비무장지대에 향하여 어떠한 적대행위도 감행하지 못한다"고 적시하고 있으므로 해서 비무장지대를 중립지대로 규정짓고 있다.

제2조에서는 무기와 병력에 대한 통제와 함께 군사분계선과 비무장지대를 관할하는 조직으로 군사정전위원회와 중립국감독위원회 설치와 역할에 대한 규정을 담고 있다. 예를 들어, "한국 경외로부터 증원하는 군사인원을 들여오는 것을 중지 (13항 c)"하고, "한국경외로부터 증원하는 작전비행기, 장갑차량, 무기 및 탄약을 들여오는 것을 정지(13항 d)"하도록 하고 있다. 또한, 군사정전위원회와 중립국감독위원회의 임무는 각각 24항과 41항에 규정짓고 있는데 "군사정전위원회의 전반적인 임무는 본 정전협정의 실시를 감독하며 본 정전협정의 어떠한 위반사건이든지 협의하여 처리하는 것이다"로 정의되고 있으며 "중립국감독위원회의 임무는 13항 c목, d목 및 제28항에 규정한 감독, 감시, 시찰 및 조사의 직책을 집행하며 이러한 감독, 감시, 시찰 및 조사의 결과를 군사정전위원회에 보고하는 것"이라고 되어 있다.

이밖에도 군사정전위원회의 구성은 19항에서 23항, 책임과 권한은 24항에서 30항, 총칙은 31항에서 35항에서 규정하고 있으며, 중립국감독위원회 구성은 36항에서 40항에, 책임과 권한은 41항에서 43항, 총칙은 44항에서 50항에 규정하고 있다. 제3조와 제4조에서는 60일 이내에 송환을 희망하는 포로들의 송환에 대한 것과 정전협정 발효 후 3개월 내 정치회담을 개최한다는 내용이 수록되어 있으며 제5조는 부칙, 그리고 부록에는 중립국 송환위원회 직권의 범위에 관한 규정 등을 담고 있다.

3.2. 정전체제 관리 기구

　정전협정을 통해 한반도에는 새로운 군사분계선과 비무장지대가 설정되었고 정전체제를 관리할 기구인 군사정전위원회와 이를 감시할 중립국감독위원회가 설치되었다. 이 기구들은 정전협정의 이행 및 준수를 감시, 감독하여 한반도에서 위기관리, 긴장 완화, 전쟁 재발을 예방하는 역할을 하였다. 남북한 간의 군사적 갈등이나 충돌이 발생했을 경우 이러한 사태가 더욱 악화되지 않도록 방지하는 유엔군 측과 북한 측 의사소통의 장이 바로 이 기구들이었던 것이다.

　우선, 군사정전위원회는 정전협정의 이행 감독, 정전협정 위반사건의 협의 및 처리, 군사정전위원회 본회의 및 기타 회의의 주관, 정전협정의 수정 및 증보에 관한 보고, 필요한 절차 및 규정의 채택, 포로 및 유해 송환 업무처리, 공동감시소조의 운영, 쌍방 사령관들 간의 대화 통로 유지 등의 임무와 기능을 수행한다.238) 편성은 총 10명으로 구성되는데 유엔군 측이 5명, 공산측이 5명을 각각 임명하도록 되어 있다. 군사정전위 회의는 양측 중 한쪽이 요청하면 이루어지게 되는데 판문점 공동경비구역에서 개최되며 본회의, 비서장회의, 참모장교회의, 공동일직장교 회의 등이 있다. 이 중 가장 중요한 본회의에서는 정전협정 위반사항에 대한 협의와 이에 대한 처리문제를 주로 다루는데 1953년 7월 28일부터 1991년 2월 13일까지 총 459차례 개최되었다.

　중립국감독위원회는 전쟁에 참전하지 않은 중립국 국가들로 구성되었는데 유엔군 측과 공산측 쌍방의 정전협정 이행 및 준수 여부를 감시·감독하고 이를 군정위에 보고하는 기능을 수행하는 기구이다. 편성은 총 4명의 고급 장교로 구성되는데 북측이 선정한 폴란드와 체코슬로바키아 장교 2명, 유엔군 측이 선정한 스웨덴과 스위스 장교 2명으로 구성된다.[239] 감독위 산하에 총 20개 감독소조가 운용되어 실질적인 정전협정 준수 및 이행 여부를 감독하도록 규정되어 있다. <그림 9-1>은 정전체제 양대기구인 군사정전위원회와 중립국감독위원회의 구성을 도식화한 것이다.

<그림 9-1> 정전체제 관리 기구

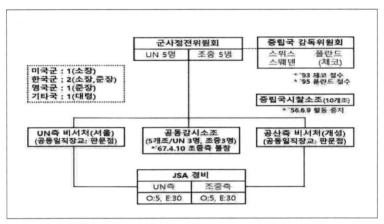

출처: 이상철, 『한반도 정전체제』(서울: KIDA Press, 2011), p. 42.

3.3. 한반도 정전체제의 문제점: 규범과 제도 그리고 국제사회의 역할

한반도 정전체제(Armistice Regime)라 함은 이른바 정전협정을 이행 및 준수하는 체제로서 정전에 관한 규범과 원칙, 비무장지대와 군사분계선 등으로 이루어지는 지리적 규정, 군사정전위원회와 중립국감독위원회로 구성되는 운영체제 등을 포괄하는 제도적, 실제적 규범을 말한다.[240] 현재 한반도 정전체제는 기능적 측면에서 역할을 제대로 수행하지 못하고 있는 것이 사실이다. 이렇게 한반도 정전체제가 제대로 작동하지 않는 데는 여러 가지 요인이 있을 수 있다. 즉, 원활하게 정전체제가 유지되기 위해서는 규범적 측면, 지리적 측면 그리고 제도적 측면에서 정상적인 가동이 이루어져야 함에도 불구하고 이 모든 측면이 잘 이루어지지 못하고 있는 것이 현 실정이다.

우선, 규범적 측면에서 살펴보면, 정전협정 제62항에는 "본 정전협정의 각 조항은 쌍방이 공동으로 접수하는 수정 및 증보 또는 쌍방의 정치적 수준에서의 평화적 해결을 위한 적당한 협정 중의 규정에 의하여 명확히 교체될 때까지 계속 효력을 가진다" 라고 규정되고 있다. 즉, 현재까지 이를 대체할 수 있는 다른 협정이 없으므로 이 정전협정의 유효성은 인정된다. 하지만 전술하였듯이 1953년 7월 27일 체결된 정전협정은 90년대 중반 이후부터 제 기능을 발휘하지 못하고 있다. 연구자에 따라 해석의 차이는 어느 정도 있을 수 있으나 일반적으로 '군사분계선, 비무장지대 관련' 조항만 제한적으로 효력을 유지하고 있다고 볼 수 있다.241) 이렇듯 정전협정이 기능을 발휘하지 못하는 것은 이 협정의 가장 기본적인 목적에 대한 의도적인 왜곡 때문이라고 할 수 있다. 정전협정의 전문에서는 "이 조건과 규정들의 의도는 순전히 군사적 성질에 속하는 것이며, 이는 오직 한국에서의 교전 쌍방에만 적용한다"고 밝힘으로써 본 협정이 순수한 군사적 성격임을 명확히 하고 있다.

하지만 북한은 이러한 군사적 성격의 협정을 정치적 도구화함으로써 작동에 제한을 가하였다. 북한은 1953년 7월 27일 정전협정 체결 당시 한국 측이 협정 서명자가 아니라는 점을 빌미로 북미 간 평화협정을 체결해야 한다는 입장을 지속적으로 주장하였다.242) 북한은 휴전협정이라고 할 수 있는 정전협정을 미국과의 관계 개선을 위한 정치적 협상의 도구로 사용하였던 것이다.

특히, 1990년대 초 동유럽 공산국가들의 몰락 이후부터 북한은 자신들의 체제 안전을 담보 받기 위해서 평화체제로 전환을 지속적으로 주장하고 있다. 따라서 북한은 고의로 정전협정을 무력화시킴으로써 군사정전위원회 등 정전체제가 사실상 유명무실화되었다고 주장하면서 이를 보완할 수 있는 체제의 필요성을 강조하고 있다.243)

또한, 북한은 정전체제를 책임지고 있는 유엔사에 대한 해체 주장도 지속적으로 하고 있는데 일례로 북한 외무성 군축 및 평화연구소는 2023년 11월 개최된 '한국-유엔군사령부(유엔사) 회원국 국방장관 회의' 하루 전날 공보문을 통해 "불법무법의 침략적인 유엔군사령부는 지체없이 해체되어야 하며 이는 유엔의 권위와 공정성을 회복하고 조선반도의 평화와 안정을 도모하기 위한 필수선결적 요구"라고 주장하였다. 특히, 북한은 "유엔군사령부를 즉시 해체하고 남조선 강점 미군을 철수시키는가 마는가 하는 것은 미국이 조선반도의 평화와 안정을 진정으로 원하는가 안하는가 하는 것을 가늠하는 시금석"이라고 주장하면서 주한미군 철수 주장까지 함께 하고 있다. 이렇듯 북한은 정전체제의 규범 준수에는 별다른 관심을 가지고 있지 않고 있으며 이를 단지 자신들의 정권 생존을 위한 정치적 도구로 변질시키고 있는 것이다. 결국, 이러한 상황이 정전체제가 원활하게 유지되지 않도록 하는 주요 요인의 하나로 작용하고 있는 것이다.

둘째, 제도적 측면에서의 문제를 들 수 있다. 앞서 살펴보았듯이 정전체제를 유지시키기 위한 핵심 기구는 군사정전위원회와 중립국감독위원회가 있다. 하지만, 북한은 1991년 3월 25일 유엔사측 수석대표에 한국군 장성이 임명되었다는 이유로 군사정전위 참석을 거부하였고, 1994년 4월 24일 군사정전위 비서장 회의에서 정전위 기능 중지를 통보하였다. 이어서 다음 달인 5월

28일에는 군사정전위를 대신할 '조선인민군 판문점 대표부' 설치를 통보하였다. 결국, 정전협정에 규정된 공식 기구인 군사정전위원회는 북한의 이러한 태도로 인해 현재까지 제 기능을 수행하지 못하고 있으며 지금은 '유엔사-조선인민군 장성급회담'244)으로 정전 문제를 협의 처리하고 있으나 이것은 최초의 정전협정에 의해 규정된 것이 아니기에 정상적이라고 할 수는 없다. 비정상적으로 구축된 조직은 사상누각처럼 기반이 취약하기 마련이다.

<표 9-1> 북한의 정전체제 관리 기구 무력화 시도

날짜	내용
1991.3.25.	군사정전위 참석 거부
1993.4.3.	중립국감독위 체코대표단 축출
1994.4.28.	군사정전위 비서장 회의에서 정전위 기능 중지통보
1994.5.24.	군사정전위 대신할 '조선인민군 판문점대표부' 설치 통보
1994.12.15.	북측 요청에 의해 중국 군사정전위 대표단 철수
1995.2.28.	중립국감독위 폴란드 대표단 축출
1995.5.3.	판문점 중립국감독위 사무실 폐쇄
1995.6.22.	정전협정 파기 선언계획 통보
1995.10.18.	평화보장체계 협상거부시 정전체제 완전 청산조치 경고
1996.4.	정전협전 준수 임무포기 선언

한편, 중립국감독위원회의 경우 산하에 있는 20개의 감독 소조가 50년대 후반부터 활동 여건 보장이 이루어지지 않고 있으며 심지어 간첩행위 등에 대한 문제로 인해 실질적인 운용은 되지 않고 있다. 이러던 중 1993년 중감위 국가인 체코슬로바키아가 체코와 슬로바키아로 분리되자 북한은 체코 대표단을 인정할 수

없다는 주장을 펴며 북한 내 입국 자체를 거부하였고 강제 철수시켰다. 뒤이어 1995년 2월 20일에는 폴란드 대표단마저 강제 철수시켜 공산 측 중립국감독위원회는 그 기능이 완전히 상실된 상태가 되었고 중립국감독위원회는 유명무실화 되었다.[245] 북한의 정전체제 양대기구에 대한 주요 무력화 시도를 요약하면 아래 <표 9-1> 과 같다.

이렇듯 정전체제를 실질적으로 유지하는데 핵심적 역할을 하는 양대기구의 무력화는 정전협정에 대한 감시 및 감독 기능을 마비시킴으로써 남북 간 상호 신뢰성을 저하시켰으며 이는 군비 경쟁을 더욱 가속화시켜 한반도 정전체제의 원활한 작동을 하지 못하게 하는 요인으로 작용하였던 것이다.

셋째, 국제사회의 해결 노력이 활발하지 못하였다. 특히, UN의 한반도 정전체제에 대한 문제 해결 노력이 미미하였다. 6·25 전쟁은 명백하게 국제사회(UN)이 개입하여 전쟁이 치루어졌고 휴전까지 이르게 되었다. 6·25 전쟁은 UN 창설 이후 집단안보의 원칙이 적용된 최초의 사례이다. 즉, 유엔안전보장이사회는 당시 소련의 반대에도 불구하고 집단안보의 원칙을 고수하기 위해 16개국의 참전을 유도하였으며 총 60여개 국가들이 전쟁을 위한 인적, 물적 지원을 할 수 있도록 참여 의지를 확산시켰다. 이는 2차례에 걸친 세계대전의 원인을 침략행위에 대한 세계 각국의 무관심과 실천 의지 부족으로 판단하였기 때문이었다.[246]

이렇게 6·25 전쟁에 개입하게 된 유엔은 유엔결의안을 통해 유엔군사령부를 설치하였고 현재까지 이 사령부는 한반도 내 위치하여 남북 간의 위기 발생 시 관리 역할을 수행하고 있다.[247] 또한, 정전협정이 체결된 직후 UN 참전 16개국은 워싱턴 선언을 통해 "한반도에서 유엔의 제 원칙에 반하는 무력공격이 발생할 경우 즉각적으로 이에 대항할 것"을 천명하였으며, 1954년 2월

18일 열렸던 제네바 회담에서 유엔군 측은 한반도에서 유엔의 역할과 활동을 강조하였고, 공산측은 유엔의 직접 관여에 반대하면서 유엔사 철수를 주장하였다. 결국, 양쪽은 첨예한 의견 대립 속에서 유엔군 측은 "한반도 문제는 유엔으로 이관할 수밖에 없다"는 공동선언문을 발표하고 종료되었다.248)

<표 9-2> 6.25 직후 UN의 개입 현황

일 자	내 용
1950.6.25.	· 북한의 침공을 "평화에 대한 파괴"행위로 규명 · 적대행위의 즉각적인 중단과 병력의 철수 요구 · UN 회원국들에게 사태해결을 위한 모든 원조 제공 요청
1950.6.27.	· 모든 UN 회원국들에게 북한의 무력 공격을 격퇴하고 한반도에서 국제평화와 안전을 회복하기 위해 필요한 원조를 대한민국에 제공할 것을 권고
1950.7.7.	· 미국 주도 통합사령부에게 병력과 원조를 제공할 것을 권고 · 미국에게 회원국들이 제공할 병력들에 대한 사령관을 임명 요구
1950.11.3.	· 안전보장이사회가 "평화의 파괴"사태에 대하여 아무런 행동도 취할 수 없게 되는 때는 총회가 그러한 행동을 취할 수 있는 권한을 갖고 있다는 내용의 "평화를 위한 단결"이라는 결의 채택
1951.2.1.	· 중국에 대하여 한반도로부터 병력의 철수 요구 · 모든 UN회원국들에게 한반도에서 UN 작전에 대한 모든 원조 계속 제공 요청
1951.5.18.	· 모든 회원국들에게 북한 및 중국에 대한 병기, 탄약 등 전쟁물자 수출 금지 권고

당시 유엔의 이러한 활발한 개입에도 불구하고 70여 년이 지난 지금도 정치적 수준에서 6·25 전쟁의 종전은 이루어지지 않고 있으며 이를 해결하기 위한 유엔의 역할도 상당 부분 그 동력

을 잃고 있다. 특히, 1978년 한미연합사령부 창설 이후 유엔군사령부가 정전체제 관리 임무만을 수행하게 되면서 유엔의 역할은 미미해졌다. 하지만, 연합사령부 체제는 한반도에 힘의 균형을 맞추어 군사적 억제를 제공하는데 핵심 목적이 있다. 따라서 한반도 정전체제 문제의 실질적 해결과 원활한 유지를 위해서는 유엔이 대표하는 국제사회의 노력이 필요한 것이다. 한반도 정전체제는 냉전시대의 산물로써 "부분 국제체제"로서 인식될 필요가 있다.249) 하지만 지금까지 유엔은 한반도 정전체제에 대해 소극적 역할만을 유지해 왔으며 이는 정전체제가 원활하게 유지되지 않는 하나의 요인인 되었다.

제4절 한반도 정전체제 복원과 국제협력

6·25 전쟁 이후 한반도는 여러 가지 군사적 도발과 갈등이 지속적으로 발생하였다. 하지만 이러한 것들은 새로운 전쟁으로 확대되지는 않았다. 이렇게 한반도에서 불안정하나마 평화가 지속할 수 있었던 것은 남북한 간 군사적 힘의 균형에 의한 것이었다고 볼 수 있다. 즉, 한반도 정전체제가 원활히 작동되지 않는 상태에서 평화를 유지하기 위해서는 힘에 의한 방법밖에는 없었던 것이다.

이러한 소모적인 힘에 의한 균형을 제어하고 진정한 평화를 한반도에 뿌리내리기 위해서는 현재 정전 상태를 평화 상태로 전환시켜야 한다. 그러기 위해서는 현재 정전체제를 최우선적으로 정상화시켜야 하며 이를 바탕으로 한반도 평화체제 전환은 물론 평화통일을 위한 기반을 조성해야 한다. 하지만, 한반도의 이러한 일련의 과정은 한반도의 지정학적 특성상 남북한만의 의지와 능력만으로 이루어질 수 없다. 따라서 지역적 더 나아가 국제적 협력이 필요하다. 그렇다면 국제적 협력을 위해서는 어떠한 전략적 접근이 필요한가? 이를 도출하기 위해 전술한 저비스의 국제 안보협력을 위한 조건을 한반도에서 정전체제 복원을 위한 국제협력 방안 도출을 위해 적용하여 설명하고자 한다.

4.1. 강대국의 호응 유도

한반도 정전체제는 미국과 중국이라는 강대국이 개입되어 있음을 부인할 수 없다. 당시 미국과 중국은 6·25 전쟁에 실질적이고도 주도적으로 개입하였으며 정전협정의 체결에 있어서도 핵심적 역할을 하였다. 또한, 현시점에서는 G-2시대를 주도하고 있는 명실공히 세계 강국이라고 할 수 있다. 따라서 현재의 정전체제를 원활하게 복원하기 위해서는 미국과 중국의 협력이 가장 필요하다고 할 수 있다.

여기서 한국에게 무엇보다 중요한 것은 한미관계 강화를 통해 미국으로부터 한국의 정책에 대한 지지를 지속적으로 확보하여야 한다는 것이다. 북한은 이전에도 그러하였듯이 미국과 관계 개선을 통해 자국의 난관을 극복하려 할 것이다. 따라서 한국은 미국과 협력을 강화함으로써 한반도 문제를 한국이 주도할 수 있는 동력을 확보할 필요가 있다. 한국이 배제된 상태에서 북미 간 대화 등이 이루어지는 경우를 차단할 필요가 있다는 것이다. 정전체제와 관련된 문제해결을 전제로 한 북미 간 직접 대화는 한국의 위상을 약화시키는 것은 물론 한국이 정전협정의 당사자가 아니라는 것을 인정하는 것이 된다는 것을 명심할 필요가 있다.

또한, 한미동맹의 강화는 군사적 측면에서도 매우 중요하다. 확고한 한미연합방위체제의 확립은 대북전략의 우위를 점하는데 필수적이라 할 수 있다. 북한의 군사적 도발에 대한 강력한 응징 의지와 능력의 보유는 정전체제의 정상작동을 위한 필수적인 요소이기 때문이다. '정상적이지 않은 방법'으로는 정권 유지가 오히려 더 힘들 수 있다는 것을 북한 정권에게 반드시 인식시킬 필요가 있다.

정전협정의 실질적인 서명 국가인 중국과의 관계 또한 매우 중요하다. 북한에게 있어 중국은 두말할 필요 없이 가장 가까운 국가라 할 수 있다. 북한의 경제적 교역 측면에서 중국은 압도적으로 1위를 보이고 있다. 한국 통일부가 발표한 '북한 경제·사회 실태 인식 보고서'에 따르면[250] 김정은이 집권한 2012년 이후 북한 장마당 내에서 거래되는 화폐 비중은 중국 위안화가 57.9%로 가장 많다. 이는 2011년 이전의 12.2%에서 5배 가까이 급증한 것으로 북한 원화(36.4%)보다 많은 양의 위안화가 북한 장마당 내에 유통되고 있는 것이다. 이런 현상은 북한 경제가 중국에 예속화되고 있다는 우려를 낳고 있기도 하다. 이렇듯 중국은 여전히 북한과 밀접하게 연계되어 있으며 강력한 영향력을 줄 수 있는 국가라는 것을 보여주기도 한다.

중국은 세계 강국으로 도약하기 위해 경제적, 정치적 능력의 확대를 추진하고 있다. 이런 상황 속에서 한반도에 존재하는 불안정성은 중국에게는 전혀 긍정적인 요소가 아니다. 한반도 내 불안정성을 만드는 핵심 행위자는 바로 북한이다. 이것을 중국 정부에 각인시킬 필요가 있다. 즉, 정상적으로 작동하는 정전체제를 바탕으로 한반도에 평화 분위기가 조성된다면 중국에게도 긍정적 영향을 주게 될 것이며 특히, 한반도 문제 해결에 있어서 중국이 핵심적 역할을 수행한다면 세계적 강대국으로서 신뢰성에도 긍정적으로 작용할 것이라는 점을 부각시킬 필요가 있다. 이와 함께 한

국은 중국과 경제, 문화, 사회 등 제 분야의 교류를 확대할 필요
가 있다. 중국과 한국의 다양한 분야의 상호의존성을 확대시킴으
로써 한국의 불안정이 중국에게도 영향을 줄 수 있다는 인식을
확산시켜나가야 할 것이다. 결국, 이러한 교류 확대는 한반도 평
화를 위한 정책에 중국의 긍정적 참여를 유도할 수 있을 것이다.

4.2. 한반도 문제 해결을 위한 국제적 가치 공유

유엔이 양차 세계 대전의 원인을 국제사회의 '무관심과 실천 의
지 부족'으로 판단하여 6·25 전쟁에 개입하였던 사실을 다시 한
번 되짚어 볼 필요가 있다. 지역적 또는 특정 국가의 심대한 위협
을 단순히 직접적인 관계가 있는 국가 또는 지역의 관심사로 치
부해 버린다면 전 세계적 안보에 치명적인 결과를 초래할 수 있
다는 것을 역사는 보여주고 있다. 따라서 핵을 포함한 북한의 군
사적 위협은 단지 남북 간의 군사 문제가 아닌 전 세계적 이슈라
는 것을 확실히 전파할 필요가 있다. 특히, 북한의 핵 문제는 한
국만의 힘으로는 해결할 수 없다. 그래서 북한의 위협 관리라는
차원에서 한반도 문제의 접근이 필요함을 확산시킬 필요가 있다.
실제로 북한의 핵 문제가 확대되면서 주변국은 물론 전 세계적으
로 비확산 레짐에 반하는 북한의 행위에 제어가 필요하다는 점이
인식되고 있다.[251]

이런 측면에서 볼 때 한국은 UN의 역할을 적극적으로 강조할
필요가 있다. UN헌장 전문 및 제1조에서 밝히고 있듯이 유엔은
'국제평화 및 안전'을 유지하기 위해 효과적인 집단조치를 통해
평화에 대한 위협의 방지, 제거와 침략이나 기타 평화 행위에 대
처하도록 규정하고 있으며 유엔군의 6·25 전쟁 참전도 이러한

유엔 정신에 의한 것이었다. 물론 현재 UN은 정전협정 체결 당시와 비교했을 때 규모면에서 크게 확대되어 한반도 정전체제라는 이슈를 크게 부각시키기는 것은 쉽지 않을 것이다. 하지만 북한도 유엔 회원국으로서 국제평화를 수호할 의무를 가졌다는 점을 강조하면서, UN의 한반도 정전체제 복원을 위한 노력을 요구하여야 할 것이다.

이를 위해 유엔 내 가칭 "한반도 정전체제 특별 위원회" 설치를 적극적으로 추진해야 한다. 물론 이러한 조직이 실질적으로 얼마나 많은 성과를 낼 수 있을지는 의문 시 될 수 있다. 하지만 한반도 문제를 전 세계적으로 이슈화시킴으로써 대북 압박은 물론 국제사회의 한반도 문제 해결을 위한 실천 의지를 자극시킬 수 있을 것이다. 이와 함께 한국 정부는 한반도 문제와 동아시아 지역, 더 나아가서는 세계적으로 참여국들에게 혜택이 돌아갈 수 있는 아젠다를 개발하여 이와 한반도 안보문제를 결합시키려는 노력을 하여야 할 것이다.252) 이러한 노력은 각 국가들의 협력에 대한 참여 의지를 더욱 강화함으로써 한반도 평화 달성에 매우 긍정적으로 작용할 수 있을 것이다.

4.3. 정전체제 양대기구의 기능 회복을 위한 노력

국제사회의 가장 큰 특징은 무정부 상태라는 것이다. 국가 내에서는 정부라는 것이 있어서 여러 가지 균형을 유지하여 주지만 국제사회에서는 국가 간 일을 조정하고 균형을 유지시켜 줄 수 있는 정부가 없다. 이러한 무정부 상태에서는 만일 A라는 국가가 힘을 증강시킨다면, B라는 국가는 그에 대한 두려움이 생기게 되고 결국 자신도 힘을 증강 시키게 된다. 이것이 이른바 안보 딜레마이다. 안보 딜레마를 극복하기 위해서는 무엇이 필요한가? 상대에 대한 신뢰가 필요하다. 예를 들어, 우리는 영국이 새로운 무기체계를 개발한다고 해서 그것을 위협으로 인지하고 그에 대한 대비 차원의 군사력 건설을 하지 않는다. 그것은 그들이 새로운 무기체계를 가지고 우리를 공격하지 않을 것이라는 신뢰가 있기 때문이다. 하지만, 남북 간에는 이러한 신뢰가 부족하다. 따라서 남북 간 신뢰회복이 필요하며, 이를 위해서는 정전체제 양대기구의 원활한 임무 수행이 재개되어야 한다. 협정은 쌍방이 이를 준수해야만 그 유효성이 있기 때문에 그를 지키는 것을 감시, 감독할 수 있는 장치가 매우 중요한 것이다.

군사정전위는 정전협정을 관리할 기구로 북한과 유엔군 측이 각각 5명씩 총 10명으로 구성되며 산하에 행정적인 업무를 담당하는 비서처와 정전협정 위반 사항이 발생했을 경우 이를 조사하는 공동 감시 소조 10개를 설치하였다. 하지만, 군사정전위원회가 실질적인 성과를 낸 경우는 거의 없었다. 1965년 유엔군 측 수석대표였던 윌리엄 야보로 장군은 2005년 12월 11일 자 워싱턴포스트지와의 인터뷰에서 "정전위원회 회의는 냉소주의 경연장(a volley of sarcasm)이었다"라고 회고하기도 하였다.253) 그러나 천안함 피격 및 연평도 도발이 일어났을 때에도 정전위원회는 특별조사 활동을 통해 UN 안전보장이사회에 조사 결과를 보고하는 등 남북 간의 군사적 갈등 발생 시에 전면전으로 확전을 억제하는 역할을 해온 것도 사실이다.254)

북한은 군사정전위원회에서 북한 대표를 1994년 4월 28일 일방적으로 철수하였다. 하지만 북한 또한 정전위의 필요성에 대해 어느 정도 인식하고 있다. 이는, 1998년부터 정전위를 대신해 설치 운영되고 있는 '유엔사-조선인민군 장성급회담'에 응한 것을 통해서 유추해 볼 수 있다. 따라서 한국은 우선적으로 군사정전위원회 활동의 재개를 위해 대북 협상을 제의할 필요가 있다.

이와 함께 전작권 전환이 재연기 된 현시점에서 전작권 전환 이후 유엔군사령부의 역할을 명확히 정립할 필요가 있다. 유엔군사령부는 1978년 한미연합사령부 창설 이후 정전협정에 대한 관리 임무만 수행해 왔다. 이런 유엔사에 대하여 북한은 해체를 지속적으로 주장하고 있다. 이는 유엔사를 해체하여 국제사회가 집단안보 차원에서 한반도 문제에 개입할 수 있는 여지를 원천적으로 봉쇄하겠다는 의도라고 볼 수 있다.

유엔군사령부는 전작권이 한국군에게 전환된 이후에도 한반도가 여전히 불안정한 상황에 놓여 있다면 전력제공자(force provider)로서 전시 임무 복원 등을 포함하여 현재의 정전협정 관리보다는 좀 더 확장된 임무를 수행하고자 할 것이다. 실제로 전작권 전환 논의가 진행되면서 유엔사 역할 강화에 대한 논의가 이루어진 것도 사실이다. 2006년 당시 버웰 벨 연합사령관이 작전통제권 전환 논의와 더불어 '연합사가 창설되면서 유엔사로부터 이양받았던 기능을 변화된 안보환경에 부합되게 다시 유엔사'로 돌려주자는 주장을 제시하기도 하였으며255) 벨 연합사령관은 2006년 미 상원 국방위 청문회에서 유엔사를 항구적인 다국적 연합군 기구로 발전시키겠다는 의견을 피력하기도 하였다.256) 이후 2010년 한미연례안보협의회에서 "필요시 유엔사와 전력을 제공하는 국가들을 연합연습에 참여시킨다"는 내용의 한미국방협력지침에 합의하였으며 2014년에는 다국적 차원의 지원자(multinational enabler) 능력 확대를 위한 유엔사 재활성화(revitalized) 논의가 진행되었다. 이러한 논의는 전작권 전환이 재연기 되면서 다소 시들어지기는 하였으나 사전 준비와 연구가 충분히 필요할 것이다.

4.4. 북한의 정전체제로 복귀 유도

일반적으로 자신의 능력과 의지를 사용하여 상대방의 행위를 바꾸거나 취하지 못하도록 하는 군사전략을 가장 합목적적이라 평가한다. 즉, 싸우지 않고 승리하는 것이 군사(軍事)에서는 최선의 길인 것이다. 일반적으로 이러한 전략을 억제라고 하는데 억제는 상대방에게 강압을 행사하여 행위를 변화시키는 거부적 억제와 상대방에게 예상되는 이익보다 비용이 더 클 것이라는 점을 설득시켜 의지를 바꾸는 응징적 억제로 구분한다.257) 최근에는 상대방에게 경제적 원조나 그에 상응하는 편의를 제공함으로써 상대방의 의지를 바꾸는 새로운 개념의 억제 개념도 등장하고 있다.258)

이러한 억제 개념의 목적이 상대방의 의지를 바꾸어 결과적으로 행위 방향을 바꾸는 것이라면 이를 준용하여 북한을 정전체제로 복귀시키는 전략을 도출할 수 있을 것이다. 물론, 현재의 강력한 한미 연합전력을 통해 군사적 억제는 달성할 수 있다. 하지만 북한을 정전체제로 복귀시키기 위해서는 정전체제로의 복귀가 북한에게 충분한 이익을 제공할 수 있음을 보여주어야 한다. 즉, 북한이 정전체제 준수에 대한 진정성을 보일 경우 이것이 북한에게 '기회'가 될 수 있다는 것을 공표할 필요가 있다. 이를 위해 변형적인 형태의 비공식적 만남이 아닌 정전체제에서 규정화되고 공식화된 조직을 통해 북한에게 이익을 제공하여야 할 것이다. 이러한 과정을 통해 북한은 정전체제로 복귀가 자신들에게 이익을 줄 수 있다는 것을 인식하게 될 것이다. 물론 이럴 경우 수동적인 유화정책으로 남북관계의 주도권을 빼앗기지 않도록 유의할 필요는 있을 것이다.

이와 함께 평화협정 체결을 위해서는 정전협정 준수가 먼저 이루어져야 한다는 점을 북한 측에게 강력하게 전달하고 이를 위한 북한의 자세 변화를 촉구할 필요가 있다. 즉, 북한이 진실로 한반도 평화체제를 원한다면 현재의 정전체제에 대한 준수를 보여줌으로써 남북은 물론 주변국들에게 진정성을 보여줄 필요가 있음을 전달하여야 한다.

제5절 결론: 정책적 함의

북한은 현재 계속되는 국제적인 제제로 인한 경제적인 어려움, 국제사회에서 고립, 비효율적인 정치·경제 시스템 등으로 인해 체제의 불안을 겪고 있는 것이 사실이다. 이런 상황을 타개하기 위해 북한은 내부적 단속은 물론 외부적으로도 정전체제 무력화를 통한 남북한 간 군사적 갈등 및 긴장을 지속시키는 벼랑 끝 전술을 지속적으로 추진해 왔다. 그리고 북미 간 평화협정 체결을 주장하면서 주한미군 철수 등을 여전히 주장하고 있다.

분단을 극복하고 평화통일을 이룩하기 위해서는 남북 간 평화협정 체제로 전환은 필요한 것이 사실이다. 그러나 평화체제로 전환을 위해서는 정전체제의 원활한 유지 즉, 정전협정의 지속적인 유지가 선결되어야 할 것이다. 1992년 2월 발효된 남북기본합의서 제5조에는 "남과 북은 현 정전 상태를 남북 사이의 공고한 평화 상태로 전환시키기 위하여 공동으로 노력하며, 이러한 평화 상태가 이룩될 때까지 현 군사 정전협정을 준수한다"고 규정하고 있다. 그러나 정전체제가 복원되기 위해서는 남과 북의 의지가 가장 중요하다. 지금 남과 북이 긴장 상태에 놓여 있는 것은 협정의 존재 여부가 아닌 이에 대한 준수 의지의 부재가 가장 크다는 것을 명심해야 할 것이다.

여기서 가장 경계해야 할 것은 평화체제로의 전환이 이루어지면 무조건적인 평화를 가져올 수 있다는 환상에 사로잡히는 것이다. 평화체제에 대한 논의는 1997년부터 1999년까지 진행되었던 4자 회담에서도 큰 성과가 없었으며 2005년 6자회담에서 합의한 9.19 공동성명도 평화체제에 대한 논의를 담고 있었으나 이 또한 실천시키지 못하였다.259) 심지어 2018년 초부터 계속된 남북정상회담, 북미정상회담을 통해서도 이루어지지 않았다. 결국, 북한은 미국과의 관계 정상화를 요구하며 유엔사 해체, 주한미군 철수 등을 반복적으로 주장하고 있으며 핵 개발을 지속적으로 강행하여 이제는 실질적인 핵보유국이 되었다. 북한은 2013년 3월 정전협정 백지화와 남북불가침 합의 전면 무효화도 선언하였다. 물론, 북한의 이러한 백지화 선언은 국제법적으로 큰 의미가 없다. 왜냐하면, 정전협정에는 폐기 조항이 없기 때문이다.260) 대신 정전협정은 부칙 제5조 61항에서 "정전협정에 대한 수정과 증보는 반드시 적대 쌍방 사령들의 합의를 거쳐야 한다"고 명시함으로써 상호 합의 하에 협정에 대한 수정이 이루어질 수 있도록 하였다. 이렇게 체결된 협정에 대한 북한의 행태를 고려할 때, 현재 존재하고 있는 정전체제도 준수하지 않아 제대로 작동하지 않는데, 이들이 주장하는 새로운 평화체제가 올바르게 작동할 것으로 믿는다는 것이 얼마나 어리석은 것인지를 깨닫게 해주고 있다.

정전체제 70년이 지나가고 있는 이 시점에서 한국은 주도적으로 한반도 안보에 대한 청사진을 그려나갈 필요가 있다. 전작권 전환이 재연기 되어 2020년 중반에 이루어진다는 것에 안주하지 말아야 한다. '연기'는 언젠가는 그 일이 이루어진다는 것이지 그 일이 '소멸'되는 것이 아니다. 따라서 그 기간 한국이 무엇을 준비해야 할 것인가를 고민해야 할 것이다. 한국 정부는 "비정상의 정상화"를 추진해 왔다. 이는 과거로부터 지속되어 온 국가 및 사회의 전반의 비정상을 혁신하여 올바른 사회를 만들어 나가자는 것이다. 즉, 한국 내부에 깊숙하게 뿌리내린 비정상적인 것을 바로잡아 법과 원칙이 바로 서고 투명하고 효율적인 국가와 사회를 만들겠다는 것이다. 이러한 비정상의 정상화가 남북 간에도 이루어져야 한다. 그것의 일환으로 정전체제의 복원이 필요하다. 즉, 비정상적으로 가동되고 있는 정전체제를 정상화시킴으로써 건강한 남북관계를 회복하고 이를 바탕으로 평화체제로 전환에 대한 논의를 더욱 실질적이고 활발하게 이루어나갈 수 있을 것이며 이는 평화통일로 가는 지름길이 될 것이다. 물론 이러한 노력은 한반도의 지정학적 특성과 경제적, 정치적 상호의존성 등으로 인해 남과 북의 의지와 함께 국제적 공조도 병행될 필요가 있다.

제10장 대북 군사전략 개념의 확장: 소진전략을 중심으로[261]

제1절 서 론: 문제제기

2018년 열린 남북정상회담과 뒤이어 개최된 북미정상회담은 한반도에 평화의 시기가 도래하고 있다는 기대감을 높여주었다. 뿐만 아니라 오랜 기간 해결되지 않았던 북핵 문제도 일순간에 해결될 수 있을 것으로 보였다. 그러나 당시 평화 분위기는 계속되지 못했으며 여전히 남북은 대결 구도에서 벗어나지 못하고 있고, 북한은 국제사회의 제재 및 반대에도 불구하고 핵 개발을 지속 추진해 왔다.

사실, 평화 분위기가 조성되었던 그 당시에도 북한의 실제 의도에 대한 우려가 있었다. 그 주장의 핵심은 연이은 핵실험과 미사일 발사로 국제사회에서 고립된 북한의 국면전환용 행동이라는 것이었다. 실제로 평창올림픽 개막식 전날인 2018년 2월 8일 북한은 비록 규모면에서는 다소 축소되었다고는 하지만 건군절 열병식을 강행하는 등 평화를 위한 진정성 있는 행동을 보여주지 않았다. 따라서, 당시 미국을 포함한 국제사회는 한국 정부의 평화적 접근을 환영하면서도 섣부른 지원을 경계하였다. 특히, 동맹국인 미국은 평창올림픽 이후 북한의 도발 가능성을 경고하며 긴급 파병능력을 강화하고 수집자산을 증가 운용하는 등 군사대비태세를 유지하기도 하였다.[262]

이러한 주장과 대응이 이루어진 것은 지금까지 대화와 도발을 병행하는 북한의 전형적인 화전양면전술에서 비롯된 것이기도 하지만, 북한이 보여 왔던 호전성에서 기인한 것이기도 하다. 김정은 집권 이후 북한은 여전히 전방위적으로 도발을 감행하고 군사력을 강화했다. 수많은 재래식 도발은 물론 미사일 시험발사, 그리고 국제사회의 제재에도 불구하고 지속적으로 핵 개발을 진행하였다. 만약, 북한의 비핵화 과정이 다시 진행되어 어느 정도 진전된 결과를 얻더라도 그 과정에서 그리고 그 이후에도 냉전시대부터 중국, 소련 등의 지원으로 성장한 북한의 재래식 군사력은 상당 기간 한국에게 있어서 가장 심각한 안보위협으로 작용할 것이다. 그러므로 한국은 평화적으로 통일이 이루어지는 그날까지 북한의 재래식 전력에 대한 대비를 철저히 할 필요가 있다. 이에 한국군은 평화로운 시대적 분위기에 편승함을 경계하고 재래식 전력 측면에서 대북군사력 우위를 달성하기 위한 효과적인 전략을 수립하여야 한다.

한국군은 매년 GDP의 약 2.4%-2.6%에 달하는 대규모 국방예산을 지출하고 군 사력을 키우고 있다. 2023년 기준 한국의 국방예산은 447억 달러이고 북한은 45억 달러 수준으로 한국의 1/10 정도인 것으로 알려지고 있다. 이에 따라 세계적으로 한국군의 군사력이나 전쟁 지속능력은 북한에 비해 질적으로 우수하다는 평가를 받고 있다. 2024년 군사력 평가 전문사이트 GFP(Global Firepower)는 2024년 세계 145개국을 대상으로 핵무기를 제외하고, 인구, 장비, 병력, 경제력, 연료 생산능력 등 50여 가지 변수들을 종합해 산출한 결과 한국의 군사력은 세계 5위로 평가한 반면 북한은 36위로 발표하였다.

이러한 차이에도 불구하고 북한의 재래식 군사적 위협은 여전히 해소되지 않고 있다. 이는 북한의 "저비용·저기술" 체계에 대해 한국군이 "고비용"으로 대응하는 비대칭적 군비 경쟁, 북한의 무기체계 변화에 대한 대응 위주 전략 수립에 따른 결과라고 할 수 있다. 이러한 상황을 잘 보여주는 대표적인 사례로 2014년 발생한 북한의 무인기 침투와 이에 대한 한국군의 대응을 들 수 있다.

2014년 3월과 4월, 경기도 파주와 서해 백령도, 강원도 삼척에서 북한 무인기 3대의 잔해가 발견되면서 북한군의 무인기를 이용한 위협이 새롭게 대두되었다. 이에 한국군은 저고도로 접근해 오는 1-2m 크기의 소형 무인기도 탐지할 수 있는 이스라엘제 RPS-42 레이더를 도입하였는데 이 무기체계의 가격은 대당 10억 원으로 알려졌다.[263] 그러나, 2016년 3월 국방과학연구소에서 북한 소형 무인기 3대를 복원하여 실제 비행시험을 한 결과 당시 북한의 무인기는 3-4kg 무게의 폭탄도 달 수 없을 정도로 조잡하였고 탑재된 엔진과 카메라는 1980년대 수준의 성능이었으며, 제작비용 또한 약 1~2천만 원 수준으로 밝혀졌다.[264]

결과적으로 당시 한국군은 제작비용으로 약 1,000만 원이 소요되는 북한 무인기에 대응하기 위하여 약 100배가 넘는 비용을 지출한 것이다. 이는 북한군이 저비용의 조잡한 무인기 몇 대로 100배에 달하는 한국군의 국방예산 소모를 유도한 것으로 볼 수 있다.[265] 북한 정권이 이를 의도하였는지에 대해서는 알 수 없지만, 한국군이 북한의 저성능·저비용 무기체계에 대비하기 위해 고비용을 지출한 것은 분명한 사실이다.

이러한 상황은 두 플레이어가 서로 다른 판돈을 놓고 게임을 하는 상황과 유사하다. 예를 들어, A 국가는 10,000원의 판돈을 내고, B 국가는 100원의 판돈을 내고 게임에 참여하는 경우와 동일한 것이다. A 국가는 승리할 경우 100원을 받고 패할 때는 10,000원을 잃는다. 게임이 진행될수록 A 국가의 손해는 커지며, 최소한 연속으로 100번 이상 이겨야 판돈만큼을 얻을 수 있다. 하지만 B 국가는 이길 때마다 큰 이득을 얻고, 패할 때는 100원만 손해를 본다. 결과적으로 A 국가는 판돈의 비대칭성으로 승률과 상관없이 가진 돈을 빠르게 소모할 수밖에 없다.

또한, 이러한 상황은 게임에서 상대방의 블러핑(bluffing)에 높은 배팅을 한 경우로도 설명할 수 있다. 블러핑은 자신의 패가 좋지 않더라도 상대를 속이고자 강하게 베팅하는 전략을 말한다. 한국은 북한이 공개하는 무기체계가 어느 정도 성능을 내는지 정확히 알지 못한다. 따라서 북한이 공개한 무기체계보다 우수한 무기체계를 확보하기 위해 높은 비용을 지출하게 된다. 이후 북한이 공개한 무기체계의 실제 성능이 매우 낮더라도 이미 투자한 비용을 회수할 수 없다. 마치 토끼를 잡기 위해 호랑이를 구입하여 사냥하는 것과 같다고 할 수 있다.

이렇듯 한국군은 재래식 전력 측면에서 북한과 불공정한 군비경쟁으로 인해 상대적으로 자원을 크게 소진하면서도 안보 불안감은 해소되지 않는 딜레마에 처해 있다고 할 수 있다. 그렇다면 '한국군은 이러한 상황을 어떻게 타개하여야 하는가?', 즉 '북한의 저급한 무기체계에 대한 한국군의 고비용 대응이라는 비효율성을 해결할 방법은 무엇인가?' 이것이 본 장에서 다룰 핵심 문제의식이다.

본 장에서는 이러한 문제를 해결하기 위해서는 전략개념의 확대가 필요하며 이의 일환으로 "소진전략"을 집중적으로 제시하고자 한다. 연구의 논지를 전개하기 위해 우선 소진전략의 개념과 전략체계를 살펴본다. 이후 역사적으로 소진전략이 수행된 사례를 살펴보고 이를 통해 한국적 함의를 도출한다. 마지막으로 소진전략을 바탕으로 한 한국군의 대북 군사전략 수립 방향을 제시하고자 한다.

제2절 소진전략의 개념

2.1. 소진전략(Exhaustion Strategy)의 정의

소진은 사전적으로 "점점 줄어들어 다 없어짐" 또는 "다 써서 없앰"을 의미한다. 어원을 살펴보면 消(사라질 소) 와 盡(다될 진) 이 합쳐진 한자어로 "아주 사라져 다 없어짐"을 의미한다. 영어로는 exhaustion으로 라틴어로 '밖'을 의미하는 'ex-'와 '비우다'를 의미하는 '-haurire'가 결합 된 exhaustus에서 유래된 것으로 한국어 의미와 동일하게 '기진맥진하게 만들다', '고갈시키다'는 의미이다. '소진'과 유사하게 사용되는 용어로는 "어떤 일의 바탕이 되는 돈이나 물자, 소재, 인력 따위가 다하여 없어짐"을 의미하는 '고갈(枯渴)'이 있다. 이는 주로 물이 말라서 없어지거나 돈이나 물건 같은 것이 거의 없어져 귀해진 상태와 같이 물질적 자원의 부족을 나타낼 때 사용된다. 이 두 단어의 의미는 거의 유사하지만 용법과 대상에서 차이가 있다. 먼저, 고갈은 자동사로서 주어의 상태만을 나타내는 반면 소진은 자동사 및 타동사로써 상대방을 대상으로도 사용할 수 있다. 또한 '고갈'은 주로 물질적 자원의 소멸을 대상으로 하지만 '소진'은 "열정 및 동력이 상실된 상태"로써 심리적 소멸 또한 포함한다.[266]

한편, 군사적으로 사용되는 '소진'의 개념은 클라우제비츠의 전쟁론에서 그 기원을 찾아볼 수 있다. 클라우제비츠는 '전쟁의 목적과 수단' 편에서 "적의 힘을 소진시킴으로써 적의 전투력을 쓰러뜨리지 않으면서도 승리할 수 있다"고 주장하였다. 여기서 적을 소진시킨다는 것은 전쟁의 지속성을 사용하여 적의 물리적이고 정신적인 저항을 점차적으로 약화시키는 것을 의미한다. 그리고 적을 소진시키기 위한 방안으로 침략, 적에게 큰 손실을 입힐 수 있는 계획의 우선 시행, 적을 피로하게 만드는 것을 제시하였다. 그리고 이러한 소진전략은 적군을 격멸시키는 것이 불가능하거나, 정치적 목적이 폭력의 사용을 정당화하지 않을 경우 혹은 외교전략을 지지하는 경우 고려될 수 있다고 주장하였다.[267]

현대사회에서 소진전략의 개념 또한 클라우제비츠가 제시한 것과 유사하다. 옥스퍼드 사전에서는 소진전략을 '적 전투능력과 의지의 점진적인 침식을 목적으로 하는 전략'으로 정의하고 있으며, 미 육군 전쟁대학에서는 '적국의 군대뿐만 아니라 의지와 자원의 침식을 목적으로 하는 전략'으로 설명하고 있다. 물론, 두 정의 간 약간의 차이가 있지만, 기본적으로 '적의 전투력을 포함하여 전쟁수행에 필요한 자원과 의지를 약화시키는데 목적을 두는 전략'이라는 점은 동일하다.

한국에서는 '소진전략'에 대한 체계적인 연구는 이루어지 않았다. 다만, 미 육군 전쟁대학에서 제시한 'Exhaustion Strategy'를 고갈전략으로 번역하고 전략의 유형 중 하나로 제시하고 있다. 이와 관련 박창희는 고갈전략을 "적의 국가적 의지와 자원을 침식해 나가는 것으로써 물리적 잠재력과 심리적 혹은 정신적 요소를 공격함으로써 궁극적으로 적의 저항 의지를 약화시키는데 주안을 두는 전략"이라고 설명하고 있다.[268]

그러나 앞서 설명한 것처럼 '고갈'은 용법상 상대방을 상대로 사용할 수 있는 용어가 아니며 물질적 소멸에 한정되기 때문에 클라우제비츠가 제시한 'Exhaustion Strategy'는 '소진전략'으로 정의되는 것이 타당할 것으로 보인다. 이를 바탕으로 앞서 제시한 '소진'의 사전적 정의와 전략개념들을 종합해 보면 현대전에서 '소진전략'은 '전·평시 위협적인 적대 국가의 유·무형 자원을 고갈되도록 함으로써 스스로 붕괴되도록 유도하는 전략'으로 정의할 수 있다.

2.2. 소진전략의 체계: 목표, 수단, 방법

일반적으로 군사전략의 체계는 다음 <그림 10-1>에서 제시한 것처럼 목표(ends)와 수단(means) 그리고 방법(ways)의 결합으로 설명된다. 이 요소들은 군사전략을 안정되게 받치는 기둥과 같은 역할을 하며, 이 중 어느 한 요소가 부족하거나 과도할 경우 불안정한 전략이 된다. 따라서 군사전략은 목표와 방법, 그리고 수단이 적절하게 균형을 이루도록 수립되어야 한다.269)

<그림 10-1> 군사전략의 체계

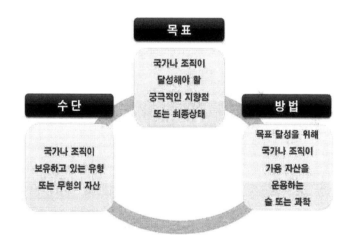

우선, 목표는 국가나 조직이 달성해야 할 궁극적인 지향점으로 군사전략 수립 시 최우선적으로 고려되어야 한다. 전략의 효과가

설정된 목표의 달성이라는 점을 고려할 때 군사전략의 효과는 적과의 충돌에서 승리 여부라고 할 수 있다.[270] 이는 방법과 수단이 성공에 매우 중요하다고 하더라도 궁극적으로 목표가 가장 중요하다는 것을 의미한다.

다음으로 방법은 목표를 달성하기 위해 국가나 조직이 보유하고 있는 가용자산을 운용하는 술(術) 또는 과학을 말한다. 동일한 목표와 수단이 있다 하더라도 이것을 어떻게 사용하느냐에 따라 다른 결과가 나타난다. 따라서 방법은 주어진 수단인 전력을 어떻게 운용하여 목표를 달성할 것인지를 제시하는 것으로서, 수단의 제 요소들이 어떻게 능력을 발휘하게 만드는지에 대한 개념이라고 할 수 있다.

한편, 수단이란 국가나 조직이 보유하고 있는 유형 또는 무형의 자산을 의미한다. 테일러는 병력, 물자, 자금, 전력, 군수지원 등을 군사전략의 수단으로 제시하였는데[271] 이러한 요소들은 전쟁의 수행에 필요한 자원으로써 전쟁을 실행하기 위해서는 충분히 뒷받침되어야 한다. 따라서 군사전략 수립 간 이러한 자원의 지원 가능성은 반드시 고려되어야 한다.

이를 바탕으로 소진전략의 체계를 살펴보면 <그림 10-2>와 같이 설명할 수 있다. 첫째, 소진전략의 목표는 '적국의 소진'이라고 할 수 있다. 여기서 소진은 유·무형소진으로 구분할 수 있다. 먼저, 유형소진은 무기·예산·물자 등 적대적 행위를 하는데 필요한 물질적 자원의 소진을 강요하는 것을 의미한다. 반면, 무형소진은 적대 의지 혹은 전쟁 수행 의지의 소진을 강요하는 것으로 전투를 하는 군사뿐만 아니라 국민을 그 대상으로 한다.

둘째, 수단면에서 적국을 소진시키기 위해서는 군사적 수단뿐만 아니라 비군사적 수단 또한 필요하다. 앞서 언급한 것처럼 소진전략은 적의 전쟁 수행능력과 의지의 소진을 목표로 하는데 군사적 수단만으로는 그 한계가 있기 때문이다. 예를 들어, 적국보다 앞선 첨단 무기체계의 도입은 평시에 적국의 새로운 무기체계 도입에 따른 자원의 소모를 강요하고 전시에는 적의 주요 전력을 무력화시킬 것이라는 효과를 기대할 수 있다. 하지만, 새로운 군사적 수단의 도입은 군비 경쟁을 유발함으로써 적뿐만 아니라 아군의 자원 또한 소모시키며 적의 전쟁 수행 의지 또한 완전히 꺾을 수 없다는 한계를 가지고 있다. 이러한 한계를 극복하기 위해서는 아군의 위험은 최소화하고 적국의 소진을 극대화 시키기 위해 무기체계 도입과 관련된 유언비어나 선전과 같은 심리전 수단과 같이 비군사적 수단이 동원되어야 한다.

이와 함께 군사적 수단과는 별개로 적국의 자원을 소진시키기 위해 적의 동맹을 와해시켜 경제적 지원을 약화시키는 군사외교나 적의 주민을 문화적으로 포섭하고 전쟁 수행 의지를 약화시키기 위한 정치전이나 정보전의 수단들도 비군사적 수단으로써 독립적으로 사용될 수 있다. 즉, 외교, 군사, 정보, 경제, 정치, 심리, 사회, 문화예술 등 다양한 국가적 요소들이 수단으로써 동원되어야 한다. 물론, 이러한 수단들 대부분은 군과 관련이 없지만 큰 틀에서 군사적 목적을 가지고 사용되기 때문에 군사전략을 구성하는 비군사적 수단으로 분류됨에 있어 문제는 없다.

셋째, 소진전략의 방법은 전쟁론에 제시된 '소진'의 방법을 적용해 볼 수 있다. 그러나 클라우제비츠가 제시한 전쟁 수행에 필요한 방안을 전시와 평시에 모두 적용하기 위해서는 수정이 필요하다. 먼저, '침략'의 경우 적국의 일부 지역을 점령함으로써 피로감을 극대화 시키는 것으로써 평시 억제를 목적으로 하는 방법으로 적용하기에는 제한된다. 따라서 평시에는 적 내부 사회에 아군에 대한 우호적인 여론을 확산시키는 것과 같은 '심리적 점령'의 개념을 적용하고 전시에는 적에게 상징적 의미가 큰 특정 지역에 대한 점령을 작전계획에 포함하는 것으로 적용할 수 있다. 다음으로 적에게 큰 손실을 입히기 위한 계획의 우선 시행의 경우 평시에는 국방비 과다 지출을 강요하고 전시에는 적의 핵심 군사력에 대한 우선 타격 등을 고려할 수 있다. 마지막으로 적을 피로하게 만드는 것으로 평시에는 군사대비태세의 지속적인 유지를 강요하고 전시에는 전선의 교착 혹은 정치적 목적 달성을 거부함으로써 적이 먼저 전쟁을 포기하게끔 만드는 방법 등이 있다.

<그림 10-2> 전·평시 '소진전략'의 개념도

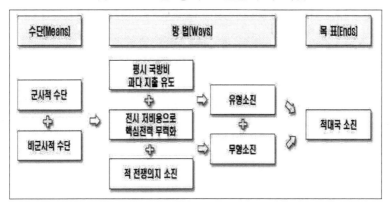

제3절 소진전략의 수행 사례

역사적으로 소진전략은 다양한 형태로 수행되었다. 고대 펠레폰네소스 전쟁으로부터 중세시대 비잔틴(동로마)제국의 무슬림 확장 억제, 미국의 남북전쟁 간 수행되었으며, 냉전시기 미국의 대소련 봉쇄전 또한 소진전략의 형태로 볼 수 있다. 이밖에도 서독이 동독을 대상으로 한 심리전이나 아프가니스탄전에서 탈레반 정권이 미국의 국민을 대상으로 반전 여론을 형성한 전략 또한 전쟁 수

행 의지를 대상으로 하였다는 차원에서 소진전략의 유형으로 볼
수 있다.

위에서 언급한 대부분 사례들은 전시 교전 상황에서 소모전과
유사하게 수행되었다. 하지만 미국의 대소련 봉쇄전이나 서독의
대동독 심리전의 경우에는 냉전 상황에서 무력 충돌을 동반하지
않고 수행되었다는 특징을 가지고 있다. 따라서 현재 한반도의 상
황을 고려할 때 이 두 가지의 사례에 대한 분석은 매우 중요하다
고 할 수 있다. 특히, 서독의 대동독 심리전은 동일한 언어를 사
용하고 문화적 동질감을 가지고 있는 같은 민족 간에 사용되어
그 효과를 입증하였다는 측면에서 한국에게 주는 함의가 매우 크
다 하겠다. 물론, 이러한 사례들은 유형적 소진과 무형적 소진이
동시 진행되었다. 즉, 하나의 소진만을 통해 목표가 달성되지는
않았다. 냉전 시 양 진영은 정치, 경제, 군사, 외교 등 다양한 분
야에서 서로를 소진시키려 하였고 이는 동서독의 경우도 마찬가
지였다. 하지만, 논지 전개를 위해서 미국의 대소련 봉쇄전의 경
우 유형적 소진에 집중하여 살펴보고, 독일의 사례는 무형적 소진
에 집중하여 살펴보고자 한다.

3.1. 냉전기 미국의 대소 봉쇄전: "유형적 소진"

냉전시기 미국은 소련의 팽창을 저지하기 위해 봉쇄전을 수행
하였다. 이는 직접적인 군사적 충돌 없이 소련의 자원을 소진시키
는 것을 목표로 수행되었고 실제로 소련이 해체되는데 큰 영향을
미쳤다. 따라서 미국의 대소련 봉쇄전에 대한 분석은 평시 상대국
의 자원이 물리적으로 소진되도록 강요하는 전략으로서 그 함의
가 크다고 할 수 있다.

제2차 세계대전 종결 후 미국이 세계에서 지배적인 강대국으로 부상한 가운데, 막대한 자원을 소유한 소련이 이에 도전하는 세력으로 부상하였다. 이런 상황 속에서 미국과 소련은 힘의 균형에 있어서 상대방보다 우위를 점하기 위해 서로 더 많은 동맹국을 확보하려 노력하였다. 소련은 동유럽을 중심으로 세력을 확장하기 시작하였고, 미국은 서유럽과 동아시아 국가들을 중심으로 세력을 규합하였다. 이에 따라서 세계는 미국을 중심으로 하는 자본주의 세력과 소련을 중심으로 하는 공산주의 세력으로 양분되는 이른바 냉전(Cold War)이 시작되었다.272) 이러한 미소 간 경쟁은 무기경쟁에서 시작하여 경제전으로 확대되었고 분쟁의 가능성은 점점 더 증가하였다. 이에 미국에서는 소련과의 경쟁에서 물러나야 한다는 주장과 소련을 침공해야 한다는 주장이 대립되었다. 이 과정에서 제시되었던 전략이 바로 봉쇄전이었다.273)

대소련 봉쇄전의 개념은 당시 미 국무부의 소련 전문가인 조지 캐넌(George Kennan)에 의해 처음으로 제시되었다. 이 개념의 핵심은 "공산세력에 대해 군사적 수단을 동원한 직접적인 전쟁을 통한 해결보다는 주변을 둘러싸고 고립시킴으로써 스스로 해체되도록 유도하는 것"이었다. 결국, 이는 평시 수행되는 소진전략의 유형이라고 할 수 있다.274)

1950년 4월 14일 공표된 미 국가안보법 NSC-68에는 봉쇄전에 대한 미국의 의도를 '모든 수단을 동원하여 더 이상의 소련 확대 봉쇄, 소련의 허위성 노출, 크렘린의 통제와 영향력의 철회 유도, 소련의 내부적 불안정을 유발하여 크렘린이 국제사회의 규범을 따르도록 만드는 것' 등으로 제시하고 있다. 이를 바탕으로 소련의 국력 소진 방식과 관련하여 NSC-68에 제시된 정책은 총 6가지로 (1) 평화를 위협하지 못하도록 소련의 영향력과 국력 감소, (2) 소련 정부의 UN의 헌장 준수 유도, (3) 소련의 영향력 아래 있는 위성 국가들과 모스크바의 관계에서 분열 유발, (4) 소련 내부 반정부 세력 육성, (5) 소련의 지도층 내부에서 균열 발생 유도, (6) 소련의 영향력에 속하지 않는 국가들이 미국에 우호적 행동을 취하도록 유도 등이다.

이에 따라서 미국은 실제로 소련의 국력을 소진시키기 위해 다음에서 제시한 4가지 수단과 방법을 사용하였다. 첫째, '코콤 (COCOM, 대공산권수출조정위원회)'을 통하여 공산권 수출을 금지하였다. 미국은 영국, 독일 일본 등 17개국이 참여하는 가운데 군사 목적으로 사용될 수 있는 모든 민간기술의 수출을 금지하였으며, 위반 시 강력한 무역 제재를 시행하였다. 이는 소련 등 공산 국가들의 경제를 악화시키는 요인으로 작용하였다.[275]

<그림 10-3> NATO와 바르샤바 조약기구 세력 구도

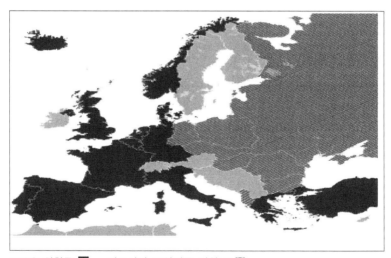

NATO 회원국:■ , 바르샤바 조약기구 회원국:▨
출처: 외교부, 『NATO 개황』(서울 : 외교부, 2014). p. 2.

둘째, 북대서양조약기구(NATO)를 결성하여 물리적 봉쇄를 추진하였다. 1949년 미국은 서유럽국가들과 북대서양조약기구를 결성함으로써 소련의 주위를 포위하였다. 이후, 1955년 소련이 동유럽 국가들을 중심으로 바르샤바조약기구(WTO)를 결성함에 따라서 <그림 10-3>과 같은 세력 구도가 형성되었다. 그러나 북대서양조약기구의 결성으로 소련의 세력 확장은 물리적으로 차단되었고 더 이상 확대되지 못하였다.276)

셋째, 소련군의 자원을 소모하기 위해 대리전을 수행하였다. 미국은 6.25 전쟁, 베트남전쟁 등 대리전을 수행함으로써 소련과 직접적인 충돌을 피하면서도 소련의 군사력과 자원을 효과적으로 소모시킬 수 있었다. 특히 미국의 대아프가니스탄 공작으로 소련은 840억 달러 이상의 전쟁비용을 지출하였고, 5만 명 이상의 사상자와 다수의 전쟁 물자가 소진되는 등 경제적으로 막대한 손해를 입었다.277) 물론, 대리전에 전쟁 물자 지원뿐만 아니라 미군도 직접 참전하게 되면서 미국 또한 막대한 자원의 소모와 피해를 감수해야만 했다.

넷째, 미국은 지속적인 군비 경쟁을 통해 소련의 자원을 소모시켰다. 1945년도 미국이 핵무기 개발에 성공한 이후 미국과 소련의 군사적 비대칭성은 심화되었고, 소련 역시 이를 극복하기 위해 핵 개발을 시작하여 1949년도에 원자폭탄 실험에 성공하였다. 이러한 핵 개발 경쟁에 이어서 양국의 군비 경쟁은 미사일과 인공위성 개발 경쟁으로 이어졌는데 이 과정에서 이를 뒷받침할 수 있는 경제발전이 병행된 미국의 경우에는 큰 문제가 없었으나 공산주의라는 비효율적 경제체제를 가지고 있었던 소련의 경우에는 과도한 군비 경쟁으로 인해 경제가 침체하는 결과로 이어졌다.

실제로 냉전시기 미국과 소련의 국방비 지출 규모를 비교해 보면 다음의 <그림 10-4>와 같다. 이를 통해 소련과 미국의 국방비는 유사한 양상으로 증가하고 감소하였음을 알 수 있다. 냉전 경쟁이 시작된 1940년대 소련의 국방비는 GDP 대비 20%였지만, 동일시기 미국은 1.7%로 그 차이가 상당히 크다. 이후, 핵 개발에 성공한 1940년 말 소련의 국방비는 GDP의 60%에 이를 정도로 큰 폭으로 상승하였다. 또한, 냉전 기간 내내 소련은 평균 GDP대비 20%의 예산을 국방비로 지출함으로써 10% 내외를 지출한 미국과의 군비 경쟁에서 자원 소모가 더 컸다는 사실을 확인할 수 있다.

결과적으로 이러한 미국의 대소련 봉쇄전으로 인해 소련의 국가자원 소진율은 증가하였고 이는 소련의 경기 침체를 야기하였다. 경제력의 약화는 전쟁 수행능력의 약화로 이어졌다. 즉, 미국의 대소련 소진전략의 일환으로 추진되었던 봉쇄전은 결국 소련의 과도한 자원 소진을 유도하였으며 이로 인해 소련의 해체를 야기하는데 결정적으로 작용하였다고 할 수 있다.

<그림 10-4> 냉전시기 미국과 소련의 국방비 지출 규모 비교

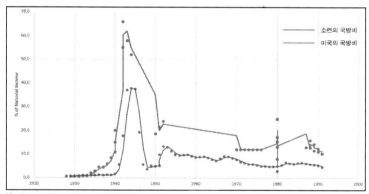

출처:<https://nintil.com/2016/05/31/the-soviet-union-military-spending/>(검색일: 2024.8.24.)

3.2. 서독의 대동독 심리전: "무형적 소진"

심리전(Psychological Warfare)은 일반적으로 선전 등을 사용하여 적의 사기를 저하시키거나 전쟁 수행 의지를 약화시키기 위한 의도로 수행되는 전쟁의 형태를 말한다. 전쟁의 목적이 상대방에게 나의 의지를 강요하는 것임을 고려할 때278) 심리전은 인간의 심리를 대상으로 공포와 불안감 등을 조성하여 전쟁 수행 의지를 꺾음으로써 싸우지 않고 이기는 전쟁의 형태라고 할 수 있다.

<표 10-1> 심리전 전략체계

구분	내 용
목표	・대외 목표 - 심리적 불안정화 : 적 전투 의지와 노력 말살 - 고립 : 적을 동맹과 중립국으로부터 차단 ・대내 목표 - 심리적 동원: 아군(동맹국) 승리의식 고취, 자국민 지지 창출
수단	・비폭력적 수단 - 선전, 적대관의 강화, 모략, 유언비어, 독필, 미신, 뇌세탁 등 ・폭력적 수단 - 특수부대 침투, 목표물 타격, 민간인 공격 등 ⇒ 혼란조성, 불신감, 공포심, 절망감 등 효과 창출
방법	・군사작전, 정치전, 정보전

출처: 김태현, "냉전기 서독 연방군의 심리전 체계 연구,"『분쟁해결연구』, 제13권 제2호(2015), pp. 142-143.

심리전을 구현하는 전략의 체계를 앞에서 설명한 전략의 세 가지 요소인 목표와 방법, 수단으로 설명하면 다음의 <표 10-1>과 같다. 먼저, 목표는 대외 목표와 대내 목표로 구분된다. 대외 목표는 적의 전투 의지를 말살하고 동맹국 및 우호국으로부터 고립시키는 것이며, 대내 목표는 아군의 지지를 획득하는 것이다. 한편, 수단의 경우 불신감, 공포심, 절망감 등의 효과를 추구하기 위해 선전, 모략, 유언비어와 같은 비폭력수단 뿐만 아니라 민간인 공격 등과 같이 폭력적 수단 또한 사용될 수 있다. 이에 따라서 심리전은 정치전이나 정보전의 형태와 유사하게 나타날 수 있다.

독일에서 나타난 심리전의 형태는 이러한 체계를 잘 보여주고 있다. 제2차 세계대전에서 패배한 독일은 자유 진영이 관리하는 서독과 공산 진영이 관리하는 동독으로 분단되었고 냉전 경쟁의 중심에 위치하게 되었다. 치열한 체제 경쟁에서 심리전은 체제 선전과 전쟁 수행 의지를 약화시키기 위한 중요한 수단이었다. 이에 따라서 서독 연방군은 다음의 <표 10-2>에서 제시한 것처럼 동독의 주민과 군인들을 대상으로 다양한 수단과 방법을 동원하여 심리전을 수행하였다

먼저, 심리전의 대외 목표는 공산 진영의 적대관을 완화시키는 것이었다. 이는 동독 주민과 군인들을 동독 정권으로부터 분리시켜 서독에 우호적인 세력으로 만드는 정책과 전쟁 수행 의지를 약화시키기 위한 혼란 및 피로 조성 정책으로 이어졌다. 그리고 대내적으로는 자국민의 안보의식 고양을 지향하였다. 동독 또한 서독과 동일하게 서독의 주민들과 군인들을 대상으로 심리전을 수행하고 있었기 때문에 공산주의 선전으로부터 국민들의 저항력을 강화하고 대비태세가 약화되는 것에 대비할 필요가 있었다.

이를 위해서 심리전 부대는 동독 주민들과 군인들을 대상으로 확성기, 전단, 라디오 등과 같은 매체를 이용하여 선전하였다. 특히 서독 연방군은 동독의 '인민군 지' 또는 '중부 독일 노동자 신문(Mitteldeutsche Arbeiter Zeitung)'으로 위장한 신문을 제작하고 배포함으로써 이를 읽는 동독 군인이나 주민들을 보호하면서도 효과적으로 서독 정보를 유입시킬 수 있었다. 또한, 대내적으

로는 민간 기관으로 위장한 '사회관계 독일재단'과 '시대 문제 연구회'를 통해 대내외 세미나 및 학술 연구를 지원하는 등 '멀티플리카토어(정보확산자)'를 양성하고 사회 여론을 조성하기 위해 노력하였다.279)

<표 10-2> 서독 연방군의 대동독 심리전 수행 전략체계

구분	내 용
목표	• 대외 목표 : 공산 진영의 극단적인 적대관 완화 　- 획득: 동독군과 주민을 동독체제로부터 분리, 서독진영으로 확보 　- 혼란조성: 불확실성, 공포, 불신, 사기저하 유발 　- 피로조성 / 기만: 사기저하, 동독체제 염증 유발 • 대내 목표: 자국민의 안보의식 고양 　- 국민들이 저항력 강화, 준비태세에 위해 되는 행위 방어
수단	• 대외 심리전 　- 심리전 부대(국방부 심리전과), 심리전 학교 　　* 확성기, 전단, 라디오·TV, 인쇄물(위장 신문·책자) • 대내 심리전 　- 사회관계독일재단(DCFG), 시대문제연구회(SFZ) 　　* 대내외 세미나·학술연구 지원, 시사정보 우편배달, 영화 제작
방법	• 정보유입작전: 동독주민들이 동독정권의 허위성 인식 영향 • 동독이탈 장병들의 서독사회 정착지원, 정보획득 　* 후견인 제도, 동화교육 • 멀티플리카토어 양성(대학생, 교사 등), 안보 파급효과 창출

출처: 김태현, "냉전기 서독연방군의 심리전체계 연구,"『분쟁해결연구』, 제13권 제2호 (2015), pp. 142-143

이처럼 동독을 대상으로 한 서독의 심리전은 동독 주민들과 군인들의 서독에 대한 전쟁 수행 의지를 약화하고 통일의 토대를 마련하는데 기여하였다. 물론 동독 정부는 서독으로 이동 통제, 우편물 검열, 서독 방송 시청 통제 등을 통해 서독의 정보가 동독으로 유입되는 것을 최대한 막으려고 하였다. 그러나, 동독 정부의 강압적인 행동은 오히려 동독 주민들의 반발로 이어졌고 결국 여론에 따라 허용할 수밖에 없는 상황에 놓이게 되었다.[280]

당시 실시된 동독 이탈주민들과 군인들을 대상으로 한 설문조사를 살펴보면 응답자의 78%가 서독의 방송을 시청하였다고 응답하였으며, 구동독의 여론기관에서 1970년 말에 실시한 설문조사에서도 동독 주민의 70%가 서독의 방송을 시청한 것으로 조사되었다.[281] 특히, 이들이 시청 한 주요 내용은 주로 서독의 뉴스나 정치에 관련된 것이었는데 이를 통해 동독 주민이나 군인들은 동독 체제의 문제점을 인식하고 서독의 체제를 더 신뢰하게 되었다.

게다가 당시 동독을 탈출한 사람들의 탈출 동기에 대한 설문에서 56%가 계급 투쟁, 정치적 억압 등 정치적 동기에 의한 것이라고 답변하였는데, 이는 당시 동독 주민들이 서독에 대한 적대성이 매우 약화되어 있다는 것을 의미하며 더 나아가 서독군이 동독군과 주민들의 전쟁 수행 의지를 약화하겠다는 목표를 어느 정도 달성하였다고 볼 수 있다. 결국, 이러한 서독의 심리전은 동독의 무형적 자원을 공략함으로써 눈에 보이지 않는 의지를 소진시켰다고 할 수 있으며 이것이 서독이 원하는 방향으로의 독일 통일을 이룩하는데 크게 기여하였다고 할 수 있다.

제4절 한국군 대북 군사전략 개념 확장: 소진전략

4.1. 한국군 전략 수립 방향

일반적으로 외부 환경변화에 대응하여 효과적인 전략을 도출하기 위해서는 아군과 적에 대한 정확한 평가가 매우 중요하다. 즉,

적의 강약점을 명확히 분석하여 아군의 강점은 강화하고 약점은 보완하며, 적의 강점은 회피하고 약점을 공략하는 방향이 전략수립의 가장 기본방향이라고 할 수 있다.

하지만 현재 한국군의 군사전략을 살펴보면 적의 강점을 회피하기 보다는 맞서고 있으며, 약점은 제대로 활용하지 못하고 있다. 지금까지 한국군은 북한의 재래식 위협에 대해서는 '공세적 방어'를 핵 및 WMD 위협에 대해서는 '맞춤형 억제'를 적용하고 있다. 그리고 이를 구현하기 위해 Kill-Chain·KAMD·KMPR 등 이른바 '한국형 3축체제'의 구축을 추진하고 있으며, 여기에 소요되는 예산은 약 57조로 한 해 국방비를 상회하는 규모이다.

이처럼 한국군은 자원의 소모가 크고 아군의 피해 또한 감수해야 하는 전략을 추진하고 있다. 더불어, 3축 체제가 완벽하게 갖추어지더라도 또 다른 위협이 등장하면 이에 대한 대응을 다시 고민해야 하는 딜레마에 놓일 가능성도 높다. 또한, 2018년에 있었던 평화적인 분위기가 미래 어느 시점에서 또다시 나타난다면 천문학적 예산을 들인 무기체계가 감축의 대상으로 지목될 수도 있다. 따라서 이러한 한계를 보완하기 위해서는 평시 저비용으로 적의 강점을 회피하면서도 위협을 만들어 내는 전략적 접근이 필요하다. 이를 위해서는 다음과 같은 점에 집중하여 전략을 수립할 필요가 있다.

첫째, 김정은 집권 이후 변화 중인 북한군의 위협을 재평가하여야 한다. 김정은 집권 이후 북한군은 핵 개발 뿐만 아니라 재래식 전력에 있어서도 많은 변화를 이루었다. 오래된 무기체계를 신형 장비로 교체하고 있을 뿐만 아니라 효율성을 고려하여 재배치하고 있기도 하다. 따라서 이러한 변화사항을 반영하여 북한군 전력을 재평가하고, 위협의 우선순위를 조정해야 한다.

둘째, 한국군 보유 능력에 대한 재평가를 바탕으로 현실성 있는 소진전략의 수립이 필요하다. 한국이 자체적으로 개발한 K-1 전차나 K-9 자주포 등은 세계에서 인정받는 무기로서 여러 국가에 수출되고 있다. 이뿐만 아니라 한국군은 자체 기술력으로 개발한 많은 첨단 무기체계들을 보유하고 있다. 따라서 북한이 새로운 무기체계를 공개할 때마다 미국 등 다른 국가의 새로운 무기체계 도입을 고민하기보다는 현재 보유한 무기체계를 가지고 극복할 전략을 마련하는 것이 추가적 비용 소모 없이 효과를 발휘할 수 있는 방안이라 할 수 있다.

셋째, 한국의 강점을 최대로 활용하여 북한이 보유한 자원의 소진을 유도하여야 한다. 현재 한국은 세계 10위권의 경제력을 갖추고 있을 뿐만 아니라 ICT분야에서는 세계를 선도하는 경쟁력을 갖추고 있다. 이러한 경제력과 첨단기술력의 보유는 저비용·고효율의 무기체계를 만들 수 있는 능력을 의미한다. 이를 이용하여 비용이 많이 들고 복잡한 능력을 갖춘 장비를 도입하기보다 북한이 보유한 낮은 수준의 장비에 대하여 동일한 효과를 가질 수 있는 장비를 낮은 비용으로 대량생산하는 것이 더 효율적일 것이다.

넷째, '유형소진'과 '무형소진'을 동시에 달성할 수 있는 다차원적 작전 수행방안을 모색하여야 한다. 클라우제비츠는 『전쟁론』에서 전쟁의 목표는 적의 무장해제로써 적 전투력의 격멸, 적 국토의 정복을 통해 이르게 된다고 보았다. 여기서 적 전투력의 격멸은 더 이상 싸움을 계속할 수 없는 상태로 몰아넣는 것을 의미한다. 그리고 국토의 정복은 국토를 기반으로 새로운 전투력이 형성되는 것은 막는 것을 의미한다. 그러나 여기서 더 중요한 것은 이 두 가지가 성취되었을지라도 적의 의지가 강제되지 않는 경우 긴장과 적대 감정을 지닌 적 전투력의 행동은 종료되었다고 볼 수 없다고 주장했다.282) 이는 적의 의지를 소멸시키는 것이 얼마나 중요한지를 강조하고 있다고 할 수 있다.

현대전에서도 적 전투력과 의지의 격멸은 매우 중요한 목표이다. 제2차 세계대전 당시 프랑스가 독일에 점령당하였던 이유는 전투력이 약했기 때문이 아니라 지도부에 전쟁 수행 의지가 없었기 때문이다. 또한, 베트남전에서 미군이 작전에 성공하지 못한 것은 상대적으로 월맹군의 전쟁 수행 의지를 꺾지 못하였기 때문이다. 따라서 전쟁에서 승리하거나, 전쟁이 없이 적을 제압하기 위해서는 전투력과 의지 둘 다 목표로 해야 한다.

북한군에 대해서도 단순히 물리적 소모만으로는 위협을 제거하였다고 할 수 없다. 상비군만 120만에 달하는 북한군의 규모는 그 자체로 위협이 된다. 이들이 제대로 된 무기가 없더라도 주변에 있는 모든 도구들을 동원하여 맞선다면 한국군도 피해를 감수해야 하며 완전한 승리를 자신할 수 없다. 따라서 북한군을 무력화시키기 위해서는 유·무형소진을 동시에 달성할 수 있는 다차원적 작전 수행방안의 모색이 필요하다.

4.2. 대북 '소진전략' 체계

지금까지 논의한 내용들을 중심으로 북한군에 적용할 수 있는 '소진전략'의 체계를 제시하면 다음의 <표 10-3>과 같다. 먼저, 목표는 물리적 소진과 심리적 소진으로 구분할 수 있다. 물리적 소진의 경우 주로 북한의 자원을 소진시켜 전쟁 수행능력 자체를 약화시키는 것을 의미하며, 심리적 소진의 경우 전쟁 수행 의지를 약화 또는 무력화시키는 것을 의미한다. 이에 대한 수단과 방법으로는 저비용으로 도입 가능한 무기체계나 선전·유언비어 등을 이용한 정보 유입 작전을 예로 들 수 있다. 우선, <그림 10-5>에서 제시한 것처럼 저비용의 대규모 소형 무인기 부대의 경우 유형과 무형소진 모두를 강요할 수 있다.

<표 10-3> 대북 소진전략의 체계

구분	내 용
목표	• 물리적 소진 : 북한군의 전쟁 수행능력(자원) 소진 - 고립: 북한의 우방국들이 북한과 단절 / 동맹약화 - 차단: 해외로부터 무기체계 및 부속품 수입 차단 - 소모: 새로운 무기체계 구입 및 개발을 위해 대규모 자원 지출, 　　　　장기간 혹은 잦은 군사대비태세 강화로 자원 소모 • 심리적 소진 : 북한군 및 주민의 전쟁 수행 의지 소진 - 획득: 북한군과 주민을 북한정권으로부터 분리, 親 남한세력 형성 - 혼란 및 피로 조성: 공포, 사기저하, 훈련피로, 북한체제 염증 유발
수단	• 저비용 / 대규모 소형 무인기 부대 • 대규모 군사훈련(연합연습 포함) • 군사 교류 대상국 다변화(북한의 우방국 포함) • 선전, 유언비어, 모략 등 * 매체 : USB, DVD, LTE 풍선 통신 등 - 도입 예정이 없는 신규 무기체계 개발 홍보 등 유언비어 확산 - 남한 체제의 우월성과 탈북민 안전보장, 북한체제의 허위성 선전
방법	• 심리전, 정보전, 정치전, 군사작전

　평시에는 대규모 무인기를 통해 북한군의 전쟁 수행 자신감을 저하시키고, 격상된 대비태세로 인한 전시 비축 식량 등 자원의 소모를 유도할 수 있다. 또한, 북한에게 무인기 위협에 대비하여 고비용의 대응 무기체계 추가 도입을 강요함으로써 국방예산 소모를 가속화시킬 수도 있다. 결국, 이로 인해 북한군의 유·무형 자원을 소진시킬 수 있는 것이다. 한편, 전시, 특히 개전초기에는

대규모 저비용의 무인기 부대를 통해 북한군의 포병 및 방공체계 등을 공격하여 이를 조기에 무력화함으로써 전쟁 수행 의지를 약화시키는 효과를 얻을 수 있을 것으로 예상된다. 특히, 이러한 무기체계에 폭파 기능을 갖추어 대규모로 '먹구름(Storm Cloud)'처럼 운용한다면 북한군의 공포감이 극대화될 것이며 이를 통해 전의를 상실시키고 제대로 된 대응을 하지 못하도록 할 수 있을 것이다.

<그림 10-5> 무인기를 이용한 북한군 소진전략(예)

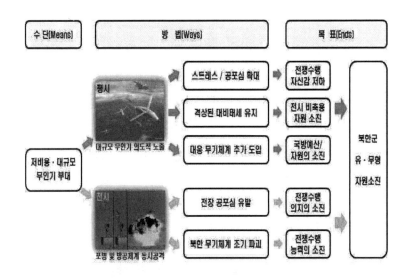

다음으로 북한지역에 대한 정보 유입 작전을 통해 심리적 소진의 효과와 더불어 대비태세의 강화라는 물리적 소진의 효과 또한 얻을 수도 있다. 소진전략은 북한의 체제를 무너뜨리는 것이 아니라 평시에 전쟁 수행에 필요한 자원을 소모시키고 전쟁 수행 의

지를 저하시켜 전쟁이 발생하지 않도록 억제하기 위해 필요한 전략이다. 만약, 북한이 비핵화를 시행함에 따라서 북한과 관계가 호전되고 군축이 논의된다고 하더라도 북한이 적화통일이라는 사회주의 목표를 없애지 않는 이상 전쟁의 위험이 사라진 것은 아니다. 따라서, 전쟁 수행에 필요한 자원을 소모시키고 북한군과 주민의 전쟁 수행 의지를 말살시키기 위한 노력은 지속되어야 한다.

냉전기 서독이 동독에 대해 수행하였던 심리전 사례에서 나타난 것처럼 적대성 완화와 체제 염증 유발을 통해 적대국의 주민들과 군인들을 정권으로부터 분리하고 궁극적으로 전쟁 수행 의지를 약화시킬 수 있다. 이러한 정보 유입 작전은 다양한 매체를 수단으로 활용할 수 있는데 현재 한국의 몇몇 단체들은 풍선을 통한 전단 살포시 단파 라디오 등을 보내는 방법을 사용하고 있다. 그러나 이는 바람의 영향을 많이 받고 내륙지역까지 가지 못하고 주로 DMZ 인근 지역에 떨어지는 경우가 많다. 심지어 이것 또한 북한군에 의하여 대부분 회수되고 있어 노력 대비 효과가 약하다. 따라서 한국의 정보를 유통할 수 있는 매체를 북한 지역에 직접적으로 보급하는 노력이 필요하다. 예를 들어, 최신 IT 기기를 북한의 밀수망을 통하여 장마당에 싼값으로 유통시킨다면 북한 주민들이나 군인들을 대상으로 한국의 정보를 손쉽게 접할 수 있는 기반을 마련할 수 있을 것이다.

이와 더불어 서독이 동독에 대해 심리전을 수행할 때 고려하였던 것처럼 한국의 정보가 담긴 매체를 수신하게 되는 북한 주민이나 군인들의 안전을 보장하고 검열을 피할 수 있는 대책을 강구하여야 한다. 예를 들어, 특정 시간이 지나야 활성화되거나 분산된 파일들을 합쳤을 때 내용이 나타나는 USB나 CD·DVD를 이용하는 방법이 있다. 또한, LTE 풍선 중계기를 이용하여 북한지역에 무선 인터넷망을 구축하고 한국 드라마나 뉴스를 전파하는 방식 또한 효과적으로 정보를 전달할 수 있을 것이다.

제5절 결 론

2018년 남북정상회담 및 북미정상회담으로 형성되었던 남북 간의 화해 및 협력 분위기는 2024년 현재 사라지고 없다. 남북 관계가 소위 말하는 온탕과 냉탕을 오가는 것은 한두 번 있었던 일은 아니다. 따라서, 군사 및 안보 분야는 정치, 사회적 분위기에 편승하기보다는 유사시 일어날 수 있는 최악의 상황을 굳건히 대비하여야 한다. 사실, 김정은 집권 이후 북한의 위협은 한층 더 강화되고 있으며, 북한은 한국의 군사력에 대한 질적 열세를 극복하기 위해 다양한 수단과 방법을 동원하고 있다. 한국군도 북한의 재래식 군사력의 수적우세와 핵 개발을 저지하기 위해 첨단 무기 체계의 도입과 비대칭 전략의 개발을 추진하고 있다. 이러한 상황이 앞으로도 계속된다면 북한의 위협은 갈수록 커질 것이 분명하며 남북 간 소규모 또는 우발적 충돌로 인한 군사적 대결 구도가 발생할 가능성도 배제할 수 없다. 이럴 경우, 한국은 어느 시점에서는 무력을 통해 위협 요소를 완전히 무력화할 것인지에 대한 고민을 하게 될 수도 있다. 그러나, 이는 결국 한국에게도 엄청난 규모의 피해를 수반하게 함으로써 그렇게 바람직하지 않은 선택이 될 수도 있다.

따라서 현시점에서 냉전시기 미국의 대소련 봉쇄전략과 서독의 대동독 심리전략은 앞으로 한국이 취해야 할 전략의 방향을 제시하고 있다. 미국은 소련에 비해 상대적으로 우세한 경제력을 바탕으로 국제시장에서 소련을 고립시켰고, 군비 경쟁을 통해 과다한 지출을 강요함으로써 소련의 경제를 내부에서부터 붕괴되도록 유도하였다. 또한, 미국에 우호적인 국가들과 공조를 통해 소련 정부의 비합리성을 폭로하고 내·외부적으로 불만 세력의 증가를 조장하였다. 소련을 상대로 한 미국의 이러한 전략은 결국 소련이 해체되는데 중요한 동인으로 작용하였다. 2000년대 초반 미국은 북한에 대해서도 유사한 방식의 소진전략을 취하였지만, 당시 국제적 여론과 당사국인 한국의 반대 등 환경적인 요인으로 인해 제대로 추진되지 못하였다.

앞서 언급하였듯이 한반도 평화 분위기가 정착되어 남북 간의 협력 분위기가 조성되더라도 또다시 관계가 악화될 수 있을 가능성은 항시 대비해야 한다. 따라서 한국군은 여전히 강력하게 북한이 보유하고 있는 재래식 전력에 대한 대비 전략을 다각도로 모색하여야 한다. 이를 위한 하나의 방안으로 유사시를 대비하여 소진전략을 수행할 필요가 있다. 북한의 조잡한 무기체계에 대해 최신기술이 가미된 고가의 무기체계로 대비하는 수세적인 전략에서 벗어나 '저비용·고기술'의 무기체계 개발을 통해 오히려 북한의 상대적 '고비용' 대비 체계 구비를 유도하는 공세적 전략이 필요하다는 것이다. 또한, 이러한 전략은 북한군은 물론 북한 정권의 심리까지 공격할 수 있는 수단 및 방법까지 가미되어 진다면 그 효과는 극대화될 수 있을 것이며 이를 통해 군사적 충돌을 회피하면서 한국이 추구하는 목표를 달성하는 데 기여할 수 있을 것이다.

제11장 중국의 부상과 한국의 군사적 대응[283]

제1절 서 론: 문제제기

오늘날 중국은 명실공히 세계 G2(Group of Two)의 시대를 열어가고 있으며, 정치, 경제, 군사적으로 꾸준히 성장하고 있다. 뿐만 아니라, 아시아 최강국으로서 중국의 역할이 역내에서도 커지고 있는데, 각종 국제회의의 의장국이고, ASEAN 등 국제기구에서도 그 역할이 증가하고 있다. 경제적으로도 중국은 세계 제2의 경제 대국의 위상을 지니고 있다. 2024년 4월 국제통화기금(IMF)이 발표한 세계 경제 전망(World Economic Outlook)에 따르면, GDP 규모면에서 미국(26조 4천억 달러)이 전 세계 1위를 달리고 있으며 중국(19조 7천억 달러)이 그 뒤를 따르고 있다. 물론, GDP 규모만으로는 국가의 경제적 풍요와 국민들의 삶의 질을 평가할 수는 없다. 인구수에 따라 달라지기 때문이다. 전체 GDP 규모에서 중국보다 적지만 세계적으로 부국 및 선진국이 많은 이유가 여기에 있다. 하지만, 안보문제 특히 군사적 문제의 경우 국가 총력전의 개념을 바탕으로 하고 있기 때문에 전체 GDP 규모는 의미가 있다 하겠다.

이러한 중국의 성장에 따라 역내 주변국들은 자신들의 손익 계산에 분주하고, 각 분야별 전략을 수립하는데 집중하고 있다. 중국의 성장이 지역 내 경제 및 안보환경을 복잡하게 만들고 있는 것이다. 중국의 부상은 한국의 안보전략에도 지대한 영향을 미치는 변수이다. 중국은 한국과 지리적 인접성을 지니고 있으며, 역사문제, 자원문제, 영토문제 등 잠재된 갈등 요소도 여전히 존재하고 있다. 또한, 한국이 미국과의 동맹관계를 유지하는 속에서 중국은 한국의 제1 교역국의 위치를 점하고 있으며, 탈냉전 이후 한중관계는 1992년 '우호 관계', 1998년 '21세기를 향한 협력동반자 관계', 2003년 '전면적 협력동반자 관계', 2008년 이후 '전략적 협력동반자 관계'로 점차 격상되어 가고 있다. 따라서 한국은 이러한 상황 속에서 미래를 위해 어떠한 전략적 선택을 해야 하는지 고민해 볼 필요가 있다.

이러한 문제의식을 바탕으로 본 장은 중국의 경제, 군사적 부상에 따른 한국의 군사적 대응전략에 집중한다. 기존의 많은 연구들은 중국의 부상에 따른 한국의 국가전략, 안보 전략적 차원에서 접근하는 경우가 많았다. 박창권은 중국의 부상에 따른 한국 안보정책 방향에 대해 한미동맹을 기반으로 한 안보협력은 지속적으로 유지하고 포괄적 동맹 관계로 발전시키되 중국의 위상변화에 따른 세력경쟁에 한미동맹이 주요한 부정적 변수로 작용하지 않도록 관리 하는 것이 필요하다고 주장한다.284) 황재호는 군사외교는 군사교류, 군사협력, 군사동맹 순으로 발전한다는 주장을 바탕으로 중국과 군사적 외교를 증진하여 부상하는 중국에 대응하는 한국의 안보전략을 제시한다.285) 김태호는 중국의 군사적 부상에 대한 한국의 외교 안보 대비 방향으로 안보환경 변화에 대한 중국 당, 군 지도부의 인식과 대응 분석을 바탕으로 '방어적 충분성'에 입각한 군사력 건설과 중장기적이고 포괄적인 대 중국 정책 전개의 필요성을 주장한다.286) 하상식은 대중관계에 있어 한국의 외교적 과제는 단기적으로 중국과 안보협력을 강화하는 것이며, 장기적으로는 남북관계 개선을 통한 대중관계 개선을 주장한다.287)

이러한 기존의 연구들은 외교 안보적 관점에서 한국의 전략을 도출한다는 공통점이 있다. 그러나 외교 안보의 정책 수립에 있어 핵심적 역할을 수행하고 있는 군사 분야에 대한 종합적 분석이 결여되어 있다. 특히 대중 관계에 있어서 군사전략은 앞으로 양국 관계 변화에 따라 상당한 중요성이 있음에도 불구하고 그 연구가 미진한 상태라고 할 수 있다. 따라서 본 장에서는 이제까지의 연구와는 다르게 경제적 성장이 바탕이 된 중국의 군사적 부상에 따른 한국의 군사적 대응 방향에 그 초점을 맞추고자 한다. 지금까지 한국의 군사전략은 미국과 동맹 관계를 가장 기본적 전제조건으로 하고 있는 것이 사실이다. 즉, 미국의 중국에 대한 전략이 한국의 군사적 선택에 영향을 주고 있다. 이는 미국과 중국의 분쟁 발발 시 한국이 군사적 선택의 기로에 놓일 수 있는 가능성을 내포하고 있음을 의미한다.

이를 바탕으로 본 장에서는 군사적인 측면에서 중국의 부상에 대비하는 한국의 전략을 제시하고자 한다. 이를 위해 2절에서는 군사전략에 관한 이론을 고찰하여 전체 연구의 분석의 틀을 도출한다. 3절에서는 군사적 위협 인식 차원에서 중국의 부상을 의도와 능력 면에서 분석한다. 4절에서는 중국에 대한 미국의 군사적 대응을 우선 살펴보고, 미래 한중관계 속에서 한국의 합리적인 군사적 대응 방향을 분석한다. 5절에서는 이 연구가 주는 함의와 결론을 제시한다.

제2절 이론적 논의: 분석의 틀

위협 인식은 군사전략의 가장 기본 전제로 작용한다. 위협은 크게 적극적 위협과 수동적 위협으로 나눌 수 있는데, 전자는 상대국과 특정 집단에 대한 직접적인 공격 의도의 표현이라고 할 수 있으며, 후자는 현존 또는 잠재적인 능력 그 자체로서 위협적인 능력을 가진 국가의 존재가 주변국에게 줄 수 있는 위협을 의미한다.288) 즉, 강대국이 비록 주변 약소국 또는 중진국에게 직접적인 위협을 가하지 않았다 하더라도 강대국의 강력한 군사력 증강과 그 군사력 존재 자체가 주변국들에게는 위협이 될 수 있다는 것이다.

이러한 위협을 좀 더 객관적으로 평가하기 위해서는 몇 가지 요소를 살펴볼 필요가 있는데 그중에서 가장 핵심적 요소는 능력과 의도라고 할 수 있다. 능력은 '적이 무엇을 할 수 있는가?'의 문제로 국력과 이를 효과적으로 응용할 수단이 혼합된 총합이라고 할 수 있으며, 의도는 '적이 무엇을 할 것인가?'의 문제로 특정 계획을 하고자 하는 한 국가의 결의를 의미한다.289) 따라서 군사적인 면에서 능력과 의도를 살펴보기 위해서는 한 국가의 군사력과 군사전략을 살펴보아야 한다.

위협 평가를 바탕으로 군사적 위협을 제거 또는 약화시키기 위한 전략이 바로 군사전략이라 할 수 있다. 전·평시를 막론하고 국가목표를 달성하기 위하여 한 국가의 제 역량을 종합적으로 발전시키고 이를 효과적으로 운용하는 방책을 국가전략이라고 한다면,290) 군사전략이란 군사력의 증강과 동맹자산 등을 활용하여 군사적 위협을 배제함으로써 국가안보에 기여하는 전략이라고 할 수 있다.291) 클라우제비츠는 전쟁을 위해 존재하는 모든 군사력의 창조 활동이 전쟁술이라고 한다면 이는 전략과 전술로 구분될 수 있고, 전술은 전투에서 전투력의 운용에 관한 지도를 의미하며 전략이란 전쟁 목적을 구현하기 위한 전투의 운용이라고 주장하였다.292) 오스굿은 군사전략이란 "명시적, 비공개적 또는 묵시적 수단에 의하여 외교정책을 가장 효과적으로 지원하기 위하여 국력의 경제적, 외교적, 심리적 수단과 더불어 전쟁 수행을 위한 전·평시 활동은 물론이고 외교정책을 효과적으로 지원하기 위한 무력 사용계획"이라고 정의하였다.293) 이러한 개념을 바탕으로 현대

군사전략은 '군사부문에 부여된 목표를 달성하기 위하여 요소별 군사력을 개발, 보유, 운용하는 기술과 과학'294) 혹은 '국가전략의 일부로 전·평시 국가목표를 달성하기 위하여 군사력을 건설 및 운용하는 기술과 과학'으로 정의되고 있다.295) 즉, 군사전략은 위협을 제거하기 위한 군사적 전략과 이를 위한 군사력 건설을 아우르는 개념이라고 할 수 있다.

군사전략의 유형은 시대와 학자에 따라 그 해석이 다소 차이가 있을 수 있다.296) 그러나, 군사전략은 전쟁 이전 단계에서는 군사적 외교를 통한 충돌 조정 또는 막강한 전력을 통한 전쟁의 억제로, 그리고 전쟁이 발발한 이후에는 공격전략과 방어전략으로 단순화시킬 수 있다. 우선, 배리 포젠은 군사전략의 유형을 공격, 방어, 억제의 세 가지 형태로 구분하고 있다. 그에 따르면 공격은 위협에 대응하는 가장 적절하고 효과적인 전략으로 정복을 꾀하는 국가 또는 강력한 동맹국이 없는 국가가 선호하며 방어는 방어 자체만으로 국가안보를 보장하기는 힘들지만, 공격 시 발생하는 비용이 높을 경우, 선택할 수 있는 전략으로 1973년 중동전에서 이집트의 행태를 들고 있다.297) 억제의 경우는 지리적, 기술적 등의 이유로 공세적 능력을 확보하기 어려울 때 사용되는 전략으로 강력한 적국의 위협을 받는 소국들도 억제교리에 의존한다고 설명한다.298)

한편, 리델하트는 직접접근 전략과 간접접근 전략으로 군사전략을 크게 구분한다.299) 그의 주장에 따르면 직접접근 전략은 직접적 대결을 통한 섬멸 전략으로 적과의 직접적 전투를 통해 적을 섬멸하여 굴복시키는 전략이며, 간접접근 전략은 경제 및 외교적 수단을 통해 적을 굴복시키거나 해, 공군 등의 기동 혹은 적 중심부 공격을 통해 적의 저항 의지를 분쇄하는 것이다.300)

지금까지 설명한 군사전략의 구분에서 상대적 약소국인 한국이 배리 포젠이 말한 공격전략이나 리델하트가 말한 직접적 섬멸 전략을 추구한다는 것은 현실성이 없다고 할 수 있다. 즉, 공세 전략은 전쟁의 주도권 장악 면에서 그 이점이 있으나 공세 전략을 위해 필요한 군사적 능력을 고려했을 때 한국의 대중국 전략적 선택이 될 수 없다. 또한, 이러한 공격전략과 궤를 같이하는 리델하트의 직접적 섬멸 전략도 대안이 될 수 없다. 상대적 약소국인 한국이 상대적 강대국인 중국과의 직접적 대결을 통해 섬멸한다는 것은 이론과 실제 모두에서 불가능하기 때문이다. 포젠이 주장하는 또 다른 전략인 방어의 경우를 살펴보면 그 중요성이 없다고 할 수는 없으나 그의 설명에서도 알 수 있듯이 방어만으로는 국가안보를 보장하기 힘들다. 특히, 현시대와 같이 고도로 산업화된 사회에서 전장의 형성이 자국 영토 내에서 이루어지는 방어는 그 전략적 의미가 크게 떨어진다. 따라서 포젠이 말한 '억제' 그리고 리델하트의 '간접접근 전략'이 한국의 대중 군사전략의 핵심이라고 할 수 있을 것이다. 특히, 간접접근 전략의 경우 군사외교 수단을 통한 전략이 가장 효과적일 수 있다.

제3절 중국의 부상: 위협의 인식

국제사회에서 일국이 가지고 있는 인구, 경제력, 군사력, 기술적 우위 등 전체 역량이 증가할수록 다른 국가들이 느끼는 위협감도 커진다.[301] 즉, 이러한 현실주의적 관점은 중국이 부상함으로써 점차 헤게모니를 추구하게 되어 조만간 동북아는 물론 국제 안보에 위협으로 다가올 것으로 진단한다.[302] 반면에 중국의 부상은 UN과 WTO 등의 국제 안보 레짐과 경제기구에서 중요한 역할을 하게 함으로써 국제사회에 기여하는 방향으로 진행될 것이라는 주장도 있다.303) 따라서 이러한 자유주의적 관점에서 바라본 중국의 성장은 지역적, 세계적 차원에서 좋은 기회로 평가할 수 있다. 그러나 이 두 가지 상반된 견해는 너무 낙관적이거나 비관적이라는 비판을 받고 있으며 이 두 견해의 중간적 입장을 취하고 있는 절충주의적 관점의 논의도 있어 왔다.

물론 여전히 중국이 극복해야 할 과제가 많이 산적한 것은 사실이다. 중국은 빈부의 격차, 실업, 부정부패 등이 심각한 상황이며, 금융시스템 역시 중앙 정부에서 통제함으로써 비효율성을 가지고 있다. 2023년 말, 세계 3대 신용평가사인 무디스는 중국의 국가신용등급을 하향 조정하였는데 그 핵심적 이유는 지방정부의 부채위기와 부동산 시장의 위기 심화 등이었다. 그러나 중국 경제는 다소 어려움이 있으나 명실상부한 세계 제2위 규모를 가지고 있으며 앞으로 그 기세가 쉽게 꺾이지는 않을 것이다. 중국에는 경쟁력 있는 회사들이 많고 역동적인 산업생태계를 보유한 데다 정부가 기초기술 등에 대해 적극적인 지원을 하고 있다는 점을 고려할 때 앞으로도 중국의 경제력 향상은 다소 늦어지더라도 계속될 것으로 보인다.304)

이와 함께, 중국은 2023년 기준 2,270억 달러의 국방비를 사용하고 있어 세계에서 미국에 이어 두 번째로 많이 국방 분야에 투자하고 있는 것으로 나타나고 있다. 중국은 이제 '부상하고 있다'는 표현보다는 '부상했다'라는 표현이 옳을 정도로 세계 최강대국 반열에 들어섰다. 이런 상황 인식을 바탕으로 본 절에서는 위협 인식의 핵심 요소라 할 수 있는 능력과 의도를 중심으로 중국의 경제적, 군사적 능력과 중국의 군사전략 변화를 분석하고자 한다.

3.1. 중국의 경제력 및 군사력: 능력

가. 경제적 능력

1978년 덩샤오핑(鄧小平)의 '흑묘백묘론(黑猫白猫論)'[305]으로 대표되는 개혁개방 추진 이래로 중국의 경제는 중앙계획 경제에서 시장경제로 전환을 꾀했으며 개혁과 개방 정책을 지속 추진함으로써 눈부신 성장을 계속해왔다. 당시 덩샤오핑은 1978년 상반기부터 당, 정 관리들로 구성된 경제 대표단을 미국, 일본, 유럽 주요 국가에 파견하여 서방세계의 경험을 체득하려 하였으며 자신도 1978년 10월에는 일본, 11월에는 태국, 말레이시아, 싱가포르, 1979년 1월에는 미국을 방문하여 세계 각국의 경제발전을 몸소 체득하려고 노력하였다.[306]

특히, 2001년 WTO (World Trade Organization)에 가입한 이후, 중국의 경제적 성장은 더욱 빠르게 진행되었는데 <표 11-1>에서 보듯이 2010년까지 거의 매년 10% 정도의 경제 성장을 보였다. 이 결과로 2010년 중국은 국내총생산(GDP) 측면에서 40년 동안 세계 제2의 경제 대국을 유지하던 일본을 추월하는 상황에까지 이르렀다.

<표 11-1> 중국의 경제 성장률 (2002-2010)

년도	02	03	04	05	06	07	08	09	10
성장률 (%)	9.09	10.02	10.07	11.35	12.69	14.19	9.62	9.23	10.63

출처:<https://data.worldbank.org/indicator/NY.GDP.MKTP.KD.ZG?locations=CN>(검색일: 2024.8.28.)

- 275 -

이후, 중국은 계속적인 경제 성장을 이루고 있으며 세계 1위 미국과의 격차를 점차 줄여나가고 있다. 더욱이, 중국은 미국은 물론 주요 국가들과 무역에서 발생한 흑자를 바탕으로 2024년 5월 현재 외환보유고가 세계 최대인 3조 2320억 달러로 부동의 1위를 지키고 있다. 중국은 외환보유고 중 상당 부분을 미국 국채에 투자해 왔다. 그러나 최근 이에 대한 문제점이 지적되어 왔다. 미국 국채는 전 세계에서 가장 안전한 자산임에도 불구하고 과도한 미 국채의 보유는 중국 안보에 있어 부정적 영향을 줄 수 있다는 논의가 이루어진 것이다. 이에 따라 2014년을 기점으로 중국은 미 국채 보유량을 줄이고 있으며 2024년 현재 탈달러 정책을 추진하고 있다. 이는 미국 국채를 매각해 미국 달러의 입지를 흔들고 미국을 압박하겠다는 전략이라 할 수 있다.

<표 11-2> 주요국 외환보유액

(단위: 억 달러('24년 4월 기준))

순위	국가	외환보유액	순위	국가	외환보유액
1	중국	32,008	6	대만	5,670
2	일본	12,790	7	사우디 아라비아	4,446
3	스위스	8,787	8	홍콩	4,164
4	인도	6,402	9	한국	4,133
5	러시아	5,979	10	싱가포르	3,669

출처: 한국은행, <http://www.bok.or.kr>(검색일: 2024.7.17.)

중국의 경제 성장율은 2010년대를 기점으로 다소 주춤한 모양새다. 거기다가 COVID-19의 여파로 발생한 전 세계적인 경제 침체가 중국에게도 부정적인 영향을 주었다. 또한, 최근 중국 경제는 부동산 불황과 개인소비 부진에 따른 내수 부족과 저출산, 고령화, 지방정부 재정난 등 구조적인 문제에 직면하고 있다. 하지만, 2024년 7월 열린 중국 공산당 제20기 중앙위원회 제3차 전체회의(3중전회)를 통해 중국 정부는 이를 개선하겠다는 의지를 피력했다. 중국 정부는 자국이 처해 있는 위기를 인정하면서, 인공지능(AI) 육성 등을 필두로 한 중국의 신성장동력에 대한 강화를 추진하겠다는 것을 명확히 하였다. 압도적인 노동력 등 생산자원을 바탕으로 한 경제발전 시대를 지나 고품질의 첨단과학기술이 중심이 되는 경제건설을 추진하겠다는 것이다. 이러한 중국의 개혁이 어떠한 결과를 초래하게 될지 다양한 의견이 존재하고 있다. 하지만, 중국이 가지고 있는 내수시장 등 잠재력을 보았을 때 경제적 성장은 속도는 저하되더라도 지속될 수 있을 것으로 보인다.

결국, 이러한 노력을 통해 중국 경제는 세계 경제에서 그 비중을 확대해 나갈 것이며 종래에는 세계 최대 경제 대국으로 부상할 것으로 전망되고 있다. 경제 전문가들의 예측은 단지 연도에 차이가 있을 뿐 중국이 미국을 제치고 세계 경제 1위 국가가 될 것이라는 것을 부인하지는 않는다. 중국의 눈부신 경제 성장은 동북아 지역 경제 관계의 막대한 변화를 가져오고 있다. 단적인 예로 역내 거의 모든 국가들이 중국과의 경제 관계 개선과 협력을 위해 전략적 노력을 다하고 있다. 또한, 이러한 중국의 경제적 성장은 외교, 정치, 안보 등 다른 분야에서 중국의 위상을 끌어올리는데도 핵심적 역할을 하고 있다. 다시 말해 중국은 이러한 경제적 성장을 통해 국제사회에서 자신의 발언권을 높이고 있으며 명실공히 G2 국가로서의 위상을 보장받고 있는 것이다.

나. 군사적 부상

   21세기 중국의 핵심적 국가이익은 다양한 문서에서 약간의 차
이는 있으나 크게 네 가지로 요약될 수 있다. 첫째, 국가안보와
통일을 보장하고 국가 경제발전과 번영 추구, 둘째, 침략에 대한
방어와 대응, 영해와 영공 및 국경 방호, 셋째, 대만독립 및 분열
세력, 그와 관련한 활동 제지, 일체의 테러리즘, 분열주의, 그리고
극단주의 배격, 넷째, 국가의 평화발전에 유리한 안보환경 조성이
다.307) 중국은 국가이익과 강대국으로서 역할을 공고히 하기 위
해 군사력의 최신화에 힘을 쏟고 있는데 최근의 경제적 성장을
바탕으로 과학화, 선진화, 현대화된 군사력 건설에 박차를 가하고
있다.

   중국의 군사적 변환은 일본의 군사력 증강, 미국의 견제, 대만
이슈 등의 미래 안보 불안요소에 대응하여 자국의 이익을 보장하
기 위해서 추진되고 있으며, 이미 80년대 중반 이래 2차례에 걸
쳐 150만의 병력을 감축하였고, 2005년 20만의 추가 감축을 완
료하였으며 2017년까지 30만을 추가로 감축하여 병력 집약형
군 구조에서 기술 집약형 군 구조로 발전해나가고 있다. 최근 수
년간 중국은 핵잠수함, 장거리 전략무기, 항공모함 등 전략 차원
의 핵심 무기체계를 확보하려는 노력을 기하고 있으며 구체적인
성과를 거두고 있기도 하다. 즉, 중국은 경제건설과 군사력 건설
간의 조화를 추진하면서 강대국의 국제적 위상에 걸맞는 군사력
을 갖추고자 군의 현대화와 정예화를 동시에 수행하고 있다고 할
수 있다.

   중국의 군 현대화와 군사적 의도를 파악하기 위해서는 우선 군
사비의 총 규모와 그 증가추세를 살펴보는 것이 필수적이다. 아래
<그림 11-1>를 통해 살펴본 지난 10년간 중국의 국방비는 거의

2배 이상 증가하였다. 이는 중국이 국방력 건설에 얼마나 강한 의지를 가지고 매진하고 있는지를 단적으로 보여주는 것이라 할 수 있다. 중국 국무원(정부)은 2024년 국방예산이 전년 대비 7.2% 증가한 1조6655억 위안(약 309조 원)으로 책정됐다고 발표했다. 이는 3년 연속 7%를 넘는 증가율이며, 중국 경제가 COVID-19 등으로 인한 침체가 지속되는 상황에서도 군비 확장을 우선시하는 태도를 분명히 보여주는 것이다. 일본의 2024년도 국방비도 사상 최대 규모인 7조9172억 엔(약 70조 원)으로 전년도 대비 16% 증가하였다. 하지만, 중국 국방비는 이보다 약 4.4배에 달한다. 2024년 한국의 국방비는 약 59조 원으로 중국의 20% 미만 수준이다. 이렇듯 중국은 국방 분야 투자에 있어 주변국을 압도하고 있다.

<그림 11-1> 중국의 국방비 변화

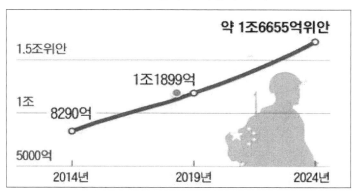

게다가 중국이 공식적으로 발표하는 국방비는 실질적인 국방비보다 적은 것으로 분석되고 있는데, 이는 중국이 공식적으로 발표하는 국방예산에 무기구매, 군사 연구개발비와 여러 가지 종류의 인건비 등 많은 부분을 제외하고 있기 때문이다. 심지어 우주의

군사적 이용을 위한 지출도 포함되지 않았기 때문에 실제 국방 관련 총 지출액은 더욱 높을 것으로 예상된다. 미국 국방부가 발표한 중국 군사력 평가 보고서에 따르면 실제 국방비는 발표된 국방비보다 2-3배 가량일 것으로 추정되고 있다.[308]

이러한 노력으로 중국의 현재 군사력은 지역 내 힘의 균형을 바꿀 수 있는 수준에 도달하였다. 물론, 중국의 군사력에 대한 회의적인 주장도 존재했다. 그들은 중국의 무기체계는 여전히 낙후되어 있으며 특히, 전투력 투사 면에서 지역적, 지구적 군사 대국으로서는 여전히 많은 제한사항이 있다고 주장했다.[309] 또한, 중국군의 실전 경험 부족과 제병협동 작전능력 부족도 군사전략 면에서 중국군의 군사력 평가에 부정적으로 작용하고 있다. 그러나, 중국은 육군의 경량화, 현대화에 힘쓰고 해, 공군 능력을 향상시켜 이러한 제한사항을 보완하기 위해 지속적으로 노력해 왔다.[310]

해군의 경우 통합된 근해작전 능력 향상을 위해 무기와 장비체계를 첨단화하고 최적화하며, 잠수함 전력은 대함, 대잠, 핵 반격 능력을 구비하고, 수상함 전력은 해상정찰, 대함, 대잠, 반공 등의 작전능력 향상에 주안을 두고 발전하여 왔다. 2024년 6월, 미국 전략국제문제연구소(CSIS)의 '중국의 해군 구축 분석(Unpacking China's Naval Buildup)'에 따르면 현재 중국의 군함은 234척으로 219척의 미군 해군을 능가하는 세계 최대 규모다. 심지어 여기에는 80척에 달하는 중국 해안경비대의 소형 군함은 제외돼 있다. 중국 해군의 양적 우세가 전시에 중요한 이점으로 작용할 수 있다는 것이 이 보고서의 판단이다. 해전사를 살펴보면 해군 규모가 더 큰 국가가 승리한 경우가 28번 중 25번에 달한다. 물론, 미국이 미사일 탑재량, 기동성, 작전 반경 등의 면에서 뛰어난 구축함을 73척 보유해 중국의 42척보다 많다. 하지만, 중국은 이

격차를 빠르게 좁히고 있다. 중국은 2003년 20척의 구축함을 보유했으나, 2023년엔 42척으로 불어났다. 미국이 지난 20년간 11척의 구축함만을 진수한 데 비해, 중국은 23척을 만들었다. 이렇듯 중국 해군의 건함 능력은 매우 뛰어나다. 군함의 질도 미국과 견줄만한 수준이 되었다. 중국은 미국 최대 조선소보다 훨씬 거대한 조선소들을 수십 개나 보유하고 있다.[311]

이와 함께 중국은 해외 해군기지도 점차 넓혀가고 있다. 캄보디아 수도 프놈펜에서 서남쪽으로 170㎞가량 떨어진 곳에 위치한 레암항이 대표적이다. 2000년대 들어 캄보디아 정부가 이곳에서 대규모 해군기지 건설에 돌입하자 중국이 적극적으로 지원하였고, 2019년에는 중국 정부가 30년간 레암 해군기지의 3분의 1가량을 독점적으로 사용하고 이후 10년 단위로 갱신하는 비밀 협약을 체결했다. 중국은 2020년부터 진행된 항구 일대 준설 작업 및 기지 확장 공사에 수억 달러의 자금과 건설 기술을 제공하였다. 중국이 레암 해군기지에 눈독을 들이는 이유는 지정학적 중요성이다. 레암항은 세계 주요 해상 교역로인 믈라카해협 통로에 위치해 있다. 또 동쪽에 남중국해가 자리하고 있어 전략적 요충지로 꼽힌다. 중국의 항공모함 등 대형 함정이 기항할 수 있다는 것이다. 기지 인근에는 대형 폭격기의 이착륙이 가능한 활주로도 들어섰다. 뉴욕타임스는 "레암기지가 중국 해군의 야심을 실현시키기 위해 맞춤식으로 건설됐다"며 "중국 제2의 해외 해군기지가 될 것"이라고 우려했다. 중국이 대만을 침공할 경우 레암 해군기지를 미국의 믈라카해협 진출을 차단하기 위한 전초기지로 활용할 수 있다는 분석도 나온다.[312]

중국 공군도 발전을 계속하고 있다. 특히, 중국은 동북아의 제공권 헤게모니를 위해 국방예산의 대부분을 기술 투자에 투입하여 스텔스 전투기 개발에 전력을 기울여왔다. 최근 중국은 자체 개발한 5세대 스텔스 전투기인 J-20 배치 수량을 크게 늘리면서 동북아 안보지형을 크게 위협하고 있다. 중국 관영매체 보도에 따르면 J-20 배치가 확인된 부대는 북부전구에 2개 여단(1·55), 동부전구에 3개 여단(8·9·85), 중부전구 1개 여단(56), 남부전구 2개 여단(5·131), 서부전구 2개 여단(111·176) 등 10개에 달한다. 중국의 전투기 여단(旅團)이 32대의 전투기로 구성된다는 점을 감안하면, 현재 중국의 스텔스 전투기 보유 숫자는 320대에 달한다. 2024년 현재 동북아시아 지역 한·미·일 3국의 스텔스 전투기 배치 수량은 한국 39대, 일본 34대, 주일미군 36대로 109대에 불과하다. 스텔스기 배치 수량에서 중국이 이미 한·미·일의 3배에 달하는 우위를 점하고 있고, 현재 추이대로라면 이 격차는 더욱 커질 것이다.[313] 중국은 J-20 외에도 4.5세대 전투기인 J-10C와 J-16도 매년 각각 100대, 60대씩 생산 중이며, 매년 300대 가까운 전투기를 생산해내고 있다. 이것은 미국과 비교해도 엄청난 규모의 생산이라 할 수 있다. 이러한 공군력 팽창은 한국과 일본, 그리고 미국에까지 직접적 위협임에 틀림없다.

지금까지의 논의를 종합해 볼 때, 경제적 성장을 바탕으로 첨단전력의 강화와 주변국과 협력을 통해 미국의 군사적, 전략적 압력을 견제할 수 있고 더 나아가 이를 억제할 수 있는 전력 구축을 목표로 하는 중국의 군사력 증강은 동북아 안보환경에 불확실성을 가중시키는 요인이라 할 수 있으며 미국은 물론, 일본, 한국, 대만 등에게 군사적 위협 요소로 작용하고 있다고 할 수 있다.

3.2. 중국의 군사전략 변화: 의도

2024년 현재, 중국의 군사전략을 공식적으로 확인할 수 있는 문서로는 2019년 발표된 중국의 국방백서, 이른바 '신시대 중국의 국방'이라고 할 수 있다. 이 문서에서 중국은 불안한 국제 정세 속에서 국가 주권과 안전을 확고히 지키겠다고 천명하였다.[314] 즉, 중국은 이번 백서에서 국가의 주권과 안전, 이익을 확고히 지키는 것이 신시대 중국 국방의 근본적인 목표라고 명확하게 적시하였다. 특히 타이완에 대해서는 어떠한 독립 움직임도 용납하지 않을 것이라면서 중국은 "반드시 하나로 통일되어야 하며 통일될 것"이라고 강조하였다. 중국군은 국가의 평화통일을 위해서는 무력사용 포기를 약속하지 않을 것이라면서 중국을 분열하려는 어떠한 시도와 외국의 내정 간섭에도 반대한다고 강조하였다. 이와 함께, 패권을 영원히 추구하지 않고 영원히 확장하지 않겠다는 것이 신시대 중국 국방의 특징이라고 주장하기도 하였다.

중국의 군사전략의 방향을 제시하는 군사전략 방침은 지금까지 지속적으로 진화하고 있는데 1950년대와 1960년대 초까지는 "적극방어" 전략방침을, 1960년대 중반부터 1970년대 초반까지는 "유적심입(誘敵深入) 지구작전" 전략방침을, 1970년대 초반부터 1980년대 중반까지 "적극방어 유적심입" 전략방침을, 1980년대 중반부터 1990년대 초반까지 "적극방어" 전략방침을, 그리고 현재까지는 1993년 제기된 "신시기(新時期) 적극방어" 전략방침을 바탕으로 하고 있다.[315]

이러한 바탕 하에 발전되어 온 중국의 현대 군사전략은 1930년대 이후 1970년대 말까지 유지되어 온 인민전쟁전략(人民戰爭戰略)에서부터 그 기원을 찾을 수 있다. 이 전략은 장기적 소모전과 전면전을 바탕으로 게릴라전과 인적 요인을 결합하여 미국과 소련의 대중국 침략을 저지한다는 방어전략이었다. 이 전략에서 전쟁의 결과는 인적 요소에 의해 결정된다. 즉, 사상적, 군사적으로 무장된 병력은 적이 사용하는 무기체계를 대체할 수 있다고 주장한다.316) 이러한 군사전략은 방어의 이점을 최대한 활용하여 아군에게 유리한 상황이 조성되도록 하며, 오직 적에 대한 군사적 우세를 달성한 후에만 공격으로 전환하여 결전을 추구하는 것으로 방어 중심적 군사전략이라 할 수 있다. 인민전쟁전략은 1970년대 후반 현대 조건 하 인민전쟁전략으로 발전하였는데 이는 과거 적을 종심으로 유인하여 격멸하는 개념에서 벗어나 적을 국경 근처에서 격퇴하는 적극방어의 개념이었다. 이 전략의 핵심적인 내용은 군 현대화의 필요성을 제기한 것으로 중국군의 과제는 예산과 인원을 감축함으로써 경제 개발을 지원하고 군 현대화를 이루어야 한다는 것이었다.

1980년대 초부터 중국은 안보환경의 변화에 따라 인민전쟁전략을 수정 및 발전시킬 필요성을 인식하게 된다. 1985년 6월 덩샤오핑은 군사위원회 확대 회의에서 가까운 장래에는 대규모 전쟁의 가능성은 매우 낮으며 이에 따라 인민 해방군은 초강대국과 전면전에 대비하기보다는 제한적 지역갈등에 대한 대비로 전환해야 한다고 강조하였다.317) 즉, 다양한 소규모 무력 충돌과 지역적 국지전이 미래 중국의 주요 위협이 될 것이며 이에 따라 전면전이 아닌 다양한 국부전쟁에 대한 전략의 필요성을 역설한 것이다. 당시 중국은 남사군도를 둘러싼 베트남과 영토분쟁이 더 격렬해지고 있었으며 인도와 국경에서도 인도군 병력들의 배치가 시작되고 있었다. 이에 따라 중국은 1985년부터 유한국부전쟁전략(有限局部戰爭戰略)을 채택하였다.318) 이 전략은 지상군의 신속대응능력, 해군의 적극적 근해방어능력, 공군의 원거리 투사능력, 핵 및 미사일 전력의 기술 수준 제고를 포함한 전반적인 군 현대화의 기본 독트린이라고 할 수 있다.

이러한 유한국부전략은 1990년 초에는 첨단기술조건 하 국부전쟁전략으로 발전하게 되는데 이는 1991년 걸프전이 중요한 계기로 작용하였다. 걸프전 직후, 장쩌민 주석은 "걸프전은 우리들에게 현대전쟁에 있어서 기술의 중요성을 재인식하게 하였다. 우리는 전쟁 승리의 결정적 요소는 화력이 아닌 인력이라고 믿고 있지만, 선진무기류는 매우 중요하기 때문에 우리는 현대전쟁에 있어 과학기술 효과를 무시해서는 안 된다"라고 강조한다.[319] 이를 통해 중국은 자신들이 직면할 전쟁이 저강도의 재래전이 아닌 고강도의 첨단전쟁임을 자각하고 이에 따른 전략을 발전시킨다. 즉, 이 전략은 유한국부전쟁 전략의 바탕 위에 첨단 과학과 기술이 발휘되는 전장 환경에서 중국군의 전쟁 수행능력의 발전을 강조하고 있다고 할 수 있다.

2003년 이라크전쟁은 중국의 유한국부전략의 변화를 다시 촉진한다. 현대전에서 그 중요성이 부각되고 있는 정보전의 개념과 유한국부전쟁 전략을 결합하여 미래 새로운 전장 상황에서 군사전략으로 발전하였는데 이것이 바로 정보화조건하 국부전쟁 전략이며 이를 바탕으로 군사 분야 혁명을 추진하였다. 중국은 2010년 국방백서에서 '새로운 형태의 전투력 개발' 추구 및 우주, 전자, 사이버공간에서 안보이익 확보를 언급함으로써 다시 한번 정보화 조건하 국부전쟁 전략을 강조하였다. 이 전략은 미래의 잠재적 적은 미국, 러시아, 혹은 일본처럼 고도의 무기체계와 인공위성에 의한 정보획득 능력을 보유한 강대국일 것이라는 전제를 하고 있으며 이에 따른 중국군의 군사적 대비를 역설하고 있다.

2012년 집권한 시진핑도 중국의 군사전략으로 '적극방어'를 강조하였는데, 우선 전쟁 양상의 변화와 안보 상황에 의거해 전쟁 준비의 중심점을 '정보화 국지전 승리'에 두고 해상 및 공중을 포함한 전국 전비 태세를 유지하고자 하였다. 이와 함께 각 분야별 안보위협과 군대의 실질적인 능력에 근거해 '민첩한 기동, 자주적 작전' 원칙을 견지하고 각 군 및 각 병과의 통합작전 역량을 운용하는 '정보주도-정밀타격-합동작전 승리'의 체계적인 작전을 실행함을 강조하고 있다. 이러한 군사전략은 2015년, 2019년 국방백서에 나타난 군사전략의 근간이 되고 있다.

이러한 중국의 군사전략 변화와 군사 분야에서의 다양한 활동은 중국이 국제사회에서 주도적 국가로 나아가겠다는 의지를 보여주는 단편적인 예라고 할 수 있다. 또한, 그들이 지역 내 더 나아가 지구적 차원에서 중심국가로 부상을 추구하는 것을 보여준다고 할 수 있겠으며 비록 방어의 일환인 "적극적 방어전략"이 중국이 추구하고 있는 전략적 자세라고 할 수 있으나 이를 위해 건설되고 있는 군사력은 자국의 이익이 타국에 의해 침해되었다고 판단했을 때 충분히 공세적으로 변화될 수 있는 능력과 의도가 숨어져 있다고 할 수 있다.

예를 들어, 우선 해군은 근해작전은 물론이고 태평양을 향한 원해작전까지 투사능력의 향상에 중점을 두고 있으며 공군은 최신 전투기 및 공중 급유기 등을 도입 생산함으로써 작전 반경의 확대에 그 중점을 두고 있다. 또한, 중국은 미국의 봉쇄전략을 포함한 다양한 위기 상황에 대처하기 위해 미국 주도의 세계질서 발전을 거부하는 국가들과 협력체제를 강화하여 자신의 군사 기술적 취약성을 극복하고 세력균형을 추구하고자 한다. 이와 함께 중국은 지역내 자신의 영향력 확대를 위해 지속적인 노력을 경주하고 있다.

한국과 중국 사이에는 여전히 분쟁 요인이 남아 있다. 그 중, 동북공정을 바탕으로 한 역사왜곡 문제, 배타적 경제수역을 포함한 해양 문제, 그리고 북한 문제 등은 여전히 한중 간 정치, 외교적 마찰의 가능성을 높일 수 있는 요인들이다. 특히, 북한 문제에 있어서 중국은 북한 유사사태 발생 시 군사력을 투입하여 자신에 유리한 상황을 조성하고자 할 가능성이 크다. 이는 한중 간에 심각한 분쟁의 요인이 될 수 있다. 또한, 중국은 2019년 발표한 국방백서에서 "미국이 군사동맹을 강화하고 군사 배치와 간섭의 힘을 늘려 아시아태평양 지역에 복잡한 요인을 증가시켰다"고 주장하면서 대표적 사례로 한국 내 사드 배치를 들고 있다. 즉, "미국이 한국에 사드 체계를 배치해 지역의 전략적 균형을 엄중하게 파괴했으며, 지역 국가의 전략적 안보이익에 엄중한 손해를 끼쳤다"는 것이다.

물론, 한중은 외교 관계 정상화 이래 무관부를 설치하여 운영하고 있으며, 국방부 장관의 상호 방문을 포함하여 군사 분야 인원의 상호 교환 방문도 지속적으로 이루어지고 있다. 게다가 중국은 한국의 제1 무역국이기도 하다. 그러나 한국의 동맹국인 미국이 중국을 잠재적 위협으로 간주하고 있으며, 한국과 중국이 여전히 다른 정치체제를 유지하고 있다는 점을 고려한다면 한국의 군사적인 면에서 중국은 잠재적 위협이라 보는 것이 더 타당하다.

한중 간에 경제적 관계가 지속적으로 발전하고 있는 것은 사실이나, 한국에게도 중국의 군사적 부상과 전략의 변화에서 오는 불확실성은 잠재적 위협이라 할 수 있다. 더욱이 중국은 한국과 한반도 통일에 대한 인식적 차이를 지니고 있다. 중국은 북한을 군사적 완충지대로 인식함으로써 한반도의 평화적 통일보다는 북한 정권의 친중화와 중국식 개혁 및 개방을 바라고 있다. 이런 관점에서 중국이 평화적 통일을 궁극적 국가목표로 추구하고 있는 한국의 군사적인 파트너가 되는 것은 어렵다고 할 수 있다. 따라서 중국의 성장은 한국의 안보에 있어 군사적인 면을 고려했을 때 위협으로 작용할 가능성이 크다고 할 수 있다.

제4절 한국의 군사적 대응전략

안보환경의 변화에 따라 국가는 새로운 안보전략과 그에 따른 군사전략을 수립한다. 한국도 중국의 경제적, 군사적 부상에 따라서 새로운 군사전략의 수립이 필요하다. 그러나 중국의 부상에 따른 한국의 군사전략 수립은 지극히 어려운 과제임에 틀림없다. 군사전략에 직, 간접적으로 영향을 미치는 요소는 매우 다양하고 이들 요소 간의 역학관계 역시 매우 복잡하기 때문이다. 하지만, 한국의 군사전략은 유사시를 대비하여 한국의 주권과 생존을 지킬 수 있도록 수립되어야 한다는 대전제는 변함이 없다. 따라서 한국은 미래에도 기존의 동맹 관계를 유지 및 강화하면서 경제적 실리를 증대시킬 수 있는 방안으로 국가전략을 추구할 것을 고려한다면 한국의 군사전략 또한 이를 뒷받침할 수 있는 방향으로 추구되어야 한다.

4.1. 중국의 부상에 대한 미국의 대응

현재 동아시아 안보정세는 '불확실성'으로 대표되는 특징을 가지고 있다. 이 불확실성의 최대 변수는 미중관계라 할 수 있다. 현재 미국은 정치, 경제, 군사 등 모든 분야에 있어 세계 제1의 강대국 지위를 가지고 있지만, 미국의 잠재적 경쟁국으로 중국이 지목되고 있는 것은 자타가 공인하는 사실이다. 또한, 현재 중국은 역내에서의 교역 확대, 에너지 확보, 군비 축소 문제, 북한 핵 문제, 영토분쟁 등과 관련하여 가능하면 미국의 규제를 받지 않고 배타적으로 국익을 추구하고자 한다. 따라서 동북아시아 안보 질서는 중국과 미국의 관계 속에서 새롭게 형성될 것이며 미국이 추구하고 있는 전략적 유연성과 군사혁신의 궁극적 목표도 중국의 견제라고 할 수 있다.

중국과 미국의 관계는 한미, 미일 관계보다 역학적으로 복잡한 성격을 가지고 있다. 따라서 미국의 대중 전략 또한 그 중요성과 어려움이 계속 제기되고 있다. 예를 들어 냉전 시 대소련 전략은 안보문제에만 중점이 있었던 반면, 현재 미국의 대중국 전략은 안보와 경제이슈가 복합적으로 작용하고 있다. 우선, 경제적인 면에서 미국은 중국과 무역에서 고질적 적자에 시달리고 있다. 한국무역협회가 발표한 통계에 따르면 미국의 10대 무역 적자국 순위에서 중국은 2000년부터 2023년까지 계속 1위를 차지하고 있을 정도이다.[320]

무역 불균형은 미중 관계의 불안 요인으로 작용할 공산이 크다. 왜냐하면, 미국은 경기 침체를 극복하기 위해 이러한 무역 적자를 완화하고자 할 것이기 때문이다. 예를 들어, 미국은 경제의 안정을 위해 중국의 위안화 절상을 요구하고 있으나 중국은 미중 무역의 불균형은 미국 경제체제의 문제점이 그 주된 원인이라 주장하며 소극적 입장을 보이고 있다. 게다가 중국은 미국 정부가 발행한 채권의 최대 보유국이기도 하다. 이런 상황은 양국 간의 관계에 있어서 중국에게 유리한 요소로 작용하게 될 것으로 보이는데, 미국은 중국과의 경제 관계 속에서 이러한 약점을 극복하고자 노력할 것이며 그 과정에서 양국의 이해관계 대립은 필연적으로 발생할 가능성이 크다.

안보 면에서 양국관계는 양안관계가 그 핵심에 있다. 많은 학자들이 중국과 미국의 군사적 대결 구도가 형성된다면 그것은 양안문제 때문일 것이라는 명제에 대부분 동의한다. 대중국 관계 정상화 이후 대만과 공식적인 외교 관계를 단절한 것은 사실이나 미국은 경제적, 군사적으로 여전히 대만을 지원하고 있으며, 특히 군사적인 분야에서는 최신무기를 수출하는 등 그 관계를 공고히 유지하고 있다. 심지어, 미국은 대만의 안전을 보장하는 대만 관계법(Taiwan Relation Act)이라는 국내법을 가지고 있다. 이런 상황에서 미국 정부는 '하나의 중국 정책(One China Policy)'에 대한 지지를 표명하면서도 중국의 군사적 수단을 사용한 정책 추구에는 반대 입장을 표명하고 있다. 즉, 미국은 중국이 대만에 대해서 무력을 사용할 경우 대만을 지원할 것을 분명히 하고 있다.

물론 최근 중국과 대만은 상호 경제, 문화, 인적 교류를 확대하고 있는 것이 사실이다. 정치적 상호 신뢰를 증진하고, 양안 직통의 3통(통신, 통상, 통항)을 전면적으로 실현하기도 하였다. 그러나, 대만에 친중성향의 정부가 아닌 독립 성향이 강한 정부가 들어설 경우 양안관계는 갈등 상황에 놓여 왔다. 따라서, 중국은 여전히 대만의 독립을 효과적으로 억제할 수 있고, 유사사태 발생시 중국에게 더욱 유리한 환경을 조성하기 위한 군사력 건설에 매진하고 있으며, 특히 이는 유사시 제3국의 개입을 억제할 수 있는 능력 발전에 그 초점을 맞추고 있다. 예를 들어 전역에서의 제공권과 제해권 장악을 위해 정보통제(information control) 능력을 배양하여 반 접근 (anti-access) 또는 접근 거부(access denial) 전략을 수행하는데 있어 유리한 조건을 조성하려 하고 있다. 또한, 중국은 전략 핵 능력, 미사일 능력, 전자전 능력을 강화하여 대만해협의 군사력 균형을 유리하게 조성하고 지역내 자신의 영향력을 강화하고 있다.

미국은 중국군의 현대화, 최신화 노력에 깊은 우려를 표명하고 있으며 중국의 접근거부 및 지역거부 능력 강화를 통한 양안 간 군사력 균형의 변화를 우려해 왔다. 이에 따라 미국은 중국을 압도할 수 있는 군사력 유지를 위한 노력을 지속하고 있다. 이렇듯 미국은 아시아 태평양 지역에서 경제적 성장을 바탕으로 한 중국의 군사력 증가를 미래 미국 국가안보와 세계적 리더십에 대한 도전 요소로 평가하고 있다. 따라서 미국은 이에 대한 군사적 견제를 지속적으로 강화할 것이다.

4.2. 한국의 군사적 대응전략

미중관계는 한국의 미래 군사전략에 핵심적 영향요소로 작용하고 있다. 미중관계가 관여 및 협력적일 때 한중관계는 협력적일 가능성이 크고 역으로 미중관계의 악화는 한중관계의 악화를 초래할 가능성이 크다. 물론, 21세기 국제정치 상황 속에서 양국의 전면적 군사충돌의 가능성은 그리 크지 않다. 예를 들어, 미국 측은 공식적으로 "강하고 번영되며 성공적인 중국의 부상을 환영한다"는 입장을 취해 왔으며, 중국은 "아태지역에서 미국의 역할과 지위"를 인정한다는 입장이다. 미국과 중국 모두 현실적으로 어느 일방이 국제체제의 독점적 리더십을 확보하기 어렵다는 점을 알고 있는 것이다. 따라서 미국과 중국은 상호견제 속에서 상호 포용적 전략 기조를 상당 기간 유지할 것이라는 전망이 지배적이다.
　그러나 중국은 자국의 사활적 이익으로 간주하는 대만해협과 근해에서 미국의 제해권과 동맹을 위협할 지역접근 저지 능력을 급격히 증대시킴으로써 군사적 강대국으로 부상하고 있다. 따라서, 한국의 군사전략은 미중관계의 두 가지 경우의 수를 대비할 수 있는 방향으로 선정되어야 한다. 왜냐하면, 지역적 중진국으로서 강대국의 이익에 따라 한국의 국가이익이 침해될 가능성이 있기 때문이다. 즉, 양국 간 안정적 대외정책 기조가 계속 유지된다는 낙관론은 군사전략 부분에서 예단해서는 안 되는 것이다.

가. 억제전략

　군은 전쟁을 억제하고 억제 실패 시 가장 효과적으로 전쟁을 수행하여 국가와 국민의 재산을 지키는데 그 존재 가치가 있다. 이는 억제가 군사전략의 가장 핵심임을 의미하는 것이다. 이론적으로 억제란 위협(보복 또는 공격의 무력화)을 통하여 상대가 어떠한 행위를 실행에 옮기지 못하도록 강제하는 것을 말하는데, 적대적인 적뿐만 아니라 우호적인 상대에게도 강요되는 경우도 있다.321) 이 전략의 성공은 결국 의지와 능력이라 할 수 있는데, 상대적 약소국이라 하더라도 강대국에게 치명적 피해를 입힐 수 있는 군사력을 소유하고 있다면 그 전략적 가치는 크다고 할 수 있다.

　그러나 한국의 군사력 건설에 대해서는 여전히 논쟁이 끊이지 않고 있다. 군사력 건설에 부정적 입장을 보이는 학자들은 한국의 군사력 건설은 긍정적인 남북관계의 장애물로 작용할 수 있어 더 이상의 군사력 건설이 불필요하다고 주장하거나,322) 한국은 이미 북한을 억제할 수 있는 충분한 능력을 보유하고 있다거나,323) 심지어 군사력 건설에 소요되는 재원은 국민들의 복지에 사용할 수 있는 재원을 낭비하는 것이라 주장하기도 한다.324)

　그러나 이러한 부정적 인식은 최근 북한 위협은 물론 안보 상황 변화에 따른 종합적 인식이 결여된 것으로 보인다. 우선, 북한 정권은 아직까지 대한민국의 안보에 가장 심각한 위협임에 틀림없다. 국제사회의 계속되는 제재와 반대를 무릅쓰고 핵 및 미사일 개발에 열중하는 북한의 모습은 그 좋은 예이다. 북한의 비대칭 전력의 위협은 한국에게 여전히 엄청난 피해를 입힐 수 있다. 이와 함께 중국의 군사적 부상도 한국에게는 잠재적 위협이라 할 수 있다. 따라서 작지만 강력한 군사력의 건설은 그 의미가 크다고 하겠으며 현대화, 선진화, 과학화 군으로의 변화는 끊임없이 이어져야 한다.

국방비를 단지 국가자원의 낭비로 인식하는 것도 문제가 있다. 물론 국가 재정적 능력을 초과한 국방비의 책정은 국가자원의 낭비라고 할 수 있다. 역사적으로 경제력에 비해 과도한 군사력을 보유하여 국력이 쇠퇴한 선례도 많이 있다.325) 그러나 현재 전체 GDP의 3% 이내의 국방비를 사용하고 있는 한국의 경우, 주변국의 군사적 능력을 고려할 때 이는 재정적 낭비라고 할 수 없으며, 이 정도의 국방비는 국가자원의 낭비가 아닌 국민들의 복지와 행복의 가장 기본 토대인 안보를 지키기 위한 필수 비용인 것이다.

또한, 군사력 건설을 단지 무력사용의 수단으로 보는 것도 문제가 있는 인식이다. 물론, 군사력의 최종목표는 전쟁을 통한 군사목표, 국가목표의 달성에 기여하는 것이지만, 평시 강력한 군사력은 외교적 수단, 억제의 수단으로 그 역할을 수행하기도 한다. 따라서 현시대의 군사력 건설이 단지 무력사용을 위한 도구라는 단선적인 인식은 문제가 있다. 군사력의 뒷받침이 없는 국가전략은 사상누각임을 주지해야 한다.

한국은 지금까지 군사력 건설을 위해 많은 노력을 해왔다. 이러한 군사력 건설에는 북한의 위협에 대한 억제가 그 핵심 목표로 작용해왔다. 그러나 한국이 중국의 위협을 억제할 수 있는 능력을 보유하고 있는가 하는 사실에는 여전히 의문이다. 특히, 미래 한국이 전시작전통제권을 온전히 행사하게 된 후 한국이 과연 한반도 문제 발생 시 충분한 억제력을 보유하고 있는가가 매우 중요하다.

한국은 중국의 위협에 대해 억제력을 충분히 발휘할 수 있는 군사력이 필요하다. 그러나 경제 능력의 신중한 고려 없이 대중국 견제를 위한 군사력 건설을 할 수 있는 것은 아니다. 총량적 규모에서 볼 때 중국과 경쟁할 수 있는 군사력을 갖추는 것은 사실상 불가능하다. 이럴 경우, 억제전략에 근간을 둔 군사력 건설이 필요하다고 할 수 있다. 이는 싱가포르의 군사전략 중 하나인 독새우 전략과 그 궤를 같이 한다고 할 수 있다. 즉, 작은 영토에 비해 상대적으로 강한 전투력을 유지하여 상대방의 공격을 완전하게 섬멸할 수는 없으나 이를 삼키는 자 역시 많은 것을 잃을 수 있다는 사실을 인식할 정도의 군사력 건설이 필요하다는 것이다.

21세기는 어떠한 강대국도 군사력에 기초하여 상대 강대국에게 자신의 의지를 강제할 수 없는 상황이다. 미국과 중국은 상호의존성과 취약성이 긴밀히 연계되어 점차 전략적 협력의 측면이 강해지는 것도 사실이다. 그러나 각국의 이해관계는 상황적 요인에 따라 언제나 변 할 수 있는 가변성이 존재한다. 이런 상황 속에서 한국의 강력한 군사적 능력은 그 유용성이 여전히 크다고 할 수 있다. 이렇게 건설된 억제전력은 결국 한국의 군사전략적 폭을 넓혀줌과 동시에 정치, 외교적인 폭도 넓혀주는 효과도 가져올 수 있다.

군사적 요소만을 고려한다면 파괴력 면에서 핵 억제력의 보유는 가장 좋은 방안이라고 할 수 있다. 그러나 이는 정치, 외교적인 면을 고려하고 상호의존성이 높아지고 있는 현시대의 국제 사회적 환경을 고려했을 때 한국에게 있어 합리적 선택이라 할 수 없다. 핵 보유를 위해서 감당해야 할 국제사회로부터의 비난과 제재는 한국의 안보에 오히려 해가 될 수 있다.

따라서 한국군이 우선적으로 관심을 가져야 하는 부분은 전략적 미사일 무기의 개발이라고 할 수 있다. 2021년 5월, 한미 미사일 사거리 지침이 완전히 폐지되었다. 이는 한국에게 있어 전략적 폭을 넓혀주었다. 이전에 존재하였던 사거리 등의 제한은 한국에게 자체 억제력 발휘에 큰 제한사항이었다. 군사적 억제력을 가지기 위해서는 주요 군사목표에 대한 치명적인 위협이 될 수 있는 수단과 방법이 있어야 되는데, 사거리 제한의 존재로 인해 한국이 억제력 확보가 어려운 실정이었다. 따라서, 사거리 제한이 폐지된 현시점에서 한국은 전략적 미사일 사거리와 파괴력을 모두 확대할 필요가 있다.

이와 함께 제공권 및 제해권 보장을 위한 노력을 지속적으로 추진해야 한다. 예를 들어 해군의 경우 이지스함, 잠수함, 대잠항공기 등의 확충이 지속적으로 필요하다고 할 수 있다. 잠수함의 경우 현재 중국에 비해 규모와 수량 면에서 상당한 열세에 있으며, 독도 문제로 분쟁의 가능성이 있는 일본과 비교하였을 경우에도 열세에 있다.

공군의 경우 동북아 전투기 중 가장 강력한 F-15K의 추가 구입 및 배치와 조기경보기, 공중급유기 등을 강화할 필요가 있는데 이는 현존 위협인 북한에 대한 타격 능력은 물론 미래 잠재적 위협에 대한 억제력에 상당한 증강을 가져올 수 있으며 특히, 공중급유기의 충분한 보유는 작전 지속능력을 강화할 수 있어 시급하다고 할 수 있다. 지상군의 경우에는 기동성과 타격력을 높이기 위해 부대를 현대화, 슬림화하고 독립작전이 가능할 수 있는 사단 또는 여단급 편제를 강화할 필요가 있다. 이러한 군사적 강화조치는 평시 억제능력의 확대는 물론 억제 실패 시 대응능력 향상에도 크게 기여할 수 있다.

물론 이러한 한국의 군사력 건설은 주변국을 자극하지 않는 범위 내에서 실시해야 한다. 주변국과 긍정적인 군사적 관계는 미국과 동맹 관계만큼 중요하다. 미국의 경우 한국의 군사력 건설에 대해 긍정적인 평가를 내릴 수 있다. 왜냐하면, 미국은 중국의 부상에 대비해 더욱더 강력한 파트너를 요구하고 있기 때문이다. 그러나 중국과 일본, 특히 중국의 경우는 미국과는 다른 관점에서 한국의 군사력 건설을 바라볼 것이다. 따라서 한국은 최대한 중국을 자극하지 않는 범위 내에서 군사력을 건설할 필요가 있다.

또한, 이러한 전략은 미국에 대한 한국의 의존도를 줄이는 방향으로 수립되어야 한다. 한국의 독자적인 작전능력을 배양해야 한다는 것이다. 한미동맹은 미래에도 계속적으로 유지될 가능성이 크다. 그러나 미래 어느 시점에서 전시작전권이 전환된 이후 한반도 군사작전은 이제까지 유지해 온 것과 다르게 한국이 온전하게 주도하고 미국이 지원하는 방식으로 변화될 것이다. 따라서 한국은 군사 분야의 소프트 파워(soft power), 즉, 작전계획의 수립을 포함한 전반적인 군사전략 수립의 독자적인 능력을 키워나가야 한다.

나. 간접접근 전략: 군사외교 전략

1992년 외교관계 정상화 이후, 한중관계는 계속 발전해 왔다. 그러나 군사적인 면에 있어서 그 관계는 다른 분야에 비해 여전히 발전적이지 못한 것이 사실이다. 군사 관계를 교류, 협력, 그리고 동맹으로 구분한다면 현재 한중 군사관계는 교류 수준이라고 할 수 있다. 한중관계는 2024년 현재 '전략적 협력동반자 관계'를 유지하고 있으며 중국은 한국의 최대 교역국 이자 최대 무역 흑자국, 최대 해외투자 대상국 등의 지위를 가지고 있어 경제적으로 그 중요성이 매우 크다. 또한, 인적인 교류도 계속 성장하고 있으며 북핵 문제, 미중관계, 양안관계 등 안보적인 요인을 고려했을 때에도 한중관계는 그 중요성이 한국에게 있어 매우 크다고 할 수 있다. 따라서 한국은 군사적 억제전략과 함께 간접접근 전략의 일환으로 한중간 군사적 신뢰 및 협력을 증진할 수 있는 전략을 추구해야 한다. 즉, 위에서 논의한 교류, 협력, 동맹으로 군사 관계를 한정하였을 때 현재의 교류 단계에서 협력 단계로의 진전이 필요하다.

한중관계가 동맹 관계로 발전하는 것은 현 상황에서 어렵다. 중국이 북한과 동맹 관계를 유지하고 있고 한국 또한 중국을 잠재적 위협으로 설정하고 있는 미국의 동맹국이기 때문이다. 또한, 한국과 중국은 서로 다른 정치체제를 유지하고 있어 동일한 이슈에 대해 서로 다른 결정을 할 수 있는 가능성이 내재되어 있으며 특히, 한반도 통일에 대한 서로 다른 인식이 동맹국으로 발전할 가능성을 거의 배제하고 있다.326) 따라서 한중 군사 관계는 동맹의 단계가 아닌 협력의 단계가 가장 실효성이 있다고 할 수 있다.

이를 위해 한국은 우선 중국과 군사 분야 협력의 영역을 넓히고 그 경험을 축적하여 갈등 영역에서도 협력을 촉진하는 우회 협력전략의 수립이 필요하다. 위에서도 언급했듯이 한국에게 있어 중국은 경제적인 면에서 가장 중요한 파트너이다. 따라서 한국은 중국과 안보 관계를 유연하게 유지할 필요가 있다. 안정적인 안보 관계가 경제 관계의 선결 조건이기 때문이다. 이런 관점에서 봤을 때 한국이 추구할 수 있는 또 다른 대중 군사적 대응전략은 군사외교에 중심을 둔 전략이라 할 수 있다. 일반적으로 군사전략은 국가의 정치, 외교, 경제와 밀접한 관계를 이루고 있다. 따라서 국제 안보협력의 참여, 양국 간 외교적 관계 수립이 단지 정치, 외교적 활동이 아닌 국방활동이라고 할 수 있으며 이런 전략이 한국에게 있어서 군사전략적 접근과 그 궤를 함께 할 수 있다.

국제정치이론에서는 기존 국제적 질서의 주도적 세력에 새로운 도전자가 출현할 경우 필연적으로 상호 간 경쟁과 갈등이 발생할 수밖에 없다고 한다.327) 그러나, 이런 상황 속에서 상대적 약소국은 양국과의 관계를 모두 잘 유지할 필요가 있다. 즉, 현 상황에서 한국은 한미동맹과 한중관계라는 두 관계를 단순한 제로섬 게임이 아니라 동반 발전하는 윈-윈(win-win) 게임이 될 수 있도록 하여야 한다. 따라서 한국은 중국과 군사, 경제적 협력을 강화하여 협력 국가로서 가치를 높이는 노력이 필요하다. 이러한 노력을 세부적으로 살펴보면, 한국은 중국과 안보협력 차원에서 정기적인 군사 대화를 정례화할 필요가 있으며, 군 인사 교류 확대를 통해 양국 간 군사력 건설의 투명성을 보장해야 한다. 특히, 군 인사 교류에는 고위급 장성뿐만 아니라 위관급 장교, 사관생도, 장교후보생 등을 포함해서 현재와 미래를 내다보는 교류를 해야겠으며 중국에게도 이와 마찬가지 교류를 유도하여 중국 군부 내 친한파의 성장을 장기적으로 도모해야 한다. 또한, 테러, 대규모 전염병과 같은 비전통 안보위협에 대한 대처 훈련을 함께 실시하는 것도 좋은 방안이 될 수 있으며 이와 함께 불가침 조약의 체결도 심도 있게 논의할 필요가 있다.

대중국 간접접근 전략과 동시에 한국은 한미동맹 강화와 지역 내 다자안보 협의체 설립 등의 노력을 취할 필요가 있다. 한미동맹은 지금까지 대북억제의 역할을 수행함과 동시에 동북아 지역의 평화 정착에 기여해 왔던 것도 사실이다. 이러한 한미동맹은 한반도의 미래, 특히 북한 유사사태 발생 시 국제사회의 어느 국가 행위자보다 크게 작용할 수 있다. 따라서 한국은 한미동맹의 강화를 통해 대북 억제능력은 물론 지역 내 평화 정착을 위한 노력을 할 필요가 있다. 그러나 한미동맹이 대중국 동맹이 되는 것은 반드시 경계할 필요가 있다. 이를 위해 한미동맹의 역할을 분명히 할 필요가 있으며 미, 중간 충돌 발생 시 한국의 부적절한 개입을 막는 장치가 반드시 필요하다 하겠다.

이와 함께 한국은 동북아 평화 레짐 형성에 꾸준한 노력을 할 필요가 있다. 동북아 국가들이 모두 참여하는 안보협의체의 창설은 유럽의 사례에서 볼 수 있듯이 그 효용 가치가 매우 높다. 물론, 유럽의 OSCE(Organization for Security and Cooperation in Europe)와 같이 체계화된 기구를 형성하는 데는 많은 문제점이 노정되어 있다. 예를 들어, 현재 국가 간에 계속되고 있는 영토분쟁, 역사문제와 기구 설립을 위한 시간, 비용 등이 그 대표적 장애물이라 할 수 있다. 그러나, 미래 동북아 평화와 한반도 안보를 위해서는 궁극적으로 협력안보 및 다자안보 체제가 반드시 필요함을 인식하고 한국은 이를 위해 적극적 노력을 다하여야 할 것이다.

제5절 결 론

중국이 이미 가지고 있는 광활한 국토, 인구, 경제력, UN 상임이사국의 지위 등을 고려할 때 현재 국제사회에서 미국과 중국은 이미 대등한 위치에 놓여 있다. 물론, 지금까지 국제적인 영향력 면에서 중국이 미국을 추월하지는 못했다. 하지만, 중국은 미국과 대등한 위상의 국가 또는 경쟁 국가로 자리한 것은 사실이다. 중국은 절대 국강필패(國强必覇: 나라가 강해지면 패권을 좇게 된다)의 길로 들어서지 않을 것을 계속 천명해 왔으며 도광양회(韜光養晦: 능력을 감추고 때 를 기다린다)의 외교전략을 추구해 왔다. 그러나 최근의 중국은 유소작위(有所作爲: 할 일이 있으면 피하지 않는다)의 모습을 국제사회에 드러내고 있기도 하다.

중국의 성장은 이제 가능성을 넘어 현실이다. 따라서 정치, 외교적 관점에서 중국의 성장을 바라보고 국가전략을 수립하는 것도 국가적 차원에서 매우 중요하다고 할 수 있으나, 국가안보의 최후의 보루로써 군사적 방위태세 유지는 그 무엇보다 중요하다고 할 수 있다. 특히, 한국은 지리적으로 중국과 근접해 있으며 이는 군사적으로 볼 때 군사적 영향권 안에 들어가 있음을 의미한다.

중국은 지속적인 경제 성장을 바탕으로 국방예산을 지속적으로 증가시키고 있으며 이를 통해 군의 현대화, 과학화를 추진하여 군사적 능력과 영향력을 지속적으로 넓혀나가고 있다. 게다가, 군사 전략적 차원에서도 적극적 방어전략을 추진하고 있으나 그 전략적 유연성은 공세적 변환이 충분히 가능하다고 판단된다. 이런 상황에서 한국은 중국과 역사문제, 영토문제, 북한문제 등 다양한 분쟁적 요인을 가지고 있다. 따라서 이 모든 사항을 고려했을 때 중국의 부상은 한국에게 있어 군사적 위협 요소임에 틀림없다.

한국은 국가의 주권과 생존을 지키고 국제사회에서 존중받기 위해서는 자국의 안보에 대한 확실한 보장이 필요하다. 특히, 부상하고 있는, 아니 이미 부상한 중국에 대응하기 위해 한국은 좀 더 현실적이고 미래지향적인 군사적 대응전략의 수립이 필요한 것이다. 본 장에서 제시하고 있는 억제와 협력은 서로 상반된 개념처럼 느껴지지만, 한국은 이 두 가지 군사적 대응을 동시에 추구할 필요가 있다. 즉, 중국의 군사적 성장에 대해서는 비록 실제적 국력 차이를 인정한다 하더라도 군사적 억제력 확장을 통해 한국의 국가이익을 보호할 필요가 있으며 그와 함께 군사외교 전략을 통해 미국과의 동맹 강화, 중국과의 직접적 협력을 강화하여 한반도 평화는 물론 지역의 평화정착에 기여하는 전략을 동시다발적으로 추구해야 할 것이다.

그러나 여기서 중요한 것은 개념적 차원의 전략이 아닌 실질적 전략의 추구가 필요하다. 예를 들어, 억제능력 향상을 위한 전략 미사일 개발 및 강화, 해·공군력의 강화 및 작전 지역 확대, 지상군의 첨단화가 요구된다. 협력을 위해서는 중국과의 정기적인 고위급 국방 대화 추진은 물론 실무급 그리고 사관생도를 포함한 미래 군을 이끌어갈 인사들의 상호 교류를 실시하여 잠재적 친한 세력의 배양에 노력해야 한다. 이와 함께 현재 유지되고 있는 한미동맹의 역할을 명확히 하여 한국의 안보는 물론 동북아 평화 정착에 기여하는 방향으로 발전시켜야 하며, 미래 동북아 다자안보 협력체제 형성을 위한 국가적 노력이 필요하다고 하겠다.

제12장 베트남전쟁의 재평가: 현대 전략적 함의[328)

제1절 서 론: 문제제기

2024년은 한국이 베트남전에 군을 파병한 지 60주년이 되는 해이다. 1964년 4월 23일 미국의 존슨 대통령은 '더 많은 깃발 (more flags)'의 기치를 내걸고 한국 측에 베트남전 파병을 요청하였고 이에 한국 정부는 7월 31일 국회의 동의를 얻어 1964년 9월 비전투부대인 1개 이동외과병원과 태권도 지도 요원 등 130여 명을 파병하였다. 그 후 파병의 규모는 점차 커지면서 전투부대로까지 확대되어 1973년 3월까지 323,864명을 베트남에 파병하였다.

물론 당시 한국군의 베트남 파병 이유는 다양한 요인들이 작용하였다. 그중 핵심적인 요인들은 첫째, 박정희 정부의 정통성의 문제, 둘째 반(反)공산주의에 대한 정서, 셋째, 6·25전쟁에서 우리를 도와준 우방에 대한 보답, 넷째 북한에 대한 억제력인 주한미군을 한국에 계속 주둔시키기 위한 조치 등으로 볼 수 있다.[329) 이유가 어찌되었든 한국은 베트남전 파병을 통해 많은 것을 얻을 수 있었다. 우선, 군사적으로는 실전 경험이라는 소중한 자산을 얻을 수 있었으며 미국으로부터 많은 신형 장비와 무기를 확보하여 전력 증강을 꾀할 수 있었다. 경제적으로는 수출량이 급증하여 국가발전의 기틀을 마련할 수 있는 기회를 제공받았다. 1965년에서 1973년까지 베트남과 무역에서 약 2.83억 달러를 벌어들였고 대미 수출액도 크게 증가하여 1962년에서 1966년까지 연평균 수출 증가율은 43.9%에 달했으며, 1967년에서 1971년까지는 33.7%에 달했다.330) 이는 베트남전 파병이 1970년대 이후 한국의 경제발전에 매우 중요한 동인으로 작용하였음을 증명한다고 할 수 있다.

이렇듯 베트남 파병은 한국 근현대사에 있어 많은 의미가 있는 중대한 사건이었다. 따라서 베트남전 종전 이후 여러 학문 분야에서 베트남전에 대한 많은 연구가 수행되어 왔다. 그러나 베트남 파병 60주년을 맞은 현시점과 최근 새롭게 부각되고 있는 제4세대 전쟁, 비대칭전쟁이라는 새로운 전쟁패러다임 등을 고려할 때 베트남전을 재고찰하여 현 시대적 군사전략 또는 국방 정책적 함의를 찾는 것은 매우 의미 있는 과정이라고 할 수 있다. 특히, 여전히 남북으로 분단되어 있는 한반도 정세와 비대칭 전력 강화를 추구하고 있는 북한이라는 위협에 직면하고 있는 안보 상황을 고려할 때 베트남전에 대한 재평가는 한국의 안보에 있어서 중요하다고 할 수 있다. 즉, 이는 기존의 정규전적 사고에 의해서 베트남전을 분석한 것과는 또 다른 의미의 분석이 될 수 있으며 전략적 마인드를 재환기시키는 계기를 제공할 수 있을 것이다.

현재의 한반도 안보 상황 또한 이러한 연구의 필요성을 강화시켜 주고 있다. 북한의 핵무장이 실질적으로 완성된 2024년 현재, 북한에 대한 위협 인식은 한반도는 물론 전 세계적으로 점차 높아져 가고 있다. 특히, 미국의 경우 핵무기 보유를 기정사실화 하고 있는 북한으로부터 침략을 저지하고 격퇴하기 위해 동맹국 및 다른 지역 국가들과 효과적으로 협력해 나감으로써 한반도 평화를 유지해 나갈 것을 천명하고 있으며 또한 화학무기, 미사일 등 대량파괴무기의 생산과 확산을 저지하겠다는 강력한 의지도 표명함으로써 북한에게 강한 메시지를 전달하고 있다.

일반적으로 전쟁연구의 궁극적 목적은 이를 통해 대응전략을 도출하는 것이다. 이에 본 장에서는 앞에서도 언급하였듯 제4세대 전쟁의 전형적 사례로 평가받고 있고 1975년 베트남의 공산화로 막을 내린 베트남전쟁이[331] 아직까지 분단되어 있는 현시대의 한반도 안보에 주는 전략적 함의를 되짚고자 한다. 2010년대 주목받았던 제4세대 전쟁에 대한 논의는 제4세대 전쟁의 정의에서부터 시작된다. 그러나 본 장에서는 이러한 개념적 논의보다는 이를 바탕으로 왜 압도적 부와 기술을 가진 국가가 그보다 약한 국가에게 패배하였는지를 분석하고 이것이 한반도 안보에 주는 전략적 함의 도출에 집중하고자 한다.[332] 이를 위해 제4세대 전쟁의 개념적 정의는 토마스 햄즈(Thomas X. Hammes)의 주장을 바탕으로 하고자 한다.[333] 즉, 정치적, 경제적, 군사적으로 불균형한 정치적 집단, 국가 간의 상호 또는 다자간 분쟁에서 전면전에 의한 직접적인 군사력 파괴보다 가용한 수단과 자원 네트워크를 통해 정치적 수행 의지 파괴를 전략적 목표로 수행하는 전쟁형태를 제4세대 전쟁으로 정의하고자 한다.[334]

전사를 통해 현대적 함의를 도출하기 위해서는 다음과 같은 과정을 거쳐야 한다. 우선, 전쟁을 유발한 요인을 분석하고, 전쟁전략을 분석한 후 전쟁 수행과정을 통해 이러한 전략의 적용과정을 살펴본다. 이후, 전쟁의 승패 요인을 분석하고 이를 바탕으로 전략적 함의를 도출하는 것이다. 본 장의 논지는 이러한 과정을 거쳐 진행된다. 우선 베트남전쟁의 원인을 살펴본다. 전쟁은 전쟁 그 자체를 위하여 수행하는 것이 아니라 특정 목표를 달성하기 위해 수행되는 것임으로 모든 전쟁은 발발 배경을 가지고 있다. 전쟁원인 분석이 이루어지고 나면 전쟁을 수행한 북베트남의 전략을 분석한다. 이글의 논점이 상대적 약소국이었으나 전쟁에서 승리한 요인을 밝힘으로써 전략적 함의를 도출하는 것이므로 전략분석의 요체는 상대적으로 열세한 전력으로 베트남 공산화에 성공한 북베트남의 전략에 집중한다. 특히, 전략의 분석은 정치사회적 수준과 군사적 수준으로 구분하여 분석한다. 이후, 베트남전쟁의 경과와 전쟁의 승패 요인을 분석하고 마지막으로 결론을 대신하여 한반도 안보에 주는 현대 전략적 함의를 제시하겠다.

제2절 베트남전쟁의 배경 및 원인

전쟁은 하나의 동인으로 발생하는 것은 아니다. 물론 전쟁을 야기하는 핵심적 요인은 있을 수 있으나 이의 근저에는 정치, 사회, 군사, 문화, 국제정치 등 다양 한 분야의 요인들이 결합하여 전쟁을 야기한다고 할 수 있다. 본 절에서는 수천 년 동안 수탈의 역사를 경험한 베트남이 어떠한 이유로 세 번에 걸친 전쟁을 치르게 되었는지를 살펴보고자 한다.

베트남의 역사 속에서는 1,000여 년 동안(BC 179-AD 938) 중국에 의한 지배와 프랑스에 의한 100년(1859-1954)에 가까운 지배의 경험이 자리 잡고 있다. 이러한 외국세력들의 지배를 받는 기간 베트남 민족은 지배세력에 복종하기도 하였으나 그들의 탄압과 억압에 맞서 저항하기도 하였는데 이러한 과정속에서 의식적으로는 민족의식과 저항의식이, 전략적으로는 게릴라전 전략이 베트남 사회에 뿌리 깊이 자리매김하였다고 할 수 있다.

특히, 약 100년에 걸친 프랑스의 식민통치는 베트남을 정치, 경제를 포함한 모든 분야에서 뒤처지는 국가로 만들었으며 여기에 세계 경제 대공황까지 겹쳐 당시 베트남 국민들은 굶주림과 가난으로 큰 고통을 겪게 되었다. 게다가 홍수와 기근, 전염병까지 창궐하여 1945년 한 해 동안 베트남 북부지역에서만 무려 2백여만 명 이상의 아사자가 발생하였다.[335] 이런 상황은 베트남

사람들의 독립에 대한 열망 즉, 반식민 민족주의 운동이 발생하게
되는 계기로 작용하였는데 이와 함께 공산주의 운동도 조직적으
로 확산되기 시작하였다.

<표 12-1> 베트남 통일과정

연도	주요사건	비고
1940. 8.	일본에 의한 실질적 지배	
1941. 5.	호찌민 베트남 독립동맹(越盟) 결성	Vietminh
1945. 9.	호찌민 베트남민주공화국 선포	
1946. 2.	프랑스 베트남 재점령	
1949. 3.	프랑스에 의한 베트남 통일정부 수립	제1차 전쟁기간 중
1954. 7.	제네바 평화협정 체결 (프랑스군 베트남 철수)	남북분단 (북위 17도)
1955.10.	미국에 의한 베트남공화국 수립	분단 고착화
1960.12.	남베트남 내 민족해방전선(NLF) 결성	공산주의자 주도
1961. 1.	NLF의 군사조직 베트콩 창설	인민해방군
1964. 8.	통킹만 사건 (북베트남 미군 함정공격)	
1973. 1.	파리 평화협정 체결 (미군 베트남철수)	
1976. 1.	베트남 사회주의 공화국 수립	적화통일

이러한 역사적 경험을 바탕으로 하는 베트남의 민족주의는 제1
차 세계대전을 계기로 표면화되었다. 세계대전 중 프랑스에 의해
강제로 징집되어 유럽으로 파병되었던 수 만 명의 젊은이들과 프
랑스로 유학했던 젊은이들이 베트남으로 돌아오면서 새로운 시대
적 조류를 베트남 땅에 전파하였는데 이러한 사상의 기류가 민족

주의와 민족주의를 외형상으로 내세운 공산주의로 표출되기 시작하였다. 사실, 1920년대까지만 하여도 베트남 민족주의자들은 프랑스 식민정부와 협조를 통해 온건한 개혁을 추진하였다. 그러나 프랑스는 그들의 요구를 전혀 수용하지 않았으며 이로 인해 점차 반프랑스적 성격의 지하조직이 형성되었고 민족주의를 지향하는 세력들도 등장하였다.336)

프랑스는 제2차 세계대전 기간 중인 1940년 8월, 일본과 조약 체결을 통해 동남아시아에서 일본의 정치, 경제적 우위를 인정함으로써 베트남은 실질적으로 일본의 지배하에 들어가게 된다. 이는 베트남의 對 프랑스 저항운동에 중요한 전환점이 되었다. 거의 절대적으로 보였던 식민세력이 일본의 무력 앞에 무너지는 사건은 베트남 국민들에게 "자신들의 독립이 막연한 꿈이 아니라 반드시 이룰 수 있다"는 인식의 싹을 심어주었으며 이때부터 베트남 민족주의 운동이 활기를 띠기 시작하였다.337)

1941년 5월에는 베트남 공산당이 중국에 망명하고 있던 민족주의자들과 연합전선을 형성하여 반일투쟁 조직이자 베트남 민족주의 운동의 핵심세력이라 할 수 있는 베트남 독립동맹(越盟)을 결성하였다. 이 단체는 프랑스와 일본을 상대로 독립을 추구한다는 것을 명분으로 민족주의자를 포함하여 많은 세력을 결집하여 독립운동 단체로 시작되었으나 형성 과정에서 공산주의자들이 주요 역할을 담당함으로써 이 조직의 핵심은 공산당이라고 할 수 있었으며 조직을 통제하는 것도 공산당이었다. 일본의 무조건 항복이 있은 직후인 1945년 9월 2일, 호치민은 베트남 독립선언문을 발표하고 베트남민주공화국(the Democratic Republic of Vietnam) 수립을 선포하였다. 제2차 세계대전 종전 직후 프랑스는 베트남에 대한 자신들의 지배력을 회복하기 위해 노력하였고 결국 프랑스는 베트남 전역을 재점령하게 되었다. 그러나 이러한 프랑스의 시도는 베트남민주공화국 수립 이후 베트남을 장악한 호찌민 세력의 강한 반발에 부딪치게 되는데 이것이 베트남전쟁의 시발점이 된다.

이렇듯 베트남전쟁은 반식민주의에 대한 민족주의와 공산주의가 결합하여 외세를 몰아내고자 하는 동인이 가장 크게 작용하였다. 그러나 전술하였듯이 베트남 독립독맹(越盟)은 공산당이 조직의 핵심을 장악하고 있어 공산주의적 성격이 매우 강하였다. 물론, 오늘날 베트남 지도층 인사들은 호찌민에 대해 "그는 오로지 조국의 독립과 자유를 위해 일생을 바친 분이었다. 그가 공산주의 운동에 몸담고 있었지만, 그것은 조국의 독립과 자유를 위해 공산주의를 이용한 것이다. 따라서 그는 공산주의자이기보다는 민족주의자였다"라고 주장하기도 한다.338)

그러나 호찌민은 프랑스식 교육을 받고 성장하여 1911년 프랑스로 건너가 요리사 등의 일을 하면서 프랑스 좌익계 인사들과 교제하며 사회주의 사상에 심취하였고, 1917년 12월 파리에 정착한 후에는 프랑스 사회당에 입당하여 본격적인 사회주의자로 활동하였다. 1923년에는 모스크바에서 열린 코민테른 제5차 회의에 참석하였고, 1924년 12월 베트남으로 돌아와 민족주의자들과 접촉하면서 본격적인 공산주의 운동을 시작하였다. 그는 베트남 내의 공산주의자들이 지역별로 분열되자 코민테른의 지령에 따라 1930년 2월에 이를 월남 공산당으로 통합하기도 하는 등 공산주의자로서 활동에 전념하였다.339) 따라서 호찌민은 민족주의적 성격을 지닌 공산주의자로 평가하는 것이 더욱 타당하다고 할 수 있다.

반면, 이러한 민족주의 의식이 강하게 확산되고 있을 때 프랑스와 미국은 그들을 대신할 베트남 정부를 세우기 위해 노력하였다. 프랑스는 응웬 왕조의 마지막 황제였던 바오다이를 내세워 1949

년 베트남 통일 정부를 수립하였고, 미국은 친미 보수주의자였던 응오딘지엠을 내세워 1955년 10월 베트남공화국을 수립하였다. 그러나 이러한 외세와 결합은 민족주의적 성향을 내세운 호찌민 세력과는 비교가 안 될 정도로 국민적 지지를 받지 못하였고 특히, 국민의 70% 이상을 차지하는 농민들의 지지를 받지 못하였다. 게다가 지엠 정부의 독재와 관료들의 부패까지 겹쳐 베트남 국민들은 더욱더 민족주의를 지향하게 되었다.340) 당시 남베트남 농촌을 시찰한 미국의 농업전문가 라데진스키(Wolf Ladejinsky)에 의하면 농촌에는 토지개혁은 물론 조세 기능을 담당할 행정력도 없었으며 농민들은 디엠 정권의 토지개혁에 관심이 없었고 호찌민 세력이 1956년 총선에서 승리할 것으로 믿고 있었다고 한다.341) 결국, 이러한 정치, 경제적 혼란과 반정부 세력에 대한 탄압을 지속했던 남베트남에는 다양한 반정부 주의자들이 중심이 된 연합세력이 형성되었고 이들에 의한 새로운 혁명운동이 전개되었다.342)

한편, 자유 진영을 대표하는 미국의 경우에는 1949년 중국 본토가 공산화되면서 국제적으로 공산주의 확산에 대한 우려가 커졌다. 이에 미국 정부는 1949년 12월 30일 NSC-48/2를 채택하여 공산주의 확장 저지, 인도차이나반도에 대한 개입, 중국 공산정부의 불승인, 동남아시아에서 반공 연합체제 형성 등의 내용을 담은 새로운 아시아 정책을 발표하였고,343) 인도차이나반도가 공산화되는 것을 막기 위해 제1차 베트남전쟁을 수행하고 있던 프랑스를 지원하였다. 그러나 프랑스는 전쟁에서 패배하여 철수하였고 그 후 미국은 베트남에 직접 개입하게 되었다. 결국, 미국의 프랑스 지원을 통한 전쟁 개입은 도미노 이론에 근거한 심리적 위협, 즉 공산주의 확산이 가장 중요한 요인으로 작용하였다고 볼 수 있으며 결과적으로 미국의 봉쇄정책이 인도차이나로 확대된 것이었다.

제3절 북베트남의 전쟁전략 분석

베트남전 당시 미군 사령관 웨스트모어랜드(William C. Westmoreland)는 "베트남의 공산주의자들은 전통적인 혁명전쟁을 수행하였다"라고 회고하였다.[344] 즉, 북베트남과 민족해방전선(NLF)은 단계적인 전쟁 수행을 통해 적을 전쟁 피로에 빠지게 하고 이로 인해 스스로 수렁에서의 탈출을 시도하게 하는 방식으로 전쟁을 수행하였다. 북베트남의 민족해방전략은 우선 대중조직을 규합하고 그 기반 위에 정치, 군사의 통합전략을 구사하여 남베트남 정권을 전복시킨 후 연립정부를 구성하여 협상에 의해 통일한다는 것을 주요 내용으로 하고 있다. 적은 군사적 우위에 있으나 정치적 정당성이 결핍된 전쟁을 치르고 있으므로 자신들의 정치적 정당성이라는 강점을 강화하기 위해 장기 항전을 실시하여 외세와 그를 추종하는 세력을 타도하고 민족민주연합정권을 수립 후 궁극적으로 민족통일을 이룩한다는 것이다. 이러한 전쟁 수행방식은 호찌민의 혁명전략과 보응엔지압의 인민전쟁 5단계 전략으로 표출되었으며 전략의 근저에는 지속적인 정치심리전이 병행되고 있었다.

3.1. 정치사회적 수준의 전략

북베트남군의 정치사회적 수준의 전략의 핵심은 정치심리전이라고 할 수 있다.[345] 물론 전쟁에서 정치심리전만으로 승리하기는 어려울 수 있다. 그러나 정치심리전을 통해 적에게 공포심, 불안 등을 야기하고 아군에게는 전쟁에 대한 의지와 필승의 의지를 강화시켜 전장의 분위기를 아측에게 유리하게 만들 수는 있다. 이러한 것을 잘 이용한 것이 바로 북베트남이었다. 북베트남은 주민들의 적극적인 협력 없이는 게릴라전 감행과 자신들이 원하는 시간과 장소에서의 전투, 이른바 '전선 없는 전장'을 만들 수 없다는 것을 잘 알고 있었다. 따라서 북베트남은 주민들의 지지를 중요시하고 이를 위해 온갖 수단과 방법을 동원하여 맹렬한 사상적 선전 공세를 실시하였다.

베트남전쟁 간 북베트남군의 전략 및 전술을 기획한 보응엔지압이 제시한 인민전쟁 5단계 전략 중 최초 두 단계인 예비 1, 2단계도 정치심리전이었다. 예비 1단계는 정치심리전 제1기로 선전 및 정치전을 통해 인민 내부에 대중의 지지를 확보하고 인민을 계열화된 투쟁 속으로 끌어들여 세포조직을 형성하는 단계였고, 예비 2단계는 정치심리전 제2기로 기본적 조직과업이 진행되는 것과 더불어 대중조직을 수평, 수직으로 형성 및 확대시키고 자체방위를 위해 무장선전대를 창설한다는 것이었다.

보응엔지압은 전쟁 승리의 요체는 전쟁 의지의 관리에 있다고 주장하였다. 따라서 그는 상대방의 전의를 꺾는 데 우선 집중했으며 결국 이러한 전의 상실은 북베트남에게 전쟁 승리를 가져다주었다. 실례로 베트남전에 참전하였고 베트남 인민무력부의 영웅 칭호를 가지고 있는 보 티엔 충(Vo Tien Trung) 前 베트남 국방대학교 총장은 베트남전에서 북베트남이 승리한 결정적 요인 4가지를 지적하였는데 그중 세 가지가 심리적 요소와 관계된 것이었다.[346]

북베트남 정치심리전의 주제는 크게 6가지로 분류할 수 있다. 첫째, 과거 식민지시대의 반민족적 관료체제와 봉건적 사회체제에 대한 비난과 저항선동, 둘째, 식민지시대 기득권층의 권력, 금력,

부정부패에 대한 저항선동, 셋째, 구제국주의 식민지 세력인 프랑스와 이를 대신하고 있는 신제국주의 세력인 미국에 대한 저항선동, 넷째, 혁명전쟁에 반대하거나 방해하는 자들에 대한 처단, 다섯째, 남베트남 내의 계층 간, 종교 간, 빈부 간 갈등에 편승하여 체제전복 선동, 여섯째, 외국군에 대한 반감을 유발하여 민족 감정을 자극하고 연합군과 남베트남 정부 및 베트남 국민 간 이간 획책 등이다.[347] 북베트남은 실제 전장에서 위의 주제를 바탕으로 정치심리전을 구현하였는데 우선, 조직과 활동거점을 확보하고 사회적, 정치적 불안을 조성하고 조직 확대를 위한 주민무장을 강행하였다. 이를 바탕으로 미국을 포함한 연합군의 철수를 선동하였으며 모략 및 허위조작을 바탕으로 전쟁 공포증을 유발하고 사회적 혼란을 획책하기도 하였다. 결국, 이렇게 수행된 북베트남의 정치심리전은 베트남전쟁을 북베트남의 승리로 이끄는 데 결정적 역할을 하였다.

3.2 군사적 수준의 전략: 호찌민의 혁명전략과 보응엔지압의 인민전쟁 전략

북베트남의 군사적 수준의 전쟁 수행전략은 호찌민의 혁명전략과 보응엔지압의 인민전쟁 5단계 전략이 바탕이었다. 우선, 호찌민의 혁명전략은 크게 3단계로 구분할 수 있다. 제1단계는 정치, 군사행동의 근거지를 설치하여 핵심요원을 전장에 배치하는 것이고, 제2단계는 정치적 조직의 편성과 게릴라전의 수행이며, 제3단계는 게릴라전을 정규전으로 전환하는 것이다. 이러한 호치민 혁명전략의 핵심은 크게 세 가지로 요약할 수 있다. 첫째, 타국의 경험을 수용함과 동시에 베트남 혁명의 고유한 요구에 기민하게 대처하였고 둘째, 남베트남 내부의 반혁명세력들이 엄청난 군사력 지원을 받고 있으므로 현지에서 적을 약화시키기 위해서 농민을 중심으로 하는 정치와 군사적 투쟁을 동시에 이행하면서 외세제거 투쟁을 하였고 셋째, 정치적 요소에 의존함으로써 남베트남과 외세의 고질적인 정치적 정당성 부족 부분에 타격을 가했다는 것이다.348)

혁명전략의 바탕 하에서 수행된 전쟁전략 또한 3단계로 나누어져 있는데 제1단계는 방어에 치중하며 산악 요새에서 전력을 강화하는 것으로 어느 정도 전력이 갖추어질 때까지 은거하며 게릴라 전술을 시행하는 단계이다. 제2단계는 은거지에서 나와 적의 노출된 시설을 기습하기 시작하는 것으로 적극적으로 공세를 실시하여 적에게 지속적인 피해를 입혀 전의를 상실케 하는 단계이다. 제3단계는 전면공세로 전환하여 적군을 바다로 내모는 최종 공세를 단행하는 것이다.349)

한편, 보응엔지압은 베트남전쟁의 전략전술을 기획한 인물로 모택동의 3단계론에서 예비 2단계를 추가한 인민전쟁 5단계 전략을 제시하였다.350) 지압 전략의 세 가지 원칙은 첫째, '작은 것(小)으로 큰 것(大)을 이긴다', 둘째, '적음(少)으로 많음(多)과 맞선다', 셋째, '질(質)로 양(量)을 이긴다'였다. 인민전쟁 5단계별 세부전략으로는, 우선 예비 1, 2단계는 위에서도 설명하였듯이 정치심리전 단계로 선전 및 정치전을 통해 인민 내부에 대중 지지를 확보하고 인민을 계열화된 투쟁 속으로 끌어들여 세포조직을 형성하는 것부터 자체방위를 위한 무장선전대를 창설하는 단계이다. 다음 제1단계는 방어 단계로 혁명세력은 적의 공세 앞에서 방어 태세를 취하며 방어를 통해 자체의 생존을 유지하면서 큰 전투는 회피하고 병력을 원상태로 보존하며 '바람처럼 치고 빠지는' 기습 위주의 유격전을 전개하는 것이다. 즉, 게릴라전이 주가 된 작전을 시행하는 단계이다. 지압은 게릴라전 4대 원칙으로 적극성, 신속성, 계속성, 준비성 등을 제시하였으며 게릴라전의 승리요소로 첫째, 주민들의 지원, 둘째, 뚜렷한 정치적 목표, 셋째, 게릴라부대를 지원하는 지하 혁명조직, 넷째, 융통성 있는 부대 운용을 제시하였다.351)

다음 제2단계는 적과 아의 힘의 관계가 어느 정도 균형 상태에 이르게 되면 아군이 점차 공세로 전환하여 수시로 기동전을 전개하는 것이다. 이 단계에서는 적의 대 주민 통치력을 파괴하는 무장투쟁과 정치투쟁이 결합 된다. 다음 제3단계는 아군이 총반격에 나서 적의 군사력을 분쇄하는 군사적 대결로 아군의 정규군이 기동전 위주로 적의 정규군을 공개적으로 격퇴하는 공격작전을 전개하는 것이다.352) 이러한 전략 수행 간 반드시 지켜져야 하는 3가지 전술적 지침이 있었는데 이는 '적이 원하는 시간을 피하고, 적에게 낯익은 장소는 멀리하고, 적이 익숙한 방법으로는 싸우지 않는다'는 것이었다.

보응엔지압의 5단계 전쟁전략 중 예비 1, 2단계와 기존 1단계는 호찌민의 제1단계 전략을 세분화한 것으로 결국 호찌민의 전략과 일맥상통한다고 할 수 있다. 결국, 호찌민과 보응엔지압의 전략은 전쟁에서 유리한 조건을 조성하기 위한 제1단계 작전 간에는 유·무형 전력을 강화하는 단계로 필요시 게릴라 전술을 시행하는 단계라고 할 수 있고, 제2단계는 군사력이 어느 정도 적과 균형에 도달했다고 판단되었을 때 공세로 전환하기 위해 기습공격을 실시함으로써 적에게 지속적인 피해를 강요하는 단계라고 할 수 있으며, 제3단계는 총공격 단계로 모든 역량을 총동원하여 적을 공격함으로써 적의 공격 의지를 분쇄하여 전쟁에서 승리하는 단계라 할 수 있다. 여기서 중요한 것은 이러한 전략이 각각의 단계별로 명확한 구분과 시간적 차이를 가지고 있는 것이 아니라 3단계 전략을 추진하다가도 상황이 변화하면 다시 1단계 또는 2

단계 전략으로 전환이 가능하며 1, 2, 3단계를 동시에 수행할 수도 있다는 점이다. 이를 통해 북베트남군은 자신에게 유리한 지역과 시간에 전장을 형성함으로써 전투가 자신에게 유리한 방향으로 유도할 수 있었다.353)

제4절 베트남전쟁의 주요 경과

4.1. 제1차 베트남전쟁(1946-1954): 항불전쟁354)

제2차 세계대전 종전 직후 프랑스는 베트남에 대한 자신들의 지배력을 회복하기 위해 노력하였다. 1945년 7월 개최된 포츠담 회담에서 미국, 영국, 소련의 정상들은 베트남 문제에 대해 북위 16도선을 경계로 북부는 중국군이, 남부는 영국군이 진주하는 것으로 결정하였다. 이에 따라 북부지역에는 원난성의 군벌 루한이 지휘하는 18만 명의 중국군이 9월 9일 하노이에 도착했으며, 남부에는 9월 12일, 그레이시 소장이 지휘하는 7,500명의 영국군이 진주했다.355) 그러나 프랑스는 이에 굴하지 않고 남부에 진주하는 영국군 대대에 프랑스군 1개 중대를 포함시켰다. 당시 남부지역에 진주한 영국군 사령관 그레이시 장군은 영국 정부의 뜻에 따라 "프랑스의 인도차이나 점령은 당연한 것이며, 영국군의 주둔은 프랑스가 베트남을 통제할 수 있을 때까지만 계속된다"며 노골적으로 프랑스를 지지하였다. 게다가 프랑스는 중국과 1946년 1월부터 시작된 협상에서 쿤밍(昆明)의 철도운영권을 포함한 중국에서의 자신들의 이권을 포기하는 조건을 제시하였고 중국군은 이를 받아들여 1946년 2월 23일 베트남 철수를 단행하였다. 이후 프랑스는 베트남 전역을 재점령하게 되었다. 그러나 이러한 프랑스의 시도는 베트남민주공화국 수립으로 베트남을 장악한 호찌민 세력의 강한 반발에 직면하였다. 결국, 1946년 12월 19일 호찌민 군의 기습공격으로 제1차 베트남전쟁이 시작되었다.

가. 정치·사회적 여건 조성 단계

제1차 베트남전쟁은 전형적인 호찌민의 혁명 전쟁전략을 바탕으로 하고 있었다. 호찌민은 전쟁 이전부터 혁명을 위한 환경 조성을 위해 1941년 5월 민족주의 운동의 핵심세력이라 할 수 있는 베트남 독립동맹을 결성하여 프랑스의 지배를 벗어나기 위한 준비를 시작하였는데, 이 단체는 프랑스와 일본을 상대로 독립을 추구한다는 명분으로 민족주의자를 포함한 많은 세력을 결집하였다. 이후, 호찌민은 1944년 12월 '해방군선전대'를 창설하여 베트남 촌락의 내부까지 침투하여 조직과 선전 활동을 시작하였다.

호찌민 세력은 자신들의 역량이 건설되기 전 프랑스로부터 공격을 피하기 위해 북베트남 지역에서 반불행동을 자제하였다. 또한, 모든 세력과 연합전선 전술을 구사하기 위해 1945년 11월에 공산당을 해체하여 1946년 1월 선거 후 새로운 내각을 구성하였는데 베트민 4석, 국민당 4석, 동맹회의 4석, 내무와 국방은 중립파로 임명하였다.[356] 그러나 이들은 공산당 비밀당원 또는 동조자들이었으며, 군사력의 실질적 장악은 심복인 보응엔지압이 하고 있었다.

이런 상황 속에서 계속된 군사력 건설의 노력으로 1946년 말까지 호찌민군은 정규군 60,000여 명과 준군사부대 100,000여 명으로 증강되었다. 그러나 장비가 열악하고 훈련수준은 매우 미흡한 상태였다. 이에 따라 호찌민 군 중 정규군은 산악지대에서 훈련에 계속 전념하고 준군사부대는 사회 혼란을 조성하는 역할을 담당하였다.357) 사회 혼란을 야기하는 주된 전략은 정치심리전을 사용하였는데 과거 식민지시대 반민족적 사회체제에 대한 국민적 반감을 조성함으로써 프랑스군에 대한 저항의식을 유발하고 민족 감정을 자극하는 것을 목표로 하고 있었으며, 정치심리전을 통해 유리한 전쟁 여건을 조성하고자 하였다.

전쟁이 발발한 후에도 호찌민군은 소총조차 부족했던 군사력을 보유하고 있었다. 반면, 프랑스군은 항공기, 전차, 야포 등 최신 장비로 무장되어 있었다. 따라서 전쟁이 시작되자 프랑스군이 계속 승리하였고 이로 인해 프랑스군의 공격에 패퇴한 호찌민 군은 하노이를 포기하고 중국 국경 부근의 산악지대에 진을 치고 게릴라전이 바탕이 되는 장기적인 저항에 돌입하였다. 이곳에서 호찌민 군은 각종 공장을 세우고 생필품은 물론 수류탄과 각종 지뢰, 박격포 등의 무기를 생산하였고 병력도 계속 증원하여 장기전에 대비하였다.

나. 군사작전 수행 단계

프랑스군은 1947년 10월 정예 기계화부대 3만여 명을 투입해 산악지대에 은거하고 있는 호찌민 정부의 거점을 공격하였다. 프랑스군은 작전 초기 호찌민 군의 군수시설을 파괴하고 수천 명을 사살하는 전과를 올렸다. 그러나 시간이 지나면서 프랑스군은 호찌민 군의 '치고 빠지는 방식(hit & run)'의 작전에 말려들어 막대한 피해를 입었다. 당시 호찌민 군은 야간에 프랑스군을 공격하고 정글속으로 자취를 감추거나 프랑스군의 공격을 받으면 지뢰 등 장애물을 매설하고 다른 지역으로 이동하는 등의 게릴라 전술을 사용하여 프랑스군을 괴롭혔다. 이런 상황이 지속되자 프랑스군은 "전쟁에서 승리가 쉽지 않다"는 좌절감을 얻은 반면 호찌민 군은

"전쟁에서 승리할 수 있다"는 자신감을 얻게 되었다.358) 결국, 호찌민 군의 장기적인 저항에 프랑스는 군사적 승리보다는 정치적 해결을 위해 베트남 내 다른 세력을 이용하기로 결심한 후 응웬 왕조의359) 마지막 황제였던 바오다이(Bao Dai)를 내세워 1949년 3월 베트남 통일 정부를 수립하였다.

　프랑스의 이러한 수세적 자세와 그동안 노력으로 달성된 군사력을 바탕으로 호찌민 군은 제2단계 전략에 돌입하였다. 호찌민 군은 산악 은거지에서 나와 프랑스군의 시설을 공격하기 시작하였다. 호찌민 군은 민병대와 지방군으로 치안을 교란하여 프랑스군의 분산운용을 강요하면서 정규군은 집중적으로 운용하여 프랑스군을 공격하였다. 1950년 2월에는 라오카이(Lao Kay) 진지, 1950년 9월 16일에는 800여 명의 프랑스군이 주둔하고 있는 동케(Dong Khe)지역을 공격하여 점령하였고, 뒤이어 주변의 까오방 및 랑썬 등의 산악 지역에서까지 프랑스군을 몰아내는 데 성공하였다.

　그러나 뒤이은 호찌민 군의 공격은 실패로 돌아가는데 그 대표적인 사례가 1951년 1월의 빈엔(Vinh Yen) 공격과 3월의 마오케(Mao Khe) 공격, 5월의 닌빈(Ninh Binh) 공격 등이다. 빈엔 공격에서는 단 4일 동안 6,000여 명의 사상자와 500여 명의 포로가 발생하였고, 마오케 공격 간에는 3,000여 명의 사상자가 발생하였으며 닌빈에서는 3개 사단 병력으로 1주일 동안이나 공격하였으나 1/3 이상의 병력 손실을 입고 철수하였다.360) 이는 산악 지역에서는 게릴라 전술이 효과적이나 평야 지역에서는 프랑스의 화력에 절대 열세임을 호찌민 군 지도부에게 알려주는 기회가 되었다.

　이후 다시 호찌민 군은 산악지대로 은거하여 전력증강에 박차를 가하였는데, 군 조직을 정규군(RF: Regular Forces), 지방군

(LF: Local Forces), 민병대(PF: Popular Forces)로 개편하여 성(省)단위 1개 대대, 군(郡)단위 1개 중대씩의 지방군을 편성했으며, 면(面) 단위에는 소대 및 분대 규모의 민병대를 편성하였다.[361] 이러한 호찌민 군의 노력은 호찌민의 혁명 전쟁전략 각 단계가 순차적으로 연결되는 것이 아니라 필요에 따라 조합되고 있음을 보여준다. 즉, 제1단계 은거 기간 비축된 전투력을 바탕으로 제2단계 기습 작전을 실시하여 어느 정도 상대에게 피해를 주었으나 자신의 피해가 크게 발생하여 제3단계로 전환이 불가한 경우 다시 산악지대로 은거하여 전투력 증강에 노력하는 전략을 발휘했던 것이다.

이런 과정 후에 호찌민 군은 제3단계 전략으로 총공세를 감행하였다. 그것이 바로 1954년 5월 7일에 시작되었던 디엔비엔푸(Dien Bien Phu) 전투였다.[362] 프랑스군은 계속되는 호찌민 군의 게릴라 전술에 고전하고 있었고 이에 따라 서북 변경 산간지대인 디엔비엔푸 지역에 대규모 요새를 구축하고 1만 1천 명의 병력을 주둔시켜 호찌민 군의 대규모 침공에 대비하고 있었다. 디엔비엔푸 지역은 항공기에 의한 지원만이 가능할 정도로 열악한 도로 환경을 가지고 있어 대규모 부대 이동은 물론 보급부대의 이동이 매우 힘든 지역이었다. 이에 프랑스군은 호찌민 군의 공격 수준이 1개 사단 정도일 것으로 판단하고 있었다. 그러나 호찌민 군은 3개 보병사단, 1개 포병사단으로 이루어진 대규모 부대를 이동시켜 전개하였고 우마차, 자전거, 보트 등 동원할 수 있는 모든 장비를 이용하여 사람이 직접 대규모 보급 지원에 나섰다.[363] 결국, 호찌민 군의 이러한 대규모 부대에 의한 공격 앞에 프랑스군은 일주일간 공방전을 벌이고 4개 방어진지를 제외한 모든 지역을 점령당했다. 물론 호찌민 군도 막심한 피해를 입었으나 프랑스에게 전사 2,293명, 부상 5,134명, 포로 11,000명이라는 막대한 피해를 입혔고, 한 달 동안 병력을 재정비한 호찌민 군은 5월 마지막 공세를 실시하여 프랑스군을 패퇴시켰다.

1954년 5월 7일 디엔비엔푸(Dien Bien Phu) 전투에서 패배한 프랑스는 더 이 상 전쟁 의지를 잃고 1954년 7월 20일 제네바에서 평화협정을 맺기에 이른다. 제네바 협정은 크게 다섯 가지 정도의 내용을 포함하고 있는데 첫째, '북위 17도 선을 경계로 300일 이내 호찌민 정부군은 이북으로, 그리고 프랑스군은 이남으로 이동한다', 둘째, '민간인도 자유의사에 따라 17도선 이남과 이북으로 거주이전을 할 수 있다', 셋째, '군사경계선은 잠정적일 뿐이며 정치적 통일문제는 1956년 7월 이전에 총선거를 실시하여 결정한다', 넷째, '이후 일체의 외국군대는 증원될 수 없으며 프랑스군은 총선거 때까지 주둔할 수 있다', 다섯째, '캐나다·폴란드·인도 3개국으로 구성되는 국제감시위원회를 두어 협정의 이행을 감시한다' 등이었다.[364]

4.2. 제2·3차 베트남전쟁(1954-1975): 항미전쟁 및 남북전쟁

1954년 제네바 협정 이후 프랑스는 베트남에서 철수하게 되었고 반면 미국은 공산주의 팽창 저지의 일환으로 베트남에 적극적으로 개입하게 되었다. 이에 미국은 남베트남 내에 호찌민 세력에 대항할 새로운 민주 정부 수립을 지원하게 되는데, 이렇게 해서 1955년 10월 26일 탄생한 것이 응오딘지엠(Ngo Dinh Diem)을 대통령으로 하는 베트남공화국(the Republic of Vietnam)이었다. 이에 따라 베트남은 북위 17도선을 경계로 남북 분단체계가 형성되었다.

지엠 정부는 미국의 강력한 지원을 등에 업은 채 초기 남베트남 내의 통제력을 확보하였다. 그러나 시간이 지날수록 지엠 정부는 족벌 독재정치를 실시하였고 관리들의 부정부패도 심각한 상태에 이르게 되었다.365) 이런 속에서 1964년 8월 4일 통킹만 공해상에 정박한 미군 함정이 북베트남 어뢰정의 공격을 받는 일명 '통킹만 사건'이 발생하였고 이를 계기로 미국은 8월 5일 항공모함을 급파해 북베트남 내의 항구 시설을 폭격하였다. 당시 미국은 공군 폭격만으로 북베트남의 항복을 충분히 받을 수 있을 것으로 예상하였으나 베트콩과 북베트남군이 미군 기지를 기습적으로 공격하는 '치고 빠지기(hit & run)' 전략을 구사함으로써 미군의 피해는 크게 늘어나게 되었고 이에 결국 1965년 3월 미국의 지상군 파병이 시작되었다.

<표 12-2> 미국의 군사개입 과정

연도	주요내용
1950년	700명 군사 고문단 베트남 파견
1961년	미군 지원부대 파견
1962년	미 군사지원 사령부 창설
1964년	통킹만 사건에 대한 보복 조치로 북베트남 해군기지 공격
1965년	미 지상 전투부대 파견으로 전면적 군사개입

가. 정치·사회적 여건 조성 단계

제2차 베트남전쟁도 제1차 전쟁과 같이 호찌민의 혁명 전쟁전략 과정으로 진행되었다. 사실 전쟁이 개시되기 전, 북베트남 정부는 제네바 협정에 따라 북으로 이동했던 수천 명의 남부 출신 공산당원들을 비밀리에 남파하면서 다량의 군수물자와 장비들을 남부로 보냈다. 이에 따라 1959년부터 1960년까지 공산당이 주도하는 농민봉기가 남부의 여러 곳에서 발생하기도 하였다.366) 특히, 남베트남 지엠 정부의 족벌정치와 부패는 대다수의 농민들에게 소외감을 심어주었고 북베트남에 의한 정치심리전까지 더해져 대다수의 남베트남인들은 자연스럽게 혁명세력에 동조하게 되었다. 즉, 독재와 부패는 남베트남 내 공산주의자들의 반대 세력화를 야기했으며 그들은 지역별로 자위대를 만들어 베트콩(VC: Viet Cong)으로 발전하게 되었다.367)

북베트남은 베트콩을 지원하여 사회적 혼란을 가속화하였는데 무력투쟁과 정치선전을 통해 사회 전반에 걸쳐 반정부 및 반미 사상을 전파하였다. 즉, 베트콩은 교묘한 정치선전 전술을 통해 남베트남의 내부 분열을 조장하였다. 베트남 국민들은 이러한 의도를 정확히 인식하지 못하고 단지 "민주", "민족", "인권"이라는 단어에 현혹되어 내부적 분열과 혼란에 빠져들었다. 학생들은 학생징집 반대와 대통령 하야를 주장하는 시위를 끊임없이 진행하였고, 언론계는 언론탄압 중지, 종교계는 남베트남 정부와 베트콩의 협상, 지식인 단체는 미국 등 서양 제국주의 세력과의 단절 등을 요구하며 반정부 시위에 참여하였다. 결국, 남베트남 정부에 반감을 가지고 있는 국민들의 심리를 활용한 북베트남의 정치선전 전술은 북베트남이 국민들의 지원을 얻는 데 큰 역할을 하였을 뿐만 아니라 남베트남 내 공산주의 세력 확장에 원동력이 되었다.

북베트남은 미국의 군사개입을 고려해 직접적인 무력사용을 자제하는 대신 남베트남 정부를 전복시키기 위한 방법으로 남베트남 내 해방역량을 보다 조직화할 수 있는 정치조직이 필요하다고 판단하였다. 이에 따라 1960년 12월 20일 남베트남 내 혁명 정치조직인 민족해방전선(NLF: Nation Liberation Front)이 수립되었다. 정치조직의 수립으로 저항운동에 탄력을 받은 북베트남은 정치투쟁과 군사투쟁을 동시에 시행하기 위해 1961년 1월 기존 무장세력을 통합하여 '인민해방군'을 조직하였는데[368] 이들이 바로 베트콩이었다. 이로써 남베트남에는 미국의 지원을 받는 지엠 정부와 북베트남의 지원을 받는 NLF가 상존하게 되었고 두 행위자 간 마찰의 빈도와 강도가 증가하였다. 1961년 말이 되면서 베트콩의 규모는 1959년 초에 비해 5배 증가한 15,000명에 이르게 되었고, 베트콩이 주(主)가 되는 반정부 활동은 활기를 띠기 시작하였다.[369] 이러한 활동으로 미 지상군이 파병될 당시 남베트남 국토의 58%를 NLF이 이미 장악하고 있었다. 또한, 북베트남은 호찌민 통로를[370] 이용하여 다량의 최신 장비를 NLF에 지속적으로 지원하였는데 1964년 한 해 동안 12,000여 명의 정예 요원을 남파하였다.

나. 군사작전 수행 단계

제1단계를 통해 어느 정도 전투 준비가 이루어지고 나서 북베트남군은 미국에 대한 기습공격을 시작하였다. 통킹만 사건으로 미국의 개입이 본격화된 후 북베트남군은 미군에 대한 기습적 공격을 실시하였다. 1964년 10월 31일 베트콩은 비엔호아(Bien Hoa)의 미군 공군기지를 습격하였고, 12월 24일 미군 숙소로 사용하던 호텔을 폭파하였으며, 1965년 2월 7일에는 중부 쁠래이꾸(Playcu) 공군기지까지 공격해 막대한 피해를 입혔다.[371] 이러한 공격에 대해 위기의식을 느낀 미국은 방어 위주 작전에서 공세로 작전을 전환하여 북베트남군을 공격하였고 북베트남은 전략적 어려움에 처하게 되었다.

이를 타파하기 위해서 북베트남군과 NLF은 전세를 뒤집을 총 공세를 계획하였다. 당시 북베트남의 판단은 결정적인 총공격은 남베트남의 봉기로 이어지고, 이를 통해 남베트남 정부를 전복하고 외국군을 철수시킨 후 통일을 이룰 수 있다는 것이었다.372) 이러한 전략적 선택으로 실시된 것이 1968년 1월의 뗏(Tet: 음력 1월 1일) 공세였다. 이 공세로 제2차 베트남전쟁은 새로운 국면에 접어든다.373) 미군의 경우 예년과 다름없이 베트남 최고 명절인 뗏을 맞아 임시 휴전협정을 발표하고 휴식을 즐기고 있었으나 북베트남군은 사전에 치밀히 대공세를 준비하고 있었으며 가장 취약 시기라 할 수 있는 1월 30일 새벽과 31일 새벽을 기해 남베트남 전역에 일제히 총공격을 감행하였다.

뗏 공세로 입은 피해 면에서는 북베트남군과 NLF측이 훨씬 더 컸다. 미군과 남베트남군은 각각 1,100여 명과 2,300여 명이 전사한 데 반해 NLF와 북베트남군은 4만여 명이 전사하였다. 그러나 이러한 뗏 공세는 뜻밖의 영향을 일으켰다. 뗏 공세 이후 미국 내 반전 여론이 크게 형성되었던 것이다. 미국 언론들은 막대한 병력과 자금을 투자하고도 전쟁을 승리로 이끌지 못하는 정부의 정책에 의문을 제기하기 시작하였고, 미국민들은 미 대사관이 습격당했다는 사실에 경악하였으며 베트남전쟁의 참혹한 실상을 텔레비전을 통해 목격하게 되었다. 이로 인해, 미국의 베트남 정책에 대한 국민들의 비난이 확산되었고 미국의 전쟁 의지는 급격히 감소되었다. 결국, 1968년 3월 31일 미국은 폭격을 중지하는 조건으로 북베트남 측에 평화협상을 제안하였는데 이는 베트남에서의 문제를 군사적 수단이 아닌 협상으로 해결하겠다는 의지를 공개적으로 표명한 것이었다. 이러한 미국의 제의는 북베트남에 의해 즉각적으로 수락되었고 이에 따라 1968년 5월 13일 제1차 본 회담이 열리게 되었다.

그러나 양국의 협상은 원활히 진행되지 못하였다.374) 이런 상황에서 미국의 대통령 선거에서 닉슨이 당선되었는데 그의 베트남 정책은 "미군이 패배했다는 인상을 주지 않으면서 미군을 서서히 철수시키고, 그 공백을 남베트남 정부군으로 대체하는 것"이었다.375) 닉슨은 베트남 내 미군 병력의 단계적 철수를 발표하였고, 1969년 닉슨독트린을 통해 "자국의 방위는 자국이 스스로 책임져야 한다"는 주장을 공표하였다. 이러한 닉슨 대통령의 의지는 1968년 54만 8천 명이었던 주베트남 미군을 1969년 48만 명, 1970년 34만 명, 1971년 15만 6천 명, 1972년 말 2만 9천 명으로 감소시키게 되었다.

미국 정부와 북베트남 정부의 입장 차로376) 인해 평화협상은 계속 진전이 없는 가운데 북베트남은 1972년 3월, 15개 사단 중 12개 사단을 투입한 '춘계공세'를 감행하기에 이르고 닉슨은 이에 맞서 하노이 폭격을 시행하였다. 이 공세에서 북베트남은 미국의 강력한 공중지원으로 인해 막대한 피해를 입었으나 남베트남군에게 미국의 지원이 없으면 승리할 수 없다는 패배의식을 안겨주었다.377)

반면, 미국이 시행한 하노이 폭격으로 북베트남 정부는 최초로 남베트남 정부의 존속을 인정하게 되었고, 이후 협상은 급격하게 진전되는 것으로 보였다. 그러나 이번에는 남베트남 정부가 저항하였는데 이를 대규모 무기 제공 등의 유인책으로 미국이 무마하였다. 이러한 남베트남에 대한 지원이 또다시 북베트남에게 협상 결렬의 빌미를 제공하였고 결국 미국은 하노이에 대규모 폭격을 다시 시행하여 북베트남을 협상 테이블로 불러내었다. 이러한 과정을 거쳐 1973년 1월 27일 평화협정이 드디어 조인되었고 이로써 제2차 베트남전쟁이 막을 내렸다.378) 이후 평화협정에 따라 미군 및 연합군의 철수가 시작되었고 남베트남은 자국의 힘으로 자신의 안보를 보장해야만 했다.

제2차 베트남전쟁이 끝나고 미군이 철수한 후 남베트남은 북베트남과 NLF과 비교했을 때 우세한 군사력을 보유하고 있었다. 미군이 철수하면서 인도한 최신 장비와 110만 명의 병력, 특히 세계 4위에 해당하는 공군력을 보유하고 있었다. 그러나 전투 의지 등의 무형적 요소에서는 우위를 유지하지 못했다. 특히, 남베트남은 국가 지도층의 부정부패, 국민들의 반정부 시위 등에 시달리고 있었으며 여기에 북베트남의 집요한 정치선전 전술까지 결합하여 남베트남 정부의 고위 관료에 이르기까지 간첩들이 활동하고 있었다.

<표 12-3> 제2차 베트남전 직후 남북 베트남의 군사력 비교

구분		병력수(명)	편제 및 장비
남베트남	계	1,100,000	11개 보병사단, 공수사단, 해병사단
	정규군	573,000	전차 600대, 장갑차 1,200대
	지방군, 민병대	527,000	항공기 1,270대, 헬기 500대 함정 1,500척
북베트남	계	1,000,000	15개 보병사단
	정규군	470,000	전차 및 장갑차 600대
	베트콩, 기타	530,000	항공기 342대

이런 상황 속에서 1974년 10월 북베트남 노동당 중앙위원회는 총공세를 결의하고 12월 13일 사이공 북쪽 135Km 지점의 푸옥롱(Phuoc Long)성을 공격하여 점령하였고, 1975년 3월 10일 3개 사단으로 전략적 요충지인 부온마투옷(Buon Ma Thuot)을 기습 점령하였다. 이러한 과정에서 남베트남 2개 군단은 별다른 저

항 없이 철수에 급급하였고 대부분의 장비를 유기한 채 달아났다. 이후 4월 2일부터 사이공을 향해 북베트남군은 남진을 시작하였고 남베트남군이 유기한 장비를 동원하여 그 규모를 늘려나갔으며 이에 따라 점차 북베트남 쪽으로 군사력의 우세가 기울었다.

4월 26일 북베트남군 17개 사단이 사이공을 직접 공격하기 시작하였는데, 남베트남군 7개 사단이 방어를 시도하였으나 이미 전세는 기울어 있었으며 결국 4월 30일 무조건 항복을 발표하였다. 이러한 과정에서 남베트남의 지도층 인사들은 미 대사관을 통해 탈출을 시도하는 등의 행동을 보였고 4월 21일 티에우 대통령이 부통령에게 대통령직을 인계하고 사임하였고 일주일 후 부통령도 사임하였다. 이후 즈엉반민(Duong Van Minh) 장군이 대통령직을 인수하였으나 1975년 1월 북베트남의 총공세에 대해 효과적인 대응을 하지 못하고 패망하였고, 1976년 7월 2일 북베트남이 주도하는 '베트남사회주의 공화국'(the Socialist Republic Vietnam)이 수립되었다.

제5절 베트남전쟁 결과 분석

베트남전은 압도적 군사력을 보유한 군사 강국이 항상 정치적, 군사적으로 성공하는 것은 아니라는 역사적 실례를 남겼다. 또한, 군사적으로 승리하여도 정치적으로 승리할 수 없음을 보여주기도 하였다. 즉, 세계 초강대국이 게릴라 부대에게 패배한 실증적 사례를 보여주고 있다. 그렇다면 북베트남의 승리 요인은 무엇이었는가가 매우 중요한 과제로 남는다. 전쟁에서 승리 요인은 여러 가지가 있을 수 있으나 본 절에서는 정치·사회적, 군사적 측면에서 북베트남의 승리 요인이자 남베트남과 미국의 패배요인을 분석하고자 한다.379) 특히, 군사적 측면에 있어서는 "비대칭 전쟁의 승패는 군사력의 운용, 즉 군사전략에 달려 있다"라고 주장한 이반 아레귄 토프트(Ivan Arreguin-Toft)의 견해에 집중한다. 그는 강자와 약자가 동일한 전략을 사용할 경우 강자가 승리하나 상이한 전략을 채택할 경우 약자도 승리할 수 있다고 역설하였는데380) 이러한 그의 주장은 상대적 약자인 북베트남의 승리를 설명하는 데 의미가 있다.

5.1. 정치·사회적 수준

베트남 국민들은 1,000년이 넘는 중국의 지배와 100년에 가까운 프랑스의 지배를 받으면서 외세에 대한 저항과 뿌리 깊은 불신을 가지고 있었다. 이러한 성향을 가지고 있는 베트남 민족에게 사회주의를 통치 이념으로 채택한 북베트남 정부는 외세로부터 독립전쟁에서 승리한 결과를 토대로 민족주의 노선을 추구한다는 인식을 국민들에게 주입시킬 수 있었다. 이로 인해 북베트남 정부는 처음부터 체제의 정통성을 확보하였으며 이를 바탕으로 각종 개혁을 실시하여 내부 체제 공고화와 국민의 가치통합에 성공함으로써 장기간에 걸친 베트남전쟁을 수행하는 원동력을 얻었다. 북베트남 정부의 이러한 정치적 정당성 확보는 남베트남 내에 민족해방전선의 확대를 가져오는 요인으로 작용하기도 하였고 이는 남베트남 내에 북베트남 지지 세력의 확산으로 이어졌다.

반면, 남베트남에서는 항불전쟁 간 수립된 바오다이 정부가 식민 지배를 유지하려는 프랑스에 의해 수립된 괴뢰 정부라는 인식이 국민들에게 확산됨으로써 국민들의 지지를 얻지 못하였으며, 1955년 미국의 지원으로 수립된 베트남공화국의 응오딘지엠 정부 또한 프랑스 식민정부 아래에서 지배계층을 형성하였던 지주와 관료들에 의해 주도됨으로써 주민들에게 정권의 정당성을 획득하는 데 실패하였다. 더욱이 시간이 지남에 따라 족벌에 의한 독재정치를 실시하였고 관리들의 부패가 만연하게 됨으로써 주민으로부터 신뢰를 상실하였다. 마침내 1963년 지엠 정권이 군사 쿠데타로 무너졌으나 이후 1967년 응웬반티우가 대통령에 취임하기까지 4년 동안 무려 열 번에 이르는 쿠데타와 정권 교체가 있었고 1975년까지 군부에 의한 독재정치가 계속되어 나라 전체가 심각한 혼란 상태에 빠져들어 대중들의 정부에 대한 불신은 높아만 갔다. 결국, 이러한 남·북베트남의 정치적 안정성의 차이는 1960년 공산주의 세력이 남베트남 지역에 민족해방 전선(NLF)를 결성하는 촉매로 작용하여 전쟁에서 북베트남이 승리할 수 있는 결정적 요인으로 작용하였다.

둘째, 북베트남의 정치선전 전술을 들 수 있다. 북베트남은 남베트남 주민을 대상으로 하는 정치선전을 통하여 1964년까지 상당한 세력을 확장하여 남베트남 농촌의 2/3에 달하는 부락이 어떤 형태로든 공산주의 세력에 의해 이미 장악된 상태가 되었다. 즉, NLF은 교묘한 정치선전 전술을 통해 남베트남의 내부 분열을 조장하여 학생, 종교계, 언론계 등의 지속적인 데모를 유도하였다. 결국, 이러한 북베트남의 정치선전 전술의 성공은 남베트남 내 공산주의 세력 확장에 결정적인 기여를 하였고 궁극적으로 북베트남전쟁 승리의 핵심 요인이 되었다.

셋째 전쟁에 대한 승리 의지를 들 수 있다. 제1차 베트남전쟁에서 프랑스군은 디엔비엔푸 지역의 기동 제한요소를 바탕으로 호찌민 군의 공격 수준이 1개 사단 정도일 것으로 판단하였으나 불굴의 의지를 바탕으로 한 호찌민 군은 3개 보병사단, 1개 포병사단으로 이루어진 대규모 부대를 이동시켜 전투에 임하였으며 결국 프랑스군은 대패하였다.

3차 베트남전쟁에서도 남·북베트남군의 정신전력의 차이가 베트남전쟁의 승패를 좌우했다고 할 수 있다. 남베트남군은 북베트남군에 비해 월등히 강력한 군사력을 보유한 상태였으나 1975년 1월 북베트남군의 공세가 시작되자 저항다운 저항도 하지 못한 채 4개월 만에 전쟁에서 패배하였다. 당시 남베트남군은 전쟁에서 승리하겠다는 굳건한 정신전략보다는 무사안일에 빠져 확고한 대적관 조차 갖추지 못한 상태였다. 또한, 외세에 대한 지나친 의존으로 인해 미군 철수 후 남베트남군 자력으로 전쟁을 수행할 수 있는 체제를 갖추지 못하고 있었고 자신의 힘으로 전쟁을 승리로 이끌겠다는 의지는 미약한 상태였다.

5.2. 군사적 수준

군사적 측면에서 전쟁의 승패 요인은 여러 가지로 분석이 가능하다. 우선, 군사전략 면에서 북베트남군과 미군의 전략적 비대칭을 들 수 있다. 강자와 상이한 전략을 채택한다면 약자도 승리할 수 있다는 이반 토프트의 주장처럼 북베트남은 미국과 상이한 군사전략으로 전쟁에서 승리할 수 있었다. 미군은 '수색 및 격멸' 개념, 즉 게릴라들이 은거하고 있을 것으로 판단되는 지역을 탐색해 그들을 찾아낸 후 강력한 군사력으로 격멸한다는 정규전이 바탕이 된 군사력 위주의 작전을 전개하였다. 그러나 이러한 작전은 민간인의 피해를 초래하였고 작전 간 반드시 필요한 민간인의 협조를 얻지 못하게 하는 요인으로 작용하였다.

반면, 북베트남군은 비정규전 위주의 게릴라 전술을 구사함으로써 미군의 정규전 능력을 상쇄하였다. 북베트남군이 사용한 게릴라 전술은 베트남의 오랜 저항의 역사에서 체득된 것이었다. 베트남식 게릴라 전술은 생활 습관 내 깊숙이 배어 있다고 할 수 있는데 "논에서 일하는 농부도 기회가 되면 무장 세력이 되었다가 연합군의 수색이 시작되면 다시 농부"가 되었다. 이러한 북베트남의 전술은 미국을 포함한 연합군에게 군사작전에 큰 어려움을 주는 요인으로 작용하여 결국 전쟁의 승패를 좌우하는 요인이 되었다.

둘째, 전장 환경적 측면에서 베트남은 지금까지 미국이 경험해 보지 못한 특징을 가지고 있었다. 베트남은 국토의 70% 이상이 무성한 열대 정글로 뒤덮인 산악으로 되어 있고, 20% 정도를 점유하고 있는 남부의 삼각주 평야 지대는 저지 및 늪지대로 형성되어 있다. 또한, 기온은 연평균 34℃를 넘나드는 무더위가 나타난다. 이러한 기상조건은 미국을 포함한 연합국에게 작전의 제한요소로 작용하였으나, 반대로 북베트남과 NLF측 게릴라들은 자연조건을 이용하여 은거와 생존이 가능했기 때문에 보급이나 지원이 없더라도 장기적인 저항이 가능하였고 이는 군사적 이점으로 작용하였다.

셋째, 북베트남군의 전투력과 전략에 대한 연합군 측의 오판을 들 수 있다. 제2차 베트남전쟁에서 연합군의 뗏(Tet: 음력 1월1일) 공세에 대한 오판이 좋은 예라 할 수 있다. 베트남 최고 명절인 뗏 시기에는 대부분의 베트남 사람들은 일주일 정도 휴가를 즐기고 심지어 전쟁조차도 임시 휴전협정을 체결하고 명절을 즐겼다. 연합군은 이러한 베트남의 풍습이 1968년에도 그대로 시행될 것이라 판단했다. 이에 따라 남베트남군의 많은 수의 병력이 휴가를 떠났으며 연합군 병력들의 준비태세도 느슨한 상태였다. 물론 뗏 공세 시 전체적인 전투 피해에 있어서는 미군이나 남베트남 정부군보다 NLF와 하노이군의 피해가 더 많았다. 이는 군사적 측면에서 본다면 북베트남군의 대패라고 볼 수 있으나 공세 이후 미국의 희생이 언론을 통해 보도됨으로써 미국민들의 반정부적 성향이 강화되고 반전 시위가 나타나기 시작하였다. 이에 미국의 존슨 정부는 1968년 3월 31일 북폭을 중지하는 조건으로 평화협상을 제안하였고 이는 전쟁에서 패배를 인정하는 것이었다.

제6절 한반도 안보에 주는 현대 전략적 함의

베트남전쟁은 6.25 전쟁과 유사한 이념적 성격을 띠고 있지만, 주요 전쟁 양상은 정규전 위주의 6.25 전쟁과는 달리 게릴라전 위주로 수행되었다. 그러나, 철저한 주민통제하에 군사력 증강을 지속하고 있고, 주한미군 철수와 통미봉남(通美封南) 등을 계속 주장하고 있는 북한의 전략은 베트남전 시 북베트남군의 그것과 매우 유사한 성격을 지니고 있다. 이는 공산주의 국가들의 근저에 흐르고 있는 혁명 전쟁전략의 유사성을 유추할 수 있게 해주며, 따라서 베트남전의 사례는 한국에게 유용한 정치·사회, 군사적 함의를 제공한다 할 수 있다.

우선, 정치사회적 수준에서 함의를 살펴보면 첫째, 베트남전은 남북한 간 전쟁 상황 또는 남한에 의한 통일이 진행될 경우 국민들의 명확한 위협 인식과 대정부 지지 및 신뢰가 무엇보다 가장 필요한 요소임을 보여주고 있다. 남베트남은 극소수 공산주의자들의 정치심리전에 의해 결국 공산화되었다. 또한, 미국의 경우 1968년 뗏 공세 이후 전쟁 실상을 접한 국민들의 높아진 반전 여론에 의해 전쟁에서 실패하였다. 이는 국민들의 위협에 대한 건전하고도 명확한 인식이 부족하였기 때문이다. 이러한 사례는 국민들에게 올바른 대적관 확립 교육이 얼마나 중요한 것임을 반증하는 것이라고 할 수 있다. 따라서 한국 국민들의 올바른 대북 위협 인식을 위한 최우선적 노력이 필요하다.

대정부 지지 및 신뢰의 문제는 남한 내 공산주의 지지 세력, 이른바 종북(從北) 세력의 문제와도 연결된다. 북베트남의 전쟁 승리의 기저에는 남베트남 내에서 조직되어 활발히 활동한 반정부 세력의 역량이 크게 작용하였다. 그들이 내세운 기치는 "민주", "민족", "인권"이었으며 이에 현혹되어 학생들은 학생징집 반대와 대통령 하야를 주장하는 시위를 끊임없이 진행하였고 언론계는 언론탄압 중지, 종교계는 남베트남 정부와 베트콩의 협상, 지식인 단체는 미국 등 서양 제국주의 세력과의 단절 등을 요구하며 반정부 시위에 가담하였다. 당시 남베트남 내 공산당원은 9,500명, 인민혁명당원은 45,000명이었다. 결국, 전체 인구 1,900만 명의 0.3%도 안 되는 반정부 세력에 남베트남이 분열되는 결과가 초래되었던 것이다. 이러한 북베트남의 예를 살펴보았을 때 남한 내 종북 세력의 존재는 국가안보에 매우 위중한 사항임을 알 수 있으며 이에 대한 사전 철저한 대처 방안이 필요하다고 하겠다.

둘째, 주변국과 관계를 사전에 협력적으로 유지할 필요가 있다. 베트남전에서 미국은 동맹국들에게 참전을 요청하면서 협조를 구하였으나 나토 회원국은 단 한 국가도 참전하지 않았다. 반면, 북베트남의 경우 당시 소련과 중국에게 많은 지지를 받고 있었다. 소련 외무부 자료에 따르면 1961년에서 1965년간 소련은 130정의 박격포와 무반동총, 1,400정의 기관총, 탄약을 포함하여 총 기류 54,500정을 무상원조의 형태로 북베트남을 통해 남베트남 내 민족해방전선에 전달하였다.[381] 이러한 소련의 지원은 비록 미국의 지원을 받는 남베트남보다 물량 면에서 부족한 수준이기는 하였으나 북베트남 및 NLF에게 계속적으로 전쟁을 수행할 수 있는 원동력으로 작용하였다. 북베트남의 사례를 볼 때, 한국의 경우 북한 유사사태 발생 시 주변국들의 지지가 한국에게 집중될 수 있도록 관계를 협력적으로 유지하여야 할 것이다. 이를 위해 주변국들과 안보협력 관계를 격상시키고 이를 유지 및 발전시킬 필요가 있다. 이러한 활동을 통해 유사시 북한의 작전 지속능력이 유지될 가능성을 사전에 봉쇄하거나 약화시킬 수 있을 것이다.

군사적 수준에서 함의를 살펴보면, 첫째, 민사작전의 중요성을 인식하여야 한다. 제4대 전쟁을 수행하고 있는 적이 주민들의 신뢰를 받을 경우 얼마나 격멸하기 어려운지 베트남전쟁 사례는 잘 보여주고 있다. 이러한 사례는 남북 간 관계에 있어서도 그 의미하는 바가 크다. 즉, 한반도 내에 유사사태가 발생하여 한국군이 북한지역에 진입 또는 점령하게 되는 경우, 북한지역 주민의 지지가 없는 상황에서 수행되는 군 작전은 큰 어려움에 봉착할 가능성이 매우 크다. 따라서 한국군은 민심을 얻기 위한 선전 활동, 계몽 활동, 의무지원 활동, 시설지원 활동 등이 포함된 민사작전 능력을 양적, 질적으로 향상시킬 필요성이 있다. 예를 들어 북한을 잘 알고 있거나 경험한 인원들로 민사작전 지원조직을 구성하여 북한 급변사태 또는 전시에 발생할 수 있는 민사작전을 사전에 대비하는 등의 정책을 강구할 필요가 있다. 이런 의미에서 미 국무성이 2002년 여름부터 이라크 망명 인사들로 '이라크의 미래(Future of Iraq)'라는 연구팀을 구성하여 전후 부각될 수 있는 여러 가지 문제점과 해결방안에 관해 다양한 연구와 준비를 했다는 사실은 한국에게 정책적 함의가 크다 하겠다.

둘째, 북한의 지형과 기후 등 군사작전에 영향을 줄 수 있는 요소들에 대한 철저한 대비가 필요하다. 미국이 베트남전에서 기후와 지형에 의해 많은 어려움을 겪었듯이 한국군과 연합군이 북한지역에서 군사작전을 수행할 경우 많은 어려움에 봉착할 수 있다. 따라서 평상시 훈련 중에도 북한의 지형과 기후 등을 고려한

훈련을 실시하여야 하며 특히, 미군과 연합훈련 시에도 이러한 점을 고려하여 계획을 수립해야 할 것이다.

셋째, 한미동맹 관계의 강력한 유지를 지속해야 한다. 북베트남의 경우 미군 철수 후 남베트남을 공격하기 전에 미국의 개입 여부를 확인하기 위해 푸옥롱(Phuoc Long)성에 대한 공격을 시도하였다. 그러나 미국이 일체의 반응을 보이지 않자 이를 북베트남의 통일 전쟁에 대한 미국의 수용으로 받아들였다. 북한의 경우도 지속적으로 주한미군 철수를 주장하는 것을 보았을 때 이와 유사한 전쟁전략을 수행하고 있다고 볼 수 있으며 이러한 상황에서 주한미군의 철수가 한반도에서 이루어질 경우 공산주의 혁명 전략상 오판으로 이어질 가능성이 있다. 따라서 북한의 도발에 대해 한미가 공동 대처하는 모습을 지속적으로 유지할 필요가 있으며 전시작전통제권 전환이 한국 방위의 완전한 한국화가 아니라 한국의 주도와 미국의 강력한 지원으로 이루어짐을 명백히 해야 할 필요가 있다.

적의 공격이 산악전일 경우 산악전을 대비하여야 하고 적이 함대전을 준비하면 이를 대비하는 것이 병사(兵事)의 기본이다. 또한, 상대의 약점을 노리는 것이 병가의 기본 원리이기도 하다. 만일 적이 절대적 군사력에 상당한 약점을 지니고 있다면 비대칭전 및 게릴라전 등을 수행하는 것이 당연하다. 즉, 군사적 약소국 또는 비국가 행위자는 군사 강대국이 지금까지 아니면 앞으로도 수행할 전쟁방식이 지닌 장점들을 무력화할 전투 방식과 지형, 시간적 조건을 선택할 것이다. 따라서 압도적 군사력을 보유한다고 해서 비대칭전쟁, 소규모 테러 등의 전쟁과 분쟁에서 승리를 거둘 수 있는 것은 아니다. 이는 결국 제4세대 전쟁을 포함한 미래전에서 승리하기 위해서는 군사력의 양적·질적 문제만큼 전략적 차원의 접근도 매우 중요하다는 것을 의미한다. 따라서 한국은 전략

과 전력을 다각도로 보완 발전시키는 방안을 강구하여야 할 것이
다.

제13장 쿠바 미사일 위기 재평가: 한국의 안보 전략적 함의[382)]

제1절 서 론: 문제제기

현재 한반도를 둘러싼 안보환경은 하루가 다르게 변화하고 있다. 주변국들과 관계도 점차 복잡해지고 있으며, 무엇보다 남북관계는 냉탕과 온탕을 오가는 형국이다. 한국 정권에 따라 대북 유화책과 강경책이 반복되고 있으며 이 과정에서 북한 핵은 어느새 완성단계에 이르고 있다. 혹자는 남북 간 직·간접적인 군사적 충돌 가능성이 점차 낮아질 것이라 예측하기도 하지만, 그렇다 하더라도 '안보위기'가 발생할 가능성이 전혀 없다는 것을 의미하지는 않는다.[383)] 여전히 북한의 재래식 무기는 남한을 향하고 있고, 여기에 핵무기까지 등장하였다. 한반도는 지난 역사에서 수많은 외침을 당해왔을 뿐만 아니라 6·25 전쟁 이후 70년의 시간 동안 한국은 북한에게 수없이 많은 재래식 도발을 당해왔다. 그러나, 아이러니하게도 이렇게 오랜 기간 이어져 온 북한의 도발은 많은 국민들로 하여금 위기에 대한 인식을 모호하게 만들었으며 이는 소위 말하는 "비정상의 정상화"라는 안보 불감증 현상으로 나타나게 되었다. 하지만, 우리가 여기서 명심해야 할 것은 국가안보의 문제는 그 무엇과도 바꿀 수 없는 것이며 그렇기에 최악의 상황을 상정하여 대비하여야 한다는 것이다.

오랜 기간 이어져 온 남북관계, 그리고 북 핵위기가 발생하기 시작한 1990년대 이후 상황을 살펴보았을 때 군사적 위기 고조와· 평화 분위기 조성은 마치 톱니바퀴처럼 맞물려 왔다. 정치적 수단으로써 군사력 운용을 이야기한 클라우제비츠의 말처럼 남북 관계는 남북한의 국제, 국내적 정치 상황과 연계하여 예측하기 어려운 형태로 변화해왔던 것이다. 따라서, 평화적 분위기 조성으로 평화에 기여함과 동시에 예측 불가능한 군사적 위기의 발생도 대비해야 할 것이다.

또한, 북한과 문제뿐만 아니라 주변국과도 언제든지 안보위기는 발생할 수 있다. 일본은 여전히 독도에 대한 영유권을 주장하고 있으며 중국도 한국과 협력의 중요성을 강조하고 있지만, 자국의 이익에 상치될 경우 한국과 충돌 가능성은 여전히 존재하고 있다. 북한의 계속되는 도발에 대한 대응의 일환으로 고고도 미사일 방어체계(THADD: Terminal High Altitude Area Defense)를 배치하는 문제에 대해 보여준 중국의 반응이 이를 잘 대변하고 있다.[384] 따라서 한국은 언제든지 안보위기 상황에 처해짐으로써 국가이익에 침해를 받거나 또는 손해가 될 선택을 강요받는 상황에 놓일 수 있다. 이에 본 장에서는 위기관리의 중요성을 새롭게 인식하고 안보 분야 위기관리 전략과 관리체계를 위한 타산지석(他山之石)의 교훈을 도출하기 위해 쿠바 미사일 위기 사례에서 미국의 위기관리절차에 대한 분석을 실시하고 이를 통해 한국의 미래 안보전략적 함의를 도출하고자 한다.

1962년 10월 15일부터 10월 28일까지 세계는 불안과 공포 속에서 13일을 보냈다. 소련이 쿠바에 은밀하게 미사일 기지를 건설하고 있다는 것이 미국의 정찰기에 의해 발각되었고 미 백악관의 정책결정자들은 이 문제 해결을 위해 전쟁까지 불사하겠다는 각오로 백악관에 모여 있었기 때문이다. 당시 첨예한 냉전의 구조 속에서 서로 경쟁하고 있었던 미국과 소련은 미국 남동부에서 최단거리로 100km정도 밖에 떨어지지 않은 쿠바에 대한 소련의 기습적인 미사일 기지 건설로 인해 일촉즉발의 위기 상황에 놓이게 되었으며 이것이 우리가 흔히 이야기하는 "쿠바 미사일 위기(Cuban Missile Crisis)"이다.[385]

  1945년 제2차 세계대전이 끝나면서 미국과 소련 사이에 고조된 긴장은 한때 히틀러에 대항하여 동맹을 구축했던 사이에서 한순간에 적대적인 관계로 변화했다.[386] 1991년 소련이 붕괴될 때까지 전 세계의 모든 사건에 관계되어 있다고 해도 과언이 아닌 이 초 강대국 사이 세력대결은 팽창(Expansion)과 봉쇄(Containment)의 대결이었고 대륙 (Land)과 해양(Sea)의 대결이었다.[387] 이러한 대결 구도 하에서 쿠바 미사일 위기는 또 다른 세계 대전 더 나아가 핵전쟁의 위협으로 번져나갈 수 있는 매우 심각한 상황까지 전개되었다. 그러나 결과론적으로 전 세계가 가장 우려했던 비극은 일어나지 않았다. 이는 결국 위기관리의 성공이었다고 할 수 있으며, 따라서 비록 60여 년이 지났을지라도 다양한 위기가 복합적으로 발생할 수 있는 현 시대적 안보 상황에서 우리가 다시 한번 곱씹어봐야 하는 매우 중요한 사례라고 할 수 있다. '역사는 현재와 과거의 대화'라고 한다. 역사는 비록 흘러간 이야기이지만 현재의 시각에서 의미와 교훈을 찾을 때 그 역사는 다시 살아있는 이야기가 될 수 있다는 것이다. 이러한 시각에서 본 장에서는 '이 위기는 어떻게 전개되었고 어떻게 해소될 수 있었으며 어떤 과정을 거쳤는가?', '이러한 과정은 미래 한반도 안보 분야 위기관리에 어떠한 함의를 줄 수 있는가?'라는 문제를 살펴보고자 한다.

  쿠바 미사일 위기는 기존에도 국가의 정책 결정 과정을 조명하거나, 위기관리 전략을 다루는 폭넓은 관점에서 분석의 사례로 활용되어 왔다.[388] 이는 이 사례가 국가위기를 군사력이라는 수단이 아닌, 외교와 협상을 가지고 문제를 해결한 대표적인 사례이기 때문이다. 외교사적으로도 위기관리 과정에서 정책 결정 과정을 조망할 수 있는 분석사례는 그렇게 많지 않다. 또한, 긍정적인 방향으로 문제가 해결된 것을 찾는다면 그 폭은 더욱 좁아진다. 따라서 쿠바 미사일 위기 해결 과정에서 나타난 여러 차원의 문제해결 과정들은 지속적으로 다양한 시각에서 분석 가능할 것이며, 이것이 본 장에서 쿠바 미사일 위기를 사례로 택한 이유이기도 하다.

앞에서 제시한 문제를 해결하기 위한 논의 순서는 다음과 같다. 우선 위기관리에 대한 이론적 고찰로 위기의 개념과 발생단계, 위기관리 의사결정모델 등을 살펴본다. 이후, 쿠바 미사일 사태의 배경을 분석하고 이어서 사태 전개과정에서 미국의 위기관리 절차를 살펴본다. 일반적으로 전통적인 위기, 즉 안보 위기에 대한 연구는 국제체제 간 상관관계를 분석하는 국제체제적 시각, 개별 국가 수준에서 이루어지는 위기관리 정책결정 과정에서 의사결정자들의 인식과 행동에 집중하는 정책결정적 시각, 위기 상황에서 국가 간 적대적 상호작용을 분석하는 적대적 상호작용 시각 등으로 나뉘어 지는데[389] 본 장에서는 이 중 정책결정적 시각에 초점을 맞춘다. 이후, 쿠바 미사일 사태에서 미국이 보여준 행동을 통해 이것이 주는 국가 수준에서 한반도 위기관리 체계에 대한 함의를 도출하고자 한다.

제2절 이론적 논의: 위기의 단계와 의사결정 모델

2.1. 위기의 개념과 발생단계

위기라는 용어는 최근 개인에서부터 국제관계에 이르기까지 다양한 수준에서 사용되고 있다. 위기(Crisis)는 그리스어 Krinein,

즉 분리한다는 뜻에 어원을 둔 의학적 용어로 환자의 상태가 좋아지거나 악화되는 전환점을 뜻한다. 이를 국제정치학에 적용하면 평화에서 전쟁으로 전환되는 지점을 말한다고 할 수 있다.[390] 헤리티지 영어사전에서는 ① 어떤 사건의 과정에서 결정적인 시기 혹은 상황, ② 전환점, ③ 불안정한 상황, ④ 갑작스런 변화, ⑤ 저항의 긴장 상태 등으로 정의하고 있다. 한편, 『국가위기관리기본지침』에서는 위기를 '국가 주권 또는 국가를 구성하는 정치, 경제, 사회, 문화체계 등 국가 핵심 요소나 가치에 중요한 위해가 가해질 가능성이 있거나 가해지고 있는 상태'로 정의하고 있으며,[391] 합동참모본부에서 발행하는 용어사전에서는 "대한민국과 그 영토, 국민과 군대, 소유권 혹은 이익에 위협을 주는 사건 또는 상황을 말하며, 국가목표를 달성하기 위하여 외교적, 정치적, 경제적 및 군사적으로 중요한 조건이 조성되어 군대 및 자원의 투입이 요구되는 상황"으로 정의하고 있다.[392]

이러한 위기의 정의는 학자들에 따라 차이가 있기도 한데 로빈슨(J. A. Robinson)은 위기의 정의를 위기의 근원, 의사결정의 가용시간, 결정자들이 느끼는 상대적 가치의 중요성 등 세 가지를 고려해야 한다고 말하고 있으며[393] 허만(Charles F. Hermann)은 최우선의 목표가 위협받고 있고(High Threat), 반응에 필요한 시간이 제한되어 있으며(Short Time), 정책결정자들이 전혀 예상하지 못한 상황(Surprise)으로 위기를 정의하고 있다. 쿠렌텔리(Quarantelle)는 세 가지 조건이 결합될 때 위기가 나타난다고 주장하는데 첫째, 조직의 가치를 포함한 조직에 대한 직간접적 위협 둘째, 예상치 못한 사건의 갑작스러운 발생 셋째, 집단적으로 대응할 필요성 등이다.[394] 또한, 위기를 그 속성을 통해 설명하기도 한다. 위기와 유사한 개념으로는 위험, 재난 등이 있는데 위기가 '급박함', '전환점', '위협'이라는 속성을 가진 반면 위험은 '가능성',

'위해'를 속성으로 하며 재난의 경우는 실질적인 '손실', '피해'를 그 속성으로 한다는 것이다.395) 이 논의들을 종합해 보면 결국 위기는 "하나의 국가에게 있어 충분한 대비가 이루어지지 않은 상황에서 반드시 지켜내야 할 이익에 대한 심대한 위협이 돌발적 또는 우발적으로 발생한 상황"으로 정의할 수 있을 것이다.

위기라는 용어는 종·횡적으로 다양한 분야에서 사용되고 있다. 종적으로는 개인에서 국가에 이르기까지 사용되고 있으며 횡적으로는 국가 제 분야, 예를 들어 경제, 정치, 사회, 문화, 산업 등에서도 사용하고 있다. 이러한 다층적인 특성으로 인해 위기를 세부적으로 분류할 필요가 있는데 일반적으로 우리나라에서는 위기를 전통적 안보위기, 재난위기, 국가 핵심기반 분야로 크게 나누고 있으며 이를 세부 유형으로 분화하여 정의하고 있다.396) 여기서 말하는 전통적 안보위기는 국가 간의 군사적 충돌이나 비 국가단체 또는 개인들이 행하는 테러행위로부터 발생하는 위기를 의미하며, 재난위기는 자연재해 또는 사회재난으로 인해 대규모 피해가 발생하는 것을 말하고, 국가 핵심기반 분야 위기는 테러, 대규모 시위나 파업, 폭동 등으로 인해 국가 경제와 국민 생활, 정부 기능 유지에 막대한 영향을 미칠 수 있는 국가 핵심기반 시설이 피해를 입는 상황을 의미한다.

한편, 위기는 갈등, 분쟁, 위기 발생의 3단계를 거쳐 발생한다고 할 수 있다.397) 즉, 어떠한 문제에 대해서 이해 당사자 간에 서로 다른 상반된 견해로 인해 갈등이 발생하고 이 갈등이 점차 확대되어 분쟁의 양상을 보인 후 위기로 가시화 된다는 것이다. 일반적으로 시간과 위협의 강도 측면에서 보았을 때 갈등단계의 경우 상대적으로 낮은 수준의 위협이 오랜 시간 계속되는 반면 위기 상황은 고강도의 위협이 짧은 시간에 발생한다는 특징이 있다. 하지만, 시간적 측면에서 이러한 각각의 과정들은 매우 짧을 수 있고 갈등과 분쟁 과정이 표면적으로 드러나지 않을 경우도 있으며 이럴 경우, 관리자들이 이를 충분하게 인지하지 못한 상황에서 위기가 발생하기도 한다. 또한, 위기가 발생하여 해소된 경우에라도 그것이 또 다른 갈등이나 분쟁의 상태로 인식되어 향후 다른 위기 발생의 상황을 조성하기도 한다. 여기서 중요한 것은 위기가 발생하기 위해서는 사전 혹은 거의 동시 상황이라도 갈등 요인이 존재하여야 하며 이로 인한 분쟁의 발생과 분쟁의 확대가 필요하다는 점이다.

2.2. 위기관리 의사결정 모델: 엘리슨의 3가지 모델[398]

위기는 어떻게 발생하느냐의 문제도 중요하지만 이를 어떻게 관리하느냐의 문제가 더욱 중요하다. 물론, 위기를 효과적으로 관리하기 위해서는 위기를 사전에 예방하는 것이 가장 최우선 과제이다. 하지만, 위기가 발생했을 시에는 '최소한의 피해로 최대한 신속하게' 위기를 벗어나도록 하는 것 또한 매우 중요하다고 할 수 있다. 이를 위해서는 조직의 효율적인 의사결정 체계가 필요하다고 할 수 있는데 이러한 과정을 잘 보여주고 있는 것이 엘리슨이 제시한 세 가지 모델이라고 할 수 있다.

엘리슨은 외교정책 결정 과정에서 개인적인 요인이 큰 영향을 준다는 주장에 대한 비판적인 입장을 가지고 있었다. 이에 그는 정부를 포함한 그것을 구성하는 조직들이 의사결정 과정의 핵심적인 행위자라고 주장하였으며 이를 바탕으로 외교정책 결정에 대한 유형화를 시도하였고 그의 저서 『결정의 엣센스』를 통해 국가가 위기 상황에서 어떠한 의사결정 체계가 작동하는지를 설명하고 있다. 그가 제시한 세 가지 모델은 합리적 행위자 모델

(Rational Actor Model), 조직행태 모델(Organizational Process Model), 정부 정치 모델(Governmental Politics Model) 등이다.399)

우선, 합리적 행위자 모델의 기본 가정은 '국가는 합리적 행위자'라는 것이다. 즉, 국가는 자국의 이익과 목표를 달성하기 위해 여러 가지 대안 중 가장 합리적인 대안을 선택한다는 것인데 이는 여러 조직들의 단일 집합체로써 완전한 정보를 가지고 있는 국가가 가치를 극대화하는 방법으로 의사를 결정한다고 보는 방법이다. 이 모델에 따르면 위기에 봉착한 정부는 위기 타개를 위한 목표 및 목적을 설정하고 그것을 달성하기 위한 다양한 대안을 도출하여 이를 바탕으로 각 대안들의 장단점, 이익과 비용을 계산하여 가장 효율적인 대안을 선택한다는 것이다.400) 즉, 이러한 과정을 통해 선택된 대안이 국가이익을 위한 최선의 정책이며 이것을 실행함으로써 위기를 관리한다는 것이다. 합리적 행위자 모델은 국가를 하나의 통일된 행위자로 가정함으로써 복잡하고 혼란스러운 상황들을 하나의 역동적인 과정으로 설명이 가능하게 해줌으로써 국제정치 및 외교정책 분야에서 지금까지 가장 널리 사용되어온 모델이라고 할 수 있다.

조직행태 모델은 국가는 단일한 유기체가 아니라 독자적인 생명력을 가지고 있는 여러 조직이 느슨하게 엮어져 있는 연합체라는 것으로 정부의 결정은 조직들이 미리 만들어 놓은 규정과 절차에 의해 움직인다는 것이다. 즉, 국가의 의사결정은 예하 조직의 움직임에 따라 결정되는 경향이 있다는 것이다. 이 모델에 따르면 문제 해결을 위한 권한은 각 조직들에게 분권화되어 있는데 이러한 조직들은 고유의 임무, 이를 수행하기 위한 절차, 조직적 능력, 독자적인 조직문화를 가지고 있다. 또한, 개별 조직들은 자체적인 기능을 통해 정보를 획득하고 문제를 식별하며, 가용한 능력 범위 내에서 대안을 산출한다. 따라서 위기 발생 시 채택될 수 있는 대응정책은 각 조직이 표준행동절차(SOP)에 따라 제시하는 산출물을 바탕으로 하고 있으며 이 산출물은 시간과 능력의 제한으로 인해 우선순위가 채택되며 이러한 것이 정부의 의사결정에 영향을 미치게 되는 것이다.

한편, 정부 정치 모델은 정부 내부의 정치적 갈등과 협상에 중점을 둔다.[401] 이 모델은 국가를 단일 행위자로 인식하지 않고 다양한 의사결정권자들의 집합으로 여기며 의사결정 과정의 상호영향력이 의사결정에 영향을 미친다고 보는 관점이다. 정부의 행동은 단일 행위자의 합리적 선택도 아니고, 조직의 절차와 능력의 산물도 아니며, 다만 정책 결정에 참여하는 다양한 개별 행위자들의 협상과 흥정의 결과라는 것이다. 결국, 정치 행위자들은 일관되고 단일화된 국가이익을 목표로 하는 것이 아니라 각각의 개인이익, 집단이익, 조직이익에 따라 움직인다는 것이다.[402] 따라서 정부 정책이라는 최종산물은 정책 결정 과정에 참여한 행위자들의 이익을 부분적으로 반영한 일종의 콜라주 또는 절충안과 같다고 설명한다.[403]

<표 13-1> 엘리슨 모델 특징 비교

구분	합리적 행위자 모델	조직행태 모델	정부 정치 모델
국가조직에 대한 인식	조직과 통제가 잘된 유기적인 조직	느슨하게 연결된 하위조직들의 연합체	독립적이고 개인적인 행위자들의 집합체
분석 기본단위	합리적 행위자로서 정부 행동	조직들의 산출로서 정부 행동	정치적 결과로서 정부 행동
영향요소	비용대비 이익	조직의 우선순위와 표준운영절차	정치적 협상

이상과 같이 엘리슨의 세 가지 모델은 서로 다른 특징들을 지니고 있으며 모델들이 각각 설명력을 지니고 있기도 하다. 하지만 이 세 가지 모델은 행위자들의 응집성 차원에서 가장 큰 차이가 있는데, 합리적 행위자 모델의 경우 정부를 하나의 잘 조직화 된 유기체로 평가하고 있는 반면, 조직행태 모델은 반 독립적 하위조직들이 느슨하게 연결된 집합체로, 정부 정치 모델은 서로 독립적인 조직들의 집합체로 간주한다는 것이다. 또한, 분석의 기본단위 측면이나 의사결정 과정에서 어떠한 요소가 영향을 주는지에 대한 기본 가정 면에서도 차이를 보인다.

그렇다면 어떠한 모델이 위기관리에 있어 가장 설명력이 있는가? 국가를 포함한 조직에 위기가 발생할 경우, 과연 어떠한 모델이 가장 설득력이 있는가는 위기의 종류, 당시 상황 등에 따라 차이가 있다. 하지만, 특정 모델이 더욱 설득력이 있다고 해서 다른 모델이 전혀 배제될 수 있다는 의미는 아니다. 즉, 이 모델들은 상호 보완적이라고 할 수 있다. 따라서 하나의 위기 상황을 설명하기 위해서는 이 중 하나의 모델만을 사용하는 것이 아니라 상호 복합적으로 활용할 필요가 있으며, 그래야만 비로소 사안의 실체를 제대로 바라볼 수 있고, 이를 통해 최적의 대안을 마련할 수 있다.

예를 들어, 국가안보의 위기에서는 정부가 전체적으로 하나의 유기체적인 행위자로 신속한 의사결정을 할 필요성이 높을 것이나, 이럴 경우에라도 여러 조직들의 의견을 충분히 수렴할 필요가 있는 것이며, 재난 등의 위기에 있어서는 해당 하부 조직의 의견을 중시한 의사결정 체계가 중요할 수 있을 것이나 최종적으로는 국가적 역량을 집중하여야 위기 상황을 좀 더 빠르고 효과적으로 타개할 수 있을 것이다. 결국, 위기관리를 위한 의사결정 체계는 이 세 가지 모델에서 제시한 것 중 최적의 조합이 이루어질 때 가장 큰 효과를 거둘 수 있는 것이지 위기에 따라 특정 모델 하나로 대응할 수 있는 것은 아니다. 이는 쿠바 미사일 위기 시 미국의 위기관리 사례가 잘 입증해 주고 있다. 이상의 이론적 논의를 바탕으로 쿠바 미사일 위기의 발생과정을 앞에서 제시한 갈등, 분쟁, 위기에 따라 살펴보고, 위기를 타개하기 위한 미국 정부의 의사결정 과정이 엘리슨이 제시한 3가지 모델의 특징을 어떻게 조합하고 있는지 알아보자.

제3절 쿠바 미사일 위기 분석

3.1. 위기의 발생 : 갈등-분쟁-위기

거시적 관점에서 쿠바 미사일 위기는 냉전의 일부분이었다. 1941년 독일이 소련을 침공하면서 1939년 맺었던 불가침 조약이 파기되고 소련이 전쟁에 참여하게 된다. 1941년 일본의 진주만 침공으로 미국도 전쟁에 참전하였고, 이후 전쟁에서 이 두 국가는 각각 독일을 압도하면서 승리를 쟁취하게 되었다.[404] 하지만, 제2차 세계대전이 끝나고 난 뒤 미국과 소련 사이에는 서로에 대한 의심이 생겨나게 된다. 이러한 의심은 서로가 공격할지 모른다는 위협 인식으로 이어졌고 이에 군비증강에 박차를 가하게 되면서 상호 경쟁이 이루어지게 되었다. 이러한 양국 간의 경쟁은 재래식 전력뿐만 아니라 1945년 8월 일본에 투하되면서 세계에 등장한 핵무기 개발 분야로 이어졌다. 당시, 소련주재 미국 대사였던 조지 케넌(George F. Kennan)은 본국에 보낸 전문(Long Telegram)[405]에서 소련에 대한 봉쇄정책(Containment)을 주장하며 공산주의를 압도해야 함을 강조했고 반면, 미국주재 소련대사 노비코프(Nikolai Novikov)는 소련 외상 몰로토프(Viacheslav Molotov)에게 미국의 제국주의적 행태를 경고하며 소련에 적대적인 세력이 될 것을 경고하기도 하였다. 이렇듯 양국은 제2차 세계대전 직후부터 치열한 경쟁 구도를 형성하게 되었다.

쿠바 미사일 위기 이전 미소 간 갈등과 분쟁 상황은 크게 세 가지 측면에서 살펴볼 수 있는데 미국과 소련의 전략 균형(Strategic Balance)를 위한 군비 경쟁, 유럽에서 대치와 베를린 문제, 쿠바혁명과 미국의 대응 등이 그것이다. 우선 군비 경쟁의 측면에서 살펴보면, 제2차 세계대전 직후 당시 핵무기는 미국이 독점하고 있었다. 소련은 이에 큰 위협을 느끼게 되었고 핵 개발에 박차를 가하기 시작하였으며, 결국 1949년 핵 개발에 성공하였다. 이에 미국은 1952년 수소폭탄 실험을 실시했고 이로부터 1년 뒤인 1953년 소련도 수소폭탄 실험에 성공하였다. 이러한 핵에 대한 군비 경쟁은 미국의 핵 독점이 무너지고 난 이후에도 전략무기 경쟁으로 이어졌다. 물론, 1962년 쿠바 미사일 위기 당시 전략균형에서는 미국이 소련을 압도하고도 남을 만큼의 절대적 우위를 달성하고 있었다. 1962년 기준으로 전술핵무기를 제외한 전략핵무기에서 미국은 2,150기, 소련은 420기를 보유했고, 탄도미사일에서는 미국은 120기를, 소련은 25-75기를 보유했으며, 폭격기는 미국이 1,600여 대를 보유한 반면 소련은 175대에 불과했다.406) 이외에 잠수함 발사 탄도미사일(SLBM: Submarine Launched Ballistic Missile)에서는 미국은 144기를 보유한 반면 소련은 15기에 불과했다.407) 이러한 양국 간의 군비 격차는 미래 양국 간에 발생할 수 있는 갈등 가능성을 높이는 요인으로 작용하였다. 즉, 차이를 줄이려는 소련과 상대를 압도하려는 미국의 전략적 방향성은 결국 양국의 자존심 대결로 이어졌고 이로 인해 양국은 냉전의 두 축으로써 세계를 분할하게 되었다.

유럽에서 대치와 베를린 문제도 양국 간 갈등요인으로 작용하였다. 독일이 2차 세계대전에서 항복하고 난 뒤 유럽 대부분 연합국들은 오랜 전쟁의 피해로 국가재건에도 벅찬 상황이었다. 이러한 가운데 소련에 의한 위협의 증가는 북대서양 조약기구(NATO)의 창설과 함께 미국의 지원을 받는 서방 진영과 2차 세계대전 이후 소련에 의해 공산화된 국가들 기구인 바르샤바 조약기구(WTO)의 대립으로 나타나게 되었다. 이들의 대치는 독일을 중심으로 한 중부유럽에서 재래식 군사력과 단거리 핵무기를 중심으로 이루어졌는데 당시 재래식 전력 면에서는 소련을 중심으로 한 바르샤바 조약기구가 우세한 상황이었다. 따라서, 미국은 열세 한 재래식 전력을 만회하기 위해 핵무기를 배치하는 것으로 대응하였는데 그중에서도 가장 큰 대립의 장소는 베를린이었다.

1945년 5월 나치 독일의 붕괴 이후 베를린은 영국, 프랑스, 미국, 소련 등 4개국이 공동으로 관할했는데, 자연스럽게 동부와 서부 베를린으로 나뉘어 유지되었다. 베를린을 포함하는 동부지역을 장악하고 있었던 소련은 이후 미국과 서베를린에 대한 문제로 대립하였는데 이 문제는 마치 유럽에서 미국과 소련의 '대결의 장'으로 인식되었다. 이후, 제1, 2차 베를린 위기가 발생하면서 긴장이 고조되기도 하였으며408) 미국과 소련 모두 베를린 문제에 대해 서로의 자존심과 위상이 걸려있다고 생각하여 좀처럼 양보할 수 없는 문제가 되었다.

세 번째 갈등요인은 쿠바혁명과 미국의 대응 부분이다. 유럽에서 대립 못지않게 냉전의 무대는 세계 곳곳에서 진행되고 있었다. 중동에서는 이라크, 북아프리카에서는 이집트, 아시아에서는 라오스와 베트남에서 미국과 소련의 영향력이 작용하는 가운데 보이지 않는 경쟁이 이루어지고 있었다. 당시 쿠바는 1952년 쿠데타를 통해 정권을 장악한 바티스타(Fulgencio Batista)가 억압적인 통치로 반발을 불러일으키고 있었으며 혼란스런 상황에서 카스트로(Fidel A. Castro)가 이끄는 게릴라 집단이 등장, 정권과 투쟁하면서 결국 바티스타 정권을 축출하고 1959년 1월 집권에 성공하였다. 이후, 미국과 관계 개선을 위해 노력하기도 했으나 카스트로를 공산주의자로 인식하던 미국은 그를 인정하지 않았다. 결국, 카스트로는 미국과 외교 관계를 단절하고 소련에 접근하기 시작했다. 이에 소련과 쿠바의 관계는 급속도로 가까워졌으며 소련이 쿠바의 설탕 수입 및 방어용 무기를 공급하면서 더욱 긴밀한 사이로 발전하였다.

미국은 이러한 소련과 쿠바의 관계를 두고만 볼 수 없었다. 결국, 1960년 3월 아이젠하워는 카스트로 정권의 제거를 결정하고 1961년 4월 15일 피그만(Bay of Pigs)에 쿠바 망명자로 구성된 의용군을 상륙시켰으나 실패하였다.409) 1960년 대통령으로 당선된 케네디(J. F. Kennedy)는 몽구스 작전(Operation Mongoose)410)을 통해 다시금 쿠바 정부를 전복시키고자 했지만, 활동 자체는 성과가 없이 답보상태에 있었다. 반면, 소련은 쿠바에 대해 "미 제국주의에 저항하여 살아남은" 라틴아메리카 혁명의 대표로 인식하였으며 세계적인 공산주의 전선에서 쿠바의 정치적 중요성이 매우 높다고 판단하고 있었다. 그러한 이유로 쿠바에 대한 소련의 정치적, 군사적, 경제적 지원은 더욱 강화되었다. 결국, 쿠바에 대한 미국과 소련의 이러한 인식 차이는 양국 간 첨예한 갈등을 불러일으키게 된 것이다.

이렇듯 미국과 소련 사이에는 쿠바 미사일 위기가 발생하기 이전에 다양한 갈등이 존재하고 있었으며 이것이 분쟁 단계로까지 이어지고 있는 상황이었다. 결국, 이러한 상황에서 소련은 쿠바에 중거리 미사일을 설치하게 되었고 미국은 이것에 대해 강력하게

대응하는 자세를 취하게 됨으로써 핵전쟁 위기로까지 발전하게
된 것이다.

3.2. 미국의 위기관리 정책결정 과정

　미국의 입장에서 본격적인 쿠바 미사일 위기의 시작은 공중 정
찰을 통해 미사일 기지의 위치를 발견한 1962년 10월 15일로
볼 수 있지만, 소련의 입장에서는 최초 미사일 기지 건설에 대한
결의를 했던 1962년 4월로도 이해할 수 있다. 이렇듯 갈등과 분
쟁에서 위기로 발전하는 과정은 명확하게 규정하기 어렵다. 왜냐
하면, 행위자 각각의 관점과 입장이 다르고 이에 따라 엇갈린 해
석이 나올 수 있기 때문이다. 하지만, 본 장에서는 미국의 위기관
리에 대한 분석을 주제로 하고 있기 때문에 미국을 중심으로 한
10월 15일 미사일 배치 인식을 위기의 시작으로 다루고자 한다.
　미국 내에서 쿠바에 미사일 배치와 관련된 논의는 이미 1962
년 8월부터 진행되었다. 1962년 8월 10일 CIA 국장 맥콘(John
McCone)은 쿠바에 대한 소련의 중거리 탄도미사일(MRBM:
Medium-Range Ballistic Missile) 배치 가능성을 경고했지만 심도
있게 받아들여지지 않았다. 당시 미국은 쿠바에 대해 기본적으로
방어용 무기배치 이외의 공격용 무기배치는 용납하지 않는다는
방침을 가지고 있었다.[411] 물론, 그때까지만 해도 쿠바에 실질적
인 중거리 탄도미사일(Medium Range Ballistic Missile: MRBM)
반입은 이루어지지는 않은 상황이었다(실제 1차분의 MRBM은 9
월 15일에 쿠바에 도착하였다). 이후, 소련의 쿠바에 대한 미사일
배치 가능성이 계속 제기되는 가운데 케네디 대통령은 10월 9일
U-2기 정찰을 승인하게 되고, 10월 14일 정찰을 통해 처음으로

MRBM 기지에 대한 증거가 발견되면서 본격적인 위기가 시작되었다.

미국과 불과 100km도 떨어지지 않은 곳에 수도 워싱턴까지 공격 가능한 미사일이 배치되고 있었고 이것을 사전에 인지하지 못했으며, 남은 시간이 촉박하다는 것은 케네디 대통령을 포함한 미국의 정책결정자들에게 굉장한 압박과 스트레스로 작용했다. 케네디 대통령은 이러한 위기를 인식함과 동시에 국가안전보장회의(NSC)를 소집했다. 또한, 그는 위기의 성격을 고려하여 필요한 전문가들을 추가한 정책 결정을 위한 팀을 만들었는데 그것이 바로 국가안전보장회의 집행위원회로 이른바 엑스콤(ExComm)이었다. 케네디 대통령은 엑스콤에 의사결정이 필요한 상황에서만 선택적으로 참석하였고, 회의 시 참가자들은 논의 사항의 성격에 따라 인원이 더 추가되거나 제외되는 등 유연성 있게 운영되었다.

엑스콤은 가장 먼저 소련의 미사일 배치 의도를 다양한 관점에서 분석하였다. 그 결과 가장 신빙성 있게 대두된 것은 소련에 대한 방어 목적과 베를린 문제의 해결에 대해 정치적으로 유리한 지점을 선정하려는 것, 곧 다가오는 미국 중간 선거를 겨냥한 국내적 혼란 조성, 미국과 소련의 전략균형을 만회하려는 의도 등이었다.412) 우선, 미국은 소련이 베를린 문제에 있어서 미국으로부터 양보를 얻어 내려 한다고 생각했다. 다시 말해, 쿠바의 미사일 배치를 통해 베를린 문제에 대한 미국의 전향적인 행동 변화를 이끌려 한다는 것이다. 하지만, 미국은 베를린에 대한 양보는 생각할 수조차 없는 문제라고 생각했다. 만약 그럴 경우, 동맹국의 신뢰가 무너질 수 있고 강대국의 대결에서 물러나는 모습을 보이게 될 것이며 이후 지속적인 소련의 도발에 계속 양보를 해야 할 것으로 판단했기 때문이다.

이와 함께 일각에서는 1961년 11월 미국이 동맹국 방위를 위한 목적으로 터키에 배치했던 주피터 미사일에 대한 소련의 균형 유지와 터키에서 미사일 철수를 강요하기 위함이라는 의견도 제기되었는데 이것 또한 미국의 입장에서는 베를린 문제와 같이 쉽게 양보할 수는 없는 문제였다. 한편, 소련이 쿠바의 미사일을 통해 불리한 전략균형을 맞추려는 의도가 있다는 의견도 있었는데, 물론 쿠바에 배치한 미사일만으로 모든 불리함을 상쇄할 수 없지만 지금까지 전략무기의 우위에 의해 외교적으로 소련을 압박하던 미국의 전략에 대해 소련이 이전보다 적극적으로 대응할 수 있게 될 것이라고 판단하였다.

이렇게 소련의 목적에 대한 판단을 한 후, 미국은 소련이 설치한 쿠바의 미사일을 반드시 철거해야 한다는 최종목표를 설정하였고 이를 위해 어떻게 대처할 것인지에 대한 고민을 하게 된다. 사실, 엑스콤 내에서도 위기의 해결에 대한 대안을 놓고 의견이 분분했다. 최초 그들은 가능한 대안의 선정에 있어 시간적인 압박과 스트레스에 의해 '물리적 공격' 아니면 '묵인'이라는 극단적인 해결책만을 주장했다. 대안의 스펙트럼에 있어서 가장 끝부분에 위치한 극과 극을 제시했던 것이다. 하지만 케네디 대통령은 아직 쿠바 미사일 기지가 건설 중이고 기능을 발휘하기 위해서 시간이 걸린다는 것을 최대한 활용하여 정책 결정 시간을 어느 정도 확보하고자 하였다. 결국, 최초 시간의 압박에서 어느 정도 벗어나 다양한 의견이 토의되었고 다음과 같은 6가지 방안이 도출되었다.

미국의 입장에서 제시된 6가지의 대안 중 ①번과 ②번은 결국 아무런 대응을 하지 않는 것과 같았다. 외교적 압력은 군사적 행동이 수반되지 않는 한 효과가 없다고 생각되었고[413] 미사일 배치를 묵인하는 행동은 미국이 정치적, 심리적 균형에서 한발 물러서는 형태가 되어 소련으로 하여금 이와 같은 행동을 되풀이 하게 만들 것이라 여겼기 때문이다. 따라서 남은 ③~⑥까지 4가지 대안을 가지고 장단점 분석, 이른바 손익 계산을 실시하였다. 이에 상대적으로 효과를 거두기 어려웠던 쿠바와 직접접촉과 세계대전의 유발 및 많은 비용과 희생이 수반될 것으로 예상되었던 전면적 침공은 자연스럽게 배제되었고 결국 봉쇄와 제한적 공중폭격 2가지 대안만이 최종적으로 경쟁하게 되었다.

<표 13-2> ExComm에서 선정한 6가지의 대안과 방법, 선택414)

구분	강도	방법	선택
① 묵인	下	아무것도 하지 않음	
② 외교적 압력	下	소련에 대한 외교압력, UN을 통한 압박, 수뇌부 회담을 통한 접촉	
③ 쿠바와 직접 접촉	下	카스트로 접촉, 협상을 통해 소련에서 이탈 종용	
④ 해상봉쇄 (Slow-Track)	中	공중정찰, 경고 강화 및 해상 수송물자 차단	O
⑤ 제한된 공중폭격 (Fast-Track)	中, 强	한정된 목표(미사일/폭격기 기지)에 대한 외과수술식 타격	
⑥ 쿠바침공	强	전면적인 쿠바 침공	

하지만, 제한적 공중폭격은 논의를 하면 할수록 그 허점이나 취약성이 드러났다. 왜냐하면, 외과수술식 타격(surgical strike)으로 일거에 미사일을 모두 제거하지 못할 확률이 높고 미사일이 한 발이라도 발사된다면 이것은 결국 전면적인 핵전쟁을 의미하는 것이었다. 또한, 공중폭격으로 소련 군인이 사망하게 될 경우, 이를 소련이 미국의 선제공격으로 간주한다면 세계대전으로 번질 가능성이 농후했다. 결국, 제한적 공중폭격이 가진 위험(Risk)은

미국이 한 번에 짊어지기는 너무 무거운 것처럼 느껴졌다.

　물론 이러한 위험은 봉쇄조치 또한 마찬가지였다. 제한적 공중 폭격보다는 가벼웠지만 해상 봉쇄과정에서 충돌로 인한 전면적인 충돌의 가능성도 상존하고 있었다. 결국, 최종 결정은 선택권을 가지고 있던 케네디 대통령의 결심으로 이루어졌는데 그는 외교적 압력과 더불어 봉쇄를 선택했다. 그가 이러한 방안을 선택한 것은 이것이 주어진 대안 가운데 상대적으로 위험성이 적으면서 소련에 대한 미국의 직접적인 태도를 확실하게 보여줄 수 있는 방법이라고 생각했기 때문이다. 또한, 이것은 케네디가 생각하는 최종적인 상태(End State)인 "전면적 핵전쟁이 나지 않은 가운데 미국의 의지를 관철시켜 쿠바에서 미사일을 철수시키는 것"이라는 최초 목표 달성을 위해 가장 합목적적 방안이라고 판단되었기 때문이었다.

　이렇게 대안을 결정한 케네디 대통령은 10월 22일 TV 연설을 통해 쿠바에 설치된 미사일의 존재를 전 세계에 알렸고 이에 대한 미국의 대응은 단호하고 확실하게 이루어질 것을 표명했다. 케네디 대통령은 발표 과정에 있어 소련을 자극하거나 그들이 오판할 수 있는 표현과 단어를 절제하여 표현하였고 쿠바에 대한 미사일의 설치가 미국에 대한 위협보다는 아메리카 대륙 전체의 위협이라는 논리를 들어 국제적 단결을 호소하였다. 또한, 봉쇄(Blockade)라는 단어가 내포하고 있는 호전적인 의미를 줄이기 위해 격리(Quarantine)라는 용어로 바꾸어 사용했으며415) 연설을 통해 10월 24일 10시부터 봉쇄조치가 시작됨을 소련에게 알림으로써 소련이 합리적으로 판단할 수 있는 시간적 여유를 최대한 주려고 노력했다. 여기서 간과해서는 안 될 것은 소련의 예측할 수 없는 행동에 대비한 군사적 준비도 병행하여 강구되었다는 것이며 물론 이것은 차선의 대안을 위한 준비였다.

10월 24일부터 시작된 봉쇄조치는 최대한 충돌을 자제하기 위해 대통령과 국방장관이 직접적으로 개입 및 통제하면서 진행되었다. 국방장관은 해군 지휘사령부에 위치하여 상황을 직접 감독하였으며 이 과정에서 지나친 개입에 반발하는 해군 장군과 마찰을 빚기도 하였다.416) 기존에 설정되었던 봉쇄선 또한 800마일에서 500마일로 조정하기까지 했다. 이것은 쿠바에서 출격하는 소련 전투기의 작전 반경을 고려하여 설정되었기 때문에417) 공군 지휘관에 의한 반대가 있었지만, 케네디 대통령의 입장에서는 봉쇄선의 거리를 줄이면서까지 최대한 충돌의 기회를 없애려는 의도를 가지고 있었다.

봉쇄선으로 접근하던 소련 선박들은 대부분 회항하였으나 일부 선박들은 계속 접근하였고 결국 10월 25일 소련 유조선 부카레스트호가 봉쇄선을 통과하였다. 당시 미국은 봉쇄라는 직접적인 행동을 표명한 가운데 이것에 부합하는 행동을 반드시 취해야 했다. 하지만, 케네디 대통령은 이것이 미사일을 싣지 않은 단순한 유조선이고 소련의 합리적 판단 기회를 주기 위한 차원에서 검색 없이 통과시키는 결정을 하였다. 결국, 봉쇄 조치의 이면이 가지고 있었던 '직접적으로 쿠바의 미사일을 제거할 수 없다'는 치명적인 약점이 점차 현실화 되었던 것이다. 하지만, 이후 미국은 점차 봉쇄와 압박의 수위를 높여가기 시작했으며 공중 정찰 횟수 증가 및 경제적 금수 조치를 강화함으로써 소련을 압박해나갔다. 이런 상황에서 10월 26일 소련 수뇌부와 연락망을 가지고 있던 재미 소련대사관의 알렉산더 포민(Aleksander Fomine)과 미 ABC방송국 국무성 담당 기자인 스캘리(John Scali)의 비공식 접촉이 이루어졌고, 여기서 미국의 의도가 소련에 전달되었다. 그것은 소련이 UN감시 하에 쿠바에 있는 공격용 미사일을 철거하고 다시는 쿠바에 미사일을 설치하지 않겠다고 약속하면 미국도 쿠바를 침공하지 않겠다는 것이었다. 이러한 접촉 이후 흐루시초프의 편지가 도착하였는데, 거기에는 UN을 통한 감시 부분을 제외하고는 미국의 제안과 맥을 같이하는 내용이 주를 이루고 있었다.

10월 27일 모스크바 방송에서 흐루시초프는 새로운 내용을 제안하였는데 그것은 터키의 미사일 철수와 쿠바의 미사일 철수를 교환하고 쿠바에 대한 불가침과 터키에 대한 불가침을 교환하자는 것이었다. 미국은 이와 같은 제의를 전혀 받아들일 수 없었다. 그들은 터키 미사일 철수가 미국의 동맹국에 대한 안보공약 취소로 이어져 동맹국 간 정치적, 심리적 악영향을 끼치게 될 것을 우려했기 때문이었다. 이러한 문제로 고심하던 중 쿠바 상공을 정찰하던 미국 U-2 정찰기가 소련의 SAM 대공미사일에 격추되어 조종사가 사망하는 사건이 발생하게 되었다. 물론, 미국은 섣부른 군사적 행동을 취하지는 않았지만, 당시 제한적인 공중공격을 주장하던 군 장성들의 의견에 힘이 실리게 되었다.[418)

케네디 대통령은 우발적인 사건으로 핵전쟁이 발발하는 것을 원하지 않았다. 그는 냉정하고 신중하게 문제에 접근했으며 상대방의 오판을 유발할 수 있는 행동의 자제를 요구했다. 그는 흐루시초프의 편지에 대한 답장을 준비하면서 최초의 편지에 대한 답장을 준비하였고 두 번째 편지에 대한 답장은 준비하지 않았다. 그것은 소련에서 온 전문이고 상대방의 수신 여부를 알 수 없었기 때문에 못 받았다고 하고 미국에 유리한 첫 번째 편지에만 답장을 해버리면 그만이라고 판단하였기 때문이었다. 그는 답장에서 미국의 입장을 다시 한번 강조하고 UN에 의한 감시와 감독하에 쿠바 미사일 철수와 향후 공격용 무기가 쿠바에 다시 배치되지 않을 것이라는 보장이 있을 시 쿠바에 대한 봉쇄조치를 해제하고 쿠바를 침공하지 않겠다는 보장을 약속했다.[419) 이와 더불어 동생이었던 법무장관 로버트 케네디를 주미 소련대사인 도브리닌에게 특사로 보내 미국의 의지와 입장을 전달토록 하였다. 결국, 10월 28일 아침 모스크바 방송은 쿠바에서 미사일 기지공사를 중단하고 미사일을 철수한다는 흐루시초프의 답장을 보도했다. 위기는 정점을 넘어 수습의 단계로 접어들게 되었던 것이다.

이 상황에서도 명확하고 구체적인 합의가 이루어진 것은 아니었기 때문에 수습과정도 순탄하게 진행된 것은 아니었다. 쿠바에서 공격용 무기철수라는 부분에서 공격용 무기의 범위에 대한 이견이 있었고 UN의 감시와 감독절차에 대한 합의가 없었으며, 이것 또한 쿠바의 반대로 실행될 수 없었다. 게다가 미국의 쿠바 불가침에 대한 방법이나 보증의 문제가 애매했기 때문에 서로 간계속 의심과 불신이 잔존하고 있었다. 미국은 항구적인 UN의 사찰기구가 성립되지 않을 시 쿠바에 대한 공중 정찰과 봉쇄조치를 지속하겠다고 발표하였으며 쿠바에서 IL-28 폭격기 철수와 군대의 철수에 대한 이행이 이루어지지 않으면 새로운 조치를 취하겠다는 내용의 성명발표를 예고했다. 이와 동시에 외교적 채널을 이용, 흐루시초프에 대한 압박을 지속했으며 결국 11월 20일 흐루시초프로부터 폭격기와 군대의 철수를 약속받고 11월 21일 봉쇄를 중지했다. 이후 미사일과 폭격기, 군대의 철수 징후가 나타남에 따라 위기는 빠른 속도로 해소되었으며 1963년 1월 7일 미국과 소련은 UN사무총장 앞의 공동 서한에서 위기의 종식을 선언했고,420) 11월 22일 소련은 쿠바에 반입했던 핵탄두의 전량을 반출하고 터키에 배치되었던 주피터 미사일도 전량 해체하였다.

이렇듯 미국의 쿠바 미사일 위기를 해결하는 과정은 매우 치열하게 이루어졌다. 이론적인 체계에서 볼 수 있었듯 미국의 의사결정은 적의 의도를 우선 분석하였고, 이를 바탕으로 미국의 목표를 설정하였다. 이후, 이 목표를 이루기 위한 대안들(6가지)을 도출하였고 이 대안들에 대한 심도 있는 토의가 이루어졌다. 이러한 과정은 앞에서 설명한 합리적 행위자 모델의 유형을 따르고 있다. 그러나 정책 대안을 결정하는 과정에서 각 조직을 대표하는 참여자들 특히, 군부 지도자들과 민간지도자들 간 의견 대립이 심각하게 나타나는 상황이 있었는데 이것을 조정하고 논의하는 과정은 합리적 행위자 모델이 아닌 다른 모델들로 설명할 수 있다. 즉, 군부는 자신들이 지금까지 준비해온 군사적인 조치를 바탕으로 자신들의 정책을 제시하였고 이에 반해 민간지도자들은 외교적인 조치를 우선적으로 제시하였다. 이는 정부가 동일한 생각을 하는 단일한 유기체가 아니라 독자적인 생명력을 가지고 있는 연합체라는 것을 보여준다고 할 수 있다. 그리고 이러한 예하 조직들이 제시한 정책 대안을 바탕으로 최종적인 정부 대안이 설정되는 과정은 조직행태모델의 요소가 나타나고 있다. 또한, 대통령이 외교적인 조치를 선호하더라도 이를 대외적으로 공표하는 과정에서 군사적인 조치를 배제하지 않는 모습은 당시 정책 결정 과정에 참석한 행위자들의 주장을 절충하였다고 볼 수 있다. 이것은 정부 정치 모델로 설명이 가능하다. 결국, 미국의 위기관리 과정에서 국가목표를 설정하고, 대안을 설정하는 큰 틀에서는 합리적 행위자 모델이 설명하고 있는 과정이 나타나고 있으며, 그 틀 안에서 의견 조정과정은 조직행태 모델이, 그리고 이를 바탕으로 최종 정책적 산물을 도출하고 실행하는 과정은 정부 정치 모델이 설명력을 지니고 있다고 할 수 있다.

그러나 여기서 중요한 것은 대통령을 비롯해 의사결정에 참여한 모든 이들은 미국의 국가이익이라는 하나의 큰 목표를 지키기 위해 노력하였고 실제로 성공하였다는 점이다. 앞에서 논의되었듯이 위기의 특성은 위협의 정도 측면에서 강력하고 시간상으로 매우 촉박하다는 것이다. 따라서 쿠바 미사일 위기관리 과정에서 미국이 보여준 의사결정 체계의 정수는 급박함 속에서 국가이익이라는 목표를 지키기 위해 치열했지만, 효과적인 의견조정 과정을 거쳐 체계적으로 움직였다는 점이라 할 수 있다.

제4절 한국의 안보 전략적 함의

60여 년 전의 쿠바 미사일 위기는 지금의 한국과는 다른 안보 상황에서 벌어졌기에 큰 의미가 없다고 주장될 수도 있다. 하지만, 지난 역사적 사건을 현재 상황과 시각을 바탕으로 분석한다면 이 시대에 맞는 교훈을 찾을 수 있을 것이다. 그것이 역사를 되짚어 보는 이유이기도 하다. 그렇다면 쿠바 미사일 위기가 한국안보에 주는 교훈은 과연 무엇인가? 냉전의 대립 관계에서 자칫하면 인류를 공멸의 위기로 몰아넣을 수 있었던 핵전쟁을 성공적으로 막아낸 미국의 위기관리 모습을 통해 한국은 미래 위기 상황 발생 시 어떠한 정책적, 전략적 함의를 도출할 수 있는가? 본 절에서는 지금까지 분석된 미국의 위기관리 과정을 통해 국가적 수준에서 다음과 같이 5가지 함의를 제시하고자 한다.

먼저, 국가안전보장 기구의 효율적이고 유연한 활용에 대한 부분이다. 일반적으로 위기를 예측하는 것은 어렵지만[421] 예상할 수는 있으며 현명한 조직은 이를 잘 대비하는 조직이라고 할 수 있다.[422] 따라서 위기가 발생하였을 때 국가지도자의 합리적인 선택 논리를 뒷받침하고 정책 추진의 동력을 제공할 수 있는 회의체의 운용에 있어 미국이 보여준 유연함과 의사결정 과정은 한국에게 많은 점을 시사하고 있다. 위기 발생과 더불어 소집된 국가안전보장회의 집행위원회 성격의 ExComm은 회의구성원을 선정하는데 있어 기본적인 편성 인원 이외 미사일 전문가, 경험 많은 외교부 출신, 대 소련 전문가 등을 회의 간에 추가 편성하여 의견을 구함으로써 상황과 성격에 맞는 적절한 대응책 구상을 효율적으로 이루어냈다. 물론 고집 세고 자신의 집단적 이익을 대변하는 구성원들 간 조율과 의견 일치를 이루어내는 것은 어려웠지만, 서로 간 의견이 충돌하는 과정에서 이루어진 풍부하고 깊이 있는 대안들은 분명 지도자로 하여금 정책 선택에 있어 폭넓은 시야를 제공해주었음에 틀림이 없다.

현재 한국의 경우 국가안전보장회의에 대한 구성이 법에 명시되어있다. 하지만 점차 다양화되고 복합적으로 진화하고 있는 위기 상황에 대처하기 위해서는 위기에 따라서 추가적인 인원 편성이 필요하다. 즉, 해당 분야 전문성을 확보할 수 있는 인원이 포함되어야 한다. 이를 위해서 각 위기 유형별 인력풀을 사전에 준비할 필요가 있으며 실제 상황에 대응하기 위해 다양한 시나리오를 준비하여 위기 발생 시 정책 결정을 위한 토의와 논의를 지속적이고도 실질적으로 훈련할 필요가 있다. 일례로 미국이 이라크 전쟁에서 문제를 해결하기 위한 노력의 일환으로 시행하였던 이라크 스터디그룹(ISG: Iraq Study Gruop)과 같은 조직을 벤치마킹하여 한국은 미래에 닥칠 위기에 대응하기 위한 이른바 위기관리 스터디그룹(CMSG: Crisis Management Study Gruop)과 같은 것을 조직하여 이를 통해 실질적인 대비 능력을 향상시킬 필요가 있을 것이다.

둘째, 상대방을 궁지로 몰아넣지 않는 위기관리 전략의 선택이다. 쿠바 미사일 사태 시 미국 정부는 위기 기간 꾸준히 소련에 메시지를 전달하고 과도한 행동이나 오판의 소지를 주지 않도록 노력했다. 메시지 전달에 있어서도 정확한 의사전달이라는 목적에 부합되는 행동을 했다. 애매모호하거나 잘못 이해될 수 있는 부분에 대해 세심히 고려했고 상대방을 자극하지 않기 위한 태도 유지에 심혈을 기울였다. 결국, 이러한 노력이 가져온 결과는 위기관리 과정에서 주도권을 미국이 행사할 수 있게 하였다. 예를 들어, 미국은 낮은 단계의 봉쇄전략 선택으로부터 점차 높은 단계의 조치로 압박을 강화함으로써 소련이 미사일을 설치했지만 철수할지 말지에 대해 그들 스스로가 선택할 수밖에 없는 상황을 만들었던 것이다. 또한, 쿠바 미사일 위기는 양쪽 모두 만족할 수 있는 상황이 조성되었기에 해결이 가능했다. 즉, 미국은 실리는 얻으면서 소련에게는 명분이라는 이익을 줄 수 있었기에 원만한 해결이 이루어진 것이다. 한반도에서 그동안 발생했던 위기사례에서도 한국의 대응은 미국이 보여주었던 방식과 크게 다르지 않았다. 하지만, 북한에 대한 의사전달 과정에서 '한국이 북한에게 경고하고 전달한 내용들이 실제 행동으로 이어졌는가'에 대한 부분과 '그것이 꾸준히 일관되게 유지되었는가'에 대해서는 다소 회의적이다. 억제전략(Deterrence Strategy)에서 이야기하는 신뢰성(Credibility)과 의사전달(Communication)의 문제가 이것과 맥을 같이한다고 할 수 있다.423) 즉, 적을 억제하기 위해서는 상대방이 자신이 취할 수 있는 행동에 대한 신뢰를 강하게 해야 하며 이것이 상대방에게 확실하게 전달될 필요가 있는 것이다.

셋째, 철저한 민군관계의 유지이다. 봉쇄조치와 제한적 공중폭격이라는 대안에 있어서 가장 크게 의견이 엇갈린 집단이 군부와 민간지도자들이었다. 대통령의 봉쇄조치에 있어 군부는 지시된 내용에 충실히 임했다. 군부의 경직된 조직특성과 표준행동절차(SOP)에 의한 의사결정 패턴을 알고 있었던 민간지도자들은 봉쇄조치의 처음부터 끝까지 하나하나 세심하게 관여하면서 우발적으로 발생할 수 있는 충돌을 미연에 방지하고자 노력했다. 물론 이에 대한 군의 반발이 없었던 것은 아니었다. 봉쇄조치를 위해 해군 지휘사령부에서 지휘하던 맥나마라 국방장관과 해군지휘관의 언쟁이 이러한 것을 대표적으로 보여준 사례라고 할 수 있다.

하지만, 결과적으로 정치적 목표 달성을 위한 민간지도자들의 기여는 성공적인 것이었다. 물론, 이것이 민간지도자가 군부 지휘관보다 더 정확한 결정을 내린 것이라고 단정 지을 수는 없다. 하지만, 당시 민간지도자가 보여준 군부 조직의 특성에 대한 이해를 바탕으로 한 리더십은 문제 해결 과정에서 긍정적으로 작용하였던 것은 사실이다.

이러한 사례는 국방개혁을 통해 국방부의 문민화를 지속 추진하고 있는 한국에게 매우 의미 있는 함의를 준다. 즉, 민군관계에 있어 각자가 서로의 사고영역과 견해를 수용할 수 있는 지식적, 정서적 여유 공간의 확보가 필요하다는 것이다. 특히, 지금까지는 군 경력이 있는 인사가 전역 후 민간인으로서 위기관리 분야에 종사하는 경우가 많았다. 하지만, 최근 추진하고 있는 문민화의 경우 이와 달리 군 경력이 없는 인사들의 발탁을 추진하고 있다. 따라서, 민간지도자들의 군에 대한 이해가 매우 중요하다. 이를 위해 평소 위기관리 훈련과 연습 간 민군통합을 통해 상호 공감대를 형성하고 상대방의 영역을 이해하는 노력이 수반되어야 할 것이다. 또한, 민간분야에서 군사 및 안보 분야 전문가 양성을 위한 노력을 지속적으로 할 필요가 있다.

넷째, 전략적 대안의 즉응성 확보를 위한 노력이 매우 필요하다. 위기에 봉착한 ExComm이 제시한 방안 6가지 중 묵인과 전면적 침공을 제외한 나머지 대안들은 미국이 즉각적으로 시행할 수 있는 준비가 되어 있었던 것들이었다. 위기관리에 있어 시간의 측면은 대단히 중요하다는 것을 생각해보면 준비된 대안이 어떤 것인지도 중요하지만 그것을 얼마나 빨리 성공적으로 수행할 수 있는지도 중요한 것이다. 단적으로 봉쇄조치에 있어서 쿠바에 대한 봉쇄계획을 해군이 사전에 준비하지 못했다면 기획과 전력배치 등 논의 과정에서 대단히 많은 시간이 소요되었을 것이고 이러한 시간적 제약 때문에 최초부터 대안으로 제시되지도 않았을 것이다.

위기관리에 있어 가장 중요한 것은 위기 발생 이전에 발생 가능한 모든 상황에 대해 면밀히 준비해야 한다는 것이다.[424] 특히, 군사 분야의 대비태세가 매우 중요하다. 이러한 대비태세가 확립되었을 경우 정치지도자의 목적의식과 목표가 정확히 실현될 수 있는 합리적인 의사결정에 기여할 수 있다. 즉, 위기가 급박하고 신속하게 전개되기 때문에 정책 결정 과정에 있어 사전 철저한 준비는 시간적, 상황적 압박에 시달리는 의사결정자들에게 대안의 폭을 충분히 넓혀줌으로써 오류 발생의 가능성을 크게 줄일 수 있다는 것이다.

한국도 이러한 측면에서 많은 부분 발전이 필요하다. 물론, 과거에 비해 남북 간 충돌의 가능성이 점차 줄어들고 있는 것은 사실이지만 위기는 언제나 찾아올 수 있다는 것을 명심하고 발생 가능한 다양한 상황에 대비할 수 있는 계획을 사전에 준비할 필요가 있다. 또한, 계획은 평상시 위기관리훈련을 통해 검증하고 보완하여 보다 실질적인 계획으로 발전시켜야 하며, 특히 군사작전에 대해서는 합동참모본부를 중심으로 한 군이 책임감과 사명감을 가지고 면밀하게 준비할 필요가 있다. 또한, 정치지도자의 목적의식과 목표가 일관되게 반영될 수 있는 의사결정 절차를 확립하기 위해 평소부터 이러한 인식을 공유하고 주요한 정책 추진에 있어 맡은 분야에서 일관성 유지에 관심을 가져야 하며 특히, 전략 추진에 기본적 바탕이라 할 수 있는 군사적 능력 건설에 있어서 더욱 효과적인 체계를 갖출 수 있도록 노력해야 할 것이다.

다섯째, 지도자를 포함한 중앙행정부의 탁월한 위기관리 리더십과 일관된 목표추진을 위한 노력이 필요하다. 국가위기관리의 주체는 국가로서 중앙행정기관이 가장 중요한 역할을 수행하여야 한다.425) 물론, 각급 지방자치단체 등 위기관리 주관기관이나 유관기관, 실무기관 등의 역할도 중요하다. 하지만, 국가위기관리에 있어 그 무엇도 행정부의 역할보다 큰 것은 없다. 쿠바 미사일 위기 시 미국 대통령이었던 케네디와 그의 핵심 참모들은 위기관리에 있어 냉정하고 일관된 자세를 잃지 않음으로써 자신들과 다른 주장을 폈던 구성원들의 신뢰를 얻었고 결국 자신들이 구상하고 주도하는 위기관리목표를 이루어 낼 수 있었다. 위기라는 상황의 압박과 스트레스가 모든 결과의 최종적인 책임을 져야하는 대통령과 그 참모들에게 가장 크게 작용할 것임은 누구도 부인할 수 없는 사실이다. 당시 그들은 자신들이 원하는 최종적인 상태에 대한 구상과 그것을 이루기 위한 목표 설정에 있어 다행히도 일관성을 잃지 않았다. 위기과정이 진행되는 가운데 그러한 신념이 무너지거나 변화할 수 있는 상황 (U-2기 격추, 봉쇄조치 간 급박한 상황들)이 발생했지만, 그들은 반대편 참모들의 입장변화 요구에도 불구하고 자신들의 의지를 관철할 수 있는 추진력과 리더십을 발휘하여 위기관리를 성공적으로 실행하였다.

과거 한국의 지도자들은 위기관리에 있어 대통령 중심의 조치를 주로 실시해 왔다. 이러한 형태는 급박한 위기상황에 있어 신속한 대응이 가능하다는 장점이 있기도 하다. 그러나 이후 유사한 상황의 위기가 반복되었다거나 한국이 원하는 방향으로 상황이 바뀌지 않았다는 것을 생각해보면 위기관리에 성공했다고 평가할 수는 없다. 즉, 조치방법이 세련되지 못하고 많은 변수들을 고려하지 못한 근시안적 대책이었다는 것이다. 물론, 최종적인 선택 및 결심은 대통령의 권한이겠지만 좀 더 합리적인 의사결정을 위해서는 위기관리기구나, 국가안전보장회의와 같은 의사결정기구를 십분 활용하여 충분한 대안을 검토한 이후 합리적인 대안을 내릴 수 있는 정치적인 과정을 가질 수 있도록 하는 것이 중요하다. 특히, 이 과정에서 합리성의 확보를 위한 충분하고도 자유로운 의견 개진이 가능한 상황적인 환경이 조성되어야 할 것이다.

제5절 결 론

앞서 살펴본 바와 같이 1962년 10월 15일부터 28일까지 쿠바를 둘러싼 13일간의 위기는 성공적으로 종결되었다. 모든 인류를 파멸의 길로 몰아갈 수도 있었던 선택의 기로에서 미국과 소련은 합리적 선택을 함으로써 비극적인 충돌을 막을 수 있었다. 냉전이라는 국제체제의 구조적 속성 속에서 미국과 소련의 전략무기 경쟁과 체제대결은 쿠바 미사일 위기의 가장 근본적인 원인이라 할 수 있다.

클라우제비츠는 전쟁은 다른 수단에 의한 정치의 연속이라고 주장했다.[426] 이 말은 결국 국가 간의 행동은 군사적이든 비군사적이든 정치적인 대화(Political Talking)의 하나라는 것이다. 우리는 아주 어렸을 적부터 대화할 때 진실되고 사실에 입각해 나의 의사를 명확히 표현하도록 교육받는다. 국가 간 대화도 사실적이고 진실해야 한다. 서로를 신뢰할 수 없는 국제사회의 현실주의적 특성에서 이와 같은 주장은 설득력이 없을지도 모른다. 하지만, 적어도 쿠바 미사일 위기에서만큼은 미국의 진실되고 명확한 의사전달과 표현이 상대방의 합리적 판단을 유도하는데 있어 결정적인 요인으로 작용한 것만은 분명한 사실이다. 특히, 당시 위기관리를 지휘했던 케네디 대통령은 쿠바에서 미사일 철수가 미국의 직접적인 행동에 의해서 이루어져야 한다고 생각했다. 그래서 외교적 대응(말)과 군사적 대응(행동)의 상호 복합된 조치를 통해 의사전달의 신빙성을 높이고자 한 것이다. 케네디는 자신의 의도를 비밀스럽게 감추려고 하지 않았다. 오히려 오해를 불러일으킬 수 있는 부분에 대해서는 과감하게 양보하고 다양한 의사전달 채널(편지, 외교, 비공식)을 통해 다방면으로 자신의 의사를 전달하려고 노력했다.

이러한 사례를 통해 보았을 때 미래 한반도 위기상황 발생 시 이를 해결하기 위해서는 보다 진실된 입장에서 대화가 필요하다. 이 과정에서 과연 상대방에게 얼마만큼의 명확한 의사전달이 이루어졌는지에 대해 진지하게 고민하고, 의사전달과 행동의 일치성과 일관성을 유지하는 문제에 대해 많은 관심을 가지고 접근해야 한다. 또한, 위기 상대국과 외교적 채널 이외 다양한 의사소통 수단과 경로를 확보해야 한다. 예를 들어, NGO를 포함한 인도주의적 협력기구를 통한 대화를 시작으로 점차 외교적 확대를 통해 신뢰를 증진해나가야 한다.

여기서 우리가 잊지 말아야 할 것이 있다. 대화를 통한 평화적, 외교적 노력을 추구한다고 해서 군사적 대비를 게을리해서는 안 된다는 것이다. 쿠바 미사일 위기의 해결은 말과 행동이 결합되어 이루어졌다는 것을 상기할 필요가 있다. 따라서 북한을 포함한 주변국들과 위기가 발생할 경우, 이를 해결하기 위해서는 군사적 대비와 외교적 조치가 조화된 일관된 정책의 추진이 필요하다 하겠다.

제14장 비전통안보 위협과 국방의 역할[427)

제1절 서 론: 문제제기

일반적으로 국가들은 외부 위협으로부터 국민과 영토, 주권을 지키기 위하여 전통적으로 군대를 유지하고 있다. 이분법적인 위협 평가가 지배했던 냉전시대에는 국가들은 전쟁이라는 대재앙에 대비하기 위해 군을 발전시켰으며 다른 국가들과의 군사동맹 등을 통해서 이러한 전쟁 위협에 대비하였다. 이는 국제사회의 무정부성으로 인해 자신의 힘을 키워야 하고 그 힘을 바탕으로 자국의 안보를 위한 자구책을 강구해야 했기 때문이다. 그러나 자국의 힘만으로 안보를 확보한다는 것은 그리 쉬운 일이 아니기에 국가들은 다른 국가들과 협력을 추구하였으며 결국 두 가지 방법을 모두 이용하여 자국의 안보를 강구하였다.

냉전이 끝난 지금 지구상에서 전쟁이 사라진 것은 아니다. 그러나, 두 차례에 걸친 세계대전과 냉전 시 발생한 전쟁에서처럼 대규모 인명이 희생되는 전쟁은 크게 줄어들고 있는 것이 사실이다. 하지만, 전쟁이 아니더라도 여전히 대규모 인명 피해가 발생하고 있다. 2001년 발생한 9.11 테러는 2,752명의 희생자를 냈으며, 2004년 쓰나미는 22만 명, 2008년 중국 쓰촨성 대지진으로는 8만여 명, 2010년 아이티 강진으로는 무려 22만 2,500여 명이 넘는 사망자가 발생하였다. 그리고 한국은 물론 전 세계적인 대유행으로 번진 COVID-19로 인한 사망자는 600만 명이 넘는 것으로 보고되고 있다.

『재난 및 안전관리 기본법』에서는 재난을 국민의 생명, 신체, 재산과 국가에 피해를 줄 수 있는 것으로 정의하고 있으며, 영향을 미치는 요인을 기준으로 자연재난, 인적재난, 사회적 재난 등으로 구분하고 있다. 자연재난은 태풍, 홍수, 호우, 폭풍, 해일, 폭설, 가뭄, 지진, 황사 그밖에 이에 준하는 자연현상을 인하여 발생하는 재해를 말하며, 인적재난은 화재, 붕괴, 폭발, 교통사고, 환경오염사고 및 그 밖에 이와 유사한 사고로 피해를 주는 재해, 사회적 재난은 에너지, 통신, 교통, 금융, 의료, 수도 등 국가기반체계의 마비와 감염병 확산 등으로 인한 재해를 의미한다.

한국에서도 매년 많은 수의 국민들이 재난으로 인해 생명을 잃고 있다. 이번에 발생한 COVID-19 사태에서도 한국은 국제사회에서 잘 관리했다는 평가를 받고 있음에도 불구하고 수백 명이 사망하였다. 이런 상황 속에서 국민의 재산과 생명을 위협으로부터 지켜야 하는 군은 초국가적 위협인 국가적 재난으로부터 국민의 재산과 생명을 보호해야 할 의무가 있다는 점이 최근에 강조되고 있으며 그 필요성 또한 인정하지 않을 수 없다. 국민들의 안전의식은 최근 급격하게 높아지고 있으며 개인보호 욕구도 지속적으로 상승하고 있다. 이에 따라 재난 예방 및 대응 그리고 피해 복구에 대한 국가책임은 더욱 커짐과 동시에 중요시되고 있다. 따라서 가장 대표적인 공공재(public goods)로서 국민을 위한 공공서비스를 제공해야 하는 군은 전통적인 임무 이외에도 사회 안정 도모를 위한 노력에도 적극적으로 참여하는 것이 시대적 요구이자 국민적 요구로 확대되고 있다.428)

대한민국 헌법 제5조 2항은 "국군은 국가의 안전보장과 국토방위의 신성한 의무를 수행함을 사명으로 하며...."라고 규정짓고 있는데 여기서 말하는 국가의 안전보장이 이제는 전통적인 안보위협뿐만 아니라 재해 및 재난을 포함한 비전통적 안보위협을 망라한다는 것이라 할 수 있다. 물론, 현재 군은 피해 복구과정에서 '지원'의 개념으로 사회적 재난 극복에 기여하고 있는 것은 사실이다. 하지만, 많은 국민들이 해마다 재난으로 인해 인적, 물적 피해를 입고 있음을 고려할 때, 현재보다 더욱 적극적이고 공격적인 대비와 준비 차원에서 역할이 필요할 것으로 보인다.

이에 본 장에서는 비전통안보 위협이 증대됨에 따라 발생할 수 있는 대규모 재난 발생 시 국방의 역할에 대하여 탐구하고자 한다. 특히, 본 장은 2020년 한국을 강타한 COVID-19에 초점을 맞추어 대규모 감염병 발생 시 군의 역할에 연구 중점을 맞추고자 한다. 비전통안보 위협 중 보건안보의 위협은 2000년대를 들어 세계화와 도시화, 환경오염에 기인하여 사스, 조류 인플루엔자, 에볼라, 메르스 유행 등 점점 심각한 파급력을 보이고 있다. WHO는 2003년 사스 코로나 바이러스 발생으로 21세기 최초로 국제보건규약(International Health Regulation, IHR)에 근거하여 공중보건비상(Public Health Emergency) 사태를 선포하였고,[429] 그 후 국제보건규약(IHR)을 대대적으로 수정 보완하여 2005년 제3판으로 개정하여 현재까지 적용하고 있다.

이렇게 점차 파급력이 높아가고 있는 대규모 감염병과 관련하여 본 장에서는 단순히 복구 차원에서 국방의 역할뿐만 아니라 예방, 대비, 대응을 포함한 위기관리체계 전반에 있어 국방의 역할이 무엇일까를 고민하였다. 따라서 미래 대규모 감염병 발생을 포함하여 비전통적 안보위협의 증대에 따른 국방정책의 방향성을 설정하는데 기여하는 것이 본 장의 핵심 목적이라 할 수 있다. 연구 목적을 달성하기 위해 우선 비전통안보의 개념을 설명하고 비전통안보 확대에 따른 국방의 역할은 무엇인지를 정립할 것이다. 이후 최근 발생한 COVID-19에 대한 분석을 실시함에 있어 COVID-19 사태의 개요를 알아보고 대처 과정이 국방에 주는 함의를 도출한다. 마지막으로, 이러한 분석을 바탕으로 대규모 질병 발생 시 국방은 과연 어떠한 역할을 하여야 하는지를 제시하고 정책적 함의를 도출할 것이다.

제2절 안보 개념의 변화

2.1. 위협의 다변화와 안보 개념의 확대

국가안보의 핵심 논제는 "무엇을 누구로부터 어떻게 지켜내느냐"의 문제라고 할 수 있다. 과거 국가들은 안보를 위해 상대국가의 군사적 위협에 집중하였다. 즉, 상대국가들의 물리적 힘의 존재 여부가 안보위협의 핵심 요인이었다. 그러나 최근에는 다양한 위협들이 군사적 위협 그 이상으로 국가안보를 위협하고 있다는 인식이 커져가고 있다. 예를 들어, 에너지, 기후변화, 자연재난, 불법이민, 인신매매, 해적, 감염병 등이 주요 위협으로 등장하고 있다. 물론, 이러한 위협들이 과거에 없었던 것은 아니다. 그러나 최근 각 국가 간 교류가 활발해지고 인권에 대한 인식이 변화함에 따라 위협의 폭이 횡적, 종적으로 확대되고 있는 것이다.

국가안보 개념은 시대 환경과 국가들의 행동방식이 변화함에 따라 진화하여왔다. 냉전시대 국제정치는 국가들에 의한 군사적 대결 구도가 주요 현상이었으나 냉전의 종식과 세계화는 국가 간 군사적 대결보다는 다양한 분야의 복합적 질서로 체제 변화를 가져오게 하였다. 즉, 냉전체제가 종식되고 국가들 사이의 사회, 경제적인 상호의존성이 급격하게 증가함에 따라 안보 개념도 변화해왔다. 국내적으로는 민주주의와 인권이 신장되면서 정부 정책에 영향을 줄 수 있는 집단이 많아지고 국민들의 복지요구도 확대됨으로써 안보의 개념도 변화하였으며 위에서 말한 다양한 위협의 등장으로 인한 국민들의 피해 발생은 국가안보 개념의 확대를 가져오게 하였다.

일반적으로 안보 개념은 크게 전통적 안보와 비전통적 안보로 구분할 수 있다. 전통적 안보(traditional security) 개념에서는 안보의 객체도 국가이며, 주체도 국가라고 할 수 있다. 즉, 국가가 다른 국가로부터 자신의 영토, 주권, 국민을 보호하는 개념이라고 할 수 있다. 따라서 국가안보 문제 발생의 주요 원인을 외부로부터 군사적 위협으로 간주하였으며 국가안보를 '국가의 생존을 외부의 군사적 위협으로부터 지켜내는 것'이라 정의하였다.430) 이렇듯 전통적 안보 개념은 위협을 군사적인 것에 집중함으로써 그 대응책도 군사적인 방법으로 강구하였다. 즉, 군사 위협에 대한 군사적 대응이 안전보장의 핵심적 수단이었으며 이러한 수단을 갖기 위한 노력을 지속적으로 꾀하게 되었다. 결국, 전통적 안보 개념하에서 안보 확보 방법은 자국의 군사적 능력을 직접 증대시키거나 군사동맹을 통해 자국의 능력을 보강하는 방법이 주로 강조되었다.

그러나 국제적 안보 체계가 점차 복잡하게 변화하면서 국가안보란 단순히 외부의 군사적인 위협으로부터 자국을 지키는 것이 아니라 국제사회에서 자국이 추구하는 가치와 이해를 보존하고 확대시키는 것으로 진화하였다. 따라서 국가안보란 외부로부터 군사적 침략을 물리칠 수 있는 능력을 보유하는 것 이외에도 적극적인 국가적 능력의 관점에서 보면 한 국가가 국가이익을 보호할 뿐만 아니라 국가이익을 적극적으로 추구할 수 있는 능력을 보유하는 것을 의미하게 된 것이다.

21세기 국가안보는 전쟁 또는 국가 간 분쟁에 집중하는 군사적 안보의 개념이 아닌 경제, 사회, 외교, 환경, 사이버, 감염병 등 국가 활동의 제 분야가 포함된 안보로 변화하고 있다. 이는 전통적인 정치, 군사 위주의 안보 개념이 비정치적, 비군사적 개념까지 포함하는 다변적인 개념으로 재정립됨을 의미한다. 이러한 비전통적인 안보 개념은 다음과 같은 특징이 있다. 첫째, 전통적 안보 개념과는 다르게 비전통적 안보에서는 국경선의 의미는 그다지 크지 않다. 과학기술의 발달로 인해 엄청난 양의 정보가 손쉽게 세계 곳곳으로 전송될 수 있고, 국경을 물리적으로 공격하지 않아도 상대국을 혼란에 빠뜨릴 수 있는 현 시대적 안보 상황에서는 국경선의 가치가 점차 줄어들고 있는 것이다. 둘째, 적국과 우방국의 구별도 뚜렷하지 않다. 냉전시대와 같이 이념의 대립으로 동, 서 양 진영으로 분리되지 않으며 하나의 지구촌을 형성하고 있는 현시대는 명확한 적국이 존재하지 않는다. 셋째, 비전통 안보에 대한 위협은 한 국가만의 힘으로 감당할 수 없다. 지구 온난화로 인한 자연재해, 대규모 감염병, 테러, 환경오염, 지진, 쓰나미 등의 위협은 초국가적인 특징이 있다는 것이다.

<표 14-1> 전통적 안보와 비전통 안보의 개념 비교

구분	전통적 안보	비전통적 안보
시기	냉전시대	탈냉전 및 9.11 이후
주요위협	타국의 군사력	군사 및 비군사위협 (테러, 마약, 감염병, 난민 등)
안보목표	군사적 안전보장	군사적 안전보장 및 국민의 복지증진
안전보장방법	군사력 증대/동맹	국제적 협력체제 강화

여기서 중요한 것은 비전통적 안보와 전통적 안보가 상호 독립적인 개념이 아니라는 것이다. 전통적 안보가 집중했던 군사적 안보의 비중이 점차 줄어드는 것은 사실이나 군사적 안보의 중요성

자체가 소멸된 것은 아니다. 오히려 군사안보가 그 중요성을 잃었다기보다 사회안보, 인간안보, 환경안보 등의 비전통적 안보와 연계성이 강화되었다고 할 수 있다.

2.2. 안보 개념 확대와 군의 역할

재난을 관리하는 체계는 경계성, 불확실성, 특수성, 상호작용성, 복잡성이라는 5가지 특징을 지니고 있다. 경계성이란 위험 발생 요인을 체계적으로 관리함으로써 재난에 대한 경계를 효율적으로 수행할 수 있다는 것을 의미하며, 불확실성이란 재난이 발생할 때 그로 인해 피해가 발생한다는 사실은 알려져 있지만 재난이 발생할 확률, 규모와 시기를 사전에 알 수 없다는 것을 뜻한다. 특수성이란 일반 행정체계와는 다르게 표준운영절차 등을 표준화시킬 수 없음을 의미하고 상호작용성이란 재난이 발생하였을 경우 재난 자체와 피해 인원 및 시설이 서로 영향을 미치면서 사건이 전개되는 것을 말하며 복잡성은 재난의 종류와 유형이 복잡하다는 것을 의미한다.

이러한 특징을 지닌 재난에 대해 군이 할 수 있는 역할은 크게 세 가지 단계로 나누어 생각해 볼 수 있다. 첫째, 예방적 차원의 역할이다. 군은 각 지역별로 산재하여 주둔하고 있어 지역 유관기관과 협의하여 지역 내 재난 관련 시설에 대한 정비, 대비 물자 준비 등 재난 예방 임무를 수행할 수 있다. 둘째, 재난 발생 시 초동 대응기관으로서 역할 수행이 가능하다. 한국군은 당면한 북한의 군사적 위협에 대비해 상시준비태세를 구비하고 있으며 명확한 지휘통제 원칙에 따라 기민하게 반응할 수 있는 장점을 가지고 있다. 이러한 군의 특성을 통해 재난 발생 시 신속하게 대처

함으로써 확대를 예방하는 초동 조치기관으로서 역할을 충분히 수행할 수 있다. 셋째, 피해 복구 및 재건 활동과 지원 임무를 수행할 수 있다. 군은 국가 재난 발생 시 충분한 노동력과 장비를 제공할 수 있다. 즉, 한국군은 국가의 어떤 조직보다 많은 인력과 각종 장비와 기계를 보유하고 있다. 따라서 이를 체계적으로 신속히 제공한다면 재난 복구 간 유용하게 활용이 가능하다.

안보의 핵심적인 목표는 결국 위협으로부터 국민과 국가 그리고 주권을 지켜나가는 것이라고 할 수 있다. 비전통적 안보위협의 경우 초국가적이고, 예측하기 어려우며, 불특정 다수를 목표로 한다는 특징을 가지고 있어 비전통적 안보위협에 대한 대처는 국가 내부적으로는 범정부적 차원에서 이루어져야 하며, 국제적으로는 국가 간 긴밀한 협력 체계를 이루어서 시행되어야 한다. 이러한 범정부적 노력에 전문화된 인력과 장비, 체계 등을 가지고 있는 군의 역할은 매우 중요하다고 할 수 있을 것이다.

위협의 변화로부터 안보 개념이 변화하였듯이, 위협으로부터 국가를 지키는 역할을 수행하는 군도 변화된 위협으로부터 국가의 이익을 지켜나가는 역할을 수행하여야 할 것이다. 전통적 관점에서 군은 군사적 위협으로부터 국가를 보위하고 전쟁을 억제하며, 만일 억제 실패 시 가장 효과적으로 전쟁을 수행하여 국가와 국민의 재산을 지키는데 그 존재 가치가 있었다. 그러나 현재 국가의 위협이 전통적 위협과 비전통적 위협을 모두 포함하고 있으므로 군도 이러한 다변화된 위협으로부터 국가와 국민의 안전을 다각적으로 보장해야 할 것이다. 즉, 전쟁이라는 전통적 위협뿐만 아니라 전쟁 이외의 위협으로부터도 국민의 재산과 생명을 보호하는 것도 군의 주요 임무라 할 수 있을 것이다. 따라서 비전통적 위협의 하나라 할 수 있는 대규모 감염병 발생과 같은 국가 재난으로부터 국민을 보호하는 임무는 이렇게 변화된 안보 및 위협의 개념을 살펴볼 때 군의 주요 역할이라 할 수 있다.

지금까지 북한의 군사적 위협에 대응을 가장 중요한 임무로 삼아왔던 한국군에게 있어 안보 개념의 변화는 주의 깊게 해석할 필요가 있다. 즉, 안보 개념의 변화가 북한의 위협 감소를 의미하는 것은 아니기 때문에 한국군은 북한 위협에 대응하는 것과 동시에 다른 안보문제에서도 역할을 수행해야 할 필요성이 있다는 것이다. 따라서 군은 전통적 안보위협에 대응하면서도 비전통적 안보위협에도 대응할 수 있는 이른바 "다재성(versatility)을 갖춘 적응군(adaptive military"을 지향해야 할 것이다.431)

제3절 사례분석: COVID19 사태 분석

3.1. 초기 COVID-19 특징과 한국의 국가 감염병 대응 수준

감염병이라는 용어는 과거 사람들 사이에 전파되는 질환만을 지칭하던 전염병보다 포괄적인 접근으로 2009년 『기생충질환예방법』과 『전염병예방법』을 통합하여 『감염병예방법』으로 개정되면서 본격적으로 사용되기 시작하였다. 감염병의 일종인 COVID19은 SARS-CoV-2 감염에 의한 호흡기 증후군으로 『감염병 예방 및 관리에 관한 법률』에 의거 임상 양상과 역학적 특성에 대한 정보가 명확히 밝혀져 있지 않아 '제1급 감염병432)'으로 분류되었다. 병원체는 Coronaviridae의 RNA 바이러스로 전파 경로는 기침, 재채기를 통한 호흡기 비말 전파, 오염된 물건을 만진 뒤 눈, 코, 입을 접촉한 전파이며 잠복기는 1~14일(평균 4~7일)이다. 그 증상으로는 성인의 경우 발열 없는 감기를 일으키며, 발열, 콧물, 권태감, 기침, 호흡곤란 등 경증이 80%이나 폐렴, 급성호흡곤란 증후군 등 중증도 가능한 것으로 보고되었다.[433] 또한, 가래, 인후통, 두통, 객혈, 오심, 설사 등도 드물게 나타나며, 미각과 후각 이상 등의 증상도 보고되고 있다.

한국은 2015년 메르스 사태 이후 WHO의 보건안보대응에 관한 국제적 합동외부평가(Joint External Evaluation, JEE) 결과 '우수'로 평가된 바 있다.[434] 세부적으로는 예방, 탐지 및 대응 분야 48개 지표 중 29개 지표(60.4%)에서 지속 가능 역량(계속 수준 유지 요망), 15개 지표(31.3%)에서 입증된 역량(보완 필요), 4개 지표(8.3%)에서 개발된 역량(많은 노력 요구됨)이었다. 그러나 높은 점수에도 불구하고 JEE 평가단은 한국의 자기만족 위험을 경고하며 지속적인 다분야 협력과 공중보건 핵심기능에 대한 안정적 투자가 있을 때만 높은 수준의 역량을 지속할 수 있음을 조언하였다. 2019년 당시 한국의 글로벌보건안보 지수(Global Health Security Index)는 70.2점으로 195개국 중 9위로 미국, 영국, 네덜란드, 호주, 캐나다, 태국, 스웨덴, 덴마크 다음이었다.

한국이 아무리 국제적으로 공중보건 및 감염병 대응능력이 '우수'하다고 하더라도 전 지구적 교통 발달 및 교류 증가로 36시간이면 어떠한 감염병도 전 세계에 급속도로 전파될 수 있는 상황에 노출되어 있다. 실제로 한국은 국제교류 활성화 및 해외여행객의 증가로 말라리아, 뎅기열의 지속적 해외유입과 아울러 그동안 국내에서 발생되지 않았던 유비저(2011년), 웨스트나일열(2012년), 치쿤쿠니야열(2013년), 지카바이러스(2016년) 등이 해외유입 사례로 발생하였고, 2015년에는 1명의 메르스 환자의 국내 유입으로 185명의 추가 확진자와 38명의 사망자가 발생하였다. 이는 해외유입 감염병이 국가안보의 위협 요소로 작용함을 명확히 보여주는 것이라 할 수 있다.[435]

3.2. COVID-19 발생 초기 정부 대응 분석

COVID-19는 최초 2019년 12월 중국 우한에서 원인 미상의 폐렴 환자 44명이 보고되면서 세계적인 주목을 받았다. 2020년 1월 7일 중국 보건부에서 새로운 타입의 코로나바이러스가 분리되면서 2월 11일 WHO에서 중국 우한에서 발생한 신종 코로나바이러스 감염증의 명칭을 COVID-19로 명명하였다.436) 2020년 1월 11-12일, 중국 보건부에서 역학조사를 통하여 우한시 화난 해산물 시장의 노출력을 보고하였고, 이후 한국에서 1월 20일 COVID-19 해외유입 확진 환자가 최초로 확인되면서 감염병 위기 경보 수준이 '관심'에서 '주의' 단계로 상향 조정되었다.

이후, 중앙방역대책본부와 시도 방역대책반이 가동되어 환자감시체계, 진단검사, 환자 및 접촉자 관리 강화 등 24시간 비상대응체계를 가동하여 전 국민 감염병 예방수칙 준수를 강조하였고, 1월 24일부터 시도 보건환경연구원에서 24시간 진단검사를 실시하였다. 그러나, 이미 이때 동남아시아 지역으로 확산 가능성이 있음에도 불구하고 질환 감염사례를 중국 우한 여행객으로 한정함으로써 감염된 환자의 검사 및 진단을 적시에 실시하지 못하는 상황이 벌어졌다. 결국, 1월 26일 이후 조사대상 유증상자를 중국에서 입국한 유증상자로 확대하였다.

1월 27일 네 번째 확진 환자가 발생하며 감염병 위기 경보가 '경계' 단계로 격상되었고 신종 코로나바이러스 감염증 중앙사고수습본부 설치, 국방부, 경찰청, 지자체 등에 약 250여 명의 검역지원 인력 요청 및 배치, 시군구별 보건소 및 지방의료원 등에 선별진료소 지정, 의심환자 발견 시 의료기관 대응조치 홍보, 중앙감염병 전문병원(국립중앙의료원)의 기능을 코로나19 전문치료로 전환하였다. 중앙사고수습본부는 선별진료소 공개, 감염증 의심 시 사전 질병관리본부 콜센터(1339) 또는 보건소에 신고하도록 하여 병원 내 전파 위험 차단을 유도하고, 환자 접수 및 문진 단계에서 ITS(해외 여행력 정보제공 프로그램), 약물 처방 단계에서 DUR(의약품안전사용서비스) 및 건강보험공단 수진자 자격조회시스템 등을 활용하였다.437)

1월 30일 대통령 주재 코로나19 대책 종합 점검회의에서 대처상황 및 범정부적 대책을 논의하여 해외유입 차단을 위해 국방부 인력 106명을 추가로 배치하고 방역 관련 예산 선집행 및 예비비(2조) 집행을 결정하였다. 2월부터 위기 대처를 위한 컨트롤타워를 중앙사고수습본부로 확대하였으며 보건소 선별진료소에 이동형 X-선 장비 예산(188억원) 지원, 보건용 마스크와 손 소독제의 매점매석 점검 실시, 선별진료소(532개) 확대, 1339 콜센터 상담 인력 증원 등이 이루어졌다.

2월 4일 중국 후베이성을 방문 또는 체류한 외국인의 입국을 금지하였으나 그 외 중국 지역으로부터 입국하는 중국인의 경우 특별입국절차를 거쳐 입국을 허용하였다. 또한, 마스크 관련하여 밀반출 또는 매점매석 사례가 지속적으로 발생하여 마스크 수급 안정화가 지연되기도 하였다. 2월 초까지는 수일에 1-3명 확진자가 발생되면서 감염 종식에 대한 기대감이 있었으나 2월 중순부터 감염자 접촉이나 해외여행 이력이 없는 확진자가 발생하였고, 2월 20일경 31번 확진자를 통해 대구 신천지교회에서 14명의 확진자가 추가되고, 군에서도 제주 해군부대에서 최초 확진자가 발생하였다.

2월 20일 전국 COVID-19 확진자 증가에 따라 코로나19 중앙임상 TF가 신종감염병 중앙임상위원회로 확대 개편 운영되면서 COVID-19의 특성을 분석하였는데 ① 초기 바이러스 배출량이 높고, ② 질병의 증상과 X-선 소견이 불일치하며, ③ 무증상 또는 경미한 증상 시 진단 전에 지역사회 감염 확산이 가능하고, ④ 평균 치사율은 메르스보다 훨씬 낮지만, 기저 질환자나 고령자의 경우 치사율이 더 높아질 수 있으며, ⑤ 대유행이 겨울철에 재발할 수 있으므로 빠른 치료제 및 백신 개발이 절실하다는 것이었다.

확진자 수는 2월 20일 104명, 21일 204명으로 급증하기 시작하였는데 정부는 2월 21일 감염병 위기 단계를 '심각'으로 격상을 검토하였고 24일 '심각'으로 격상하였다. 31번 확진자 발생 이후 확진자가 대폭 증가하였는데 대부분 종교시설, 병원, 체육시설 등 밀폐된 공간에서 집단감염 양상이 주를 이루었으며 확진자가 일 400~600명 증가하면서 3월 초에 7,000명을 돌파하였다. 중앙재난안전대책본부는 확진자 급증에 따라 병상 및 인력, 물자 확보에 총력을 기울이고, 80%가 경증임을 고려하여 경증 환자를 위한 생활치료센터를 지정하였고 또한 대구 경북지역을 특별재난지역으로 지정하고 공공의료시설, 국방부 의료인력 등의 추가 지원 요청하였다.

최초 정부의 대응에 대해서는 감염병 위기 대응에 있어서 지역사회 확산 단계에서 보다 선제적이지 못한 대처, 경계 단계에서 심각 단계로의 의사결정 지연 등에 대한 사회적 비판이 확산되었다. 그러나, 4월 말 고강도 사회적 거리두기, 개학 연기, 집단시설 운영 중단 권고 등의 전략을 통해 4월 3일 기준 확진자 1만 명 돌파 이후 확진자 증가추세가 현저하게 감소하였다. 전염병 발생 초기 정부의 대응에 대해서는 긍정적, 부정적 견해가 공존하고 있다. 특히 미국 및 유럽에서 COVID-19를 적절히 대처하지 못해 엄청난 규모의 사상자가 발생한 것과 비교하여 한국의 대처가 상당히 효과적이었던 것은 사실이다. 외국에서는 초기 한국의 대응을 다음과 같은 이유로 긍정적으로 평가하였다. 첫째, 드라이브스

루, 공중전화 부스 형태 진료소 구축, 집단감염자의 검사 비용과 확진자들의 검사 비용 무료 등 광범위한 검사(Widespread Testing), 둘째 정부가 마스크 착용을 권고하고 국민도 자발적 마스크 착용 및 사회적 거리 두기(Social Distancing)의 대대적인 실천, 셋째 확진자가 발생하자마자 진단 키트를 빠르게 개발하고 정부가 이를 곧바로 승인하는 등 초기 단계에서의 발빠른 대응(Early Preparation), 넷째 확진자의 동선을 휴대폰 신용카드 사용내역을 참조해 추적하고 이를 대중에게 공개해 해당 장소 방문시 주의하도록 위치추적(Contact Tracing)을 시행한 점 등이다.

그러나 몇 가지 미흡한 부분이 존재했던 것도 사실이다. 첫째, 감염병 발생 대비를 위한 보건의료자원(감염병 전문치료 병원 및 격리시설, 역학조사관, 감염병 치료 의료인력) 부족 및 관련 운영 기준 부재,[438] 둘째 중국에서 국내로 입국한 외국인 관리 미흡 및 유행지역 확대와 의약품안전사용서비스 관련 지역 확대 등 검역 대응체계 미흡, 셋째 감염병 재난대응 컨트롤타워의 기능 부족 등이 지적되었다.[439] 이와 함께 중국 등 국제사회와 외교 문제 발생 가능성, 격리대상지 지원 문제, 초중고 학교 휴교 시 조치, 국내소비 위축과 소상공인 영세업자 피해, 관광 및 여가 등 서비스업 활동 위축 등 여러 부처 간 조정과 협력이 필요한 문제들이 발생하기도 하였다.

3.3. COVID-19 사태 초기 국방부의 대응

국방부는 확진 환자 최초 발생 후 '20년 1월 23일 전군에 '군 발열 환자 관리지침'을 하달하였고 국군의무사령부 내 의료 종합 상황센터와 연계한 국방부 방역대책반 운영, 질병관리본부 중앙방역대책본부 핫라인 구축 등 위기관리 대응체계를 구축하였다. 1월 28일, 국방부 내 방역대책본부를 구성하여 매일 상황 점검을 통해 군 내 감염병 유입차단 대책 마련 등 총력 대응을 시작하였다. 또한, 군 병원 응급실 감시체계를 활용하여 24시간 감염병 모니터링 체제를 가동하였으며, 중국을 방문한 장병 124명을 예방 차원에서 격리하고 각급 부대 복귀 인원, 외부 출입자 전원에 대한 체온을 측정하였다.

2월 초 공항, 항만, 검역소 21개소에 의료인력과 일반병력 200여 명을 투입하여 역학조사, 검역업무, 특별 입국절차 업무, 통역 업무 등을 지원하였다. 이어 217명의 일반병력과 통역 자원을 추가 지원하여 2월 말에는 군 지원 인력이 의료인력 300명을 포함하여 1,130명에 달하였다. 2월 20일, 제주에서 군내 최초 환자가 발생한 후 복지부 기준 격리와 함께 예방적 격리도 적용하였다. 2월 22일 장병 휴가, 외출, 외박, 면회를 전면 통제하였으며, 필수훈련을 제외한 야외훈련 중지, 입영 연기, 군 주관의 대규모 행사, 장거리 행군 등을 자제하였다. 이후, 감염확산이 심각해지면서 대구와 영천 지역의 부대를 봉쇄하였고 비상근무체제로 돌입하게 되었다.

2월 28일 긴급 전군 주요지휘관 회의를 열어 현 상황을 준전시로 간주하여 COVID-19에 대응할 것을 선포하였다. 국방부는 대구와 경북지역에 가용자원을 최대한 투입하였고 국방부 COVID-19 대책본부 본부장을 차관에서 장관으로 격상시키면서 군내 감염확산 차단은 물론 범부처 대응지원, 군사대비태세 유지 등을 주요 과제로 추진하였다. 일례로 국방부는 범정부적 대응에 호응하여 출장, 회식 등 군내외 대면 활동을 전면 금지하였고 영내 외 종교행사 중지는 물론 회의는 화상회의로 실시하고 대면보고 자제 지침도 하달하였다. 뿐만 아니라 군은 군 병원 의료인력의 약 1/3을 전국 공항, 항만, 검역소, 대구 경북지역으로 파견하였으며 대구 경북지역에 추가 의료인력 지원을 위해 새로 임관한 국군간호사관학교 졸업 장교들과 의무 수의사관을 국군대구병원에 투입하였다. 3월 12일부터는 국방 신속지원단을 편성하여 5개 분야(방역, 수송, 물자, 시설, 복지) 지원팀으로 구성하여 통합적 군수지원을 시작하기도 하였다.

군 외부에서 재난이 발생하는 경우 국방부는 지원부서로서 주무 정부 부처의 요청을 받고 지원하는 역할을 한다. 감염병 위기 시에는 보건복지부로부터 요청을 받아 인력, 장비, 시설 등을 지원하며 군 내에서 발생하는 감염병 위기에 대하여 의무사령부를 중심으로 대응하는 것이 원칙이다. COVID-19 사태 초기, 국방부는 빠르게 중앙재난안전대책본부에 발맞추어 대응하였고 적극적으로 지원하였다. 인력 지원, 감염병 전담치료병상 제공, 필수 물자 포장 및 수송 지원 등은 국가위기, 특히 비전통 위협 시 군의 지원역량이 위기 대응에 얼마나 큰 역할을 하는지 보여주었다고 할 수 있다. 또한, 모든 병력의 외출, 외박, 휴가 통제, 종교활동 및 야외훈련 차단, 접촉자 예방적 격리 추가 적용을 통해 군 내부는 물론 외부 감염병 전파 예방을 위하여 최선을 다했다고 평가할 수 있겠다.

그러나 2월 20일 이후로 간부의 감염전파가 다수 발생하기도 하였고, 자가격리지침 미준수 사례들이 확인되기도 하였다. 이는 국내 대규모 감염병 위기 발생 시 병사와 함께 간부들에 대한 감염 차단의 중요성을 보여주는 것이라 할 수 있으며 지속적인 감염병 관련 예방 교육 및 지침의 필요성을 보여주는 사례라고 할 수 있다.

제4절 대규모 감염병 발생 시 국방 분야 대응전략

4.1. 군 내부적인 차원

우선, 경계태세와 작전준비태세 유지 측면에서 감염병은 강력한 전염성을 가지고 있어 집단생활을 하고 있으며 상대적으로 열악한 의료체계를 가지고 있는 군사지역으로 전파될 경우 경계 태세와 작전준비 태세에 부정적인 영향을 미칠 수 있다. 특히, 좁은 공간에서 장기간 작전 수행을 위해 밀접접촉과 집단생활을 하는 경우 더 큰 문제가 발생할 가능성이 크다. 예를 들어, 해군의 전투함, 혹은 잠수함에 탑승하는 전투 병력들은 전문특기를 가지고 있어서 감염병이 확산될 경우 이를 대체할 수 있는 자원이 부족하여 경계와 작전에 공백이 크게 발생할 가능성 있다. 공군의 경우에도 전투기 조종사, 정비인력 등 단기간에 양성이 어려운 병력들이 대량 감염될 경우 유사시 즉각적으로 대응할 수 있는 대체병력이 제한되어 작전태세에 막대한 지장을 초래할 가능성이 있다. 따라서, 군은 특별히 단기간에 양성이 어렵고 대체가 어려운 군종과 병과에 소속된 병력, 좁은 공간에서 장기간 밀접접촉을 하게 되는 전투 병력들, 국가 비상사태 발생 시 즉각적으로 투입해야 하는 신속대응 전력들에 우선순위를 두고 위생관리와 감염병관리를 집중적으로 해나갈 필요가 있을 것이다.

둘째, 병영 생활 관리와 전투력 유지를 위해 집단생활을 하는 병영에서 감염자 발생 시 비감염자와 격리 방안을 사전에 강구할 필요가 있다. 현재 운용 중인 내무반을 활용하여 분리하는 방안을 우선적으로 강구할 필요가 있으나 접촉 최소화를 위해 별도의 공간 마련 계획도 필요하다. 집단감염 발생 시 대대 또는 연대별 환자 관리계획을 사전에 마련할 필요가 있으며 의무지원 계획 등을 통해 격리, 치료, 후송 등에 대한 자세한 매뉴얼 작성도 필요하다. 또한, 사태 장기화 시 또는 사회적 거리 두기로 인해 발생할 수 있는 장병들의 심리적, 육체적 피로도 감소 방안이 필요하다. 예를 들어 장기간 휴가, 외박, 외출 등의 금지 및 자제가 이루어질 경우, 영내에서 장병들의 피로도를 줄일 수 있는 자체 프로그램을 개발하여 시행하거나 심리적인 안정을 유지하기 위해 전문 병영 심리 상담관 등의 활동을 강화할 필요도 있을 것이다.

셋째, 위기 사태에 따라 맞춤형 교육훈련과 연습 시행 방안 등이 마련되어야 할 것이다. 대규모 감염병이 오랜 기간 계속된다면 신병 입대훈련부터 각급 부대 전술훈련(모의훈련, FTX 등)에 이르기까지 정상적인 교육훈련과 군사연습의 수행이 제한될 것이다. 하지만, 군의 전투력을 유지하기 위해서는 교육훈련이 필수적이다. 따라서 감염병의 확산을 고려한 교육훈련 기법을 개발할 필요가 있을 것이다. 예를 들어, 훈련 규모와 시행방식을 조정하는 가운데, 모의훈련과 화상훈련을 이용한 훈련 기법 개발 등이 필요할 것으로 보이며 대규모 전술훈련을 소규모로 축소하면서도 유사수준의 효과를 달성할 수 있는 방법, 개인훈련 집중기간과 대규모 전술훈련 집중기간을 시기적으로 구분하여 전반적인 훈련체계를 조정하는 방안 등을 강구해야 할 것이다.

이와 함께 교리적인 차원의 준비도 사전에 필요할 것이다.440) 즉, 감염병 관리체계를 예방-대비-대응-복구로 나누어 준비할 필요가 있다. 이러한 교리는 의무요원(군의관, 간호장교 등)만을 위한 교리가 아닌 장병 모두가 숙지할 필요가 있다. 감염병의 경우 집단생활을 하는 군인은 특히 취약하기 때문에 비전투손실 예방 차원에서 절실히 필요할 것이다. 또한, 국민을 지키는 군으로서 피해를 최소화하기 위한 준비 차원에서도 반드시 필요하다고 할 수 있을 것이다.

<표 14-2> 군 주요 교육과정 내 재난안전 교육시간(육군 보병장교 기준)441)

(입대)　　　　　(임관)　　(5년)　(10년)

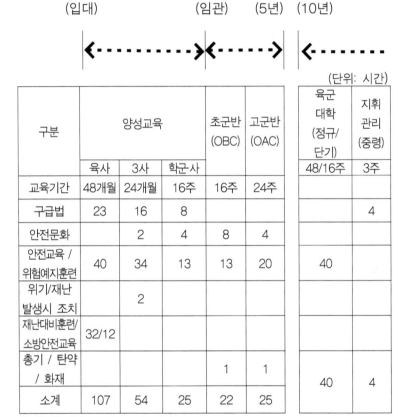

(단위: 시간)

구분	양성교육			초군반 (OBC)	고군반 (OAC)	육군 대학 (정규/ 단기)	지휘 관리 (중령)
	육사	3사	학군·사			48/16주	3주
교육기간	48개월	24개월	16주	16주	24주		
구급법	23	16	8				4
안전문화		2	4	8	4		
안전교육 / 위험예지훈련	40	34	13	13	20	40	
위기/재난 발생시 조치		2					
재난대비훈련/ 소방안전교육	32/12						
총기 / 탄약 / 화재				1	1	40	4
소계	107	54	25	22	25		

넷째, 군 내부 교육을 강화할 필요가 있다. 현재 군 간부들의 경우 재난 안전관리에 대한 지속적인 교육을 받아오고 있어 어느 정도 위기관리 능력을 갖추고 있다고 평가되고 있다. 그러나 이러

한 교육의 경우 군 내부 재난관리에 집중되어 있다. 사회적 재난에 대한 군의 역할이 증대되고 있음을 고려할 때 군 간부들의 역량 강화가 필요하다. 이러한 교육은 보수교육 과정에 반영되어야 할 것이다. 특히, 대규모 감염병에 대한 교육의 경우 집단생활을 하고 있는 병영의 특성상 부대를 지휘하고 있는 간부들에게는 매우 중요하다고 할 수 있다.

다섯째, 주한미군의 감염병 확산 방지를 통해 최상의 전투력 유지가 필요하다. 국내 감염병 확산으로 인해 주한미군 내 대량 감염이 발생하여 극단적인 상황으로 치달을 경우, 주한미군의 부분 철수, 혹은 재배치 논의가 제기될 수 있을 것이다. 실제 주한미군의 철수 및 조정 여부와 관계없이 이러한 '논의' 자체가 있는 것만으로도 한반도 내 전략적 균형에 부정적인 영향을 미칠 수 있을 것이다. 따라서 대규모 감염병 발생 시 주한미군의 심리적 안정성을 보장하기 위해 투명한 정보공개와 정보공유를 통해 한국의 질 높은 방역체계에 대한 확신을 심어주고, 주한미군 병력에 대한 진단, 치료 등을 지원할 필요가 있다.

대규모 감염병 발생은 연합훈련의 규모와 방식에도 큰 영향을 주게 된다. 따라서 감염병 확산으로 연합연습의 규모와 기간이 축소될 경우 한미 연합능력을 유지하기 위해서 필수적으로 점검해야 할 연습목표와 연습요소들을 사전 선별하고, 선택적으로 집중하여 연습목표를 달성할 수 있는 새로운 방식의 연습방법을 구상할 필요가 있다. 또한, 한반도에 주둔하는 주한미군의 부대 순환 배치 시에 감염병 확진자가 유입되지 않도록 주한 미군사령부와 긴밀하게 협의하고 점검할 필요가 있으며, 주한미군 내 감염병 발생 시 한국 측에게 투명한 정보를 제공할 수 있도록 미측과 체계적인 협조체계를 마련할 필요가 있다.

4.2. 대국민 지원 작전 차원

대국민 지원 작전 차원에서는 우선적으로 인식의 전환이 필요하다. 지금까지 한국군은 이러한 위기 시 국민에 지원을 "활동(Activity)"으로 간주하였다. 그러나 이제는 좀 더 적극적인 개념에서 "작전(Operation)"으로 인식을 전환할 필요가 있다. 한국은 이번 COVID-19에 의한 피해 이외에도 2012년 메르스로 인한 피해를 입었으며, 감염병 이외에도 1993년 서해 페리호 침몰사건, 1995년 삼풍백화점 붕괴사건, 2002년 태풍 '루사', 2003년 태풍 '매미', 2003년 대구 지하철 화재 참사, 2008년 태안 원유유출사고 그리고 2014년 발생한 세월호 사건, 2017년 포항 지진 사건까지 수많은 재난으로부터 엄청난 인적, 물적, 정신적 피해를 입었다.

한국군은 이러한 재해 재난이 발생하였을 때 "국민과 함께 기쁨과 고통을 같이하는 국민의 군대"로서 군의 도움을 필요로 하는 분야에 대하여 적극적인 대민지원 활동을 수행하였다. 2004년부터는 국방부 내 재난관리지원과를 신설하여 각종 재난으로부터 국민의 생명과 재산을 보호하기 위하여 예방 및 복구 지원에 총력을 기울여왔으며, 2012년에는 국가적 재난 시 군이 지원한 57건의 사례에 대한 분석자료인 '국방 재난대응 백서'를 발간하여 효율적인 군의 재난지원을 위해 노력하기도 하였다. 육·해·공군 각급 부대에 400여 개의 재난상황실을 운영하고 필요시 신속한 지원이 이루어질 수 있도록 대응태세 유지 중이며, 최근 5년간 재난대응 및 피해복구를 위해 91만 2천여 명의 병력과 2만 8천여 대에 이르는 장비를 지원하였다.[442]

그러나 한국군은 지금까지 이러한 지원을 부가적 임무로 인식하였다. 즉, 군은 재난지원 업무를 기본 임무 이외의 임무로 인식하였던 것이다. 하지만 국민의 재산과 생명을 보호하는 차원에서 군의 역할을 규정한다면 이를 위협하는 대규모 감염병 등의 재난에 있어서도 한국군이 지금까지 부차적 임무로 생각했던 "대민지원활동"은 군의 주 임무 중에 하나라 할 수 있으며 단순한 "활동"이 아닌 "대민지원작전"으로의 인식 전환이 필요할 것이다. 이러한 인식의 전환을 통해 군은 책임감을 좀 더 강화할 수 있으며 재난 발생 시 더욱더 실질적이고 효율적인 재난 구조 활동을 할 수 있을 것이다.

이와 함께 관련 조직 정비로 실질적인 지원체계를 마련할 필요가 있을 것이다. 군의 재난 지원체계는 국방부와 합참에서 분담하고 있는데 국방부는 군의 재난통제, 정부 여러 재난담당부처와의 업무협조, 정책 관련 분야를 담당하고 있으며, 합참에서는 긴급구조를 위한 탐색구조본부를 운용하여 국가적 재난 발생 시 재난지원업무를 수행하고 있다. 또한, 한국군은 재난 발생 시 신속한 대처를 위해 탐색구조부대와 재난구조부대를 설치하여 운영하고 있는데 탐색구조부대는 특수능력을 구비한 부대로 대규모 재난이나 항공기 사고, 선박 조난사고 등이 발생할 경우 긴급구조를 위해 각 군에서 24시간 출동대기 태세를 유지하고 있는 부대이며, 재난구조부대는 신속한 인명구조와 응급복구지원을 위해 광역시, 도 단위로 1개씩 지정하여 행정관서의 요청이나 주민신고 시 지원 임무를 수행할 수 있도록 상시지원태세를 완비하는 부대를 말한다.443)

그러나 대형 국가 재난이 발생하였을 경우 이러한 부대들만으로는 재난 복구가 불가능하다. 또한, 2003년 대구 지하철 사건 발생 당시에 군은 보호해야 할 사건 현장에서 물청소를 실시하여 지원에 대한 찬사보다는 질책을 받기도 하였듯이 한국군은 재난 발생 시 어떻게 대처해야 하는지에 대한 준비가 명확히 되어 있지 않은 것이 현실이기도 하다. 우리는 흔히 재난을 사후 처리하는 것으로 군의 역할을 한정할 수 있으나 사전에 대비할 수 있는 능력도 배양할 필요가 있다. 즉, 재난의 발생 가능성을 사전에 예측하여 대비하고 재난이 발생할 경우에는 피해 규모를 최소화할 수 있도록 신속히 대응하고 복구할 수 있어야 하는 것이다.

혹자는 재난관리 전담부대 창설을 주장하기도 한다.444) 그러나 재난별로 대응 장비가 다르고, 투입 인원이 다르며 대응방법 또한 다르기 때문에 전담부대 창설은 현실적으로 실현이 매우 어려운 정책 대안이라고 할 수 있다. 오히려 국가 재난에 대한 경험을 교육하고, 군 전문인력을 양성하며, 유관기관과 합동교육 실시 및 재난관리 전문 프로그램 개발, 재난에 대한 다양한 연구 등을 할 수 있는 기관을 설립하여 재난별 대응 매뉴얼을 체계화할 필요가 있을 것이다.

이러한 기관의 좋은 사례로는 현재 평화유지 활동을 위해 2004년부터 운영하고 있는 PKO 센터를 들 수 있다. PKO 센터에서는 UN DPKO 지침 및 매뉴얼 소개, PKO 변화에 부응하는 탄력적인 교육프로그램을 통해 다양한 임무 지역에 필요한 교육 소요를 도출하고, 파병 즉시 임무 수행이 가능하도록 임무별 맞춤형 교육을 추진하고 있다. 또한, 파병활동을 마친 인원들을 초대하여 파병활동 간 발생한 예기치 못한 경험을 공유하기도 함으로써 파병활동의 Know-how를 구축하고 있기도 하다.

새로운 기관의 설립보다는 현재 설립된 기관의 보완을 하는 것도 좋은 방향이라고 할 수 있다. 지난 2014년 9월 4일 국군간호사관학교 내에 설치된 '군 재난안전교육센터(Military Disaster Safety Education Center)'를 활용하는 방안이 있다.445) 이 센터는 재난대응에 필요한 전문인력을 양성하고 군의 우수한 현장지원능력과 전문교육 경험을 바탕으로 국가 재난 발생 시 대량 환자 분류 및 외상환자관리는 물론 밀폐의학훈련과 재난심리교육까지 실시해 국가재난 안전정책에 효과적으로 기여할 목적으로 설치되었다. 하지만, 현재 센터는 몇 명의 간호사관학교 교수 요원들이 겸직하면서 교육을 운영하고 있어서 실질적인 재난관련 성과를 내기에는 역부족이다. 따라서 해당 센터를 가칭 "국가 재난 지원 센터" 등으로 새롭게 조직하여 인력 및 운영을 보강 운영하여 국내 대규모 감염병 발생은 물론 인명 피해가 발생하는 재난에 대한 의료지원이 가능한 시스템을 구축할 필요가 있을 것이다.

4.3. 대북 대응 및 지원 차원

북한은 중국 전역에서 COVID-19가 창궐하고 사망자가 속출하던 2020년 1월 30일 비교적 조기에 국경을 폐쇄하고, 해외에서 입국한 사람을 40일 이상 격리하는 등 유례없는 강력한 방역대책을 실시하였다. 2020년 3월 27일 북한 조선중앙통신에 따르면 북한은 COVID-19의 세계적 확산추세를 언급하면서 국가 비상방역체계가 강화되며, 방역사업이 '장기성'을 가진다고 언급하는 등 사태의 장기화에 대비하는 움직임도 보였다.446) 북한은 2020년 4월 30일까지 공식적으로는 북한 내에 확진자가 없다고 밝혔으나 북한의 공식적인 '청정지역' 선포에도 불구하고 북한 내 확진자와 사망자가 확산되고 있다는 국내외 보도가 잇따르고 있었으며, 이러한 가운데도 북한은 한국과 미국의 방역조치 지원을 거부하고, 3월 들어서서 4차례에 걸친 단거리 발사체 발사를 강행하였으며, 4월 12일 최고인민회의를 개최하는 '이상한' 행보를 보였다.447)

당시 세계적 대유행이 전개되는 상황에서 북한 내 대대적인 발병이 보고되지 않은 것은 북한의 자체적인, 제한적 수준의 방역 조치가 작동하고 있었음을 추론하게 한다. 2020년 3월 22일 한미가 방역 지원을 제의했으나 북한이 이를 거절했던 것으로 볼 때, 당시 내부 확산이 정권을 위협할 정도로 심각하지 않았던 것으로 보인다. 그러나 이런 사실이 앞으로 북한이 대규모 감염병 사태를 효율적으로 통제할 수 있다는 것을 의미하지는 않는다. 실제로 당시 북한 내 확진자와 사망자가 적지 않을 것으로 판단하는 보도들이 계속되고 있었다. 3월 4일 *Washington Post*는 "북한의 고립은 코로나19에 완충 역할을 하지만... 만약 코로나19가 북한 내로 확산될 경우 위험할 수 있다... 취약한 보건의료시스템으로 이미 영양부족과 결핵 등의 질병이 널리 퍼져있다"라고 분석한 바 있으며,[448] 3월 6일 대북 전문매체 *데일리NK*는 군 소식통을 인용하여 "북한 군의국이 지난 3월 3일 '1, 2월 사망자 180명, 격리자 3,700여 명'이라는 결과를 최고사령부에 보고했다"라고 보도한 바 있다.[449] 뿐만 아니라 3월 29일 일본 요미우리 신문에 의하면 북중 국경 인근에 배치된 북한군이 부대에서 2월 말 이후 감염증으로 의심되는 사망자가 100명 이상 발생한 것으로 알려지기도 하였다. 4월 26일 일본 산케이 신문이 북한 간부용 코로나19 보고서를 인용한 보도에 따르면 북한에서 코로나19로 인해 발생한 사망자는 267명이었다.[450]

이런 점을 고려할 때 당시에도 북한에 COVID-19가 유입되어 감염이 시작되었다고 보는 것이 합리적인 추론이라고 할 수 있다. 북중 국경의 길이가 1400km이며, 1월 22일 국경봉쇄에도 불구하고 국제적인 대북경제 제재속에서도 북중무역으로 버텨온 북한 사회가 중국과의 교류가 없었다는 것도 상상하기 어려우며, 또한 주민들의 북중 왕래를 전면적으로 감시 차단하는 것도 사실상 불가능하기 때문이다.451) 당시, 북한에 확진자가 없다는 공식적인 선언은 북한의 검진능력이 부족하기 때문일 것이라는 분석도 있다. 또한, 개인 방역에 있어서도 큰 문제가 있어 검사를 실행하지 않을 수도 있다. 일례로 미 존스홉킨스대 보건안보센터가 발표한 2019보건안보지수에서 북한은 195개국 중에서 193위를 차지하여 질병 대응체계 면에서 전 세계의 최하위권으로 분류되고 있었다.452) 물론 북한체제 특성상 인구이동범위기 제한적이기 때문에 대유행 가능성은 상대적으로 낮다고 볼 수 있지만, 일단 확산되기 시작하면 만성적인 영양부족과 주민의 취약한 면역력으로 인해 파급효과는 매우 클 수 있었을 것이다.

COVID-19 확산과 같은 대규모 전염병이 북한 상황에 미치는 가장 큰 영향력은 북한 주민의 영양 상태 부족과 열악한 의료 인프라로 인해 확진자와 사망자가 속출하는 위험이라고 할 수 있다. 북한은 2020년 1월 말부터 시행된 국경봉쇄조치로 COVID-19 방역과 검사에 필요한 구호물자, 국제기구 직원 출입까지 제한되면서 신속한 대응이 더욱 어려워졌었다. 이로 인해 2020년 3월 북한 현지에서 활동하는 국제기구 인력은 필요 인원의 4분의 1 수준이었으며, 물품이 제때 지원되지 못하여 많은 어려움을 겪었다.453)

또한, 북한의 국경봉쇄 장기화(중국인 관광객 유입차단, 물자 유입차단, 수출 차단 등)는 북한 경제에 부정적 영향을 미칠 것이다. 즉, 북한이 COVID-19를 완전히 차단한다 하더라도 이를 위한 극단적인 조치가 북한 경제에 오히려 심각한 타격을 가할 가능성이 있는 것이다. 국제사회의 대북제재로 위축된 북한 경제가 COVID-19사태로 인한 국경봉쇄로 중국, 러시아와 교역이 감소하고 필수적인 외화유입도 차단되어 큰 어려움에 직면하게 될 것이다. 또한, 장마당이 타격을 받게 되면 북한 주민들의 부담이 더욱 가중될 것으로 보인다.

게다가 사태 장기화 시 북한의 생존전략도 차질이 불가피할 것이다. 사실상 중국의 지원을 상정하고 미국 제재에 대응하여 '정면돌파전'의 전략 노선을 대내외에 천명한 북한의 전략 추진에 문제가 발생하게 된다는 것이다. 이렇듯 대규모 감염병의 발병은 북한 내 불안정을 심화시킬 가능성이 있으며, 이러할 경우 북한 주민의 이탈과 정권 통제력의 약화, 그리고 대남 군사도발의 가능성이 커질 것으로 전망할 수 있다. 이를 요약하면 북한은 다음과 같은 정책 방향성을 보일 수 있을 것으로 보인다.

단기적으로 북한 당국은 대규모 감염병이 발생할 경우, 주민과 군부의 불안감을 자극하지 않기 위해서 공식적으로 확진자가 없다는 입장을 계속 유지하면서, 한국과 미국의 인도적 지원에 거부감을 표시할 가능성이 크다. 그러면서, 주민들의 불만과 불안감을 외부로 전환하기 위한 군사활동과 현장지도를 강화할 것으로 보인다. 한편, 사태가 장기화 될 경우 북한은 정권 불안을 차단하기 위해 중국과 러시아의 지원을 요청하면서 정권 통제력을 잃지 않는 수준에서 국제사회, 미국과 한국의 인도적 지원을 수용할 가능성이 있다. 이와 함께, 출구전략으로 도발을 자행할 가능성도 배제할 수 없다. 즉, 주민생존이 대량으로 위협받는 내적 불안정 상황에 직면할 경우 대내외적 위기상황을 군사력 과시와 위기조성으로 돌파하려고 할 수도 있다는 것이다.

이에 한국군은 우선 북한 당국이 발병 사실을 은폐하지 않고 정확한 감염실태와 정보를 국제사회에 투명하게 공개하여 주민의 생존권을 최우선적으로 보장하는데 관심을 기울일 수 있도록 지속적으로 전략적 메시지를 보낼 필요가 있다. 또한, 북한이 사면초가에 내몰려 '전환' 또는 '강압' 목적으로 '도발'을 선택하지 않도록 인도적 지원을 고려할 필요가 있으며, 이와 동시에 북한이 오판을 하지 않도록 강력한 방어태세를 유지할 필요가 있다.

〈그림 14-1〉 북한 감염병 장기화 시 시나리오

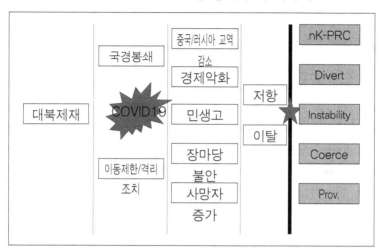

북한의 지역적 집단감염 사태, 북한군의 집단감염 사태 등이 발생하여 북한 정권이 더 이상 관리통제를 하지 못하는 상황이 올 경우, 한국에 의료지원과 방역 지원을 요청할 가능성이 있는 바, 이에 대한 방역물자와 치료제, 의료인력, 방역 인프라 등을 지원할 수 있도록 사전 준비가 필요하다. 나아가, 북한 주민의 대량이탈, 북한의 오판과 군사도발, 북한 정권 통제력의 약화와 무질서에 따른 불안정 상황에 대한 대비도 필요하다.

4.4. 국제사회 지원 차원

세계적 대유행이 지속될 경우 해외 파병지역의 확산상황을 고려하여 해외 파병병력에 대한 의료지원이 즉각적으로 이루어질 수 있도록 주둔 기지에 대한 방역대책은 물론이며, 의심환자 발생 시 즉각적인 검진과 이송치료가 될 수 있도록 맞춤형 의료대책이 보장되어야 할 것이다. 뿐만 아니라 다국적군 지휘부 등 외국군에 배속된 파병 인력들에 대한 주기적인 확인, 감염 시 정상적인 후송과 치료가 이루어질 수 있도록 해야 할 것이다.

　앞에서 언급하였듯이 대규모 감염병과 같은 대형 재난은 한 국가만의 문제가 아니다. 이는 국경을 초월한 문제이고, 더 나아가 세계적인 공통 문제라고 할 수 있다. 따라서 국제사회의 일원으로써 피해를 입은 국가에 대한 지원을 적극적으로 실시할 필요가 있다. 대규모 감염병의 경우 선진국이라고 해서 더 안전한 것은 아니다. 이번 COVID-19 문제에서 보듯이 세계 최강국이라고 할 수 있는 미국은 가장 큰 피해를 입었으며, 유럽의 많은 국가들이 그 뒤를 따르고 있다. 따라서 국내 감염을 차단할 수 있는 범위 내에서 한국은 최대한 지원 계획을 수립하여 지원할 필요가 있으며 이 과정에서 군은 적극적인 역할을 하여야 할 것이다. 이러한 지원은 인도주의적 차원에서 반드시 필요한 것일 뿐만 아니라 궁극적으로 한국의 국격을 높일 수 있는 매우 중요한 정치적 수단이 될 수도 있을 것이다.

　나아가 대규모 감염병 등 재난 발생 시 군의 역할 정립을 위한 국방 분야 협력 협의체 개설을 주도할 필요가 있다. 한국의 COVID-19 대처에 대한 국제적 평가는 매우 긍정적으로 이루어졌다. 테드로스 WHO 사무총장은 2020년 4월 6일 당시 한국 정부의 "적극적인 검사와 진단, 확진자 동선 추적 등 포괄적 전략이 주효하고 있다"고 높이 평가하기도 하였다. 이와 함께 세계 주요 국가들도 한국의 감염병 위기관리에 대해 높이 평가하였다. 이러한 상황을 바탕으로 국방 분야도 새로운 협력 체계를 주도할 필요가 있다. 예를 들어, 이번 사태와 같이 '국가 재난위기 관리 시 국방분야 협력 체계를 어떻게 만들 것인가'를 함께 고민할 수 있는 협의체 개설을 주도할 필요가 있을 것이다. 이러한 과정은 위기관리 능력 향상은 물론 국방외교 차원에서도 큰 성과를 가져오게 될 것이다.

제5절 결 론

COVID-19 사태의 경험은 전 세계적으로 많은 분야(정치, 외교, 경제, 사회 등)에서 큰 파급효과를 일으키고 있다. 이러한 파급효과는 안보 및 국방 분야에 있어서도 예외는 아니다. 이번 사태는 초국가적인 위협이 전 세계에 어떻게 영향을 주는지를 명확하게 보여주는 사례라고 할 수 있다. 중국에서 시작된 감염병이 불과 몇 달 만에 전 세계로 퍼져나가 엄청난 규모의 인적, 물적 피해를 발생시켰으며, 앞으로도 이와 유사한 상황은 계속 발생할 것이다.

기존에 강조되어 왔던 비전통적인 위협과는 다르게 COVID-19 사태는 전 국민이 뼈저리게 경험하였다. 따라서 이번 사태를 계기로 비전통적인 안보위협에 대한 대처의 필요성이 크게 대두되었다. 물론, 이전에도 비전통안보의 중요성이 꾸준히 제기되어 왔다. 그러나 COVID-19 사태를 통해 이러한 논의는 크게 활발해졌다.

이러한 논의에는 국방의 역할에 대한 새로운 방향성 모색도 포함된다. 군은 국민의 재산과 생명을 지키는 핵심적 역할을 수행하고 있고 장비나 조직체계 면에서도 국가 위기관리에 있어 적극적인 역할을 수행할 당위성이 있기 때문이다. 따라서 COVID-19와 같은 대규모 감염병 사태를 포함한 비전통안보 위협에 대해서 국방은 어떠한 역할을, 어떻게 수행하여야 하는지에 대한 심도 깊은 고민이 필요하다.

　물론, 비전통 안보위협에 대한 대처를 고민한다고 해서 군 존재 의의의 바탕이라고 할 수 있는 전통적 안보위협에 대한 대처를 소홀히 할 수는 없다. 북한의 군사적 위협이 여전히 상존하고 있는 상황에서 한국의 국방은 해당 위협에 대비태세를 갖추는 것에 최우선순위를 두어야 하는 것은 당연한 것이기 때문이다. 그러나 안보위협이 점차 확대됨에 따라 국방의 역할 또한 확대되어야 하는 것도 받아들여야 하는 사실임에 틀림없다. 결국, 군은 전통적 안보위협에 대한 대처와 동시에 비전통 안보위협에도 유연하게 대응할 수 있는 방법을 찾는 노력을 경주해야 할 것이며 이러한 노력을 통해 더욱더 "국민과 함께하는 군대, 국민을 위한 군대"가 될 수 있을 것이다.

미 주

<제1장>

1) 본 장은 박민형, "전쟁패러다임 진화와 용병과 양병의 새로운 이중주," 『한국방위산업학회지』, 제20권 제2호(2013) 논문으로 일부 내용이 최신화 및 수정되었음을 밝힙니다.

2) 메리 캘도어, 유강은 역, 『새로운 전쟁과 낡은 전쟁』(서울: 그린비. 2010).

3) Kuhn, Thomas S. 김명자 역, *The Structure of Scientific Revolutions*, 『과학혁명의 구조』(서울: 까치, 2007). 본 고에서 사용하는 '패러다임'이라는 용어는 토마스 쿤이 정의한 "한 시대의 특정 분야나 사회 전체가 공유하는 이론, 법칙, 지식 심지어 믿음이나 습관"을 의미한다. 전쟁패러다임은 현시대에서 보편적으로 생각하고 있는 전쟁 수행방식의 일반적인 수준과 사고방식을 의미한다.

4) Hammes, Thomas X. *The Sling and The Stone*(Minneapolis: Zenith Press, 2006).; Lind, William S. et al., "The Changing Face of War: Into the Fourth Generation," *Marine Corps Gazette* (1989).

5) 김재엽, "제4세대 전쟁: 미래전과 한국 안보에 대한 함의," 『신아세아』, 제17권 1호(2010).

6) 박창희, 『군사전략론』(서울: 플래닛 미디어, 2013).

7) Berkowitz, Bruce, *The New Face of War: How War Will Be Fought in the 21st Century*(New York: The Free Press, 2003).

8) 고원, "전쟁패러다임의 변화와 한국군에의 시사점," 『국방정책연구』, 제26권 4호(2010).

9) Arreguin-Toft, Ivan, "How the Weak Win Wars: A Theory of asymmetric Conflict," *International Security,* Vol. 26 No.1(2010).

10) Meilinger, Philip S. "Busting the Icon: Restoring Balance to the Influence of Clausewitz," *Strategic Studies Quarterly* 1(2007).

11) Summers, Harry G. 민평식 역, 『미국의 월남전 분석』(서울: 병학사, 1985).

12) Duker, William J. *Vietnamese Revolutionary Doctrine in Comparative Perspective*(Colorado: Westview Press, 1980).

13) 국방부 군사편찬연구소, 『베트남전쟁과 한국군』(서울: 국방부, 2004).

14) 권태영·노훈, 『21세기 군사혁신과 미래전』(파주: 법문사, 2008).

15) Perry, William J. "Desert Storm and Deterrence in the Future," *Foreign Affairs*, Vol. 70, No. 4(1991).

16) Max Boot, *Made in War*(New York: Gotham Books, 2006).

17) 엄정식·설인효, "탈냉전기 군사혁신론과 오바마 행정부 시기 미 공군의 군사혁신," 『국제문제연구』 제12권 4호(2012).

18) 루퍼트 스미스, 황보영조 역, 『전쟁의 패러다임: 무력의 유용성에 대하여』(서울: 까치, 2007).

19) Dunnigan, James F. *How to Make War: A Comprehensive Guide to Modern Warfare for the Post-Cold War Era*(New York: William Morrow and Company, 1993).

20) 허태회 외, "21세기 현대 정보전의 실체와 한국의 전략과제," 『국가전략』, 제10권 2호(2004).

\<제2장\>

21) 본 장은 이수진·박민형, "제5세대 전쟁: 개념과 한국 안보에 대한 함의," 『한국군사』, 제2호(2017) 논문으로 일부 내용이 최신화 및 수정되었음을 밝힙니다.

22) Martin Van Creveld, *The Transformation of War*(New York: Free Press, 1991).

23) Carl Von Clausewitz, *On War*(New York: Brownstone Books, 2009).

24) A. Toffler and H. Toffler, *War and anti war: survival at the dawn of the 21st century*(Boston, MA: Little, Brown and Company, 1993).

25) 버나드 로 몽고메리, 승영조 역, 『전쟁의 역사』(서울: 책세상, 2004).

26) 전통적 보수주의(paleoconservative) 성향을 가진 미국의 군사평론가로서, 전쟁에 세대 구분 개념을 적용하면서 제4세대 전쟁 이론을 처음으로 주장하였다. 1971년 프린스턴 대학교에서 역사학으로 석사학위를 취득하였으며, 군 복무 경험이 전혀 없음에도 불구하고 현대전(modern warfare)과 관련하여 가장 활발하게 기고 및 저술 활동을 펼치고 있는 국방전문가 중 한 명이다.

27) William S. Lind et al., "The Changing Face of War: Into the Fourth Generation," *Marine Corps Gazette*, Vol. 93, No. 1(2009), pp. 22-26.

28) Thomas X. Hammes, *The Sling and the Stone: On War in the 21st Century*(New York: Zenith Press, 2006).

29) Donald J. Reed, "Beyond the War on Terror: Into the Fifth Generation of War and Conflict", *Studies in Conflict & Terrorism*(New York: Routledge, 2008), p. 685.

30) Thomas X. Hammes, 앞의 글.

31) 20세기 미국 외교사, 미-소 관계, 전략 및 군사이론, 국가안보정책, 그리고 대분란전 이론 등에 해박한 식견을 가지고 있어 관련 분야 전문가들 사이에서도 학술적으로 큰 영향력을 미치고 있는 전문 기고가이다. 현재 그가 운영 중인 블로그'zenpundit.com'은 외교 및 국방정책, 역사, 군사이론, 국가안보, 전략적 사고 등 다방면을 폭넓게 다루면서 많은 사람들에게 인정받고 있다.

32) Mark Safranskbbi, "Unto the Fifth Generation of War," <http://zenpundit.blogspot.kr/2005/07/nto-fifth-generation-of-war.html> (검색일: 2023.6.25)

33) University of Nebraska-Lincoln에서 교육심리학으로 석·박사 학위를 취득하였으며, 2011년부터 현재까지 마이크로소프트사에서 엔지니어로 근무하고 있다. 빅데이터 분석 전문가이지만, 제5세대 전쟁과 관련하여 수년 동안 가장 활발하게 의견을 개진하였으며, 2010년 7월에는 제5세대 전쟁과 관련된 논의들을 모두 정리하여 The Handbook of 5GW라는 저서를 출판하기도 하였다.

34) 미 공군 조종사로서 한국전 및 베트남전에 참전하였으며, '현대전쟁 이론의 아버지'로 칭송받고 있다. 한국전쟁 종군경험과 자료를 바탕으로 성능면에서 별 차이가 없는 F-86 전투기가 어떻게 MiG-15를 상대로 10:1이라는 압승을 거둘 수 있었는지에 대한 연구를 실시하고, 'OODA Loop'라는 의사결정 순환과정 모델을 제시하였다.

35) Daniel H. Abbott, "Orientation and Action, Part I: The OODA Loop," <http://www.tdaxp.com/archive/2005/07/18/orientation-and-action-part-i-the-ooda-loop.html>(검색일: 2017.4.12).

36) Daniel H. Abbott, "Secret War: Plain Jane Tries to Kill the Yakuza Boss," <http://www.tdaxp.com/archive/2005/07/25/>(검색일: 2017.3.29)

37) Daniel H. Abbott, "The Generations of War without the Jargon,"<http://www.tdaxp.com/archive/2007/08/07/the-generations-of-war-without-the-jargon.html (검색일 : 2017. 3. 29).

38) Thomas X. Hammes, "Fourth Generation Warfare Evolves," *Military Review*(2007).

39) Confusionism, "Fifth Generation Warfare(5GW)," <https://confusionism.wordpress.com>(검색일: 2017.5.7).

40) Wayne Madsen, "Fourth and Fifth Generation Warfare Arrives on European and Middle Eastern Battlefields,"Strategic Culture(Online Journal, 2015).

41) 사전에 약속된 신호에 의해 스파이 행위나 테러 등의 행위를 하지 전까지는 눈에 띄지 않고 조용히 사회 내부에 잠복해 있는 그룹. 외부로부터 사회 내부로 침투한 세력이 될 수도 있고, 사회 구성원이 적대 세력에게 포섭되어 역할을 수행할 수도 있으며, 심지어는 사회를 움직일 수 있는 영향력자가 Sleeper cell이 될 수도 있음.

<제3장>

42) 본 장은 박민형, "한미동맹의 비대칭성 형성요인과 극복전략," 『국방정책연구』, 제26권 제3호(2010) 논문으로 일부 내용의 최신화 및 수정되었음을 밝힙니다.

43) 이상철, 『안보와 자주성의 딜레마』(서울: 연경문화사, 2004), p. 54.

44) 정욱식, 『동맹의 덫』(서울: 삼인사, 2005), p. 54 ; 김준형, 『영원한 동맹이라는 역설』(서울: 창비, 2021).

45) 강봉구, "차가워진 피: 21세기 한미동맹정치 시론", 이수훈(편), 『조정기의 한미동맹: 2003-2008』 (서울: 경남대학교 극동문제연구소, 2009), p. 148.

46) James D. Morrow, "Alliances and Asymmetry: An Alternative to the Capability Aggregation Model of Alliance," *American Journal of Political Science*, Vol. 35, No. 4(1991), pp. 906-907.

47) 물리적 요소 외에 심리적 요소까지 중시한 로스테인은 약소국을 "자국의 능력만으로 안보를 확보할 수 없으므로 다른 국가, 제도, 과정 등의 외부지원에 의존하여야 한다고 스스로 인정하는 국가이며, 또한 다른 국가들에 의해서 그렇게 인식되는 국가"라고 정의하였다. 자세한 내용은 Robert L. Rothstein, *Alliance and Small*

Power(New York: Columbia University Press, 1968), p. 29. 참조.

48) 조윤영, "미래의 한미동맹과 미국의 역할 변화", 이수훈(편), 『조정기의 한미동맹:2003-2008』(서울: 경남대학교 극동문제연구소, 2009), p. 100.

49) 한용섭, "동맹 속에서의 자주국방: 이론과 실제의 딜레마", 한용섭(편), 『자주냐 동맹이냐: 21세기 한국 안보외교의 진로』(서울: 오름, 2004), p. 29.

50) 스나이더는 동맹의 비대칭성을 설명하는데 있어 상대국 간의 동맹의 종속성에 주목한다. Glenn H. Snyder, "The Security Dilemma in Alliance Politics," *World Politics*, Vol. 36(1984), p. 472.

51) 작전통제의 개념적 설명은, 한용섭, "전시작전통제권 환수 문제 고찰", 이수훈(편), 『조정기의 한미동맹: 2003-2008』(서울: 경남대학교 극동문제연구소, 2009), pp. 159-163. 참조.

52) Joseph S. Nye, *Understanding International Conflicts*(New York: Addison Wesley Longman, 2007), p. 17.

53) 현실주의 동맹이론에 입각해 볼 때 동맹은 한 국가의 능력만으로 대처할 수 없는 외부세력의 공동 위협에 대처하기 위해 형성되고 그러한 공동 위협이 존속하는 동안 유지되며 그 위협이 소멸될 때 해체된다.

54) 이성훈·지효근, "한미동맹의 변화와 한국의 군사력 건설: 공군력 건설을 중심으로", 문정인·김기정·이성훈(편), 『협력적 자주국방과 국방개혁』(서울: 오름, 2004), p. 168.

55) 민주평화론(Democratic Peace Theory)에 따르면 자유민주주의 국가 사이에는 전쟁이 일어나지 않는다고 주장한다. 일부 국제관계학자는 이러한 관점을 "민주주의 국가 간의 전쟁 부재는 국제관계에서 하나의 법칙으로 말할 수 있을 만큼 실증적으로 입증되고 있다"고 강조한다. 그러나 동북아시아의 경우 역사적으로 제국주의를 추구했던 일본이나 현재까지 사회주의 정치체제를 가지고 있는 중국을 고려했을 때 그들의 군사 대국화는 한국에 있어 심대한 위협이 될 수 있다는 것을 의심할 여지가 없다고 하겠다.

56) Hans J. Morganthau, *Politics Among Nations: The Struggle for Power and Peace*(New York:MCGraw-Hill, 2006), pp. 184-189.

57) 조성렬, "한미 상호방위조약과 한미동맹 50년의 평가", 심지연·김일영(편), 『한미동맹 50년: 법적 쟁점과 미래의 전망』(서울: 백산서당, 2004), p. 32.

58) James Schear, "Moving the US-ROK Alliance into the 21st

Century," *INSS Special Report*, September(2007), pp. 2-8.

59) 인도·태평양 전략의 당사자인 미국·인도·일본·호주 등 4개국이 참여하고 있는 안보협의체로, 2007년 이들 4개국이 처음 개최한 '4자 안보 대화(quadrilateral security dialogue)'의 앞글자를 딴 붙인 명칭이다.

60) 한 국가의 경제력과 국제사회에서의 위상은 여러 가지 요인에 의해 결정된다. 그 중 하나로 꼽을 수 있는 것이 바로 국제연합(UN) 분담금 납부액이다. UN 분담금은 회원국들이 자발적으로 납부하는 일종의 회비로, 국가의 경제 규모와 국민소득 등을 고려하여 산정된다. 이를 통해 각 나라의 국제사회 기여도를 평가하는 지표로 활용되고 있다.

61) Wood, "International Political Economy in an Age of Globalization," in John Baylis et al.(eds.), *The Globalization of World Politics: An Introduction to International Relations*(New York: Oxford University Press, 2008), pp. 326-345.

62) Glenn H. Snyder, "The Security Dilemma in Alliance Politics," *World Politics*, Vol. 36, No. 4(1984), p. 468.

63) Stephen M. Walt, *The Origins of Alliance*(New York: Cornell University, 1990), p. 43.

64) 김승국, 『한-미-일 동맹과 지속 가능한 평화』(서울: 한국학술정보 (주),2009), pp. 111-136.

65) Morrow(1991), p. 914.

66) 김우상은 미국이 가지고 있는 능력, 한국과의 공통이익, 지리학적 비근접성을 고려할 때 미국이 가장 이상적인 한국의 미래 동맹 파트너임을 주장한다. 김우상, "한미동맹의 이론적 제고", 이수훈(편), 『조정기의 한미동맹: 2003-2008』(서울: 극동문제연구소, 2009), p. 85. 참조.

67) 강정구 외, 『전환기 한미관계의 새판짜기』(서울: 한울, 2005), p. 114.

68) 김성호, 『우정이 있는 민주공화국』(서울: 사군자, 2007), p. 213.

69) Peter Van Ness, "Designing a Mechanism for Multilateral Security Cooperation in Northeast Asia," *Asian Perspective*, Vol. 32, No. 4(2008), p. 115.

70) 서재정, 『한미동맹은 영구화하는가』(서울: 한울, 2009)

71) 고재홍, "북한의 위기전망과 대응방안," 『전략연구』, 제16권, 제3호

(2009), pp. 7-36.

72) 신우용, 『한미일 삼각동맹』(서울: 양서각, 2007), p. 550.

73) Stephen M. Walt, *The Origins of Alliance*(New York: Cornell University Press, 1990), p. 2.

<제4장>

74) 본 장은 박민형, "전시 작전통제권 전환을 위한 조건 형성," 『한국국 가전략』, 제4권 제3호(2019) 논문으로 일부 내용의 최신화 및 수정 되었음을 밝힙니다.

75) 작전통제(OPCON: Operational Control)는 "임무를 달성하는데 필요 한 과제를 편성 및 운영하고, 목표를 설정하는 권한"으로 정의할 수 있으며 대규모 부대, 육해공군이 참여하는 합동작전, 그리고 국적이 다른 군대 간에 시행되는 연합작전에서 주로 사용된다. 자세한 내용 은 U.S. Joint Chiefs of Staff, *Department of Defense Dictionary of Military and Associated Terms*(Washington D. C.: DoD, 2010); 박휘락, "북핵 위협 상황하에서의 전시작전통제권 전환 분석: 동맹 활용과 자주의 딜레마, 그리고 오해," 『전략연구』, 제24권 3호 (2017) 참조.

76) 이 문서에서 한미양국은 현재의 연합군사령부 구조를 지속 유지하고 미래 연합군사령부에서는 한국군 4성 장군이 사령관을 맡고 미군 4 성 장군이 부사령관을 맡도록 한다는 공약을 재확인하였고, 한미상 호방위조약에 따른 공약의 상징으로 주한미군은 한반도에 계속 주둔 하고 대한민국 국방부는 연합방위를 주도할 수 있는 능력을 지속 발전시키고, 미합중국은 대한민국의 방위를 위한 보완 및 지속능력 을 계속 제공한다고 합의하였다.

77) 연합뉴스, 2019년 6월 3일 참조.

78) 박민형, "한미동맹의 비대칭성 형성요인과 극복전략," 『국방정책연 구』, 제26권 제3호(2010), pp. 130-140.

79) James D. Morrow, "Alliances and Asymmetry: An Alternative to the Capability Aggregation Model of Alliance," *American Journal of Political Science*, Vol 35, No. 4(1991).

80) 권태영·서주석, 『자주국방 개념연구』(서울: 한국국방연구원, 1996), p. 18.

81) 국가안전보장회의, 『평화번영과 국가안보』(서울: 국가안전보장회의 사무처, 2004).

82) 이 모델의 경우 경제학에서 말하는 무차별 곡선을 이용한 것으로 이 곡선의 기본적 의미를 살펴볼 필요가 있다. 무차별 곡선은 2가지의 재화에 대해 소비자의 효용성(만족)이 같은 점을 연결한 선으로 그 선에서는 소비자의 만족도는 모두 같다. 그러나 소비자의 임금이 증가하면 이 무차별 곡선은 오른쪽으로 이동한다. 즉, 만족에 이르는 수준이 올라가는 것이다. 이것을 동맹 모델에 적용해보면, 약소국의 능력이 증가하면 약소국은 안보의 수준을 저하시키지 않고 자주성을 늘리거나, 혹은 안보와 자주성을 모두 증가시킬 수 있는 정책을 추진할 수 있음을 알 수 있다.

83) Park, M. H. and Chun K. H., "An Alternative to the Autonomy-Security Trade-off Model: The Case of the ROK-U.S. Alliance," *The Korean Journal of Defense Analysis,* Vol. 27, No. 1(2015), pp. 41-56.

84) 국방부 군사편찬연구소, 『한·미 군사관계사: 1871-2002』(서울: 국방부, 2002), pp. 470-472.

85) 1954년 체결된 한미합의의사록에서는 "유엔군사령부가 대한민국의 방위를 위한 책임을 부담하는 동안 대한민국 국군을 유엔군사령부의 작전통제권 아래 둔다"고 규정하였다. 한국국방안보포럼, 『전시작전통제권 오해와 진실』(서울: 플래닛미디어, 2006), p. 61.

86) 김동영, "'조건에 기초한' 전시 작전통제권 전환 결정요인 연구," 『한국군사학논총』, 제5집 제2권(2016), p. 189.

87) 김정수, "전시 작전통제권 전환과 한미동맹 변화," 『국방연구』, 제59권 1호(2016), p. 30. 평시 작전통제권이 전환되었음에도 불구하고 연합위기관리, 작전계획수립, 연합 합동교리발전, 연합 합동훈련 및 연습의 계획과 실시, 연합정보관리, C4I 상호운용성 등 작전의 핵심 요소가 되는 사항들에 대해서는 이른바 '연합권한위임사항(CODA: Combined Delegated Autohrity)'라는 이름으로 연합사령관에게 위임되어 있었다.

88) 이상현·김태성, "바람직한 전시작전통제권 전환방향: 찬·반 주요쟁점 재해석을 중심으로," 『한국동북아논총』, 제85호(2017), p. 172.

89) 2000년대 초 미국은 9.11테러 이후 해외주둔 재배치계획(GPR: Global Posture Review), 군사혁신(RMA: Revolution in Military Affairs), 전략적 유연성(Strategic Flexibility), 테러와의 전쟁 등을 추진하고 있었으며 이는 동맹국들에게 자국의 역할 확대를 촉구하

는 요인이었다.

90) 조건에 기초한 전작권 전환을 추진한 이유는 여러 가지가 논의되고 있으나 일반적으로 아래 세 가지가 제시되고 있다. 첫째, 북한 핵·미사일 위협의 현실화 및 북한 정권의 불안정성 등 안보위협이 가중되었다는 점, 둘째 심각해진 안보 상황에서 기존 합의대로 전작권 전환을 강행할 경우에는 김정은 정권의 오판에 의한 도발이 우려된다는 점, 셋째 북한 핵·미사일 위협에 대비하기 위한 한국군의 초기 필수 대응능력 구비가 필요하다는 점 등이다. 자세한 내용은 이창훈, "'조건에 기초한 전작권 전환'의 의미와 군사적 준비 방향,"『합참』, 제62호(2015), p. 31 참조.

91) '시기에 기초한(Time-based) 전작권 전환'은 전환 시기를 우선 결정한 후에 전작권 전환에 필요한 능력을 구비해 나가면서 전환 시기가 되면 전작권을 전환하는 방식이었다면, 조건에 기초한(Conditions-based) 전작권 전환은' 능력과 안보환경을 전환 조건으로 설정하여 조건이 충족되는 시기에 전작권을 전환하는 방식이다.

92) 박휘락, "북핵 위협 상황하에서의 전시작전통제권 전환 분석: 동맹활용과 자주의 딜레마, 그리고 오해,"『전략연구』, 제24권 3호(2017), p. 196.

93) 지휘소 연습(CPX: Command Post Exercise)는 병력과 장비를 실제로 기동하지 않고 컴퓨터 시뮬레이션으로 진행하는 워게임을 말한다.

94) 김정수, "전시 작전통제권 전환과 한미동맹 변화,"『국방연구』, 제59권 1호(2016); 정경영, "전시작전통제권 조기 전환 추진전략," 국회 세미나 자료집(2017. 9. 7).

95) 백민정, "전시작전통제권 전환에 대한 미측 전문가 견해분석과 시사점,"『주간국방논단』, 제1647호(2016), pp. 2-5.

96) 이러한 주장을 펴는 학자들은 몇 가지 전사를 예를 들기도 하는데 제1차 세계대전 시 지휘 단일화 조치를 강구하지 못했던 연합군이 독일군에게 고전하다가 프랑 포쉬 장군을 최고사령관으로 임명 후 승리하였다는 점과 제2차 세계대전에서 미국의 아이젠하워 장군을 동맹군 최고사령관으로 임명하여 다른 국가의 군대들을 작전 통제하여 승리할 수 있었다는 점이다.

97) 윤지원, "한반도 평화와 안보지킴이 한미연합사와 전작권 전환,"『국방과 기술』, 제478호(2018), pp. 98-105.

98) 이를 위해 사업비 1조 2,214억 원이 투입될 계획이며 영상레이더(SAR), 전자광학(EO), 적외선(IR) 위성 등을 확보한다는 계획이다.

자세한 내용은 "연합사 이전으로 2022년 전작권 전환 가능?... 대북 정찰능력 숙제,"『연합뉴스』, 2019년 9월 1일 참조.

99) 9.19 남북군사합의서는 두 차례의 남북정상회담, 8번의 문서교환, 17시간의 마라톤 실무회담을 통해 이루어졌다. 전문은 총 6개조로 구성되어 있다. 제1조는 지·해·공에서의 적대행위 중지, 제2조는 비무장지대를 평화지대로 만들기 위한 실질적 군사대책, 제3조는 북방한계선 일대를 평화수역으로 만들기 위한 군사적 대책, 제4조는 교류협력 및 접촉 왕래 활성화에 필요한 군사적 보장 대책, 제5조는 군사적 신뢰구축을 위한 다양한 조치, 제6조는 효력 발생 요건 등에 대해 규정하고 있다. 자세한 내용은 정경영, "9.19 남북군사합의 이행진단과 군비통제 추진방향,"『군사논단』, 제96호(2018) 참조.

100) 이창훈, "'조건에 기초한 전작권 전환'의 의미와 군사적 준비방향,"『합참』, 제62호(2015), p. 35.

101) 방공식별구역은 '영공'과는 다른 개념이지만 다른 나라 방공식별구역 안에 진입하는 군용기는 미리 통보하는 것이 국제 관행인데 중·러는 이를 무시하고 있다.

102) 국방부, 『2018 국방백서』(서울: 국방부, 2018), p. 16.

103) 국방대학교, 『2023년 범국민 안보의식 조사』(논산: 국방대학교, 2023), p. 235.

104) 변지희, "전인범 前 특전사령관 '전작권 전환엔 대가 따를 것,' 우리는 각오 돼 있나,"『조선일보』, 2019년 8월 4일 자.

105) 미국은 국지도발 등 군사적 위기가 고조되는 상황이 발발하더라도 정전협정의 틀에서 대응해야 하고 그렇기 때문에 유엔사 교전수칙 등이 한국군에 적용되어야 한다고 주장한 것으로 알려지고 있다. 반면, 한국의 경우 전작권이 전환된 이후에는 유엔군 사령관이 지시를 한다는 것은 월권이라는 주장을 펴고 있는 것으로 알려졌다. 자세한 내용은 이철재, "미국, 유엔사 평시에도 한국군 작전 지시 가능,"『중앙일보』, 2019년 9월 3일 자.

<제5장>

106) 본 장은 박민형, "양면게임이론을 통해 본 한국의 대미협상전략: 방위비 분담금 협상을 중심으로,"『한국국가전략』, 통권 제14호(2020) 논문으로 일부 내용이 최신화 및 수정되었음을 밝힙니다.

107) 미국의 대한원조는 해방 이후부터 1970년 5월 미국의 원조 지원

대상국에서 제외되기까지 물자와 외화 부족 문제를 완화하였으며, 특히 1950대 말까지는 유일한 외자도입 창구로 전후 경제부흥에 크게 기여하였다. 미국의 대한원조는 1969년 말까지 무상원조는 약 44억 달러, 유상원조는 약 4억 달러에 달하여 한국경제의 투자재원 마련, 국제수지 적자보전 및 경제 성장에서 매우 중요한 역할을 했다.

108) 황수현, 『한미동맹 갈등사: 1970년대를 중심으로』(서울: 한국학술정보, 2011).

109) 국방대학교, 『2023년 범국민 안보의식 조사』(논산: 국방대학교, 2023), p. 141.

110) 정봉오, "주한미군 방위비분담금 1조389억원…유효기간 1년," 『동아일보』, 2019년 2월 10일자.

111) 2018년 3월 7일 호놀룰루에서 벌어진 1차 회의를 시작으로 1년 동안 한미 양국은 10차례의 회의를 진행하였다.

112) 본 여론조사는 2019년 1월 25일 전국의 만 19세 이상 남녀 7,547명을 대상으로 실시되었으며 응답율은 6.7%, 표본오차는 95%신뢰수준에 ±4.4%p 임.

113) Robert D. Putnam, "Diplomacy and Domestic Politics: the Logic of Two-Level Game," *International Politics*, Vol. 42, No. 3 (1988).

114) David Mitchell, "International Institutions and Janus Faces: The Influence of International Institutions on Central Negotiators within Two-Level Games," *International Negotiation*, Vol. 6, No. 1(1992), pp. 24-48.

115) 정원열 외, "실물옵션에 기반한 한·미 국방예산 분담금 적정성 검정," 『대한산업공학회지』, 제41권 3호(2016), p. 287.

116) 이 분담금은 한반도 방어를 위한 주한미군의 연합방위 활동을 직접 지원한다. 한국은 이외에도 주한미군이 주둔한 사유지 임차료, 카투사와 경찰지원, 기지 주변 정비, 토지임대료 및 세금감면 등을 직간접으로 지원하고 있다. 그러나 주한미군의 급여나 장비 교체 및 유지비는 미국 예산으로 운영한다. 이런 상황은 일본이나 독일도 유사하다.

117) 연합방위증강사업(CDIP: Combined Defense Improvement Program)

118) 용산기지 이전계획(YRP: Yongsan Relocation Program), 연합토지관리계획(LPP: Land Partnership Program)

119) 닉슨 독트린에 따라 한국 정부와 국민의 강력한 반대에도 불구하고 미국은 1971년 6월 말까지 제7사단을 심으로 1만 8천 명을 철수시켰다. 독트린 발표 이후 1970년 2월 18일 외교 백서를 통해서 미국은 아시아에서 "첫째, 군사 개입도를 줄이고, 둘째 우방국이 핵 공격이 아닌 형태의 공격을 당할 경우 미국은 군사 경제 원조만 제공하고, 셋째 당사국은 미 지상군 병력을 기다리지 말고 1차인 방책임을 져야 한다"라고 천명하였다.

120) 박휘락, "한국 방위비분담 현황과 과제 분석: 이론과 사례 비교를 중심으로," 『국방정책연구』, 제30권 제1호(2014), pp. 173-177.

121) Kim Sung-Woo, "System Polarities and Alliance Politics," PhD Dissertation(Iowa, University of Iowa, 2012).

122) Daniel F. Baltrusaitis, *Coalition Politics and the Iraq War: Determinants of Choices*(Boulder: Firstforum Press, 2010), p. 14.

123) Donald Trump, *Great Again: How to Fix our Crippled America* (New York: Simon and Schuster, 2016).

124) 박원곤·설인효, "트럼프 행정부 안보·국방전략 분석/전망과 한미동맹 발전방향," 『국방연구』, 제60권 4호(2017), p. 9.

125) 트럼프 대통령은 후보 시절 선거 슬로건은 "미국을 다시 위대하게"였으며 이는 쇠퇴하는 미국을 다시 위대한 국가로 만들겠다는 그의 신념이었다. Donald Trump, *Time to Get Tough: Make America Great Again*(Washington D.C.: Rernery Publishing Inc., 2015) 참조.

126) Bilahari Kausikan, "Asia in the Trump Era: From Pivot to Peril," *Foreign Affairs,* (May/June 2017).

127) Anne Applebaum, "Is America Still the Leader of the Free World?" *Washington Post,* 2016.11.9.

128) 트럼프 대통령은 2018년 7월 벨기에 브뤼셀에서 열린 NATO 정상회의에서 유럽 동맹국들을 상대로 '안보 무임승차론'을 강하게 제기하며 방위비 증대를 압박했다. 이에 결국 NATO는 방위비 증대를 합의하였다. 옌스 스톨텐베르그 NATO 사무총장은 2019년 1월 27일 "지난해 7월 나토 정상회의에서 합의한 대로 회원국들이 방위비에 추가 투자하기로 했다"면서 구체적으로 "내년 말까지 1000억 달러(한화 약 111조8500억 원)를 늘릴 것"이라고 말했다.

129) 한기재, "방위비 협상 시간끌면 될까... 동맹의 공동이익 설득이 정

공법,"『동아일보』, 2019년 11월 1일 자.

130) 이정은, "한국은 기여도 높은 동맹,"『동아일보』, 2019년 10월 31일 자.

131) Ralph A. Cosa, "What will/should Trump's Asia policy look like," *PacNet*, No. 84(2016) p. 3.

132) 이원덕, "악화하는 한일관계, 어떻게 개선할 것인가?" 한반도선진화재단 제310회 정책세미나 자료집(2019)

133) 손경호, "한미동맹의 역사 - 동맹이론을 통해 본 한미동맹의 역할을 중심으로,"『통일연구』, 제17권 제2호(2017), p. 48.

134) 아미티지 보고서는 아미티지 전 미 국무부 부장관과 조지프 나이 하버드대 교수 등 미국의 일본 전문가들로 구성된 단체가 발간하는 것으로, 2000년, 2007년, 2012년에 이어 이번이 네 번째다.

135) 김혜경, "北中위협 속 미일동맹 강화해야"『중앙일보』, 2018년 10월 4일 자.

136) US DoD, *Indo-Pacific Strategy Report*(Washington D.C., DoD: 2019). 이 보고서의 '동맹 및 파트너십 강화'부분에서 미국은 기존의 동맹(일본, 한국, 호주, 필리핀, 태국 + 영국, 프랑스, 캐나다) 및 파트너 국가들(싱가포르, 타이완, 뉴질랜드, 몽골)과의 협력을 강화하고, 새로운 파트너 국가로 부상하는 인도, 스리랑카, 몰디브, 방글라데시, 네팔, 베트남, 인도네시아, 말레이시아 등과의 협력을 증진하고, 브루나이, 라오스, 캄보디아, 파푸아뉴기니, 피지, 통가 등에는 지속적으로 관여할 것임을 강조하고 있다.

137) 포치는 위안화 가치가 달러당 7위안화 아래로 떨어지는 것을 의미하는 것으로 위안화 가치가 떨어지면 중국 수출품 가격이 낮아져 미국의 관세부과 충격을 완화하게 된다.

138) "화살머리고지 찾은 정경두 "남북 군사합의로 유해발굴 가능해져," 『동아일보』, 2019년 6월 11자 참조.

139) 박민형, "한미동맹의 비대칭성 형성요인과 극복 전략,"『국방정책연구』, 제26권 제3호(2010), pp. 130-131.

140) 이 문서에서 한미는 현재 연합군사령부 구조를 유지하고 미래 연합군사령부에서는 한국 4성 장군이 사령관을, 미군 4성 장군이 부사령관 임무를 수행하게 된다는 공약을 재확인하였다. 또한, 한미 상호방위조약에 따라 주한미군은 한반도에 계속 주둔하고 한국 국방부는 연합방위를 주도할 수 있는 능력을 계속 발전시키며, 미국은 한국의 방위를 위한 보완 및 지속능력을 지속 제공한다는 것에 합의하였다.

141) 연합뉴스, 2019년 6월 3일 자 참조.

142) 국방부, 『2022 국방백서』(서울: 국방부, 2022), p. 156.

143) 인건비는 주로 주한 미군에 근무 중인 군무원 등 한국인 근로자 임금이다. 군사건설비는 주한 미군의 막사·환경시설 등을 신축, 개·보수하는 것이다. 군수지원비는 탄약 저장, 항공기 정비, 철도·차량 수송 지원 등 용역 및 물자비용이다.

144) 주한 미군의 월급은 미 연방 예산으로 충당되기 때문에 방위비 분담금과 무관하다.

145) 김열수·김경규, "트럼프 대통령의 위대한 미국 재건 전략: 힘의 절약과 비축,"『국방연구』, 제61권 제3호(2018), pp. 131-154.

146) 홍관희, "방위비 분담금 논쟁과 한미동맹,"『월간북한』, 2016년 6월호, p. 50.

<제6장>

147) 본 장은 박민형·장광현·양동광, "완충체계이론과 북중동맹의 변화,"『글로벌정치연구』, 제11권 제2호(2018) 논문으로 일부 내용이 최신화 및 수정되었음을 밝힙니다.

148) 2017년 12월, 북중 간 석유 밀무역 의혹이 제기되었고 중국 정부는 이를 부인하였다.

149) 추가 제재는 안보리 산하 대북제재위원회 5개 상임이사국과 10개 비상임이사국의 만장일치를 통해 가능하며 이 중 1개국이라도 반대할 경우 무산된다.

150) 박태호, 『조선민주주의인민공화국 대외관계사Ⅰ』(평양: 사회과학 출판사, 1985), pp. 208-209. 중국 인민군 철수 후 1958년 11월 김일성은 중국을 국빈 방문했다. 양측은 '반제반미투쟁에서 혈맹으로 맺어진 양국의 전투적 친선과 단결'을 더욱 강화하기로 합의했다. 12월 8일 양국은 공동성명을 발표해 '한반도와 중국 영토에서 모든 외국군 철수를 미제침략자들에게 요구' 했다.

151) Andrew Scobell, "China and North Korea: The Limit of Influence," *Current History*, Vol. 102, No. 665(2003), pp. 274-278

152) 서보혁, "북중러 3국의 협력 실태에 관한 세 가지 질문,"『통일과 평화』, 제3권 제2호(2011), p. 49.

153) 문흥호, "시진핑 집권 이후 중국의 대북정책: 동맹관계와 정상관계의 선택적 균형," 『중소연구』, 제38권 제3호(2014), pp. 15-37.

154) 19차 당 대회시 발표된 핵심 내용은 '신시대 중국 특색의 사회주의 사상'이라고 할 수 있는데 여기서 말하는 신시대란 첫째, 과거 중국혁명과 개혁개방의 역사적 경험을 계승해 새로운 역사적 조건에서 중국 특색의 사회주의가 승리하는 시대, 둘째 전면적인 소강사회를 실현함으로써 사회주의현대화 강국의 길로 진입하는 시대, 셋째 중화민족의 위대한 부흥, 즉 중국의 꿈을 실현하는 시대, 넷째 전 인민의 공동부유를 실현하는 시대, 다섯째 세계무대의 중앙에 진입해 인류에 더 많은 공헌을 하는 시대 등을 의미한다.

155) 북중관계에 대한 많은 연구들이 이 완충국임을 기본 가정으로 하고 있다. 이러한 경향은 2018년 현재까지도 계속되고 있는데 Derek Grssman. "How China Could Truly Rein in North Korea," *Rand Objective Analysis*(2018) 등이 대표적이다.

156) 지금까지 북중동맹에 대한 많은 연구들이 비대칭동맹 이론을 그 분석의 틀로 활용하고 있다. 본 연구는 해당 주제에 대한 연구확대라는 측면에서 완충체계 이론이라는 새로운 이론을 활용하였으며 특히, 완충국이라는 용어를 습관적으로 사용하고 있는 상황을 좀 더 이론적으로 체계화 할 필요가 있다는 생각에서 완충체계 이론을 활용한 연구를 진행하였다.

157) Murray J. and others, *The Oxford English Dictionary*(Oxford: The Clarendon Press, 1933), p. 127.

158) Teygve Mathisen, *The Functions of Small States in the Strategies of Great Powers*(Oslo: Scandinavian Univ. Books, 1971), pp. 7-14.

159) Martin Wight, *Power Politics*, eds. Hedley Bull and Carsten Holbraad(London: Leicester University Press, 1995), p. 160

160) Fazel. Tanisha M. Fazel, "States Death in International System," *International Organization*, Vol. 58, No. 2(2004), p. 321.

161) Tornike Turmanidze, *Buffer States: Power Politics, Foreign Policies and Concepts*(New York: Nova Science Publishers, Inc., 2009), pp. 46-47.

162) 제성훈, "탈냉전기 러시아-몽골관계의 변화: 지정학적 '완충국' 개념을 중심으로," 『국제정치논총』, 제50권 제2호(2010), pp. 170-171.

163) M. Greenfield Partem, "The Buffer System in international

Relations," *The Journal of Conflict Resolution*, Vol. 27 No. 1 (1983), p. 5.

164) 위의 글, p. 10.

165) 림랜드는 강우량이 많아 농경에 적합하고, 인구가 조밀하여 생산 활동이 활발하며, 잠재적으로 해양세력 또는 육지세력의 일부가 될 수 있는 가능성을 지니고 있다.

166) Tim Marshall, 김미선 역, 『지리의 힘』(서울: 사이, 2016), p. 24.

167) 위의 글, p. 25.

168) 서진영, 『21세기 중국 외교정책』(서울: 폴리테이아, 2006), pp. 136-140.

169) <https://www.globalfirepower.com> (검색일: 2024.7.1.)

170) 국력에는 위에서 제시했던 인구수, 경제력, 군사력뿐만 아니라 수많은 요소들이 존재하기 때문에 객관적이고 정확한 측정이 매우 어렵다. 중국과 미국의 상대적 국력의 차이가 요소별로 따지고 보면 크게 느껴질 수도 있다. 여기서 중요한 것은 완충국의 국력과 비교 시 인접국들 간 국력의 차이는 상대적으로 크지 않아 전쟁의 결과를 쉽게 예측할 수 없다는데 있다.

171) John Chay and Thomas E. Ross, *Buffer States in World Politics*(New York: Westview Press, 1986).

172) 박홍서, "북핵 위기 시 중국의 대북 동맹 안보딜레마 관리 연구: 대미관계 변화를 주요동인으로," 『국제정치논총』, 제46권 제1호 (2006), pp. 105-107.

173) 김광희, 『박정희와 개발독재 1961~1979』(서울: 선인, 2008), pp. 43-45.

174) 권영경 외, 『2017 북한이해』(서울: 통일부 통일교육원, 2017), p. 5.

175) 10원칙의 주요 내용은 기본적 인권과 국제연합헌장의 목적 및 원칙의 존중, 주권과 영토 보전의 존중, 인종 및 국가 사이의 평등, 내정 불간섭, 국제 연합 헌장에 입각한 개별적·집단적 자위권의 존중, 대국의 이익을 위한 집단적 군사동맹에의 불참, 상호 불가침, 평화적 방법을 통한 국제 분쟁 해결, 상호 협력의 촉진, 정의와 국제 의무존중이다.

176) 이상숙, "중소분쟁시기 북한과 북베트남의 자주외교 비교," 『통일정책연구』, 제17권 제2호(2008), pp. 53-82.

177) 김예경, "중국의 영향력 균형 전략과 제3세계 외교: 과거의 경험

그리고 오늘날의 함의," 『국가전략』, 제16권 제1호(2010), pp. 5-31.

178) 1954년부터 현재까지 이어져 온 외교 노선 근간, 5가지 원칙은 영토주권의 상호 존중, 상호 불가침, 내정 불간섭, 호혜ㆍ평등, 평화적 공존이다.

179) 이종운ㆍ홍이경, "북한의 식량난과 국제사회의 대북지원 현황 분석," 『오늘의 세계 경제』, 제12권 제28호(2012) pp. 5-9.

180) 김용호, "비대칭동맹에 있어 동맹신뢰성과 후기동맹딜레마: 북ㆍ중동맹과 북한의 대미접근을 중심으로," 『통일문제연구』, 제13권 제2호(2001) p. 22.

181) 위의 글, pp. 27-29.

182) 권영경 외, 『2017 북한이해』(서울: 통일부 통일교육원, 2017), p. 147.

183) 가장 단적인 예로 김정일 시기 내각 총리로 개혁개방을 추진했다가 군부의 반발로 실각한 것으로 알려진 박봉주가 김정은 시기 들어와서는 2013년부터 현재까지 4년 넘게 내각 총리 자리를 꿰차고 있는 것을 들 수 있다.

184) "중 매체 '北 존중받아야 하는 국가…한ㆍ미ㆍ일이 이간질'," 『중앙일보』, 2018년 9월 30일자.

185) "中언론, '북중정상 해변산책 부각'.. '북중관계 새 장 열어 선전'," 『연합뉴스』, 2018년 5월 9일 자.

186) 북한 무역의 90% 이상이 대중국 무역이며 북한의 생존에 가장 큰 영향을 주고 있는 기름의 경우 여전히 중국이 연간 약 70만 톤(원유: 50만 톤, 정제유: 20만 톤) 이상 지원하고 있는 것으로 알려지고 있다.

187) 2017년 8월 23일 한국무역협회 분석자료에 따르면 1992년 수교 당시 64억 달러에 불과했던 양국 교역량은 매년 15.7% 증가, 2016년 2,114억 달러로 33배 성장했다.

<제7장>

188) 본 장은 박민형, "북중동맹 55년 평가: 한국의 전략적 함의," 『국방연구』, 제59권 제3호(2016) 논문으로 일부 내용이 최신화 및 수정되었음을 밝힙니다.

189) 북중동맹 지속에 관한 주요 연구로는 유석렬, 『중북한 관계의 현황과 전망』(서울: 외교안보연구원, 1992); 박규태, "중국의 대북관계: 전통적 우호협력 관계의 특성," 『중국연구』, 제22집(2003); 김재관, "제2차 북핵 위기 이후 북중관계의 근본적 변화 여부에 관한 연구," 『동아연구』, 제52호(2007); 박창희, "지정학적 이익 변화와 북중동맹관계: 기원, 발전, 그리고 전망," 『중소연구』, 통권 113호 (2007) 등이 있다.

190) 북중동맹 변화에 대한 연구로는 이종석, 『북한-중국관계1945-2000』 (서울: 중심, 2000); 안인해, 『탈냉전 기 중·북한 관계 연구』(서울: 민족통일연구원, 1995); 문흥호, "후진타오 집권기 중국의 대북한 인식과 정책: 변화와 지속," 『중소연구』, 제33권 제22호(2009); 김주삼, "북중수교 61주년 평가와 한국의 외교적 대응방안: 2012년 동북아 정세변화를 중심으로," 『한국동북아논총』, 제57호(2010); 정성장, 『북한·중국 군사교류협력의 지속과 변화』(성남: 세종연구소, 2012) 등이 있다.

191) 나영주, "북핵문제와 북·중동맹: 중국의 동맹 유지 전략," 『통일문제연구』, 제25권 2호(2013), p. 70.

192) James D. Morrow, "Alliances and Asymmetry: An Alternative to the Capability Aggregation Model of Alliance," *American Journal of Political Science*, Vol. 35, No. 4(1991), pp. 906-907.

193) 박민형. "한미동맹의 비대칭성 형성 요인과 극복전략." 『국방정책연구』, 제26권 제3호(2010), p. 129.

194) 위의 글, pp. 130-140.

195) Stephen M. Walt, "Why Alliances Endure or Collapse," *Survival*, Vol. 39, No. 1(1997), pp. 156-79.

196) Andrew Scobell, "China and North Korea: The Limit of Influence," *Current History*, Vol. 102, No. 665(2003).

197) 서보혁, "북중러 3국의 협력 실태에 관한 세 가지 질문," 『통일과 평화』, 제3집 2호(2011), p. 49.

198) Kim, Heungkyu, "From a Buffer Zone to a Strategic Burden: Evolving Sino-North Korea Relations during the Hu Jintao era," *The Korean Journal of Defense Analysis*, Vol. 22, No. 1(2010); 조영남은 북중동맹 관계가 혈맹에서 일반적인 국가 대 국가 관계로 변화한 두 가지 요인을 들고 있다. 하나는 1992년 한중국교수립으로 북중동맹은 회복할 수 없는 결정적인 타격을 입

었고, 둘째로 2006년 7월 북한의 미사일 발사 실험과 동년 10월 북한의 핵실험으로 인해 중국 내부에서 양국의 동맹관계는 말할 것도 없고 일반적인 우호관계마저도 사라졌다고 평가하고 있다. 자세한 내용은 조영남, "21세기 중국의 동맹정책," 『EAI 국가안보패널 연구보고서』, 제32권(2009), pp. 19-20 참조.

199) 중국은 1950년 소련과 중·소 우호동맹 및 상호원조조약을 체결하여 안보위협에 대응하였다. 하지만, 1960년대 중소 이념논쟁이 격화되면서 주변국과의 관계 강화를 꾀하기 시작하였다.

200) 좀 더 역사적인 근원을 찾는다면 과거 임진왜란 때 명나라가 자신들의 요동지방의 안전을 위해 일본의 조선 정복을 막기 위해서 원군을 보낸 것도 이와 괘를 같이 한다. 즉, 중국은 전통적으로 한반도에 자신들과 대치되는 세력을 주둔시킴으로써 자국의 국익의 침해될 수 있다는 우려를 하고 있다.

201) 조영남, "21세기 중국의 동맹정책," 『EAI 국가안보패널 연구보고서』, 제32권(2009), p. 16.

202) John Baylis, *Globalization of World Politics*(New York: Oxford University Press, 2006), pp. 87-97.

203) Karen A. Mingst, *Essentials of International Relations*(New York: W.W. Norton, 2004), pp. 85-89.

204) 박민형, "한미동맹의 비대칭성 형성요인과 극복전략," 『국방정책연구』, 제26권 3호(2010), p. 128.

205) 윤영관, 『외교의 시대: 한반도의 길을 묻다』(서울: 미지북스, 2015), p. 85.

206) Chris Giles, "China to overtake US as top economic power this year," *Financial Times*, April 30th(2014).

207) 홍석훈, "중국의 대북한 외교정책 기조와 전략: 중국 지도부의 인식과 정책선호도를 중심으로," 『정치·정보연구』, 제17권 1호(2014), p. 127.

208) Quansheng Zao, *The Korean Peace Process and the Four Powers*(VT: Ashgate, 2003).

209) 윤영관, 『외교의 시대: 한반도의 길을 묻다』(서울: 미지북스, 2015).

210) 신우용, 『한미일 삼각동맹: 한반도의 길을 묻다』(서울: 양서각, 2008).

211) "유커가 돌아온다…한국, 올여름 중국인 선호 아시아 여행지 '3위'," 『이투데이』, 2022년 6월 23일 자.

212) 중국 내부에도 한반도 통일에 대해 현상유지론과 통일지지론이 맞서고 있다. 하지만, 여기서 명확하게 알아야 할 것은 통일지지론자들도 남북한에 의한 자력 통일을 지지하는 것이며 통일을 위해 강대국의 영향력 특히 미국이 개입하는 것은 경계하고 있다.

213) "中전략가, '한국 주도 통일 필연이나, 중국은 우려하는 게 있다'," 『조선일보』, 2012년 1월 4일 자.

214) 변창구, "중국의 한반도 통일에 대한 입장: 변화와 지속," 『통일전략』, 제13권 제4호(2013), p. 17.

\<제8장\>

215) 본 장은 박민형, "한반도 평화프로세스와 동아시아 안보기재의 변화," 『인문사회21』, 제12권 제2호(2021) 논문으로 일부 내용이 최신화 및 수정되었음을 밝힙니다.

216) KBS, 『명견만리: 윤리, 기술, 중국, 교육 편』(서울: 인플루엔셜, 2018).

217) 정재승, "최후통첩게임, 돈과 공정성의 갈등", 『동아비지니스리뷰』, 제19호(2008), pp. 5-8.

218) 정재승, 『1.4킬로그램의 우주, 뇌』(서울: 사이언스북스, 2014).

219) Suleiman, R. "Expectations and Fairness in a Modified Ultimatum Game," *Journal of Economic Psychology*, Vol. 17, No. 2(2011), pp. 531-554.

220) Robert Keohane and Joseph Nye Jr. *Power and Interdependence*(New York: Pearson, 2011).

221) 박상준·천도정, "최후통첩게임에서 의사결정 상황의 영향," 『경영과학』, 제25권 제2호(2008), p. 2.

222) U.S. JCS, *Strategy, Plans & Policy*(Washington D.C.: US JCS, 2018).

223) 김동성, 『동북아시아 국제질서의 변화와 대응』(경기: 경기 연구원, 2016).

\<제9장\>

224) 본 장은 박민형, "한반도 정전체제 복원: 국제협력을 위한 한국의 전략,"『신아세아』, 제22권 제3호(2015) 논문으로 일부 내용이 최신화 및 수정되었음을 밝힙니다.

225) 유호열, "한반도 정전체제의 형성과 특징,"『통일한국』, 8월호 (2007), p. 43.

226) 이승열, "정전체제와 평화체제: 60년의 남북관계," 2013년 북한연구학회 하계학술회의 발표문(2013), p. 38.

227) 평화체제와 관련된 연구들은 많이 진행되어 왔다. 임명수, "한반도 평화체제 구축에 관한 고찰: 평화에 대한 기본개념 및 쟁점연구를 중심으로,"『통일연구』, 제11권 2호(2007); 이경주, "평화체제의 쟁점과 분쟁의 평화적 관리,"『민주법학』, 제44호(2010); 박휘락, "한반도 평화체제로서의 정전체제 분석과 강화 방안,"『군사논단』, 제77호(2014) 등 참조

228) Richard Baxter는 현재의 정전협정을 '준 평화조약(a quasi-treaty of Peace)로 표현하여 그 중요성을 강조하고 있기도 하다. Richard R. Baxter, "Armistices and Other Forms of Suspension of Hostilities," 김명섭, "정전협정 60주년의 역사적 의미와 한반도 평화체제의 과제,"『정전 60주년과 한반도 평화체제의 과제』, 통일건국민족회 2013년 학술세미나(2013), p. 20에서 재인용.

229) Kenneth N. Waltz, *Theory of International Politics*(California: Addison-Wesley, 1979).

230) Stephen M. Walt, *The Origins of Alliance*(New York: Cornell University, 1987)

231) Robert O. Keohane and Joseph S. Nye, *Power and Interdependence*(New York: Longman, 2001).

232) Robert O. Keohane, *International Institution and State Power* (Boulder: Westview, 1989).

233) Robert O. Keohane, *After Hegemony: Cooperation and Discord in the World Political Economy*(Princeton: Princeton University Press, 1984).

234) Robert Jervis, "Security Regime," *International Organization*, Vol. 36, No. 2(1982)

235) 영문으로는 다음과 같이 표기하고 있다. "Agreement between the Commander-in-Chief, United Nations Command, on the on hand, and the Supreme Commander of the Korean People's Army and the Commander of the Chinese People's

Volunteers, on the other hand, concerning a military armistice in Korea"

236) 정전협정의 체결을 위해서 유엔군 측과 공산군 측은 총 159회 본회담, 179회 분과위원회 회의, 188회의 참모장교회의, 238회의 연락장교회의 등 총 765회에 달하는 회담을 거쳤다. 합참정보본부, 『군사정전위원회 편람』, 제5집(2001), p. 7.

237) 박광득, "정전협정(1953)의 주요내용과 쟁점분석," 『통일전략』, 제14권 제2호(2014), p. 105.

238) 합참정보본부, 『군사정전위원회 편람』(제5집), p. 278

239) 인도가 감시군의 역할로서 포로송환을 감시하는 임무를 맡았으며 1954년에 포로송환이 끝나고 철수하였다.

240) 이상철, 『한반도 정전체제』(서울: KIDA Press, 2012), p. 37.

241) 조성렬은 정전협정 총 63개항 가운데 32개항은 기능정지 및 미준수 상태라고 주장한다. 자세한 내용은 조성렬, "한반도 평화협정 논의의 재등장 배경과 향후 전망," 『JPI 정책포럼』, 2010-4(2010).

242) 한국의 입장은 남북한이 직접적인 당사자라는 것이며 이는 남북기본합의서와 화해부속합의서에도 명백하게 규정되어 있다는 것이다. 기본합의서 제5조에는 "남과 북은 현 정전상태를 남북 사이의 공고한 평화상태로 전환시키기 위하여 공동으로 노력한다"고 규정하고 있다.

243) 이러한 주장의 가장 대표적인 것이 2002년 10월 2차 북핵 위기 시 "미국이 불가침 조약을 통해 우리에 대한 핵 불사용을 포함한 불가침을 법적으로 확약한다면 우리도 미국의 안보상 우려를 해소할 수 있다"고 밝힌 북한의 외무성 담화가 있다.

244) 북한의 군정위 및 중감위 대표단 철수 이후 정전협정 문제를 다루는 협의체가 사실상 무력화 된 상황에서 1994년 12월 17일 미군 헬기가 군사분계선을 월선하여 피격, 추락되는 사고가 발생하였고 이를 계기로 군정위의 정상적 가동이 필요함을 인식하게 되었고 몇 년간의 협상을 거쳐 1998년부터 유엔사-북한군 장성급 회담을 실시하였다.

245) 폴란드의 경우 본국에 대표와 부대표를 두고 매년 한미간 연습 및 훈련이 실시될 때 한국을 방문하여 활동을 계속하고 있다.

246) Joseph S. Nye, *Understanding International Conflicts*, Fifth Edition(New York: Pearson Longman, 2005), pp. 85-93.

247) 국제법학자들은 6.25 전쟁 당시 UN에 병력을 파견한 국가들의 행

동은 UN의 규정된 절차에 따라 이루어진 것이 아니기 때문에 "UN 자체의 행동"으로 볼 수는 없으나, 그들이 공동행동을 취한 이유는 헌장 상 유효한 결의인 UN 안전보장이사회의 결의에 의한 것임으로 각 개 국가들의 단순한 집단적 자위권 행사라고 볼 수도 없다는 견해를 피력하고 있다. 자세한 내용은 민병길, "국제법상 한반도 정전체제의 종결에 관한 연구,"『국제법학회논총』, 제42권 제1호(1997) 참조.

248) 이상철,『한반도 정전체제』(서울: KIDA Press, 2012).

249) 박명림, "한반도 정전체제: 등장, 구조, 특성, 변환,"『한국과 국제정치』, 제22권 1호(2006), p. 5.

250) 통일부가 전문 연구자와 리서치 기관을 통해 탈북민 6300여 명을 10년간 1대1로 설문 조사한 결과다. 그동안 3급 비밀로 분류해오다가 이번에 처음으로 공개됐다.

251) 이승열, "정전체제와 평화체제: 60년의 남북관계," 2013년 북한연구학회 하계학술회의 발표문(2013), p. 38

252) 홍규덕, "정전협정 60주년의 의미와 평화체제 구축논의의 전제조건,"『전략연구』, 제60호(2013), p. 187.

253) "긴장의 군사분계선,"『국민일보』, 2014년 12월 27일 자.

254) 연평도 도발에 대해 유엔군사령부는 긴장 완화와 상호 정보교환 등을 위해 '유엔사-북한군 간 장성급회담' 개최를 북측에 제의하기도 하였다.

255) "'벨 유엔사령관 외신기자 회담 연설',"『조선일보』, 2007년 1월 18일 자.

256) "'유엔사 존립, 두 가지 걸림돌',"『조선일보』, 2007년 1월 21일 자.

257) 박휘락, "한반도 평화체제로서의 정전체제 분석과 강화 방안,"『군사논단』, 제77호(2014), p. 47.

258) Terence Roehrig, *From Deterrence to Engagement: The U.S. Defense Commitment to South Korea*(Lanham: Lexington Books, 2006).

259) 2005년 9월 19일 베이징에서 열린 6자회담에서는 "직접 관련 당사국들은 적절한 별도 포럼에서 한반도의 영구적 평화체제에 관한 협상을 가질 것"에 합의하였다.

260) 제성호, "한반도 안보환경하에서 정전협정의 역할과 미래관리체제,"『국방정책연구』, 제29권 제2호(2013), p. 18.

<제10장>

261) 본 장은 박민형·김강윤, "대북 군사전략 개념의 확장: 소진전략을 중심으로," 『국가전략』, 제24권 제2호(2018) 논문으로 일부 내용이 최신화 및 수정되었음을 밝힙니다.

262) "미군, 평창 올림픽 때 특수작전부대 파견...전쟁대비 훈련도." 『연합뉴스』, 2018년 1월 15일 자.

263) "軍, 북한 무인기 대응할 이스라엘제 레이더 도입 검토," 『경향신문』, 2014년 4월 9일 자.

264) "軍, 北무인기 3대 복원 성공.... 3-4kg 폭탄 못다는 조잡한 수준," 『연합뉴스』, 2016년 3월 20일 자.

265) 도입된 레이더가 북한위협 억제만을 위해서 사용되는 것은 아니지만 북한의 무인기 도입으로 인한 예산 사용으로 볼 수 있기 때문에 여기서는 예산 사용의 단순 비교를 실시하였다.

266) Maslach C. "The Client Role in Staff burn-out," *The Journal of Social Issues*, Vol. 34, No. 3(1978), p. 111.

267) Carl Von Clausewitz, *On War*(New Jersey: University of Princeton, 1989), p. 89.

268) 박창희, 『군사전략론』(서울: 플래닛미디어, 2013), p. 118

269) Arthur F. Lykke, *Military Strategy: Theory and Application* (Washington D.C.: NDU, 1982).

270) Colin S. Gray, *Strategy for Chaos: Revolutions in Military Affairs and the Evidence of History*(London: Frank Class, 2003), p. 6.

271) Arthur F. Lykke, *Military Strategy: Theory and Application* (Washington D.C.: NDU, 1982), p. 179.

272) Steven W. Hook, 이상현 역, 『강대국의 패러독스: 미국 외교정책』 (서울: 명인문화사, 2014), pp. 39-40.

273) 위의 책, p. 41.

274) George F. Kennann, "The Sources of Soviet Conduct," *Foreign Affairs*, Vol. 25(1947), pp. 566-582.

275) 박영선, "미국의 대공산권 수출통제정책: 對韓 협조요구의 意味," 『국제정치논총』, 제27권 제2호(1988), p. 99.

276) 전원하, "고르바초프의 신사고와 나토·바르샤바조약기구의 운명," 『역사비평』, 제12호(1990), pp. 153-154.

277) 김행복, "소련-아프가니스탄 전쟁의 역사와 교훈," 『군사』, 제44호 (2001), pp. 231-232.

278) Carl Von Clausewitz, *On War*(New Jersey: University of Princeton, 1989), p. 75.

279) 김태현, "냉전기 서독연방군의 심리전체계 연구," 『분쟁해결연구』, 제13권 제2호(2015), pp. 150-151.

280) 정상돈, "동독내 서독정보 유입의 과정과 방법," 『국방정책연구』, 제 33권 제4호(2017), pp. 64-65.

281) 이우승, "방송전파 월경에 따른 동서독 주민의 시청태도와 방송정책," 『한독사회과학논총』, 제16권 제2호(2006), p. 27.

282) Carl von Clausewitz, 류제승 역, 『전쟁론』(서울: 책세상, 2004), pp. 59-60.

<제11장>

283) 본 장은 박민형, "중국의 부상과 한국의 군사적 대응," 『국제정치논총』, 제52집 제1호(2012) 논문으로 일부 내용이 최신화 및 수정되었음을 밝힙니다.

284) 박창권, "미중관계의 변화전망과 한국의 대외 안보협력 방향," 『국방정책연구』, 제26권 제2호(2010), pp. 95-135.

285) 황재호, "한국의 대중 군사외교," 『국방정책연구』, 제75호(2007), pp. 71-94.

286) 김태호, "중국의 군사적 부상: 2000년 이후 전력증강 추이 및 지역적 함의," 『국방정책연구』, 제26권 제2호(2006), pp. 163-203.

287) 하상식, "중국의 대한반도 전략적 이해관계," 『전략연구』, 제51호 (2011), pp. 97-126.

288) Kongdan Oh and Ralph C. Hassi, "The North Korean Military as a Security Threat," *East Asia*(Summer 2003), p. 8.

289) 이종학, 『군사전략론』(대전: 충남대학교, 2009), p. 15.

290) 국방대학교, 『안보관계용어집』(서울: 국방대학교, 2000), p. 114.

291) 박영준, "일본의 군사전략," 『주변 4강 군사전략 비교』(서울: 국방대

학교, 2008), p. 64.

292) Carl von Clausewitz, *On War*(Princeton: Princeton University Press, 1976), p. 87.

293) Robert E. Osgood, *The Entangling Alliance*(Chicago: The University of Chicago Press, 1962), p. 5.

294) 온창일, 『전략론』(서울: 집문당, 2004), p. 46.

295) 합동참모본부, 『군사용어사전』(서울: 합동참모본부, 2009), p. 21.

296) 군사전략은 대상 기간에 따라 장기, 중기, 단기로 구분할 수 있으며, 무기체계를 기준으로 하였을 때는 핵전략과 재래식 군사력에 의한 전략, 규모에 따라서는 총력전과 제한전을 위한 전략 등으로 구분할 수 있다.

297) 당시 이집트는 수에즈운하 도하작전에 대해 성공적인 공세를 펼쳤음에도 불구하고 도하작전 이후 방어전략을 택하여 이스라엘이 군사력을 주로 시리아의 공세에 대해서만 집중시키도록 하여 전쟁비용을 줄일 수 있었다.

298) Barry R. Posen, *The Sources of Military Doctrine*(London: Cornell University Press, 1984), pp. 69-74. 물론, 강자의 경우도 전쟁을 예방하기 위한 목적으로 억제를 선택할 수 있다.

299) 리델하트의 이러한 구분은 전략가에 따라 다르게 평가할 수 있다. 즉, Andre Beufre는 리델하트의 직, 간접 접근전략을 모두 "직접전략"이라고 주장하기도 한다. 그러나 본 연구는 전략개념에 대한 논의는 생략하고 리델하트의 구분을 이용한다.

300) 박영준, "일본의 군사전략," 『주변 4강 군사전략 비교』(서울: 국방대학교, 2008), p. 68.

301) Stephen M. Walt, *The Origins of Alliance*(New York: Cornell University, 1990), p. 2.

302) John J. Mearsheimer, "China's Unpeaceful Rise," *Current History*, Vol. 105 No. 690(2006), pp. 160-162.

303) Bijian Zheng, "China's Peaceful Rise to Great-Power Status," *Foreign Affairs*, Vol. 105 No. 690(2006), pp. 153-159.

304) 시진핑 지도부가 강조하는 '새로운 질적 생산력(新質生產力)'은 '미래 생산성 향상을 촉진하기 위해 막대한 기술 투자를 동원하는 것'이다.

305) "흰 고양이건, 검은 고양이건 쥐만 잘 잡으면 그만이다"라는 뜻으로 중국의 경제 발전을 위해서 자본주의 경제체제건 공산주의 경

제체제건 상관없다는 주장을 말한다. 이러한 논리를 바탕으로 덩샤오핑은 중국 경제 발전을 위해 개혁 및 개방 정책을 시행하기에 이른다.

306) 중국의 개혁 및 개방에 대한 역사적 고찰은 송승엽, 『중국개혁, 개방 30년』(서울: 휴먼비전, 2008) 참조.

307) 박창희, "중국의 군사전략," 『주변 4강 군사전략 비교』(서울: 국방대학교, 2008), p. 121.

308) US DoD, "Military and Security Developments Involving the People's Republic of China 2010," A Report to Congress(2010), pp. 1-74.

309) 이동선, "미중 군사관계의 미래," 『전략연구』, 제51호(2011), pp. 169-175.

310) Y. C. Wang, "North Korea's Nuclear Armament and China's Strategic Dilemma," Strategic Studies, Vol. 16 No. 2(2009), pp. 50-80.

311) "구축함 만들겠다… 미 급한 불 떨어지자 벌어진 깜짝 결과," 『한국경제』, 2024년 6월 29일 자.

312) "레암 해군기지," 『서울경제』, 2024년 7월 16일 자.

313) "동북아 겨냥한 중국의 공군력 팽창…. 한국 안보불감증 심각," 『한국일보』, 2023년 7월 25일 자.

314) 백서는 전문은 2만 7천 자 분량으로 본문은 (1) 국제 안보 정세, (2) 신시대 중국의 방위적 국방정책, (3) 신시대 군대 사명 및 임무 이행, (4) 개혁 중인 중국 국방 및 군대, (5) 합리적이고 적정한 국방 지출, (6) 인류운명공동체 구축에 적극적인 이바지 등으로 구성되어 있다.

315) 박창희, "21세기 전략환경 변화와 중국의 군사전략화," 『중소연구』, 제32권 제3호(2008), pp. 56-57.

316) 황병무, 『신중국군사론』(서울: 법문사, 1995), pp. 114-115.

317) 강성학, 『카멜레온과 시지프스』(서울: 나남출판사, 1995), p. 303.

318) 1993년 5월 류후아칭 제독(중앙군사위원회 부주석)은 "국제적인 전략 정세와 국가 주변의 방어적인 환경에 대한 분석에 기초해 보면, 중국이 앞으로 한 세기 동안 전면전에 직면할 것 같지 않으며, 현재 국가안보에 대한 주요 위협은 제한 국부전이다"라고 언급하였다.

319) 박상훈, "중국군의 군사전략 변천과 현대화 추진 분석," 『군사평론』,

제407호(2010), pp. 57-58.

320) <https://stat.kita.net/stat/world/major/USStats05.screen> (검색일: 2024.7.27.)

321) 온창일, 『전략론』(서울: 집문당, 2004), p. 190.

322) 정욱식, 『한반도 평화, 새로운 시작을 위한 조건』(서울: 유리창, 2021).

323) 서재정, 『한미동맹은 영구화 하는가』(서울: 한울, 2009).

324) 강정구 외, 『전환기 한미관계의 새판짜기』(서울: 한울, 2005).

325) Paul Kennedy, *The Rise and Fall of the Great Powers*(New York: Random House, 1989).

326) Min Hyoung Park, "A Coopertive Security System in Northeast Asia," *The Journal of East Asian Affairs*, Vol. 25, No. 1(2011), pp. 85-114.

327) Kenneth N. Waltz, 박건영 역, 『국제정치이론』(서울: 사회평론, 2005).

<제12장>

328) 본 장은 박민형, "파병 50주년 시점에서 재평가한 베트남전쟁의 현대 전략적 함의," 『국방정책연구』, 제30권 제1호(2014) 논문으로 일부 내용이 최신화 및 수정되었음을 밝힙니다.

329) 국방부 군사편찬연구소, 『한미동맹 60년사』(서울: 군사편찬연구소, 2013), p. 92.

330) 위의 책, p. 105.

331) 베트남전쟁을 '인도차이나전쟁'으로 명명하기도 하는데 이는 프랑스로부터 독립하려던 베트남, 라오스, 캄보디아와 프랑스 간의 1946년부터 1954년까지 전쟁을 말하는데 이는 프랑스의 입장에서 세 국가와의 전쟁을 표현할 때 적당하다고 할 수 있으며 베트남 지역에서만의 전쟁을 의미할 때는 베트남전쟁으로 표현하는 것이 더욱더 타당하다고 할 수 있다.

332) 제4세대 전쟁에 대한 개념 논의는 제1장 참조.

333) 제4세대 전쟁에 대한 논의는 국내외적으로 이루어졌다. 그 대표적인 것이 제4세대 전쟁의 개념을 가장 먼저 제시한 Willam Lind라고 할 수 있는데 그는 몇 가지 요소를 바탕으로 전쟁을 1세대부터

4세대까지 분류하였다. 자세한 내용은 William Lind, "The Changing Face of War: Into the Fourth Generation," *Marine Corps Gazette*(1989) 참조. 국내연구로는 조한승, "4세대 전쟁의 이론과 실제: 분란전 평가를 중심으로,"『국제정치논총』, 제50집 1호(2010); 김재엽, "제4세대 전쟁: 미래전과 한국 안보에 대한 함의,"『신아세아』, 제17집 1호(2010); 이성만, "현대 비정규전 개념 범주에 관한 고찰,"『국방연구』, 제53권 3호(2010) 등이 있다.

334) Hammes, Thomas X. *The Sling and The Stone*(Minneapolis: Zenith Press, 2006), pp. 255-274.

335) 최용호,『베트남전쟁과 한국군』(서울: 군사편찬연구소, 2004), pp. 38-39.

336) 예를 들어 1930년 코민테른의 동남아 대표였던 호찌민에 의해 창설된 공산당의 경우 민족주의 운동 차원에서 민족해방을 추구한다는 목표를 지향하고 있었다.

337) 최용호, p. 36.

338) 국방부 군사편찬연구소,『베트남전쟁과 한국군』(서울: 국방부, 2004), p. 18.

339) 국방군사연구소,『월남파병과 국가발전』(서울: 국방군사연구소, 1996), p. 20.

340) 디엠 정권은 국방과 공공치안에 위협을 준다고 생각되는 모든 사람들을 수용소에 무기한으로 수감할 것을 명령하였는데, 이에 대한 주 대상은 남베트남에 남아 있는 혁명세력, 통일 선거를 요구하는 집단, 카톨릭 세력에 대항하는 종교집단 등이었다.

341) Louis J. Walinsky, *The Selected Paper of Wolf Ladejinsky Reform as Finished Business*(New York: Oxford University Press, 1977), pp. 227-230.

342) 남베트남 정부는 자신의 정권에 위협을 주는 세력들을 탄압하였는데 그들의 대부분은 항불전쟁에 참여한 후 남쪽에 남아 있던 세력과 제네바 협정에 근거하여 통일 선거를 요구하는 집단, 그리고 카톨릭 세력에 대항하는 종교세력들이었다.

343) 서상문 외,『동아시아 전쟁사 최근 연구 논문 전집』(서울: 국방부 군사편찬연구소, 2007), p. 55.

344) Harry G. Summers, 민평식 역,『미국의 월남전 분석』(서울: 병학사, 1985), p. 100.

345) 여기서 말하는 정치심리전은 공산주의의 정치선전전술을 의미한다.

346) 보 티엔 충 장군은 저자가 동석한 2012년 5월 16일 한·베트남 국방대 총장 회담에서 북베트남의 전쟁 승리 요인은 ① 나라를 지키려는 정신 ② 베트남 전 국민의 단결 ③ 국가를 위한 개인의 희생정신 ④ 주변국의 지원 등을 제시하였다.

347) 문영일, "베트남전쟁의 심리전 사례 분석,"『군사』, 제46호(2002), p. 104.

348) William J. Duiker, 정영목(역), 『호치민 평전』(서울: 푸른숲, 2003), pp. 78-79.

349) 위의 책, p. 399.

350) 보응엔지압은 1912년 출생하여 하노이 대학에서 법학박사 과정을 이수하고 1937년 공산당에 입당하였으며 1941년 연안으로 가서 마오쩌둥 전략을 연구하기도 하였다.

351) Vo Nguen Giap, 한기철(역), 『인민의 전쟁 인민의 군대』(서울: 백두, 1988), pp. 51-62.

352) Douglas Pike, *Vietcong: The Organization and Techniques of the National Liberation Front of South Vietnam*(New York: MIT Press, 1966), pp. 30-36.

353) Henery J. Kenny, *The American Role in Vietnam and East Asia between Two Revolution*(New York: Praeger, 1984), p. 33.

354) 베트남인들은 제1차 베트남전쟁을 항불인민해방전쟁(抗佛人民解放戰爭)이라 부른다.

355) 최용호, p. 47.

356) 국방군사연구소, p. 26.

357) 최용호, p. 50.

358) 최용호, p. 53.

359) 응웬 완조는 호치민에게 권력을 물려준 베트남의 마지막 왕조이다.

360) 국방군사연구소, p. 31.

361) 국방군사연구소, p. 58.

362) 디엔비엔푸는 하노이에서 서쪽으로 약 300Km 떨어져 있고 베트남, 라오스 국경으로부터 16Km 정도 떨어져 있는 산악으로 둘러싸인 분지이다.

363) 사람이 짊어질 수 있는 쌀의 무게는 15-25kg이었고, 이를 수십만 명의 노무자들이 야음을 이용해 이동시켰는데 이들이 1,000km를

이동하면서 소비하는 쌀을 감안했을 때 실제로 전장에 도착하는 쌀은 1인당 2kg 정도에 불과한 것으로 알려져 있다. 그러나 호찌민 군은 이러한 불가능에 가까운 보급방법을 이용해 디엔비엔푸 전투에서 승리하였다.

364) 유인선, 『새로 쓴 베트남 역사』(서울: 이산, 2002), p. 387.

365) 일례로 지엠의 동생 응오딘 뉴(Ngo Dinh Nhu)는 비밀경찰을 장악하고 있었고, 또 다른 동생은 후에(Hue)를 중심으로 한 중부지역에서 독자적인 권력을 형성하고 있었고, 그의 형은 가톨릭 대주교로 막후에서 영향력을 행사하고 있었다.

366) 최용호, p. 78.

367) VC의 군사조직은 준군사부대, 지방군, 주력군으로 편성되었는데, 준군사부대는 생활근거지에서 분대, 소대 규모로 편성하여 낮에는 생업에 종사하고 밤에는 암살, 테러 등을 자행하는 요원들이고, 지방군은 군(郡)에는 중대, 성(省)에는 대대 규모를 편성하여 행정구역 내에서 매복, 습격 등 군사활동을 하는 부대이며, 주력군은 대대, 연대, 사단 등으로 편성하여 행정구역에 구애받지 않고 비교적 큰 군사활동을 하는 부대이다.

368) William J. Duiker, pp. 745-746.

369) 위의 책, p. 769.

370) 북위 17도선 북쪽의 꽝빈(Quang Binh)성에서 시작해 베트남 중부의 험준한 라오스와 캄보디아 국경선의 쯔엉선(Truong Son) 산맥을 따라 라오스와 캄보디아 지역 내에 설치된 북베트남의 보급로를 말한다.

371) 류제현, 『월남전쟁』(서울: 한원, 1992), pp. 154-162.

372) 위의 책, p. 247.

373) 뗏은 음력 1월 1일로 베트남에서 가장 큰 명절이며 일가친척 등이 서로 방문하여 덕담을 나누는 풍습이 있다. 이에 따라 베트남 사람들은 뗏에 모두 휴가를 떠나는 것이 통상적인 일이다.

374) 당시 미국은 북폭 중지를 조건으로 북베트남의 양보를 요구했고 북베트남은 미국 폭격의 완전한 중지를 전제조건으로 내세웠다.

375) 국방부 군사편찬연구소, p. 32.

376) 미국의 주장은 당시 상황을 기초로 대안을 강구하는 것이었지만, 하노이 정부는 남베트남에서 모든 외국군의 철수와 불법단체로 간주했던 티에우 정부의 해체를 주장하였다.

377) 국방 군사연구소, p. 104.

378) 평화협정의 주요 내용은 미국 병력의 전면 철수, 전쟁포로 석방, 남북 베트남의 평화적 재통일 등이었다.

379) 몇몇 연구들은 베트남전에서의 북베트남의 승리에 대해 다른 견해를 보인다. 이러한 연구는 주로 미국 중심적 해석이라고 할 수 있는데 Harry G. Summers, *On Strategy: A Critical Analysis of the Vietnam War*(New York: Dell Publish Co., 1984); Bruce Palmer, *The Twenty-Five Year War: America's Military Role in Vietnam* (Lexington: University of Kentucky Press, 1984) 등이 대표적이다. 전쟁의 결과를 미국의 승리로 주장하는 경우도 있는데 당시 미군 총사령관이었던 웨스트모어랜드는 "80년대 들어서 사회적 압력에 의한 경제적 개방 정책의 출현과 전쟁 후 공산주의가 더 이상 확산되지 않고 환태평양 국가들이 누리는 자유는 곧 미국은 패배한 것이 아니라 궁극적으로 승리했음을 보여주는 증거"라고 주장하고 있다. 그러나 전쟁의 궁극적 목적이 정치적 목표를 달성하는 것이라는 일반적 이론에 입각하면 정치적 공산화와 통일을 달성한 북베트남이 전쟁에서 승리하였다고 판단하는 것이 더 합리적이라 할 것이다.

380) Ivan Arreguin-Toft, "How the Weak Win Wars: A Theory of asymmetric Conflict," *International Security*, Vol. 26, No. 1(2001), pp. 93-95.

381) I.A. Ognetov, "소련과 베트남전쟁," 『동아시아 전쟁사 최근 연구논문전집』(서울: 국방부 군사편찬연구소, 2007), p. 427.

<제13장>

382) 본 장은 박민형·박상혁, "쿠바 미사일 위기의 재고찰: 한국의 안보 전략적 함의," 『군사연구』, 제147집(2019) 논문으로 일부 내용이 최신화 및 수정되었음을 밝힙니다.

383) 1945년부터 1990년까지 전체 2,340주 중에서 지구상에 전쟁이 없었던 기간은 단 3주 밖에 없었다는 통계가 있을 정도로 국제사회에서 군사적 충돌의 가능성은 배제할 수 없다. 자세한 내용은 앨빈, 하이디 토플러, 김원호 역, 『전쟁과 반전쟁』(서울: 청림출판, 2011), p. 23 참조.

384) 존 미어샤이머는 만일 미국과 중국이 지상에서 군사적으로 충돌할 경우 그 지역은 한반도가 될 것이라고 예측하고 있다. 자세한 내용은 John J. Mearsheimer, *The Tragedy of Great Power*

Politics(New York: W. W. Norton & Company, Inc., 2014) 참조.

385) "쿠바 미사일 위기(Cuban Missile Crisis)"는 미국에서 가장 널리 통용되는 용어이지만 소련, 러시아에서는 "카리브해 위기(Caribbean Crisis)"로 쿠바에서는 "10월의 위기(October Crisis)"라는 용어로 사용한다. 본 장에서는 한국에서 통용되고 있는 "쿠바 미사일 위기"라는 표현으로 통일하여 사용하겠다.

386) 이근욱,『쿠바 미사일 위기: 냉전기간 가장 위험한 순간』(서강대학교 출판부, 2013). p. 60.

387) 통상적인 지정학적 접근으로 냉전을 들여다보면 소련의 대륙 중심 지정학 사상에 바탕을 둔 팽창정책과 미국의 해양중심 지정학 사상에 바탕을 둔 봉쇄정책의 대결로 해석하는 견해가 있다.

388) 국내외적으로 쿠바 미사일 위기에 대한 선행연구는 다양하다. 이는 외교전략, 위기관리전략, 정책결정과정, 외교사, 케네디와 흐루시초프의 개인적인 성향분석이 협상에 미치는 영향 등 다양한 시각을 조망한 것으로서 한가지 문제를 다층적인 측면에서 분석할 만큼 그 폭이 넓다. 관련한 연구는 하영일, "1962년 쿠바 미사일 위기에 대한 비판적 고찰,"『사회과학연구』, 제18권 제2호(2007); 안병진, "쿠바 미사일위기와 베를린 가설: 케네디의 개념틀에 대한 비판적 고찰을 중심으로,"『동향과 전망』, 제81호(2011); 김태현, "억지의 실패와 강압외교,"『국제정치논총』, 제52권 1호(2012); 손한별·김성우, "미 합참의 군사조언과 정책결정과정,"『군사(軍史)』, 제104호(2017) 등이 있다.

389) 정찬권,『21세기 포괄안보시대의 국가위기관리론』(서울: 대왕사, 2012), p. 31.

390) Charles F. Hermann, "Crisis" in Joel Krieger(ed.) *The Oxford Companion to Politics of the World*(New York: Oxford University Press, 1993), pp. 205-206.

391) 국가안보실,『대통령훈령 제342호 국가위기관리기본지침』(서울: 국가안보실, 2015), p. 12.

392) 합동참모본부,『합동·연합작전 군사용어사전』(서울: 합동참모본부, 2006), pp. 297-298.

393) 조영갑,『국가위기관리론』(서울: 선학사, 2006). pp. 26-27.

394) E. L. Quarantelle, *What is a Disaster?: perspectives on the question*(London: Routledge, 1998).

395) 서재호·정지범,『국가 위기관리 입법론 연구』(서울: 법문사, 2009), p. 23.

396) Jae-Eun Lee, "Comprehensive Security and Crisis & Emergency Management for Protecting Critical Infrastructure," *International Journal of Contents*, Vol. 5, No. 3(2009), p. 73.

397) 케네츠 보울딩은 갈등을 "여러 당사자가 장차 양립될 수 없는 (incompatible) 하나의 위치를 차지하기 위한 경쟁상태에 있는 것"이라고 정의한다. Kenneth E. Boulding, *Conflict and Defense: A General Theory*(New York: Harper & Brothers Inc., 1962), p. 5.

398) 국제위기에 대한 접근법은 매우 다양하다. 하지만 일반적으로 국제체제적 관점, 정책결정적 관점, 국가 간 적대적 상호작용 관점 등으로 나누어지는데 본 장에서는 앞서 언급하였듯이 정책결정과정에 초점을 맞추고 있다. 접근법에 대한 자세한 사항은 James M. McCormik, "International Crises: A Note on Definition," *The Western Political Quarterly*, Vol. 31, No. 3(1978) 참조.

399) Graham Allison and Phillip Zelikow, 김태현 역,『결정의 엣센스』(서울: 모음북스, 2005). 엘리슨은 1969년 최초 저서에서 합리적 정책모델(Rational Policy Model), 조직행태모델(Organizational Process Model), 관료정치 모델(Bureaucratic Politics Model)을 주장하였으나, 1999년 필립 젤리코와 공동저술을 통해 세 가지 모델의 명칭을 다음과 같이 변경하였다.

400) 김열수, "해외파병정책 결정의 변수와 협상전략,"『전략연구』, 제13권 제1호(2006).

401) 배종윤, "한국의 대북정책과 관료정치: 통일부와 국가정보원을 중심으로,"『한국정치학회보』, 제37권 제5호(2003), pp. 147-166.

402) 최종철, "관료정치와 외교정책," 김달중 편저,『외교정책의 이론과 이해』(서울: 오름, 1998).

403) 안문석, "북한 핵실험에 대한 한국의 대북정책 결정과정 분석: 관료정치모델의 적용,"『한국정치학회보』, 제42권 제1호(2008), pp. 207-226.

404) 장준갑, "케네디와 흐루시초프: 위기극복의 지도력,"『서양사학연구』, 제22집(2010), p. 215.

405) 조지 케넌(George F. Kennan)은 소련주재 미국 대사 대리로 1946년 2월 22일에 해리 트루먼 미 대통령에게 장문의 전보(Long Telegram)을 전송하여 소련의 공격적 성향을 경고하였다. 그는 프린스턴 대학에서 소련에 대한 연구를 집중적으로 공부하였고, 냉전기 미국의 대전략 형성에 커다란 영향을 끼친 봉쇄정책

(Containment)개념을 창시한 인물로 알려져 있다. 김정배, "냉전의 신화들: 스탈린의 연설, 케넌의 긴 전문, 처칠의 연설," 『부대사학』, 제23집(1999). p. 717.

406) Richard Kugler, *Commitment to Purpose: How Alliance Partnership Won the Cold War*(Santa Monica, RAND, 1993), p. 111의 내용을 이근욱, 『쿠바 미사일 위기: 냉전기간 가장 위험한 순간』(서강대학교 출판부, 2013). p. 67에서 재인용.

407) 당시, 미국이 가진 SLBM인 폴라리스 미사일(UGM-27 Polaris)는 사정거리 1,800km로 단일 탄두미사일이다. 이후 미국은 지속적으로 미사일을 개량하여 후기형은 2,800~4,600km의 사정거리를 가지게 되었다.

408) 제1차 베를린 위기는 1948년 1월부터 1949년 6월까지로 소련이 베를린을 봉쇄하여 서방측과 일체의 교통을 차단함으로써 유발되었으며 서방측은 이에 대응 차원에서 필요물자를 공수하였다. 결국, 1949년 5월 4일 미국·영국·프랑스·소련의 공동성명에 의해 봉쇄가 해제되었다. 제2차 베를린 위기는 1958년 11월부터 1961년 10월까지로 흐르시초프가 서방측에 대해 서베를린은 동독의 일부라고 주장하면서 유발되었고 이후 수많은 논의와 협상에서도 별다른 결과를 얻지 못했으며 결국 베를린 장벽을 구축하게 되었다.

409) 피그스만 침공을 위한 군사훈련은 미국을 비롯한 과테말라, 파나마 등에서 실시되었으며 과테말라에는 망명자 부대를 위한 비행훈련장도 건설되었다. 의용군은 Brigade 2506이라는 이름으로 훈련되어 상륙을 감행했으나 해안에서 고립됨과 동시에 미국이 이를 군사력으로 지원하지 않으면서 실패하였다. 전사 및 철수 인원을 제외한 1,200여 명이 포로로 붙잡혔고 1962년 12월 처형된 인원을 제외한 나머지는 5,300만 달러 상당의 구호물자와의 교환 조건으로 미국으로 추방되었다. 이근욱, p. 78 참조.

410) 몽구스 작전은 케네디 대통령의 동생인 법무장관 로버트 케네디가 주도하는 특별위원회(Special Group)에서 추진되었지만, 효과는 없었고 활동 사항도 미미한 수준이었다. 이근욱, 앞의 책. p. 79.

411) 1962년 9월 13일 기자회견을 통해 케네디는 소련이 쿠바에 대한 공격용 군사기지 보유를 시도하는 경우 미국은 자신 및 동맹국의 안전을 확보하기 위해 모든 조치를 취할 것이라고 강조했다. Ernest R. May and Phillip D. Zelikow, *The Kennedy Tapes: Inside the White House During the Cuban Missile Crisis*(Cambridge, MA: Harvard Unversity Press, 1997), p. 37.

412) Robert F. Kennedy, 박수민 옮김, 『13일(Thirteen Days): 쿠바 미

사일 위기 회고록」(서울: 열린 책들, 2012), p. 42.

413) 위의 책, p. 48.

414) 조영갑, pp. 228-230의 내용을 필자가 표로 재구성 하였음.

415) 당시 국방장관이었던 로버트 맥나마라(Robert S. McNamara)는 대
안이 봉쇄조치 쪽으로 기울어지고 대통령의 담화문이 준비되는 중
에 봉쇄(Blockade)는 국제법상 전쟁이 발발한 경우에 가능하기 때
문에 미국 정부가 공식적으로 사용해야 하는 용어는 이와 비슷한
의미이지만 호전적인 의미가 덜한 격리(Quarantine)를 연설문에 사
용하도록 건의했다. 그러나 본 장에서는 정확한 개념의 전달을 위
해 "격리"보다는 "봉쇄"로 단어를 통일하여 쓰도록 하겠다.

416) 당시 봉쇄를 직접 감독하고 있던 국방장관 맥나마라와 해군성 부
장관 로스웰 길패트릭은 해군 지휘관 조지 앤더슨 제독과 작전의
의미와 집행절차에 관해 많은 의견 충돌을 보였다. Dino A.
Brugioni, *Eyeball to Eyeball: The Inside Story of the Cuban
Missile Crisis*(NY: Random House, 1993), pp. 415-17.

417) 당시 봉쇄선을 선정하는데 있어서 소련의 IL(일류신)-28 폭격기의
작전 반경인 1250km를 고려 1280km(800마일)을 선정했으나 케
네디는 설사 미국 해군이 공격받을 가능성이 있다 하더라도 소련
이 생각할 시간이 필요하다고 지적하면서 봉쇄선을 800km(500마
일)로 설정하라고 지시했다. Ernest R. May and Phillip D.
Zelikow, *The Kennedy Tapes: Inside the White House During
the Cuban Missile Crisis*(Cambridge, MA: Harvard Unversity
Press, 1997), p. 328.

418) 이근욱, p. 225.

419) 조영갑, p. 247.

420) David L. Larson(ed.), *The Cuban Missile Crisis of 1962:
Selected Documents and Chronology*(MD: University Press of
America, 1986), p. 202.

421) 토마스 쉘링은 위기의 본질은 "예측 불가능성"이라고 주장하고 있
다. 자세한 내용은 Thomas C. Schelling, *Arms and
Influence*(New Heaven: Yale University Press, 2008), p. 97 참
조.

422) W. Timothy Coombs, *Ongoing Crisis Communication: Planning,
Managing, and Responding*(CA: SAGE Publications, Inc.,
2015), p. 3.

423) 억제(Deterrence)의 조건으로 3가지 조건이 충족되어야 하는데, 이

것은 신뢰성(Credibility), 의사소통(Communication), 능력 (Capability)으로 3C라고도 한다. 박창희, 『군사전략론』(플래닛미디어, 2013). p. 353.

424) 미국 국토안보부, 이응영 역, 『불확실한 미래를 향한 재난대비 가이드 국가위기관리시스템』(부산: 부산대출판부, 2012), p. 27; 이재은, 『위기관리학』(서울: 대영문화사, 2012), p. 272.

425) 이재은, p. 19.

426) Carl von Clausewitz, Michael Howard and Peter Paret, eds. and trans. *On War*(Princeton: Princeton University Press, 1984), p. 75.

<제14장>

427) 본 장은 박민형 외, "대규모 감염병 발생 시 국방의 역할," 『국방연구』, 제63권 제2호(2020) 논문으로 일부 내용이 최신화 및 수정되었음을 밝힙니다.

428) 이상훈, "우리 군의 재난위기관리 역할 확대방안," 『전략논단』, 제30호(2019), p. 44.

429) WHO의 국제공중보건비상사태는 첫째, 공중보건에 미치는 영향이 심각한 경우, 둘째, 사건이 이례적이거나 예상하지 못한 경우, 셋째, 국가간 전파 위험이 큰 경우, 넷째, 국제 무역이나 교통을 제한할 위험이 큰 경우 선포됨. WHO의 국제공중보건비상사태(PHEIC) 선포는 2009년 H1N1 바이러스, 2014년 서아프리카 Ebola 바이러스, 2014년 Polio 바이러스, 2016년 ZICA 바이러스, 2019년 민주콩고 Ebola 바이러스에 이어 2020년 COVID19 바이러스가 여섯 번째 임.

430) Paul R. Viotti and Mark V. Kauppi, *International Relations Theory: Realism, Pluralism, Globalism and Beyond*(Needham Heights: Allyn and Bacon, 1999), p. 493.

431) 부형욱·이강규, "안보위협의 진화와 우리군의 임무: 다재성을 가진 적응군 건설을 위한 시론적 논의," 『국방연구』, 제55권 제1호(2012), p. 68.

432) 생물테러감염병 또는 치명률이 높거나 집단 발생의 우려가 커서 발생 또는 유행 즉시 신고하여야 하고, 음압격리와 같은 높은 수준의 격리가 필요한 감염병이다(감염병 예방 및 관리에 관한 법률

제2조).

433) 중앙방역대책본부, 『코로나바이러스감염증-19 대응지침(지자체용)』 (서울: 중앙방역대책본부, 2020).

434) 보건복지부 질병관리본부, "WHO, 대한민국 공중보건위기 대응역량 우수하다고 평가"(2017).

435) 질병관리본부, 『2018 질병관리본부 백서』(청주: 질병관리본부, 2019). p. 29.

436) COVID-19의 CO는 Corona, VI는 Virus, D는 Disease, 19는 2019년을 의미함

437) 환자의 주민등록번호와 이름을 이용해 건강보험 자격을 온라인을 통해 실시간으로 확인할 수 있도록 하는 체계

438) 최은경, "감염자 계속 증가하는데, '질병 수사' 역학조사관 130명 뿐," 『중앙일보』, 2020년 2월 3일자.

439) 배재현·김은진, "신종 코로나바이러스 대응체계 현황과 향후 과제," 『이슈와 논점』, 제1656호(2019).

440) 김열수·김경규, "미래 비전통적 안보위협과 지상군의 역할," 『전략연구』, 통권 제67권(2015), p. 155.

441) 전용국·김원대, "포괄안보 개념하 군(軍)의 국가 재난안전관리 역할 강화방안 연구," 『국방정책연구』, 제32권 제2호(2016), p. 126.

442) 국방부, 『2018 국방백서』(서울: 국방부, 2019), p. 63

443) 국방부 훈령에 의거 일반재난구조부대는 16개 부대, 탐색구조 19개 부대, 전문재난 구조 3개 부대 등이다.

444) 이상훈, "우리 군의 재난위기관리 역할 확대방안," 『전략논단』, 제30호(2019), p. 64.

445) 2019년 1월 1일부로 국방부 정식 조직으로 인가되었으며 "군 간호훈련 시뮬레이션센터"로 변경되었다.

446) "전염병 유입과 전파를 철저히 차단하기 위한 방역사업 더욱 심화," 『조선중앙통신』, 2020년 3월 27일 자.

447) "美, 북한 선덕비행장에 이동식발사대 전개 정황 포착," 『동아일보』, 2020년 4월 25일 자.

448) "With Coronavirus, North Korea's Isolation is a possible Buffer, But also a Worry," The Washington Post (2020. 3. 4).

449) "북한군도 발칵... 코로나19 의심 사망 200명 육박," 『Daily NK』, 2020년 3월 6일 자.

450) "북한 코로나19 사망자수 267명 주장 나와," 『파이낸셜 뉴스』, 2020년 4월 26일 자.

451) WHO일일 상황보고에 따르면 북한과 접경한 랴오닝 성과 지린성에서 2월 1일 각각 60명과 17명의 확진자가 보고되었음. 3월 3일 국회정보위에서 국가정보원 보고에 따르면 북한에서 격리된 인원은 7-8천명으로 추정되며, 이 가운데 10%만 확진로 판명되어도 700-800명의 확진자로 분류될 수 있음.

452) "Global Health Security Index," <https://www.ghsindex.org> (검색일: 2020.4.27).

453) "유엔, 북한 내 코로나19 상황 적극 관여," Radio Free Asia, 2020년 3월 31일 자.